* समर्पण *

बुद्ध की तरह सत्य सेवार्थ
एक रात आत्म अनुसंधानार्थ
घर छोड़कर भाग आया था।
भटकता अटकता आवारा मसीहा
दूसरों के हित के लिए कैसे जीया।
घूंट-घूंटकर आँसुओं को पीया।
दिल्ली स्टेशन फुटपाथों पर सोता
गरीब लावारिस बेबश लोगों के लिए
प्रतिपल रात-रात भर रोता।
सर्वे भवन्तु सुखिनः सर्वे सन्तु निरामया
अर्न्तरमन में सुन्दर सम्पुष्ट बीज बोता।
बिना सामर्थ्य साधन के क्या होता
वही होता जो मंजूरे खुदा होता।
बापू के समाधि पर भी हो आया था।
परन्तु गाँधी जीवन प्रदर्शनी में
दुःख पराई जाने रे की रोशनी में
सर्जक चिन्तन आत्म मंथन का ज्ञान
स्व जीवन का समाधान पाया था।
मन था अत्यन्त संवेदनशील तन कर्मशील
बापू के सपनों के रूप में संभाव्य लक्ष्य गया था मिल
बापू ने सपना देखा था न हो कोई रोगी न दुःखारी भिखारी।
गाँधी के सपनों में खोया था।
पता नहीं जागा था या सोया था
गालों पे अश्क ढलक दे रहे थे।
अर्न्तमन के आइने में बापू के अक्श झलक रहे थे।
सोचकर सोचा कि बापू ने राष्ट्रहितार्थ क्या सोचा है।
कथित अनुयायियों ने राष्ट्र को नोचा ही नोचा है
उनकी राष्ट्र भक्ति एवं सेवा में लोचा ही लोचा है।
कैसे है ये बापू के अन्यायी भक्त और पुजारी
फैला रहे भूख, भ्रष्टाचार, भय, लाचारी की महामारी
देख मेरी मनोदशा एक लड़की मेरे पास आयी
पूछा क्यों खड़ा रो रहा है मेरे भाई
जान मेरी मनोदशा उसने रास्ता दिखाया।
सामने गाँधी जी सदृश जौहर जी को पाया
जगदीश चन्द्र जौहर थे लेखक, कवि और समीक्षक
गाँधी दर्शन एवं प्राकृतिक चिकित्सा के प्रचारक व साधक
'ग्राम्य जीवन' एवं 'स्वस्थ जीवन' के थे सम्पादक
बन गये मेरे दिशा निर्देशक और परीक्षक
प्रेम, सेवा, समर्पण, निष्ठा के संवाहक
ऊर्जस्वी ओजस्वी तेजस्वी जीवन के महानायक
जौहर जी को प्रस्तुत पुस्तक अर्पित है समर्पित है।

* आमुख *

डॉ. नीरज द्वारा लिखित **मेरा आहार मेरा स्वास्थ्य** का तृतीय भाग का संशोधित नवीन संस्करण पाठकों के लिए उपलब्ध हो चुका है। यह विशेष प्रसन्नता की बात है। डॉ. नीरज जिस निष्ठा तथा लगन के साथ प्राकृतिक चिकित्सा के साथ-साथ अध्ययन तथा शोधकार्य में लगे हैं, वह अति सराहनीय एवं स्तुत्य है।

जैसा खाओ अन्न वैसा बने मन। आहार का शरीर और मन के स्वास्थ्य से निकट का सम्बन्ध है। भगवत्गीता में सात्विक, राजस और तामस आहार की बात कही गई है। आध्यात्मिक साधना में आहार का एक विशेष स्थान है। सात्विक आहार नियमपूर्वक और संयम के साथ लेना साधक के लिए आवश्यक माना गया है। आम आदमी भी स्वास्थ्य की रक्षा चाहता है तो क्या खाना, कितना खाना, कब खाना आदि बातों पर उसे ध्यान देना ही होगा। आज हम देख रहे हैं कि बहुत सारी बीमारियों की जड़ है गलत आहार। बीमारियों के इलाज के लिए हजारों रुपया खर्च करने वाले अगर अपने आहार की ओर देखेंगे तो उन्हें पता चलेगा कि वे बीमारी के लिए स्वयं जिम्मेदार हैं।

संत विनोबा जी कहा करते थे कि वर्णमाला में ''य'' के बाद ''र'' आता है। हमें योगी बनना चाहिए, अगर नहीं बनेंगे तो रोगी बनेंगे। समत्वम् योगमुच्यते—योग यानि समत्व। आहार-विहार में, यानि हर क्रिया में समत्व। यह सध जाये तो फिर रोग हमारे पास आने की हिम्मत नहीं करेंगे। स्वास्थ्य की रक्षा आज एक गम्भीर समस्या बन गई है। मनुष्य प्रकृति के साथ जीये तो रोग के रूप में आने वाली विकृति से वह दूर रहेगा। प्रस्तुत पुस्तक में एक-एक आहार सामग्री की रोग-प्रतिरोधक एवं निवारण क्षमता की आयुर्वेज्ञानिक व्याख्या की गई है, जो शोध व अनुभवगम्य है।

प्रकृति के साथ जीने का विज्ञान हर व्यक्ति के पास पहुँचाने का सुन्दर कार्य अपने शोध कार्यों के प्रकाशन द्वारा डॉ. नीरज कर रहे हैं। उनकी इस पुस्तक के द्वारा आहार के बारे में आवश्यक वैज्ञानिक जानकारी पाठकों के पास पहुँचेगी। इस कार्य के लिए मेरी समस्त हार्दिक शुभकामनाएँ एवं धन्यवाद।

—सुश्री निर्मला देशपाण्डे

''अध्यक्ष'', अखिल भारतीय प्राकृतिक चिकित्सा परिषद्, दिल्ली
हरिजन सेवक संघ व अखिल भारत रचनात्मक समाज, गाँधी आश्रम,
किंग्सवे कैम्प, दिल्ली-110 009

✳ कस्तूरी कुण्डल बसे.... ✳

विवेक का आदर करते हुए आहार का सम्यक् प्रयोग किया जाये तो बिरले ही कोई बीमार होगा। शरीर की आवश्यकता अनुसार अन्तर्चेतना की माँग पर भोजन की मात्रा तथा समय निर्धारित करें। आहार का प्रयोजन स्वास्थ्य सुरक्षा एवं पोषण है। स्वाद की वासना के वशीभूत होकर निरन्तर गलत आहार लेना बीमारी एवं मौत को आमन्त्रण देना है। बीमार होने पर चिकित्सकीय एवं जैव आहार का उपयोग कर स्वस्थ हों तथा पुनः बीमार नहीं होने का संकल्प लेना चाहिए। यही है विवेक का जागरण।

सदैव स्मरण रखें कि हर रोग का सम्बन्ध गलत आहार–विहार एवं विचार से है। स्वास्थ्य आपके अन्दर है। यदि बाहर से स्वास्थ्य मिलता तो धनवान एवं औषध व्यापार में संलग्न लोग सर्वाधिक स्वस्थ होते, परन्तु वे सबसे ज्यादा रुग्ण एवं विक्षिप्त हैं। जवानी एवं स्वास्थ्य के सौदागर नीम हकीम, यौन विशेषज्ञों का जाल देश में इस तरह फैला हुआ है कि प्रशासन भी उनके सामने घुटने टेके हुए है। कथित ताकत की दवाइयों तथा अन्य औषधियों के कुटिल व्यापार में संलग्न, शादी से पहले एवं बाद में ताकत का खजाना बाँटने वाले नीम हकीम, स्वास्थ्य के ठेकेदार चिकित्सक आम आदमी के आर्थिक एवं स्वास्थ्य का शोषण कर रहे हैं। अज्ञानता के कारण हम शोषित हो रहे हैं। सेक्स, स्वास्थ्य, शक्ति एवं सौन्दर्य, कथित यौन विशेषज्ञों के अफीम मिश्रित औषधियाँ में नहीं है, बल्कि वह आपके अन्दर है। पत्थर से ढके झरने के शुद्ध सलील जल से वंचित उसी पर बैठे आप प्यासे मरे जा रहे हैं। तृप्ति के लिए मात्र पत्थर हटाना है। स्वास्थ्य आपके अन्दर है, उसे सम्वर्द्धित एवं सुरक्षित करने का गुण आपके आस–पास होने वाले विभिन्न प्रकार के ताजे फल एवं सब्जियों में है। प्रस्तुत पुस्तक में इसी सत्य को आयुर्वैज्ञानिक एवं आयुर्वेदिक दृष्टिकोण से उद्घाटित किया गया है। पुस्तक को सिर्फ पढ़िये ही नहीं महसूस कीजिए।

अन्तर्राष्ट्रीय ख्यातिप्राप्त, सामाजिक कार्यकर्त्री, पूज्य बापू एवं विनोबा की विरासत एवं उनके रचनात्मक कार्यों को साकार रूप प्रदान करने वाली सुश्री निर्मला देशपाण्डे ने अपने अत्यन्त व्यस्ततम समय में से कुछ समय निकाल कर इन पुस्तकों का अवलोकन किया तथा प्रेरणा के दो शब्द लिख कर मुझे प्रोत्साहित किया है। इसके लिए मैं उनका हृदय से आभारी हूँ।

1988 में नागपुर में सम्पन्न 21वें अखिल भारतीय प्राकृतिक चिकित्सा के महाधिवेशन में प्रस्तुत पुस्तक के तीनों भागों का विमोचन केन्द्रीय स्वास्थ्य मन्त्री, मोतीलाल वोरा ने किया। प्राकृतिक चिकित्सा के पाठकों ने जिस उत्साह के साथ इन पुस्तकों का स्वागत किया है, उसके लिए मैं उन जागरूक पाठकों का अभिनन्दन करता हूँ।

—लेखक

❋ प्रस्तुत संस्करण के सन्दर्भ में ❋

मेरा आहार मेरा स्वास्थ्य के **तीनों भाग** के प्रथम संस्करण का विमोचन अक्टूबर, 1988 नागपुर में 21वें अखिल भारतीय प्राकृतिक चिकित्सा सम्मेलन में तत्कालीन केन्द्रीय स्वास्थ्य मंत्री श्री मोतीलाल वोरा द्वारा हुआ था। डेढ़ वर्ष में ही तीनों भाग की 6,000 प्रतियाँ बिना व्यावसायिक अनुभव के, हाथों हाथ बिक जाना सुखद आश्चर्य प्रदान करता है। इनकी लोकप्रियता पुस्तक की जनोपयोगिता को सिद्ध करती है। 15 साल के पश्चात् इसका पुनर्जन्म हुआ है। नये अनुभव ज्ञान ध्यान एवं अनुसंधान के साथ संशोधित परिवर्धित संस्करण आपके समक्ष है।

विज्ञान सार्वभौम होता है। 'विज्ञान', जन कल्याण के लिए है। वैज्ञानिक शोधों को प्रयोगशालाओं तथा पुस्तकालयों से उठाकर जन साधारण तक ले जाना ही हमारा प्राथमिक लक्ष्य है। अब तक हमने जो भी पुस्तकें लिखी हैं उनका उद्देश्य मात्र यही रहा है। प्रस्तुत पुस्तक द्वारा आहार के क्षेत्र में अब तक किये गये समस्त खोजों को विश्व के समस्त प्रयोगशालाओं से उठाकर रोगियों पर अनुभवात्मक एवं अनुसंधानात्मक ज्ञान से प्राप्त सारे सार निष्कर्ष आपके सामने प्रस्तुत करने का साहस किया है। विज्ञान और भगवान, धर्म एवं ज्ञान, सेवा और ध्यान, परमात्मा एवं पदार्थ, भौतिक एवं अध्यात्म दोनों ही सत्य हैं। किसी को नकारा नहीं जा सकता है। इन दोनों के मध्य समन्वय का नाम ही विकास है। मनुष्य भी तो इन दोनों का गठजोड़ है। परन्तु आज सिर्फ भौतिकता के लाभार्थ होड़ है। देही का अस्तित्व देह के कारण है। अशरीरी का बोध शरीर से ही हो सकता है। देही देह में रहकर भी देहातीत दिव्य चिन्मय चैतन्य है। परन्तु चैतन्य को प्रकाशित एवं उद्घाटित होने के लिए देह की जरूरत हैं और देह का निर्माण हुआ है रस रक्त मांस मज्जा मेंद अस्थि, वीर्य तथा ओज से।

इन अष्ठ धातुओं का निर्माण आहार से ही होता है। अतः समस्त प्राणियों का सृजन आहार से ही होता है। भगवान श्री कृष्ण ने गीता अध्याय तीन श्लोक 14 में कहा है कि, *अन्नाद् भवन्ति भूतानि।* आहार से ही समस्त प्राणियों का जन्म होता है। अकाट्य सत्य है। *अन्नं मृत्यु ऽमृत जीवातु माहु।* अर्थात् सही परिमित एवं सम्यक आहार अमृत का काम करता है दीर्घ जीवन एवं स्वास्थ्य प्रदान करता है तथा गलत अपरिमित असम्यक आहार साक्षात मौत का देवता यमराज बन जाता है। *अन्न वै ब्रह्म रसौ वै सः* अर्थात् आहार ही सृजन का देवता ब्रह्मा जी है तथा रस भी वही हैं। आहार पवित्र होने से मन, बुद्धि, स्मृति सभी पवित्र हो जाते हैं। छादोग्योपनिषद का यही कहना है, *आहार शुद्धौ सत्त्व शुद्धि सत्त्व शुद्धौ ध्रुवा स्मृति* इस सत्य को तैतरीय उपनिषद् ने इस प्रकार से व्यक्त किया है।

अन्नंब्रह्मोति व्यंजनाता अन्नाद्ध्येव खल्विमानि भूतानि जायन्ते। अन्नेन जातानि जीवन्ति।

अन्न ही ब्रह्म है, अन्न से ही प्राणी उत्पन्न होते हैं तथा अन्न से ही जीवित रहते हैं। यही कारण है कि आहार की महिमा वेदों, उपनिषदों, ब्राह्मणों, दर्शनों, रामायण, महाभारत, पुराणों आयुर्वेद, ब्रह्मसूत्र आदि समस्त भारतीय वागमय में अरण्यवासी दिव्य ऋषियों ने गायी है तथा ऋषिकृषि द्वारा उस आहार के प्राप्ति के उपाय बताये हैं। आहार को सही और ऊर्जावान बनाने से ही हम सही ऊर्जावान एवं स्वस्थ बन सकते हैं।

कर्म अकर्म, आसक्ति रहित कर्मादि का प्रयोगशाला है—शरीर। भौतिक सुख सुविधाओं का उपभोग करने का साधन है—शरीर। आधुनिक भोग विलास में जीवन को सम्यक साक्षी एवं संतुलन साधने का जैविक यंत्र है—शरीर। बिना शरीर के इन प्रयोगों को कैसे कर सकते हैं। अतः शरीर को स्वस्थ रखना प्राथमिक कर्तव्य है। शरीर को स्वस्थ एवं विविध रोगों से मुक्त होने के लिए आहार का चुनाव तथा उनके सम्बन्ध में जानकारी अति आवश्यक है, इस समस्या का समाधान प्रस्तुत पुस्तक में है। विज्ञान की कसौटी पर कसकर प्राचीन एवं अर्वाचीन आहारों के गुणों का विशद विवेचन करते हुए स्वास्थ्य संरक्षण एवं स्वास्थ्य सम्वर्द्धन एवं रोग निवारण की दृष्टि से दुनिया में उपलब्ध मुख्य आहारों की वैज्ञानिक विश्लेषण प्रयोग अनुभव अनुसंधान, अनुशीलन का सरलीकरण कर आपके हाथों में सौंप रहा हूँ। आपके अनमोल सुझाव की आशा में आपके दिव्य स्वास्थ्य, सुख, शान्ति, समृद्धि सौभाग्य की मंगल कामना करता हूँ।

प्रिय पाठकवृन्द! आपका स्नेहिल सान्निध्य ही मेरी लेखनी को गरिमा, अर्थवत्ता एवं सार्थकता प्रदान करती है। यह कड़ी टूटे नहीं, आपका स्नेह, पावन प्रेम तथा आरोग्य मैत्री भाव बना रहे। इसी मंगलमय आशा के साथ।

विनीत कल्याण मित्र

डॉ. नागेन्द्र नीरज

❋ लेखक का विनम्र आदेश–निर्देश ❋

अक्टूबर, 2008 में खेल गाँव आगरा में 5 दिवसीय मेरा कैम्प था। सैकड़ों लोगों ने लाभ उठाया। कैम्प आशातीत सफल रहा। कैम्प के दरम्यान आगरा के विख्यात सेन्ट पीटर्स कॉलेज के प्रख्यात प्राचार्य फादर फरेरा से मिलना हुआ। यह आत्मीय मिलन कृष्ण सुदामा, राम–भरत जैसा था, जैसे बरसों से प्यास थी, आश थी मिलने की। इस हार्दिक मिलन की वजह प्रस्तुत पुस्तक 'मेरा आहार मेरा स्वास्थ्य' ही रहा। पहले से हम परिचित नहीं थे। प्रस्तुत पुस्तक 2003 से अनुपलब्ध थी, पुनः प्रकाशन हेतु इसकी प्रूफ रीडिंग हेतु 2005 में ही मेरे पास आ गयी थी, किन्तु लापरवाही, प्रमाद व्यस्तता एवं किंचित अव्यवस्था के कारण मेरे पास 5 साल तक प्रूफ रीडिंग हेतु पड़ी रही। आगरा में फादर फरेरा ने अपना अनुभव सुनाया तो मैं इस अनुपम कृति की महत्ता से हर्षित हो उठा और कैम्प पूरे होने के बाद मैं दिल्ली लौटा। दिल्ली बालाजी निरोग धाम जहाँ चिकित्सक निदेशक एवं प्रभारी था, रोगियों के निदान एवं चिकित्सा व्यवस्था के साथ दिन–रात एक कर पुस्तक के पुनः संशोधन एवं सम्वर्द्धन में लग गया। 2008 से 2010 तक इस कार्य को पूरा करके प्रकाशक को मैंने दिया। प्रकाशक श्री प्रकाश अग्रवाल एवं श्री अमित अग्रवाल का विशेष आभारी हूँ कि इतने कम समय में इतनी बड़ी पुस्तक को प्रकाशित कर प्रिय पाठकों के स्वास्थ्यायर्थ हेतु प्रस्तुत कर दिया है। फादर फरेरा का अनुभव मेरे लिए प्रेरणा कैसे बना पाठकों को जानना अति आवश्यक है ताकि पाठक पुस्तक को गहराई से पढ़कर परिपूर्ण रूप से लाभ उठायें।

फादर फरेरा ने बताया कि हमारे संस्थान में हजारों विद्यार्थी पढ़ते हैं, उनमें कई विद्यार्थियों का असाध्य चर्मरोग एवं अन्य कई रोगों से ग्रस्त थे, उनकी चिकित्सा आपके पुस्तक में दी गयी अनुभूत आयुर्वैज्ञानिक प्रयोगों द्वारा हमने की और हर रोग में हमें सफलता मिली। फादर फरेरा बरसों पहले मेरे से मिलने हेतु बस्सी जहाँ मैं 1994-97 तक कार्यरत तथा मिलने के लिए गये थे किन्तु संयोग वश मिलना नहीं हुआ, वहीं से वह पुस्तक लेकर आये थे। आगरा प्रवास के दौरान में प्राचार्य फरेरा ने अपने संस्थान में मेरा व्याख्यान रखा, अभिनन्दन किया। उक्त क्रिश्चन शिक्षण संस्थान में योग एवं प्राकृतिक चिकित्सा का सुन्दर समन्वय देखने को मिला। श्री फरेरा जी एक विशाल योग साधना हाल बनवा रहे थे और उनकी हार्दिक तमन्ना थी कि इसका उद्घाटन आप करें।

प्रस्तुत पुस्तक की सफलता का दूसरा उदाहरण प्राकृतिक चिकित्सा की प्रबल समर्थक राजस्थान की एम.एल.ए. श्री प्रतिभा सिंह के एक पारिवारिक सदस्य का ब्रेन हेमरेज हो गया था, बम्बई के अस्पताल में इलाज चल रहा था, इस पुस्तक के आधार पर श्रीमती प्रतिभा जी ने उपचार दिया चमत्कारिक लाभ हुआ कोलकत्ता के 90 वर्षीय श्री जे.एस. मेहता, मुम्बई की डॉ. रचना तथा अन्य सैकड़ों साधकों ने तो बार–बार फोन से याद दिलाते रहे हैं कि यह बहुपयोगी पुस्तक कब आ रही है, ऐसे हजारों दुसाध्य असाध्य रोगियों ने इस अनुभव एवं अनुसंधान समृद्ध पुस्तक से स्वास्थ्य लाभ लिया है, और उन्हीं की सद्प्रेरणा एवं आशीष है कि यह पुनः परिवर्द्धित संशोधित सम्वर्द्धित पुस्तक आपके हाथों में है। स्वास्थ्य साधकों! जिन्होंने प्रस्तुत पुस्तक से लाभ उठाकर मेरे लिए प्रेरणा के स्रोत बने हैं, उन्हें लाख–लाख हार्दिक धन्यवाद बधाई, वन्दन नमन एवं अभिनन्दन।

अंगूर से व अनारादि अभिजात्य वर्ग के आहार माने जाते हैं, इनका लाभ तो है ही, परन्तु परित्यक्त कद्दू आदि सर्वहारा सब्जी तथा फल कितने फायदेमन्द होते हैं। अनुसंधान एवं अनुभव के आधार पर इनकी सविस्तार जानकारी दी गयी है। जिन्होंने आपको स्वास्थ्य दिया है आपका सृजन किया है—अन्नाद् भवन्ति भूतानि उनसे आप परिचित हो इसीलिए यह पुस्तक आपके हाथ में है। जिस प्रकार सारा ब्रह्माण्ड त्रिगुणात्मक है वात, पित्त, कफ; ब्रह्मा, विष्णु, महेश; इंडा, पिंगल, सुष्मणा; और आकाश, पाताल, पृथ्वी आदि–अनादि उसी प्रकार यह पुस्तक भी त्रिगुणात्मक है प्रथम, द्वितीय एवं तृतीय भाग एक के बिना दूसरा और दूसरे के बिना तीसरा यानि एक दूजे के बिना अधूरे हैं। आहार के सम्बन्ध में किये गये वैश्विक अनुसंधान एवं अनुभव को समग्ररूप से जानने के लिए तीनों भाग को अवश्य पढ़ें। आप अपने विचारों से हमें अवश्य अवगत करायेंगे। इसी आशा के साथ आपके दिव्य स्वास्थ्य सुख शान्ति सौभाग्य, शील समता एवं समृद्धि की मंगल कामना करता हूँ।

❊ माँ सीता स्मृति प्रकाशन माला एवं व्याख्यान माला ❊

पर–पीड़ा के आँसुओं से जिनका हृदय सिहर उठता था, दूसरों के दुःख को मिटाने के लिए अपने को मिटा डालने वाली माँ सीता का देहावसान अल्पायु में ही हो गया। समर्पण, सेवा, त्याग एवं प्रेम की प्रतिमूर्ति, प्रेमपञ्ज, परम पूज्य माँ सीता की स्मृति में प्रकाशन माला एवं व्याख्यान माला प्रारम्भ की गई है जिसकी ज्योति सतत प्रज्वलित है।

मुख्य लक्ष्य एवं उद्देश्य

☞ रोग या स्वास्थ्य निजी चुनाव एवं स्वतंत्रता है। अज्ञानता का प्रतिफल रोग है। इससे मुक्ति का उपाय प्राकृतिक चिकित्सा ही है। इस सत्य को सार्वभौम बनाना।

☞ प्राकृतिक चिकित्सा की वैज्ञानिकता को जनगण तक ले जाकर राष्ट्रीय स्वास्थ्य संरक्षण, सम्वर्द्धन एवं समुन्नत करना।

☞ स्वास्थ्य चेतना जागृति आन्दोलन को व्यापक बनाने के लिए प्रयोग व अनुभवों से समृद्ध आयुर्वैज्ञानिक पुस्तकों व लेखों का प्रणयन, टी.वी., रेडियो, दैनिक अखबारों द्वारा आलेख लेखों का प्रसारण, विभिन्न राष्ट्रीय, अन्तर्राष्ट्रीय क्लबों एवं संस्थाओं के सौजन्य से व्याख्यान माला, सभा–सम्मेलन एवं संगोष्ठियों का आयोजन एवं स्वास्थ्य सम्बन्धित प्रखर विचारों का प्रकाशन करना।

उपर्युक्त उद्देश्यों की पूर्ति हेतु अब तक अनेक पुस्तकों, सैंकड़ों आयुर्वेज्ञानिक लेखों व लघु पुस्तिकाओं का प्रकाशन तथा विभिन्न मीडिया के सहयोग से प्रसारण, संगोठी–सम्मेलनों एवं व्याख्यान माला के आयोजन कार्यक्रम निर्बाध गति से चल रहे हैं। इस प्रकाशन माला हेतु किसी प्रकार का आर्थिक दान स्वीकृत नहीं होता है। प्रकाशन माला के पुष्पों को जन–जन तक पहुँचाकर स्वास्थ्य सौरभ से सारे जग को सुरभित कर सहयोगी बनें। मात्र यही आपका शुभ एवं मंगल प्रतिदान हम चाहते हैं। आपका कल्याण हो—भला हो—स्वस्थ हों।

—प्रकाशक

अनुक्रमणिका

कहाँ तुझे ढूँढूँ रे ..... मैं हूँ आपके हाथ में

क्र.सं.		पृष्ठ सं.

आमुख iv
कस्तूरी कुण्डल बसे... v
प्रस्तुत संस्करण के सन्दर्भ में vi
लेखक का विनम्र आदेश-निर्देश vii
प्रकाशकीय viii

1. फल वाली सब्जियाँ 1

लौकी	3	घीया तोरई	13
तोरई	4	छोटी तोरई	13
ककड़ी	5	ककोड़ा या खेखसी	14
खीरा	7	चिचिंडा	14
पेठा	8	कचरी	15
कद्दू	9	करेला	15
टिण्डा	11	बैंगन	17
कुन्दरू	11	भिण्डी	19
परवल	12		

2. कन्द-मूल वाली सब्जियाँ 23

चुकन्दर	23	अरबी	47
शलगम	26	सुरन	48
मूली	28	प्याज	49
गाजर	30	लहसुन	54
आलू	39	अदरक	62
शकरकन्द	45	हल्दी	65

3. पत्ते वाली सब्जियाँ 73

बथुआ	74	चने का शाक	85
पालक	75	सोया का शाक	86
चौलाई	81	मटर का शाक	86
पोई का साग	83	पटुआ का शाक	87
मेथी का शाक	83	सलाद का पत्ता	87
लोणा का शाक	84	पटसन का शाक	89
सरसों का शाक	84	ब्रोकोली	90
चूका का शाक	85	पत्तागोभी	93

4. फल वाली या बीज वाली सब्जियाँ **102**

सेम 102   चौलाई की फली 105

सहजना की फली 103   मटर 106

ग्वार की फली 104

5. फूल वाली सब्जियाँ **109**

फूलगोभी 109   गुलाब का फूल 111

कुसुम का फूल 111   कमल 112

6. मसाला शाक, विविध आहार **117**

अज़मोदा 118   शहद 141

पुदीना 119   नमक 150

धनिया 120   ईख तथा ईख से बने पदार्थ 158

जीरा 122   दूध तथा दूध से बने पदार्थ 160

सौंफ 123   दही 179

अजवाइन 124   छाछ 183

मेथी 125   पनीर 184

काली मिर्च 127   घी 185

लौंग 131   शतावर 186

इलायची 132   खुम्भी या छत्रक 187

दालचीनी 134   ब्रेवर्स यीस्ट 190

तेजपात 135   पान 191

हींग 136   पापड़, सुपारी 193

जायफल 137   साबूदाना 193

7. दिव्य अमृततुल्य प्राणरक्षक औषधि आहार **198**

तुलसी 198   पुनर्नवा 213

नीम 202   शंख पुष्पी 214

गिलोय 205   ब्राह्मी 214

चिरायता 207   हरड़ 217

कुटकी 209   गोखरू 218

ईसबगोल 209   अशोक 219

पिप्पली 210   अश्वगंधा 220

घृतकुमारी या ग्वारपाठा 210   मुलेठी 221

दूर्वा 212

✴ *अनुसंधान* 222, 227

✴ *लेखक परिचय* 234

1

फल वाली सब्जियाँ

लंदन स्कूल ऑफ हाइजिन एण्ड ट्रापिकल मेडिसिन के वैज्ञानिकों ने सात हजार गर्भवती महिलाओं पर अध्ययन कर इस निष्कर्ष पर पहुँचे हैं कि नियमित फल तथा सब्जियों को कम से कम 5 सर्विंग्स खाने से गर्भपात होने का खतरा 46 फीसदी कम हो जाता है। इन विज्ञानियों का मानना है कि गर्भावस्था के दौरान महिलाओं को खुश एवं रिलैक्स्ड रहना भी आवश्यक है। अलगाव, तलाक, बीमारी तथा तनाव गर्भपात के खतरे को बढ़ा देता है। टोटल कॉलेस्टरॉल तथा एल.डी.एल. कॉलेस्टरॉल को कम करने के लिए फैट तथा कॉलेस्टरॉल छोड़ देने से या केवल लो फैट डाइट लेना ही पर्याप्त नहीं है। ताजे शोध अध्ययन के अनुसार भले ही आप सेचुरेटेड फैट या कॉलेस्टरॉल वाले आहार लें, परन्तु न्यून मात्रा में लें। इनके साथ पर्याप्त मात्रा में सब्जियों तथा फलों का सेवन खूब करें तभी आप कॉलेस्टरॉल को नियंत्रित कर सकेंगे। जिन लोगों ने कम चिकनाई वाले आहार के साथ फल सब्जियाँ तथा साबुत अन्न का प्रयोग ज्यादा करते हैं उनमें टोटल कॉलेस्टरॉल, एल.डी.एल.सी. का लेवल दोगुना कम हो जाता है। अमेरिकन हार्ट एसोसिएशन तथा अमेरिकन कैंसर सोसायटी ने इस परिणाम के साथ अपनी सहमति जताई है।

सब्जियाँ कई आकार प्रकार एवं परिवार की होती हैं। प्राकृतिक चमक वाली रंग-बिरंगी सब्जियाँ ज्यादा पौष्टिक तथा स्वास्थ्य सम्बर्द्धक होती हैं जैसे आलू की जगह फूल गोभी में ढाई गुना कैल्शियम तथा 34 गुना विटामिन के (K) बीन्स के वनिस्पत चमकीले हरे सहजना की फली में साढे तीन गुना सेलेनियम तथा 5 गुना विटामिन 'सी' होता है, उसी प्रकार पीले नारंगी रंग के मक्के के वनिस्पत शकरकन्द में दोगुना फाइबर 335 गुना बीटा कैरोटिन तथा लाल शकरकन्द या लाल मक्के के अपेक्षा लाल टमाटर में 5 गुना विटामिन 'सी' तथा 4 गुना ज्यादा फॉलिक एसिड पाया जाता है। शाक सब्जियों में 'लोवेस्टेटिन' नामक फाइटो केमिकल पाया जाता है जो कॉलेस्टरॉल को कम करता है। हृदय रोग से बचाता है।

न्यू पेनसिलवानिया यूनिवर्सिटी के वैज्ञानिकों ने खोज किया है कि खाने के पहले सूप पीने तथा 15 मिनट बाद भोजन करने से 20 फीसदी कैलोरी की कटौती होने से वजन कम हो जाता है। सूप में कम कैलोरी वाला टमाटर सूप (20-40 कैलोरी) क्लेयर चिकन (40-60 कैलोरी)

तुलुमिन (50 कैलोरी) पालक सूप (45 कैलोरी) लौकी तोरई आदि (30-40 कैलोरी) कद्दू या पपीता सूप (35-45 कैलोरी) में से कोई एक सूप लेने से मन को संतुष्टि मिलती है। सूप गाढ़ा होना चाहिए ताकि चबाने पर संतुष्टि का रसायन दिमाग से निकले। अलग-अलग सूप लेने से आहार ग्रहण की मात्रा अलग-अलग होती है। सूप में दूध या मक्खन मिलाने से कैलोरी वैल्यू बढ़ जाती है। लो कैलोरी वाला सूप ब्रोकोली, पोटाटो, फूलगोभी, गाजर तथा चिकेन ब्रोथ सूप होता है। प्रयोग में पाँच सप्ताह तक लगातार सप्ताह में एक डिनर में सूप देने से लोगों ने 20 प्रतिशत भोजन की कटौती कर दी। ज्यादा खाने से प्रायः पेट का मोटापा बढ़ता है जिससे एस्ट्रोजन हार्मोन के पास कैंसर उत्पत्ति हेतु संदेश पहुँचता है। पेट का मोटापा इन्सुलिन रेजिस्टेन्ट मधुमेह, कोलन रेक्टल कैन्सर, कमर दर्द तथा हृदय रोग पैदा करता है। शाकाहारियों को दूध दही लेना अति आवश्यक है, जो लोग नहीं लेते हैं उनका दिमाग लेने वालों के अपेक्षा 6 गुना सिकुड़ हो जाता है। दूध दही न लेने वालों को बेगन तथा दूध, दही आदि लेने वाले किन्तु मांसाहार अण्डादि नहीं खाने वाले को वेजेटेरियन कहते हैं। बेगन तथा बेजेटेरियन लोगों में प्रायः दिमागी सूजन (Inflammation) विटामिन बी-12 की कमी से हो जाती है, ऐसे लोगों को यीस्ट, मशरूम, दूध, दहीं, छाछ, छेनादि अवश्य लेना चाहिए। ऑक्सफोर्ड यूनिवर्सिटी के वैज्ञानिकों ने 61 से 87 वर्ष के आयु वाले लोगों का मेमोरी टेस्ट, फिजिकल जांच, एफ एम आर आइ स्कैन से जाँच कर उपर्युक्त नतीजे पर पहुँचे हैं।

छ सौ पुरुषों पर खोज करने के बाद इस नतीजे पर पहुँचा गया है कि पालक, चौलाई, जई, चना, मूंग, लौकी, टिण्डा, तोरई, आलू आदि शाकाहार में मौजूद मैग्नेशियम तथा पोटाशियम वाला आहार लेने से रक्त की अम्लता कम हो जाती है। रक्त की अम्लता बढ़ने से हड्डियों के मिनरल गल कर बह जाते हैं। मैग्नेशियम तथा पोटाशियम अम्लता को सोंखकर बोन डेन्सिटी को बढ़ाते हैं। जर्नल ऑफ अमेरिकन मेडिकल एसोसिएशन के अनुसार आम आदमी में शाक-सब्जियों फलों पौष्टिक एवं स्वास्थ्यप्रद आहार के प्रति आयी जागरुकता के कारण 1999 ई. में 8.4 फीसदी हार्ट अटैक से मरे जबकि 2005 में यह प्रतिशत संख्या घटककर आधी रह गयी है। उसी प्रकार 1999 ई. में हार्ट फेल्योर की स्थिति 20 प्रतिशत थी जबकि 2005 में यह घटकर मात्र 11 प्रतिशत रह गया। यूनिवर्सिटी ऑफ एडिनबर्ग के कार्डियोलॉजी के प्रोफेसर डॉ. कीथ फॉक्स जो कि इस अध्ययन के प्रमुख हैं, का कहना है कि यह परिवर्तन खान-पान, रहन-सहन एवं चिन्तन-मनन में आये आमूलचूल परिवर्तन के कारण है। जसलोक अस्पताल के एच.ओ.डी. डॉ. अश्विनी मेहता के अनुसार आहार विहार में हुए परिवर्तन के कारण भारत में भी हार्ट अटैक से मरने वालों की संख्या 65 फीसदी थी उसमें 20 फीसदी की कमी हुई है। सब्जियों को ज्यादा मसाले एवं तलभुन कर नहीं खायें। डेविस स्थित यूनिवर्सिटी ऑफ कैलिफोर्निया के वैज्ञानिकों ने खोज किया है कि तीखी या चटपटी चीजें खाने से स्वाद की कलियाँ नष्ट हो जाती हैं। फलतः दूसरे प्रकार के स्वाद का पता लगाना मुश्किल हो जाता है।

फल वाली सब्जियों में छेमी तथा फली वाली सब्जियों की तरह ढक्कन नहीं होता है और

न उनमें अधिक रेशे होते हैं। फल वाली सब्जियों की खूबी यह है कि थोड़े से प्रयास से फल की तरह इन्हें कच्चा खाया जा सकता है। इसी गुण के कारण इन्हें फलवाली सब्जी कहते हैं। फल वाली प्रमुख सब्जियाँ निम्नलिखित हैं—

लौकी

(वानस्पतिक नाम—Lagenaria Vulgaris अंग्रेजी नाम—Bottle Gourd)

यह कुकुरबिटेसी परिवार का प्रमुख फल शाक है। फल वाली सब्जियों में लौकी सब जगह उपलब्ध होने वाली सब्जी है। यह सभी सब्जियों में सस्ती भी मिलती है, क्योंकि थोड़ी सी देखभाल से इसमें खूब सारे फल आते हैं। यह श्रेष्ठ सब्जी के साथ-साथ उत्तम औषधि भी है। मैंने इसका उपयोग हजारों रोगियों पर सलाद, रस तथा सब्जी के रूप में किया है। ककड़ी की तरह इसे कच्चा भी खाया जा सकता है। इसे कच्चा खाने से कब्ज दूर होकर पेट साफ हो जाता है। फलत: शरीर के पूर्ण शुद्धीकरण एवं स्वास्थ्य की दृष्टि से खूब चबा-चबाकर लौकी खाएँ। यह लेखक का निजी अनुभव है। वाग्भट्ट ने भी इसे तरबूजा, खरबूजा, ककड़ी तथा खीरा की तरह फल सब्जी माना है। उनके अनुसार ये सभी फल-शाक कफ, वातकारक, मलभेदक, विष्टम्भी, विपाक तथा रस में मधुर एवं गुरु होते हैं।

यह रुक्ष तथा ग्राही होती है। यह स्निग्ध, शीत वीर्य, हृद्य, मेद्य, मस्तिष्क उत्तेजनशामक, निद्राजनक, वात-पित्त शामक, रोपन, वायुनाशक, रक्तस्तम्भक तथा तृष्णाहर होती है। यह रुचिवर्द्धक, धातुओं को पुष्ट करने वाली व बढ़ाने वाली तथा पित्तनाशक होती है। ककड़ी की तरह इसे कच्चा खाया जा सकता है, इसीलिए इसका अंग्रेजी में दूसरा नाम केलुब्स कुकुम्बर (Calubash Cucumber) भी है। इसकी सब्जी तथा रस का उपयोग शुक्र, प्रमेह, कब्ज, पीलिया, उच्चरक्तचाप, हृदय रोग, मधुमेह, निर्जलीकरण, आंत्र, आमाशय तथा यकृत की सूजन, शरीर जलन, उन्माद, लकवा, संधिवात आदि अनेक शारीरिक, स्नायविक एवं मानसिक रोगों में लाभदायक होता है। उपर्युक्त रोगों में तीन-तीन घंटे के अन्तराल पर एक-एक गिलास लौकी का रस लें। हैजा में 25 मि.ली. + ½ नींबू का रस मिलाकर धीरे-धीरे पिलायें। यह मूत्रल, शुक्रवर्द्धक, पोषक तथा ज्वरघ्न होता है। खाँसी, यक्ष्मा, मूत्रकृच्छ, मूत्रदाह, मस्तिष्कोद्वेग, मानसिक, शारीरिक एवं स्नायविक दौर्बल्य में इसका उपयोग करें। सभी प्रकार के रोगियों के लिए यह उत्तम पथ्य है। कोमल, मधुर, हरे रंग की ताजी लौकी की सब्जी या रस बनाना चाहिए। सूर्य की रोशनी में पकी सभी प्रकार के फल, सब्जियों का रस प्रचुर मात्रा में निकलता है। यक्ष्मा के लिए इसका रस, सूप तथा सब्जी परम औषधि है। इससे यक्ष्मा के कीटाणु मरते हैं तथा शरीर की रोग-प्रतिरोधक शक्ति तेजी से बढ़ती है। भाव प्रकाश, निघण्टु के अनुसार लम्बी तथा गोल दोनों प्रकार की लौकी गुरु, रुचिकारक, वीर्यवर्द्धक, हृदय-शक्तिवर्धक, पित्त तथा कफ नाशक तथा धातु को पुष्ट करने वाली होती है।

मूर्धन्य आहार शास्त्रियों ने लौकी को सर्वश्रेष्ठ फल सब्जी बताया है। यह जीर्ण ज्वर तथा कफजन्य रोगों की उत्तम औषधि है। इसमें श्रेष्ठ किस्म का पोटाशियम प्रचुर मात्रा में 80 मि.ग्रा.

% होने से गुर्दे के सभी रोगों में उपयोगी होता है। इसका बीज भी शीतल, मूत्रल, कफनाशक तथा नाड़ीमंडल को शक्ति प्रदान करने वाला है। इसमें उच्चतम किस्म के खनिज लवण प्रचुरता से समानुपात में होते हैं। सर्वश्रेष्ठ श्लेष्मारहित आहार होने से रोग की सभी स्थिति में निश्चित होकर इसका प्रयोग करें। लौकी के बीज का तेल कॉलेस्टरॉल को कम करता है। हृदय को शक्ति देता है तथा रक्तवाहिनियों को सशक्त एवं स्वस्थ बनाता है। सिर में लगाने से चक्कर आना, अनिद्रा, सिर दर्द तथा पागलपन में लाभ होता है। एक किलोग्राम लौकी का रस तथा एक लीटर तिल्ली का तेल गरम करें। पानी जल जाने पर ठण्डा कर शीशी में भर लें। उक्त तेल से सिर एवं रीढ़ की मालिश करने से खुश्की, जलन, अनिद्रा, हिस्टीरिया, चिड़चिड़ापन तथा पागलपन दूर होता है। मानसिक एवं स्नायविक शक्ति तेजी से बढ़ती है।

लौकी का गूदा सिर पर बाँधने से भी लाभ होता है। आधा किलो लौकी का गूदा, 15 दाना काली मिर्च, 50 ग्राम लौकी का बीज को पीसकर एक लीटर घड़े का ठण्डा जल तथा सवा सौ मि.ली. दूध में मिलाकर ठण्डाई बनाकर पीने से अम्लपित्तजन्य हृदय धड़कन तथा कमजोरी दूर होती है। प्यास मिटकर तृप्ति आती है। शरीर की समस्त धातुओं यथा रक्त, माँस, मज्जा, वीर्य आदि का निर्माण अच्छी तरह होता है। लौकी तथा लौकी का रस बुखार, खाँसी, फेफड़े तथा हृदय के समस्त रोग, दस्त, मूत्र संस्थान के सभी रोग, गर्भाशय सम्बन्धी सभी रोगों में लाभदायक होता है। यह शीघ्र पचने वाला तथा नाड़ीमंडल को सशक्त एवं स्वस्थ बनाने वाला होता है। इसमें अतिरिक्त पानी न डालकर इसके स्रावित जल से ही उबाल कर बनायें। गर्मी में पैदा होने वाली सभी प्रकार की सब्जियों तथा फलों से उच्च श्रेणी का स्रावित जल प्रचुर मात्रा में मिलता है। इसके बीजों का पाउडर सभी परजीवी कीड़ों को समाप्त करता है। इसका ताजा रस हथेली, पगतली व शरीर पर लगायें, जलन, खुजली तथा शीघ्र पसीना आना शांत होता है। इसके छिलके में पोटाशियम की मात्रा अधिक होती है।

तोरई

(वानस्पतिक नाम—Luffa ancutangula अंग्रेजी नाम—Ridged Gourd)

यह कुकुरबिटेसी परिवार की प्रमुख सदस्या है। औषधि एवं आहार की दृष्टि से तोरई बहुत ही उत्तम फल सब्जी है। यह सर्वसुलभ सस्ती सब्जी है। आयुर्वेद के सभी ग्रंथों में तोरई के विशिष्ट गुणों का काफी वर्णन किया गया है। उन सभी ग्रंथों के अनुसार तोरई शीतल, कटु, कषाय, रक्तपित्त एवं वात विकार को दूर करने वाली, मल एवं आध्मान को शुद्ध करने वाली, रुक्ष आमाशय का शोधन करने वाली, शोथ, पाण्डु, उदर रोग, तिल्ली, कुष्ठ, बवासीर, कफज एवं पित्तज बीमारियों को दूर करने वाली होती है।

तोरई का फल शीतल, हल्का तथा भेदक होता है। यह प्रमेह तथा त्रिदोष को नाश करने वाली है। रोगी के लिए श्रेष्ठ पथ्य, मधुर रस युक्त, अग्नि को प्रदीप्त कर मल का भेदन करने वाली, कफ, अर्श, कास, खाँसी तथा कृमिनाशक है। पित्तजन्य व्याधियों, सुजाक, श्वास, रक्तमूत्र, रक्तार्श में इसका रस तथा सब्जी उपयोगी होती है। तोरई सूप, रस तथा छिलका समेत

सब्जी के रूप में काम में आती है। इसका रस तथा सूप खाली पेट लेने से कीड़े मर जाते हैं। खुलकर भूख लगती है। मधुमेह, मोटापा, ज्वर तथा खाँसी ठीक होती है। अन्य आहार का पाचन तथा सात्म्यीकरण क्रिया बढ़ जाती है। जमे हुए कफ को यह बाहर निकाल कर कष्टसाध्य खाँसी से मुक्ति दिलाती है। ज्वर मुक्ति के बाद इसकी उबली सब्जी तथा सूप देने से शरीर पूर्णरूपेण विषमुक्त होकर शीघ्र आरोग्य लाभ करता है। इससे भूख लगती है जिससे खाया हुआ आहार शरीर में अच्छी तरह सात्म्यीकृत होकर शक्ति, ऊर्जा एवं उष्मा प्रदान करता है। इसके प्रयोग से बढ़ा हुआ पित्त शांत होता है व पित्तजन्य चक्कर, घबराहट, बेचैनी तथा प्यास मिटती है। इसके बीज को पीसकर एवं गर्म कर प्लीहा पर लगाने से प्लीहा की सूजन ठीक होती है।

इसके पत्ते को पीसकर एक्जिमा, कोढ़, मस्से, घाव व फुंसी पर लगाने से आराम मिलता है। पत्ते का रस आँखों के घाव (स्टाई) पर लगाने से घाव ठीक हो जाता है। इसकी जड़ को घड़े के शीतल जल में पीसकर खाली पेट एक सप्ताह तक लेने से पथरी में आराम मिलता है। इसके पक्के फल को सुखाकर गूदा निकाल दें। जालीनुमा काया बच जाती है। इससे शरीर को मलने से सारे शरीर में रक्त संचार की क्रिया तीव्र होती है। इससे बर्तन भी साफ किया जाता है। इसका बीज प्रोटीन की दृष्टि से उत्तम है। इसमें भी असंतृप्त वसा होती है जो गुर्दे के रोग में उपयोगी है। इसके बीज की ठंडक तीव्र एवं जीर्ण आंत्रशोथ व पेचिश को ठीक करती है।

ककड़ी

(वानस्पतिक नाम—Cucumis Sativus अंग्रेजी नाम—Cucumber)

ककड़ी उत्तरी भारत का आदिवासी पौधा है। भारत में इसकी खेती लाखों बरसों से होती आ रही है। यह ग्रीष्म ऋतु तथा उष्ण प्रदेश का प्रकृति का अनुपम उपहार फल तथा सब्जी दोनों ही है। अमेरिका जैसे ठण्डे प्रदेशों में काँच के घर बनाकर निश्चित ताप एवं दाब पर इसकी वृहद् स्तर पर व्यापारिक खेती की जाती है। यह तरबूज, खरबूजा तथा लौकी परिवार का ही एक सदस्य फल है। कुकुरबिटेसी परिवार की यह विशिष्ट सब्जी तथा फल दोनों ही वर्ग में आता है। कच्ची नाजुक ककड़ी बहुत ही स्वादिष्ट एवं मनभावन होती है। अपक्वरूप में यह फल की तरह कार्य करती है। इसमें दही या छाछ मिलाकर स्वादिष्ट रायता बनाया जाता है। इसे अग्नि पर पकाकर खाने से यह पोषण की दृष्टि से हीन हो जाती है। यह संतुलित क्षारीय आहार है। इसे कच्चा ही खाना चाहिए। कच्चा खाने से सभी प्रकार के विटामिन तथा एन्जाइम नैसर्गिक रूप में मिलते हैं। ककड़ी उच्च कोटि का बहुमूत्रल आहार है। इसमें श्रेष्ठ किस्म का फॉस्फोरस, पोटाशियम, क्लोरीन तथा गंधक प्रचुर मात्रा में मिलता है। इसी कारण यह गुर्दे, यकृत, फेफड़े, पित्ताशय, रक्त तथा त्वचा के स्वास्थ्य को सुदृढ़ करता है।

विष-निष्कासक अंगों की अच्छी तरह धुलाई एवं सफाई करके इनकी कार्यक्षमता को सशक्त एवं स्वस्थ बनाती है। इसमें खुज्झे की मात्रा भी अधिक होती है जिससे यह आँतों की सर्पिल गति को स्वाभाविक बनाकर आँतों की सफाई करती है। इस प्रकार से अंग-प्रत्यंग अणु-परमाणु का शोधन कर शरीर के समस्त विषाक्त कचरे को पसीना, पेशाब, पाखाना द्वारा बाहर

निकाल फेंकती है। यह पोटाशियम तथा फॉस्फोरस की दृष्टि से अति श्रेष्ठ आहार है। शरीर की टूट-फूट की मरम्मत तथा रक्त तथा शरीर के अन्य अंगों के नवसृजन के लिए आवश्यक उपयोगी श्रेष्ठ गुणवत्ता के तत्त्वों की आपूर्ति करती है। इसमें फॉस्फोरस तथा पोटाशियम ऊँची गुणवत्ता के होने के कारण यह नाड़ीमंडल, स्नायु, मस्तिष्क, गुर्दे तथा त्वचा के लिए उच्चतम प्रकार का टॉनिक है। ग्रीष्म ऋतु में शरीर को शीतल तथा ऑस्मेटिक दाब को सामान्य बनाये रखने के लिए इसमें श्रेष्ठ किस्म का सोडियम होता है।

इसके छिलके की तह में ऊँची गुणवत्ता वाले जैव कोशिका लवण तथा विटामिन होते हैं। शरीर के लिए अत्यन्त अनुकूल व उपयोगी होने के कारण यह गुर्दे तथा पित्ताशय पर बिना प्रतिकूल प्रभाव डाले एवं क्षतिग्रस्त किये बहुमूत्रल प्रतिक्रिया करता है। ककड़ी को सलाद, रस, सूप तथा सब्जी के रूप में काम में लिया जाता है। इसके रस का उपयोग गुर्दे के सभी प्रकार के रोग, गुर्दे की पथरी, नेफ्राइटिस, त्वचा के सभी प्रकार के रोग, गर्भावस्था की विषाक्तता, जलोदर, मूत्रनली प्रदाह, यूरिन इन्फेक्शन, एक्जिमा, सोरायसिस, डर्मेटाइटिस, उच्चरक्तचाप, हृदय रोग, गठिया, संधिवात, आंत्रशोथ, अम्लपित्त, दमा, मधुमेह, वमन, दस्त, मोटापा को दूर करने में किया है। उपर्युक्त रोगों में ककड़ी का रसाहार प्रत्येक 3-3 घंटे के अंतराल पर देने से एक महीने के भीतर पूर्ण लाभ मिलने लगता है। ककड़ी का आकार आँत जैसा होता है अत: यह आँत सम्बन्धी सभी प्रकार के रोगों में अत्यन्त उपयोगी है। इसके अतिरिक्त पेशाब कम आने, अरुचि, पेशाब की जलन तथा रुकावट, खाँसी, थकान, शरीर प्रदाह तथा प्रदर की स्थिति में इसका रस दिन में 4 बार ढाई-ढाई घंटे के अन्तराल पर देने से अतिशीघ्र लाभ होता है। इसके रस में नींबू का रस भी मिला सकते हैं। उपर्युक्त रोगों में इसकी सब्जी तथा सलाद भी पर्याप्त मात्रा में खायें।

ककड़ी के रस में तेल पका कर लगाने से बाल बढ़ते हैं तथा वे स्वस्थ, चमकीले व लम्बे होते हैं। ककड़ी का रस सीधे भी बालों में लगा सकते हैं। ककड़ी की बारीक चटनी का लेप मुख, नेत्र व ग्रीवा पर करके 30 मिनट तक छोड़ दें, सौन्दर्य बढ़ता है। ककड़ी का रस खाली पेट लिया जा सकता है, लेकिन खाली पेट ककड़ी खाने से किसी-किसी को गैस की शिकायत हो सकती है। ककड़ी या खीरा तथा अन्य ग्रीष्मकालीन सब्जियों और फलों को खाते समय किसी प्रकार का पेय न लें। खाने के एक घंटे पूर्व तथा बाद में लें अन्यथा अजीर्ण, गैस, दस्त तथा जुकाम आदि हो सकता है। ककड़ी के गुणधर्म का खीरा होता है, अत: ककड़ी के अभाव में खीरे का उपयोग करें। इसके रस या चटनी को तलवे व हथेली पर मलें। त्वचा व नेत्र की जलन दूर होती है, नींद अच्छी आती है। ककड़ी तथा खीरे के पूर्ण वयस्क एवं परिपक्व बीज में उच्च कोटि का 42.5 प्रतिशत पॉलीअनसेचुरेटेड वसा तथा 45 प्रतिशत प्रोटीन होता है। इसके बीज का प्रभाव ककड़ी जैसा ही बहुमूत्रल होता है। इसके बीज में उच्च कोटि का फॉस्फोरस होता है जो स्नायविक कोशिकाओं तथा अस्थियों के निर्माण में भाग लेता है। प्राय: लोगों की शिकायत होती है कि ककड़ी गैस बनाती है लेकिन इसे खूब चबा-चबा कर खाने से कोई

शिकायत नहीं होती है। ककड़ी तथा इसका रस ग्रीष्म ऋतु का उत्तम आहार एवं औषधि है जो अपने शीतल प्रभाव से मन, मस्तिष्क तथा स्नायु कोशिकाओं को तृप्ति एवं स्वास्थ्य प्रदान करता है। यह गर्मी तथा लू से बचाता है।

धन्वन्तरि निघंटु तथा भावप्रकाश निघंटु के अनुसार ककड़ी मधुर रसयुक्त, शीतल, रुक्ष, ग्राही, रुचिकारक, कफ, पित्तनाशक, संताप, मूर्च्छा, रक्तदोष, मूत्रावरोध, मूत्रकृच्छ, अश्मरी, श्रम, दाह तथा कफजन्य रोगनाशक है। पकी ककड़ी तृषा, जठराग्नि तथा पित्तवर्द्धक है। इसका बीज मूत्रकृच्छ, मूत्राघात व गुर्दे की सभी बीमारियों में उपयोगी है। इसके पत्तों की राख शहद के साथ मिलाकर जमे कफ को निकालने के लिए देते हैं। अजीर्णजन्य वमन में बीजों को पीसकर मट्ठे के साथ दें।

खीरा

(वानस्पतिक नाम—Cucumis sativus Linn अंग्रेजी नाम—Cucumber)

खीरा ककड़ी के गुण धर्म का होता है। आयुर्वेद की दृष्टि से खीरा मधुर, मुलायम, शीतल, तृषाहर, प्रदाहशामक, पित्त तथा रक्तपित्त नाशक, पचने में हल्का, मूत्रल तथा स्वादिष्ट होता है। इसके बीज में भी वही गुण होते हैं। खीरे का रस, सलाद, सब्जी के रूप में उपयोग किया जाता है। इसके रस तथा सलाद के रूप में प्रयोग करने से सुजाक, गुर्दे की सूजन व दर्द तथा इसके सभी रोग, मूत्रकृच्छ, पथरी, मोटापा, अनिद्रा, पैत्तिक रोग, उच्च रक्तचाप, पित्तजन्य सिर दर्द, लू लगना, शरीर की जलन, पेशाब की जलन, ज्वर, हृदय रोग, रक्त पित्त, पेट की जलन, जलोदर, रुक-रुक कर पेशाब आना, रक्तमूत्र तथा मधुमेह रोग ठीक होते हैं। तीन-तीन घंटे के अन्तराल पर 200 ml रस लें। इसका रस शरीर के अंग-प्रत्यंग में एकत्रित विजातीय विषाक्त पदार्थों को घुला-घुलाकर बाहर निकाल फेंकता है।

गर्मी के दिनों में होने वाले सभी फलों तथा सब्जी फलों में प्राकृतिक पोटाशियम. शुद्ध स्रावित जल तथा अन्य इलेक्ट्रोलाइट्स खनिज लवण प्रचुर मात्रा में भर देती है। ग्रीष्म ऋतु में पसीना तथा मूत्र द्वारा इन तत्त्वों के अत्यधिक निष्कासन के कारण कमी हो सकती है। शरीर कमजोर व अन्य रोगों से ग्रस्त हो सकता है। डीहाइड्रेशन (निर्जलीकरण) की प्रक्रिया को रोकने के लिए ग्रीष्म ऋतु में इस प्रकार के फल एवं फल सब्जियों को प्रकृति खूब उगाती है। मानव जाति के अस्तित्त्व रक्षा के लिए प्रकृति की दया व करुणा भाव का यह अनुपम उदाहरण है। आवश्यकता इस बात की है कि मानव जाति प्रकृति के इस अनमोल, अबोल, बोल मौन अनुकम्पा भाव को समझ कर इन फल सब्जियों का सम्यक् अत्यधिक प्रयोग करे।

खीरे का रस एक-एक घंटे के अन्तराल पर लेने से तीव्र तृषा शीघ्र शांत होती है। खीरा हमेशा ताजा तथा हरा काम में लेना चाहिए। पक्का हुआ खीरा पित्त पैदा करता है तथा कफ एवं वायु प्रकुपित रोगों को ठीक करता है। खीरे का रस तथा सुराही का बासी जल मिलाकर पीने से व इसकी गीली पट्टी पेडू पर रखने से रुका हुआ पेशाब खुल कर आता है। खीरे के बीज का प्रयोग रस की तरह गुणकारी होता है। इसकी ठण्डाई बना कर पियें। बीज की ठण्डाई

उपर्युक्त सभी रोगों में अति उपयोगी है। तनाव से बचने के लिए खीरे को गोल-गोल काटकर टुकडे को आँखों पर रखें। दाग धब्बे भी मिटते हैं।

भाव प्रकाश निघंटु आदि आयुर्वेद शास्त्रों के अनुसार खीरा स्वादिष्ट, शीतल क्लान्ति, प्यास, दाह तथा पित्तनाशक, अत्यन्त रक्तपित्त नाशक, पका खीरा अम्ल रस युक्त, शीतल, रुक्ष एवं पित्त, रक्तविकार तथा मूत्रकृच्छनाशक है। यह शोथहर है। सूजन पर खीरे को काट कर नमक मिलाकर बाँधें, मवाद एक स्थान पर आ जायेगा।

पेठा

(वानस्पतिक नाम—Benincasa Hispida
अंग्रेजी नाम—White Gourd or Ash Gourd)

कुकुरबिटेसी परिवार का यह श्रेष्ठ किस्म का फल शाक है। यह गोलाकार तथा हरे रंग का होता है। यह स्वाद में मधुर तथा पचने में हल्का होता है। पेठे का रस अतिश्रेष्ठ औषधि है। यह गुर्दे सम्बन्धी अनेक रोगों में बहुत ही उपयोगी होता है। मूत्रकृच्छ, पथरी, प्रमेह आदि अनेक रोगों को ठीक करता है। आयुर्वेद मतानुसार यह स्वादिष्ट, मधुर, रुचिकर, वीर्यवर्द्धक, बल्य, वातपित्त शामक, तृषाहार, बहुमूत्रल तथा त्रिदोषनाशक होता है। चरक, राज निघंटु, सुश्रुत आदि ग्रंथों के अनुसार अपक्व पेठा पित्तघ्न, अर्धपक्व कफ कर, पक्व पेठा मधुर, अम्ल, क्षारयुक्त उष्ण वीर्य, लघु, वस्तिशोधक, दीपन, सर्वदोष नाशक वृष्यं, हृद्दं, मूत्राघात, मूत्रकृच्छ, प्रमेह, अश्मरी, तृषा, त्वचा रोग, उन्माद आदि मानसिक व पित्तज रोगों का नाश करने वाला है। सुश्रुत के अनुसार इसके बीज का तेल मधुर विपाकी, शीत वीर्य, अभिष्यन्दी, मूत्रल अग्निमान्द्यकारक तथा वात-पित्त प्रशामक है।

पेठे का रस रक्तार्श, मुँह, नाक, फेफड़ा, पेशाब से खून आना तथा अन्य किसी भी रक्तस्राव में लाभ करता है। यह पेट की जलन, छाती की जलन, गठिया, यूरिक एसिड की वृद्धि, अम्लपित्त तथा उल्टी की बीमारी को ठीक करता है। इसमें उच्चतम किस्म का जैव खनिज लवण इलेक्ट्रोलाइट्स होने के कारण निर्जलीकरण की स्थिति को दूर करता है। निर्जलीकरण की स्थिति में पेठे के रस में शहद तथा नमक मिलाकर चम्मच-चम्मच पिलाने तथा एनीमा द्वारा गुदाद्वार में धीरे-धीरे चढ़ावें। 125 मि.ली. रस में 2 चम्मच शहद मिला दें। 3-3 घंटे के अंतराल पर लेने से अम्लपित्त दूर होता है। पेठे का बीज पीसकर तथा छान कर उसे रस में मिला दें। फिर तीन कि.ग्रा. बूरा खाँड मिलाकर चाशनी बनायें। तार छूटने पर ठण्डा कर बोतल में रख लें। प्रतिदिन 50 मि.ली. शर्बत को 200 मि.ली. दूध में मिलाकर लेने से वीर्य पुष्ट होता है। इनकी सक्रियता बढ़ती है तथा काम ऊर्जा में सम्वर्द्धन होता है। पेठे के बीज को छिलकर उसकी गिरी को शहद के साथ प्रतिदिन खाने से पागलपन तथा मानसिक रोग ठीक होते हैं। पेठे को कसकर बूरा खाँड के अन्दर पकाकर मिठाई बनायी जाती है। यह मिठाई अति पौष्टिक आहार है। इसके सेवन से शरीर के समस्त धातु रस, रक्त, माँस, मज्जा तथा वीर्य आदि पुष्ट होते हैं। नाड़ी मंडल तथा स्नायु सबल एवं शक्तिशाली होते हैं।

पित्त एवं उष्णताजन्य सिर दर्द ठीक होते हैं। मानसिक तनाव ठीक होता है। अनिद्रा की शिकायत दूर होती है। पेठे को सब्जी, रस, सूप तथा मिठाई के रूप में काम में लेते हैं। इन सभी का उपयोग रक्तहीनता, मस्तिष्क, त्वचा, गुर्दे, हृदय, स्नायु तथा फेफड़े सम्बन्धी सभी बीमारियों में बेहिचक करें। नकसीर तथा मानसिक रोग की स्थिति में सिर पर पेठे का गूदा तथा पेठे का छिलका रखें। उर्ध्व रक्त-पित्त में पेठा तथा लौकी का रस दें। शोथ अथवा शरीर की दुर्बलता एवं सूखते जाने की स्थिति में लौकी या पेठे को गाय के दूध में खीर बनाकर उसमें नारियल, तरबूज, खरबूजा की गिरी डाल कर खायें। पेठे के रस एवं बीज को नारियल या तिल में उबालकर बनाये तेल को सिर में लगाने से बाल मजबूत, घने एवं चमकीले होते हैं। मानसिक तनाव कम होता है, अनिद्रा तथा सिर की खुश्की दूर होती है।

कद्दू

(वानस्पतिक नाम—Maxima Duschense or Cucurbita Maxima अंग्रेजी नाम—Squash Red Gourd or Pumpkin)

भारतवर्ष के समस्त हिस्सों में कुकुरबिटेसी परिवार के शाही फल शाक कद्दू या कोहड़ा की खेती की जाती है। अंग्रेजी में इसे पम्पकीन (Pumpkin) कहते हैं। यह ग्रीक शब्द पेपोन से बना है जिसका अर्थ कुक्ड इन दा सन (Cooked in the Sun) अर्थात् सूर्य में पका हुआ होता है। कद्दू को छाया तथा शीतल जगह में सालों तक सुरक्षित रखा जा सकता है। काफी दिनों तक रखे रहने के बावजूद इसके पोषक तत्त्वों में किसी प्रकार की कोई कमी नहीं होती है।

इस्ट चाइना नार्मल यूनिवर्सिटी के वैज्ञानिक ताओझिया (Taoxia) ने कद्दू के सत का प्रयोग मधुमेह ग्रस्त चूहों पर सफलता के साथ किया है। डॉ. झिआ का मानना है कि कद्दू मधुमेह के लिए उपयोगी तो है ही साथ ही इसके प्रयोग से मधुमेह होने की संभावना भी कम हो जाती है। जिन चूहों का इन्सुलिन पैदा करने वाली पैंक्रियाटिक बीटा कोशिकाएं तेजी से नष्ट हो रहे थे वे कद्दू के सत से नष्ट होने बन्द हो गये, साथ ही बीटा कोशिकाओं को पुनर्नवीनीकरण एवं सृजन रिजेनरेशन प्रारम्भ हो गया। यदि ऐसा मनुष्यों में होता है तो अद्भुत होगा। रायल फ्री एण्ड यूनिवर्सिटी कॉलेज मेडिकल स्कूल लण्डन के सबडीन डॉ. डेविड बेन्डर का मानना है कि सब्जियों के दुनिया में यह अनोखा करिश्मा होगा।

कद्दू में स्थित महान एण्टी ऑक्सीडेन्ट तथा इनके अणु डी-काइरो-इनोसिटॉल (Antioxidant and D-chiro-inositol a Molecule) बीटा कोशिकाओं के पुनः उद्भवन रिजनरेशन तथा इन्सुलिन की सक्रियता को तेज कर देते हैं। कद्दू के प्रयोग से इन्सुलिन लेवल बढ़ता है। शर्करा लेवल स्वतः कम होने लगता है। कद्दू में मौजूद एण्टी ऑक्सीडेन्ट बीटा कोशिकाओं को ऑक्सीजन स्पेसिस के ऑक्सीडेटिव स्ट्रेस से बचाकर डी.एन.ए. की रिपेयर एवं सुरक्षा करता है। परिणामस्वरूप इन्सुलिन स्वतः पैदा होने लगता है। कद्दू डायबिटीज टाइप-1 तथा टाइप 2 दोनों में फायदेमन्द है।

यूनिवर्सिटी सैंस मलेशिया के वैज्ञानिकों ने कद्दू में ऐसे फाइटो केमिकल की खोज की है

जो कैंसर कोशिकाओं के वृद्धि को तुरन्त रोक देते हैं। इन वैज्ञानिकों के अनुसार कद्दू एवं सूखे कद्दू के आटे में मौजूद खास प्रकार का स्टार्च प्रोपियोनिक एसिड एक शक्तिशाली एण्टी ऑक्सीडेन्ट है जो कैन्सर कोशिकाओं को शानदार तरीके से नियंत्रित करता हैं। कद्दू में फाइबर विटामिन तथा खनिज प्रचुरता से पाया जाता है। गेहूँ तथा कद्दू मिले आटे की रोटी स्वादिष्ट भी होती है। कद्दू का छिलका तथा बीज भी फायदेमन्द है। कद्दू के बीज में एण्ड्रोजन नामक फाइटो सेक्स हार्मोन तथा जस्ता की मात्रा अधिक होती है जो वीर्य तथा यौन शक्ति को तेज़स्वी तथा प्रभावशाली एवं पराक्रमी बनाता है। प्रोस्टेट ग्लैंड को शक्तिशाली एवं सामर्थ्यवान बनाता है। एण्ड्रोजन सेक्स हार्मोन है जो महिलाओं में भी यौन हार्मोन को सक्रिय करके यौन शक्ति को बढ़ाता है गर्भधारण की क्षमता को बढ़ाता है तथा स्तन को सुन्दर एवं सुडौल बनाता है।

यूनिवर्सिटी ऑफ मिशिगन द्वारा किये गये एक अनुसंधान अध्ययन से पता चला है कि कद्दू, चकोतरा, संतरा, टमाटर तथा आलू में एक खास प्रकार का फाइटो कम्पाउण्ड ''ग्लूटा थियोन'' मोटापा को नियंत्रित करता है। शरीर को छरहरा एवं स्वस्थ बनाये रखता है। ग्लूटाथियोन ब्लड प्रेशर, कॉलेस्टरॉल तथा हर प्रकार के कैन्सर से रक्षा करता है।

यह शीतल, रुचिकर, मधुर, तृप्तिकर, शोथ, दाह, जड़ता, मूत्रावरोध नाशक व बल, वीर्यवर्द्धक होता है। पक्व फल श्रमनाशक, गुरु, मधुर व कफकर होता है। दाह रक्तविकार तथा तृष्णा का शमन करता है। बीज रक्तवमन, फुफ्फुस रक्तस्राव में लाभदायक है। 200 से 300 पौण्ड का भी कद्दू होता है। कद्दू स्वास्थ्यवर्द्धक सब्जी है। कद्दू में पोषक तत्त्वों की प्रचुरता होती है। इसमें विटामिन 'ए' (कैरोटिन) अधिक होने से यह चमकीला पीला होता है। कार्बोज की मात्रा अधिक होने से मीठा होता है। कद्दू के बीज में रोग-निवारण तथा स्वास्थ्य सम्वर्द्धन की अद्भुत शक्ति होती है। इसमें उच्च किस्म का प्रोटीन तथा पुफा (Poly-unsaturated Fatty Acid) पाया जाता है। इसमें बी कॉम्पलेक्स, लोहा तथा विटामिन 'सी' भी पर्याप्त मात्रा में पाया जाता है। जर्मन आहार शास्त्री, डॉ. डेवरियन्ट ने अपने एक लेख, Androgent Hormonal Curative Influence of Neglected Plant में बताया है कि कद्दू का बीज प्रोस्टेट ग्रन्थि के लिए अति उपयोगी है। यह काम ऊर्जा को बढ़ाता है तथा पुरुष हार्मोन के निर्माण में सहायता करता है। इसमें पोटाशियम की अत्यधिक तथा सोडियम न्यून मात्रा में होने के कारण गुर्दे तथा रक्त वाहिनियों एवं हृदय के समस्त रोगों में उपयोगी है। आयुर्वेद मतानुसार कद्दू ग्राही, शीतल, रक्तपित्तनाशक, गुरु, अग्निवर्द्धक, क्षार युक्त तथा कफ एवं वातनाशक होता है। कद्दू के तीन प्रकार हैं—(1) सफेद कुम्हरा (2) लाल या पीला कुम्हरा (3) सीताफल (1. Cucurbita Pepo linn 2. C. Maxima Duchesne 3. C. moschata duchesne)। इन तीनों के गुण आपस में मिलते हैं। इन सभी के बीज भूरे या धूसराभ श्वेत होते हैं। इनके बीज कृमियों को खत्म करते हैं। बीजो को कूट कर शहद के साथ लें।

कद्दू के कोमल पत्ते व पुष्प का साग अति स्वादिष्ट एवं उपयोगी होता है। पित्त बढ़ाने के लिए कद्दू का साग खायें। इसके प्रयोग से आँतों में जमा कफ व आँव तथा पैथोजेनिक वैक्टीरिया

मल के साथ बाहर निकल जाते हैं। हींग तथा काली मिर्च डालकर कोहड़े के मुलायम पत्ते का भुर्ता खाने से बढ़ा हुआ बलगम कम हो जाता है। भुर्ता बनाने के लिए पत्ते पर सेंधा नमक, हींग तथा काली मिर्च का पाउडर डालकर लपेट कर स्वच्छ मिट्टी चढ़ा दें। फिर उपले (गोहरे) की आग पर पकायें। यह विधि 'पुट पाक' कही जाती है। कोहड़े तथा इसके पत्ते की सब्जी यकृत दोष, नेत्र, त्वचा, हृदय व गुर्दे के रोगों में उपयोगी होती है। इनके बीज में सॅलिसिलिक अम्ल, प्रोटीन, वसा 38 प्रतिशत तथा रालीय पदार्थ होते हैं। यक्ष्माजन्य रक्तस्राव, रक्तार्श में कद्दू का रस 50 मि.ली. तथा शहद 20 ग्राम मिलाकर दें। इसके बीज को पीसकर ठण्डाई भी बनाई जाती है जो रक्तहीनता, स्नायुदौर्बल्य, कुपोषणजन्य बीमारी में लाभ करता है।

टिण्डा

(वानस्पतिक नाम—Citrullus Vulgaris

अंग्रेजी नाम—Round Gourd Varfistulosus)

टिण्डा के सभी गुणधर्म लौकी से मिलते हैं। यह रुक्ष, भारी तथा शीतल होता है। कच्चा टिण्डा खाने या इसका रस पीने से पथरी, मूत्र की रुकावट, कोष्ठबद्धता, उच्च रक्तचाप, कफ पित्त तथा गुर्दे के रोग ठीक होते हैं। इसके प्रयोग से कामशक्ति नाड़ी मंडल तथा स्नायविक ऊर्जा की वृद्धि होती है। इससे संचार क्रिया व्यवस्थित होती है। इसके बीजों को भूनकर काम में लेते हैं। इसका सूप पीने से अरुचि दूर होती है, जठराग्नि प्रदीप्त होती है तथा भूख खुलकर लगती है। आँतों की सर्पिल गति एक लय में आती है। पेट एवं आँत स्वाभाविक ढंग से कार्य करने लगती हैं। टिण्डे की सब्जी घी या मीठे तेल में नहीं बनानी चाहिए। भावप्रकाश निघंटु के अनुसार टिण्डा रुचिकारक, मलभेदक, पित्त, कफनाशक, अत्यन्त शीतल, मूत्रल, वातजनक रुक्ष तथा पथरी दूर करने वाला होता है। यह कुकुरबिटेसी परिवार का सदस्य है।

कुन्दरू

(Coccinia Cordifolia)

(वानस्पतिक नाम—Koksiniya Kodripholiya IndicaLivi Goud & Koval)

यह कुकुरबिटेसी परिवार का फल-सब्जी है। इसके फूल सफेद तथा फल माँसल बेलनाकार 1-2 इंच लम्बे तथा आधा से एक इंच व्यास के होते हैं। कच्चा फल चिकना, दस श्वेत धारियों से युक्त चमकीला हरा तथा पकने पर गहरे लाल रंग का हो जाता है। आयुर्वेद मतानुसार कुन्दरू शीतल, स्वादिष्ट, गुरु, पित्त रक्त विकार तथा वात को जीतने वाला स्तम्भन, लेखन, रुचिकारक, विबन्ध तथा गैस पैदा करने वाला होता है।

जगली कुन्दरू कड़वे होते हैं। चिकित्सा की दृष्टि से इसके पंचांग तथा फल काम में आते हैं। ये स्नेहन, कफनाशक, व्रणरोपक तथा मूत्र संग्रहणीय होता है। कड़वी कुन्दरू की सब्जी तथा इसके पत्ते का रस लेने से मधुमेह, पेट के कृमि, अरुचि, बवासीर, रक्त पित्त, मुख, नाक, मल-मूत्र मार्ग के रक्तस्राव को रोकने में सहायक है। इसके प्रयोग से श्वास, कास तथा क्षय रोग में लाभ होता है। यह वात-पित्त एवं कफ में समन्वय स्थापित कर शरीर को शीतलता एवं स्वास्थ्य

प्रदान करता है। इसके फल चबा-चबा कर खाने से जिह्वाक्षत ठीक होते हैं। एइन्सली का मानना है कि विषैले जन्तुओं के काटने पर सारे शरीर पर इसका पत्र रस लगाना लाभदायक होता है। पत्र स्वरस दिन में तीन बार दो-दो चम्मच लेने से ज्वर ठीक होता है। विभिन्न अनुसंधानों से ज्ञात हुआ है कि इसमें अमाइलेस तथा अन्य एन्जाइम हार्मोन तथा अल्केलॉयड होते हैं परन्तु इसमें मूत्र एवं रक्त शर्करा को कम करने वाले तत्त्व अभी तक नहीं खोजे जा सके हैं जबकि यह मधुमेह में लाभ करता है। इसका जड़ मूल शीतल, प्रमेहनाशक, हाथ-पैरों की दाह तथा भ्रांति नाशक एवं धातुवर्द्धक होता है। किसी प्रकार का व्रण तथा चमड़ी के रोग में पत्र-स्वरस लगाने से आराम होता है।

परवल

(वानस्पतिक नाम—Trichosanthes Dioica)

यह कुकुरबिटेसी परिवार का फल शाक है। परवल बहुत ही उपयोगी सब्जी है। यह उत्तर प्रदेश, बिहार, बंगाल व आसाम की प्रमुख सब्जी है। इन प्रदेशों में इसकी उपज ज्यादा होने से बहुत ही सस्ती मिलती है। परवल के सम्बन्ध में धन्वन्तरि निघंटु, भावप्रकाश निघंटु, चरक, चक्रदत्त, शोढ़ल शाङ्‍र्गधर तथा सुश्रुत के ग्रंथों में इसके गुणों का काफी वर्णन किया गया है। इन महान आयुर्वेदिक ग्रंथों के अनुसार परवल का फलशाक त्रिदोष नाशक, कटु, तीक्ष्ण, उष्ण, पित्तनाशक, कफ, कुष्ठ ज्वर, प्रदाह को नाश करने वाला होता है। यह पाचक हृदय को ताकत देने वाला, स्निग्ध, वृष्य, लघु, अग्निदीपक, कास, रक्त विकार, ज्वर, त्रिदोष तथा कृमिनाशक होता है। परवल का बीज ज्वरघ्न तथा कृमिघ्न होता है।

परवल की जड़ सुखद विरेचक, डन्डी (नाल) कफनाशक तथा पत्ते पित्तनाशक होते हैं। परवल तथा ककोड़े की लताएँ एक जैसी होती हैं जो भूमि तथा वृक्ष के सहारे फैलती हैं। इसके पुष्प सफेद, कच्चे फल हरे तथा पक्का फल नारंगी रंग का होता है। जंगली परवल कड़वा होता है। परवल की जड़ में सपनिन कड़वा पदार्थ उड़नशील तथा स्थिर तेल होता है। यह तीव्र रेचक है। हरे फल भूख बढ़ाने वाले तथा रेचक होते हैं। पत्ते कड़वे, पाचन, दीपन, बल्य, तिक्त तथा पौष्टिक होते हैं। अधिक मात्रा में खाने से उल्टी तथा दस्त हो जाते हैं।

काला नमक तथा सेंधा नमक युक्त उबली परवल की सब्जी से ज्वर, वायुजन्य हृदय रोग, उदरकृमि, किसी भी अंग का रक्तस्राव, सूजन, विषजन्य प्रभाव, फोड़े-फुंसी आदि रोग ठीक होते हैं। परवल का कच्चा रस कब्ज, प्रदर, बवासीर, रक्तपित्त, वात व्याधि, नाक, पेशाब, पाखाना तथा मुख से रक्तस्राव, कुष्ठ रोग तथा पेट की जलन को ठीक करता है। कटु परवल के पत्ते के रस को सिर पर लेप करने से सिर दर्द तथा गंजापन की स्थिति दूर होती है। परवल के पत्ते का चूर्ण कब्ज, मदात्यय, विष, उरुस्तम्भ, पित्तश्लेष्म ज्वर तथा किसी प्रकार के ज्वर व्रण, घाव में लगाने तथा पीने से लाभ करता है। एक समय में 50 से 100 मि.ली. ही पीयें। पटोल की जड़ को घिस कर लगाने से सिर दर्द, मुँहासे, तथा अन्य घाव दूर होते हैं। आधा चम्मच मूल रस में 5 ग्राम शहद मिलाकर भी पीयें। परवल का शाक आँखों के रोग, कीड़े तथा सभी प्रकार के चमड़ी के रोग, उपदंश तथा कब्ज में लाभ करता है।

नेनुआ या घिया तोरई

(वानस्पतिक नाम—Luffa Cylindrica or Aegybtiaca)

नेनुआ दो प्रकार का होता है—कड़वा तथा मीठा। कड़वा नेनुआ औषधि के काम आता है। धन्वन्तरि निघंटु के अनुसार नेनुआ की सब्जी त्रिदोषहर तथा ज्वर उतरने के बाद हितकर होती है। चरक कल्प के अनुसार कड़वी नेनुआ गुल्म, उदर रोग, वात रोग, कास, कफ, गला, मुख तथा गले में बार-बार कफ आने की स्थिति में कफजन्य शरीर का भारीपन आदि रोग को दूर करता है। इसके फल की संरचना आकाश कोशा सदृश होती है। भावप्रकाश के अनुसार नेनुआ स्निग्ध एवं रक्तपित्त तथा वायुनाशक होता है। कृषित नेनुआ मीठा होता है तथा इसकी सब्जी बनती है।

कड़वी जंगली नेनुआ में रक्तसंत्रायी सपोनिन तथा विषाक्त तिक्त पदार्थ होता है। पके नेनुआ फल का जाला स्पंज की तरह काम करता है। जंगली नेनुआ के पत्र-रस तथा बीज विरेचक तथा वामक होते हैं। इसे व्रण, गाँठ आदि पर लगाने से शीघ्र लाभ मिलता है। नेनुआ की सब्जी, रस तथा सूप के प्रयोग से फोड़ा शीघ्र भरता है। इसके प्रयोग से रुक्ष त्वचा चिकनी व कोमल होती है। शरीर एवं आँतों की खुश्की दूर होती है। यह रक्त पित्त तथा अम्लपित्त को दूर करता है। कोष्ठबद्धता, मोटापा, मधुमेह, सुजाक तथा ज्वर के बाद पथ्य के रूप में नेनुआ की सब्जी तथा सूप दें। यह भी कुकुरबिटेसी परिवार की सब्जी है। घाव आँख प्रदाह में ताजी पत्तियों का रस लगायें। यह शरीर में अम्ल-क्षार संतुलन को बनाये रखता है।

छोटी तोरई

(वानस्पतिक नाम—Luffa Acutangula)

इसे सतपुतिया भी कहते हैं। यह तरोई तथा नेनुआ से श्रेष्ठ कोटि की सब्जी है। यह प्रबल त्रिदोषनाशक है। यह मधुर रस युक्त, अग्निदीपक, शीतल, कफ तथा वातकारक, पित्त, श्वास, ज्वर, खाँसी तथा कृमि का नाश करने वाली होती है। इसके बीज वामक तथा विरेचक होते हैं। इसका ताजा पत्र-रस आँख में डालने से नेत्र रोग तथा प्लीहा, अर्श तथा कुष्ठ पर पत्तों का लेप करने से अति लाभ होता है। ज्वर मुक्त रोगी की अरुचि दूर करने के लिए इसकी सब्जी का सूप दें। नमक, धनिया, हल्दी, काली मिर्च अदरक तथा सेंधा नमक डालकर व उबालकर सब्जी बनायें। बाद में जीरा, हींग का छोंक घी में डालें। इसकी सब्जी खाने से वायुफुल्लता, वायुजन्य शरीर एवं मल की खुश्की दूर होती है। बरसात के मौसम में अग्निमंदता की स्थिति उत्पन्न होती है, उस मौसम में प्रकृति सतपुतिया जैसी अग्नि प्रदीप्त करने वाली सब्जी हमें प्रदान करती है। इसके रस से मूत्र अवरोध तथा पथरी रोग दूर होते हैं। इसे सब्जी, रस सूप तथा सलाद के रूप में प्रयोग करें।

कड़वी तोरई के बीज तेल कुष्ठ रोग, मूल का चूर्ण अर्श पर लगाने से लाभ होता है। इसके शुष्क फल को रात्रि भर पानी में रखकर सुबह खाली पेट 50 सी.सी. पीने से सभी प्रकार के कुष्ठ रोग में लाभ करता है। संग्रहणी तथा पेट के मरोड़ में तोरई के बीज 5 से 10 ग्राम पीस

कर खायें। कड़वी तोरई उष्ण, वामक, मूत्रजनन, विरेचक, व्रणरोधक तथा विषघ्न होती है। यह यकृत, प्लीहा वृद्धि तथा जलोदर में लाभ करती है।

ककोड़ा या खेखसी

(Momordica Cohinchinensis)

(वानस्पतिक नाम—मामोर्डिका डायोइका या कोकिनकिनेनसिस)

यह स्वाद में किंचित् करेला जैसा है इसलिए इसे बन करेला भी कहते हैं। इसके नरपुष्प में फल नहीं लगते हैं। नारी पुष्प में एक से तीन इंच लम्बे, अण्डाकार फल लगते हैं। फल पर काँटे सदृश उभार होते हैं। इसकी जड़ में शलगम की तरह कन्द लगते हैं जो कंकणा आकार के तथा स्वाद में कसैले होते हैं। इसका कंद रक्तसंग्राहक होने के कारण रक्तार्श तथा रक्तस्राव में देते हैं। इसका चूर्ण मधुमेह-रोगियों को दिया जाता है। आयुर्वेद की दृष्टि से विपाक में कटु रस मलनाशक, कुष्ठ, जी मिचलाना तथा अरुचि नाशक होता है। गुल्म, श्वास, कास तथा ज्वर को समाप्त करने वाला तथा अग्नि प्रदीप्त करने वाला होता है। यह कटु, उष्ण, तिक्त, विष, वात पित्त नाशक होता है। कृमि, विष, क्षय, शूल, गुल्म, पित्त, कफ को दूर करता है। इसकी सब्जी, रस व सूप लेने से ज्वर, मधुमेह, कब्ज, मंदाग्नि, अरुचि, उबकाई, कुष्ठरोग, खाँसी, क्षय तथा दमा रोग ठीक होते हैं। इसका रस या सब्जी 100-100 ग्राम लें। कच्चा सलाद के रूप में खाने से अरुचि दूर होती है तथा दाँत साफ रहते हैं। बाँझ (नर) ककोड़ा की जड़ को माँ के दूध के साथ पीसकर छानकर नस्य लेने से किसी भी प्रकार का श्लीपद दूर होता है। नर-मूल को जल में पीसकर पिलाने से सर्प विष, इसका चूर्ण लेने से मधुमेह तथा इसे पीसकर शरीर पर लेप करने से ज्वर तथा प्रलाप दूर होता है। यह भी कुकुरबिटेसी परिवार का फल शाक है।

चिचिंडा

(वानस्पतिक नाम—Trichosanthes Anguina Linn

अंग्रेजी नाम—Snake Gourd)

ये परवल की तरह विभिन्न आकार-प्रकार के होते हैं। पहाड़ी प्रदेश नैनीताल, अल्मोड़ा आदि स्थानों पर 4 से 6 फीट तक लम्बे मिलते हैं। इसके गुण परवल से कुछ कम होते हैं। आयुर्वेद के मतानुसार यह वात-पित्त नाशक, बल्य, पथ्य, रुचिकारक तथा शोथ (क्षय) नाशक होता है। इसके प्रभाव से यकृत तथा प्लीहा की सूजन कम होती है। इसके पुष्प पीले रंग के, फल ककड़ी के समान लम्बा, दो सफेद धारियाँ तथा दोनों छोर पतले होते हैं। इसे खेतों में बोते हैं। इसकी लता तीव्रता से फैलती है। यह भी कुकुरबिटेसी परिवार का है। बीज तथा गूदा का प्रभाव शीतल तथा मूत्रल होता है। प्रतिदिन इसकी सब्जी तथा रस (150 मि.ली.) लेने से क्षय रोग, पैत्तिक रोग, कब्ज, मलेरिया, खाँसी, कृशकायता, अरुचि, कमजोरी, वातज एवं पित्तज व्याधियाँ दूर होती हैं। इसमें बहुमूल्य जैव खनिज सोना (Au) होता है। यह अन्तिम धातु वीर्य के निर्माण में भाग लेता है। जंगली चिचिंडा भी औषध्यार्थ प्रयुक्त होता है।

कचरी

(वानस्पतिक नाम—Cucumis Trigonus Roxb)

यह कुकुरबिटेसी परिवार का फल-शाक है। यह सभी सूखी जगहों पर होती है। इसके फूल पीले रंग के, फल चिकने तरबूज आकार के किंचित् त्रिकोण, गोलाकार, डेढ़ इंच लम्बे तथा सवा इंच छोटे, दस हरे रेखा से युक्त होते हैं। पक्व फल में यह रेखा पीली हो जाती है। इसका गूदा कड़वा तथा विरेचक होता है। इसमें कोलोसिन्थिन प्रकार का तत्त्व होता है। इसका बीज श्वेत, शीतल, ग्राही तथा पित्तज रोगों में उपयोगी है। इसकी सब्जी अग्नि दीपक, शोथहर तथा तीव्र कब्जनाशक होती है। सूखी कचरी का चूर्ण 5 ग्राम 100 ग्राम जल के साथ लेने से वातज उदर शूल में शीघ्र आराम मिलता है। कचरी की सब्जी मलेरिया तथा टायफायड के बाद बढ़े हुए यकृत तथा प्लीहा की सूजन को कम करती है।

करेला

(वानस्पतिक नाम—Momordica Charantia Linn
अंग्रेजी नाम—Carrilafruit or Bitter Gourd)

करेला कुकुरबिटेसी परिवार का फल-सब्जी है। यह भारतवर्ष का आदिवासी पौधा है। इसकी खेती मलाया, चीन तथा अफ्रीका में होती है। इसमें फल आने का मौसम मई से लेकर जुलाई तक है। बरसात के दिनों में इसके पौधे गल जाते हैं। पुन: शीत ऋतु में इसके फल मिलने लगते हैं। शीत ऋतु का फल श्रेष्ठ माना जाता है। इसके दो प्रकार होते हैं—करेला तथा करेली। करेला अपेक्षाकृत श्वेत एवं वृहद आकार का होता है। आयुर्वेद की दृष्टि से करेला तिक्त, रुक्ष, लघु, कटु तथा उष्ण वीर्य, दीपन, पाचन, कृमिघ्न, पित्तसारक, रोचन, मूत्रल, उत्तेजक, ज्वरघ्न, त्रिदोषनाशक, मेद नाशक, रक्तशोधक, मृदुसारक, व्रणशोधक, रोपण, शोथहर, दाहप्रशमन, चाक्षुष्य, मेद, गुल्म, पांडु, प्रमेह, शूल, कुष्ठ, कृमि, यकृत व प्लीहा रोगनाशक होता है। यह मृदुसारक, कफनाशक,शीतल, किंचित् वातजनक तथा मलभेदक होता है।

उपर्युक्त गुणों के आधार पर कुछ प्राचीन आहार विशेषज्ञ इसे शीतल मानते हैं तो कुछ उष्ण। चरक ने इसे शीतल माना क्योंकि कोई भी पित्तहर तथा कटु रस वाला आहार शीतल ही होता है। कैयदेव तथा राज निघंटु आदि ने इसे उष्ण माना है। उपर्युक्त सभी गुण दोनों प्रकार के करेले में पाये जाते हैं। करेले की सब्जी, रस तथा सूप विशेष रूप से काम में लिया जाता है। करेले का विशेष गुण इसके तीखेपन तथा कडुवेपन में होता है। कडुवेपन के कारण यह रोग में प्रभावी होता है। करेले में नैसर्गिक इंसुलिन होता है जो हाइपो ग्लूकेमिक प्रभाव डालकर मधुमेह के रोगियों को लाभ पहुँचाता है। खाली पेट सुबह तथा शाम दोनों समय खाने के आधा घंटा पूर्व 50 मि.ली. करेले का रस पियें। करेले के मौसम में प्रतिदिन सवा सौ ग्राम सब्जी खायें। करेले को बिना काटे अच्छी तरह धोकर सब्जी के साथ उबालकर खायें। करेले के टुकड़ों को छाया में सूखा कर बारीक पाउडर बना लें। बिना मौसम में 3 ग्राम पाउडर को सुबह-शाम पानी के साथ लें।

उपर्युक्त विभिन्न प्रयोगों से कृमि, कुष्ठ, पित्त, पाण्डु रोग, प्लीहा, यकृत व गुर्दे की वृद्धि, खूनी बवासीर, भयंकर कोष्ठबद्धता, शोथ, ज्वर, फोड़ा, फुंसी, खाज, खुजली, पथरी, खसरा, चेचक आदि त्वचा रोग एवं रक्त विकार, मलेरिया ज्वर, अग्निमांद्य, अजीर्ण, अतिसार, वातरक्त, प्रमेहशूल, गलगण्ड, व्रणशोथ, नाड़ी शोथ, नाड़ी व्रण, उपदंश, विसर्प, मुख रोग, कर्ण रोग, दृष्टि दोष, सिर तथा विभिन्न कफज रोग में उपयोगी है। मधुमेहजन्य फोड़ा, फुंसी तथा गैंग्रिन में करेले के रस का बाह्य प्रयोग पुल्टिस या पट्टी के रूप में करने से घाव शीघ्र भरता है। घाव को इसके रस से धोयें।

अब तक मधुमेह का कारगर उपचार इन्सुलिन माना जाता रहा है। यह इन्सुलिन सुअरों के पैंक्रियास से निकाला जाता है। दस हजार सुअरों को मारकर एक पौंड इन्सुलिन प्राप्त होता है। वैसे प्रयोगशाला में भी इन्सुलिन संश्लेषित किया जाता है, परन्तु संश्लिष्ट इन्सुलिन अन्य अंगों के लिए हानिकारक होता है। इन्सुलिन के विकल्प के रूप में जयपुर विश्वविद्यालय की सुश्री डॉ. पुष्पा खन्ना ने करेले के अर्क से नैसर्गिक इन्सुलिन प्राप्त किया है जिसका नाम 'पोलिपेप्टाइड पी' रखा है।

जयपुर प्राकृतिक चिकित्सालय में कार्य के दौरान उनके साथ करेले के सफल प्रयोग मैंने भी किये हैं। वैसे सर्वांगिन करेले तथा शलगम के रस में नैसर्गिक इन्सुलिन पर्याप्त मात्रा में होने के कारण दोनों ही मधुमेह में काफी प्रभावी हैं। उस समय डॉ. खन्ना तथा एस.एम.एस. मेडिकल कॉलेज के डॉ. अशोक पनगारिया 'पोलिपेप्टाइड पी' इन्जेक्शन का प्रयोग करते थे परन्तु अब डॉ. खन्ना उसकी गोली तथा पेय के रूप में भी प्रयोग करने की सोच रही हैं। डॉ. खन्ना तथा उनके सहयोगी ने अनेक पशुओं तथा मनुष्यों पर प्रयोग कर इस निष्कर्ष पर पहुँचे हैं कि 'पोलीपेप्टाइड पी' से रक्त शर्करा की मात्रा का स्तर काफी कम, 4 घंटे में 305 मि.ग्रा. से घटकर 168 मि.ग्रा. तक आ जाती है तथा इसका प्रभाव काफी देर तक बना रहता है। अभी तक पोलिपेप्टाइड पी का कोई दुष्प्रभाव नहीं देखा गया है। सुश्री पुष्पा खन्ना करेले के बीज से भी 'गौर्डीन' नामक एण्टी डाइबिटीक प्लान्ट मेडिसिन तैयार की है। ''गौर्डिन'' करेले के बीज से एकाण्विक (Single Molecule) प्रोटीन को अलग करके यह प्राकृतिक दवा तैयार की है। गौर्डिन में इन्सुलिन हार्मोन का 31 एमिनो एसिड्स में से 18 एमिनो एसिड्स शामिल है। आंशिक प्राकृतिक इंसुलिन होने के कारण गॉर्डिन शरीर में इंसुलिन की तरह कार्य करता है। गॉर्डिन का साइड इफेक्ट नहीं होता है। यह बीटा कोशिकाओं पर प्रतिक्रिया करके उन्हें सक्रिय बनाता है, जिससे इन्सुलिन उत्पादन की क्षमता बढ़ती है। पैंक्रियाटिक कोशिकाओं को पुनः सक्षम बनाता है। इन्सुलिन रेजिस्टेन्स को कम करता है। मांसपेशियों द्वारा शर्करा के उपयोग को बढ़ाता है। कॉलेस्टरॉल को नियंत्रित करता है। डाइबिटीज न्यूरोपैथी यानि क्षतिग्रस्त स्नायुओं को भी मरम्मत करने में सहयोग करता है।

बरसात अथवा अन्य व्याधिजन्य मंदाग्नि में इसकी सब्जी तथा रस का प्रयोग करें। यह शीघ्र पचकर प्रबलता से जठराग्नि को प्रदीप्त करता है। संभोग के दौरान करेले का रस लेने से

गर्भ नहीं ठहरता है। करेले के फल तथा पत्र स्वरस को गर्म कर गाढ़ा करें। फिर 2-2 ग्राम की गोली बनायें। प्रतिदिन प्रातः खाली पेट एक गोली खाकर एक गिलास दूध में दो चम्मच शहद डालकर पीने से वीर्य स्तम्भन शक्ति तथा काम ऊर्जा का सम्वर्द्धन होता है। गठिया की स्थिति में इसके रस को शूल एवं सूजन पर लेप करें तथा इसकी सब्जी, भुर्ता तथा सूप लें। बुखार के बाद करेले के भुर्ते में सेंधा नमक तथा काली मिर्च डालकर खाने से अरुचि मिटती है तथा खुलकर भूख लगती है। इसका भुर्ता खाने से गले की खिच-खिच एवं खाँसी ठीक होती है। करेले का फूल तथा अदरक का रस सममात्रा में नाक में डालें। हिस्टीरिया की बेहोशी दूर होगी। करेले के रस में काली मिर्च घिस कर अंजन करने से काफी जलन होती है, किन्तु फूला व माड़ा ठीक हो जाता है।

छोटी करेली की जड़ को पीसकर उसकी पोटली बनाकर योनि के अन्दर रखने से गर्भाच्यूति ठीक होता है। गर्भाशय अपने स्थान पर आ जाता है। करेले की सब्जी से ज्वर तथा इसके रस से मसूरिका, हैजा, कब्ज, सूजन, बच्चों के पेट के कीड़े, आमवात, यकृत व प्लीहा वृद्धि तथा सोरायसिस आदि जीर्ण त्वचा रोग ठीक होते हैं।

करेले के पत्ते का स्वरस मसूरिका, त्वचा रोग, जलन, गंजे सिर पर मलने से गंजापन, प्लीहा वृद्धि, जलोदर, पित्त-प्रकोप, श्वसनिका शोथ तथा केंचुआ की बीमारी को ठीक करता है। पत्र-स्वरस एक समय 50 मि.ली. पियें तथा स्थानीय लेप भी करें। इसके रस से आँखों की मालिश करने से नेत्र रोग ठीक होते हैं। 3 चम्मच करेले का रस + छाछ गिलास भर लेने से मदात्ययकृत रोग, बवासीर तथा पेट के रोग ठीक होते हैं।

भावप्रकाश के अनुसार करेला तिक्त रस युक्त शीतल, मलभेदक, लघु, किंचित वातजनक, ज्वर, पित्त, कफ, रक्तविकार, पाण्डु, प्रमेह तथा कृमिनाशक होता है। करेली के गुण करेला की तरह होते हैं। परन्तु यह विशेष रूप से लघु, अग्निदीपक तथा पचने में हल्की होती है। करेले में गंधयुक्त उड़नशील तेल कैरोटिन, ग्लूकोसाइड्स, सॅपोनिन तथा मोमोरिडिसाइन नामक क्षाराभ होता है। बीज में 32 प्रतिशत विरेचक वसा होती है। जल जाने पर घाव हो जाता है, उस पर करेले को पीसकर उसकी पुल्टिस बाँधें। मलेरिया ज्वर में करेली की जड़ कमर या हाथ पर बाँधें। इसकी जड़ के क्वाथ से गर्भपात होता है। इसमें पोटाशियम की प्रचुरता होने से यह गुर्दे सम्बन्धी समस्त रोगों, उच्च रक्तचाप, हृदय रोग में लाभदायक है। इसमें लोहा, ताँबा, फॉस्फोरस तथा कैल्शियम पर्याप्त मात्रा में होने से यह अस्थि विकास एवं रक्त निर्माण के लिए आवश्यक औषधि है। इसमें सल्फर तथा क्लोरीन अधिक होने से यह शरीर, रक्त एवं त्वचा की आन्तरिक शुद्धि कर इनके विकार को दूर करता है। इस प्रकार से सब्जियों में करेला श्रेष्ठ औषधिमय आहार है।

बैंगन

(वानस्पतिक नाम—Solanum Melongena
अंग्रेजी नाम—Brinjal or Egg Plant)

बैंगन सोलेनेसी परिवार का फल शाक है। बैंगन दो प्रकार का होता है—कृषित तथा वन्य।

वन्य बैंगन का प्रयोग औषधि के रूप में किया जाता है। आयुर्वेद मतानुसार बैंगन स्वादिष्ट, तीक्ष्ण, उष्ण, विपाक में कटुरस, किंचित् पित्तजन्य, विष, ज्वर, वायु एवं कफ को नाश करने वाला, अग्निदीपक, शुक्रजनक तथा लघु होता है। इसका छोटा फल कफ व पित्तनाशक एवं बड़ा फल कफ एवं पित्तकारक होता है। अंगारे पर भूना बैंगन किंचित् पित्तजनक, लघु, शीघ्र पचने वाला, अग्निदीपक, कफ, मेद, वायु तथा आँव को दूर करने वाला होता है। इसमें नमक तथा तेल डालकर बनाया भुर्ता गुरु (भारी) तथा स्निग्ध होता है। अण्डाकार सफेद बैंगन अपेक्षाकृत न्यून गुण वाले होते हैं किन्तु यह अर्श में उपयोगी हैं।

भारत में बी.टी. बैंगन पर बवाल मचा हुआ है, बात सुप्रीम कोर्ट तक पहुँच गयी है, पर्यावरण मंत्रालय की आनुवांशिक अभियांत्रिकी मान्यता समिति (GEAC) ने भारत में विजातीय जीन से विकसित बीटी बैंगन की व्यावसायिक उत्पादन की मान्यता लेने के लिए एडी चोटी को जोड़ लगा रही है, इसी दृष्टि से अमेरिका के मिनिसोटा यूनिवर्सिटी के कीट वैज्ञानिक डेविड ए. एंडो से राय मांगी गयी थी। उन्होंने 80 पृष्ठ की समीक्षा रिपोर्ट भेज दी है। इस रिपोर्ट के अनुसार 'द्वितीय विशेषज्ञ समिति ने पर्याप्त वैज्ञानिक परीक्षण एवं मानव स्वास्थ्य के साथ-साथ पर्यावरण को होने वाले संभावित दूरगामी नुकसानों का आंकलन किये बगैर देश में वी.टी. बैंगन की खेती की सिफारिश की वह पाप है।

भारत में विज्ञान का क्षेत्र भी भ्रष्टाचार से अछूता नहीं है। भारत में बैंगन की 25,000 से अधिक प्रजातियाँ हैं तथा 29 जंगली जातियाँ हैं। कई धार्मिक एवं सांस्कृतिक दृष्टि से महत्व की है। बी.टी. बैंगन से भारत की बैंगन की इस जैव विविधता पर खतरा है। रिपोर्ट के अनुसार माहिको मोसेटो ने जिस ईई-1 ट्रान्सजेनिक वी.टी. बैंगन का विकास किया है उसकी की प्रतिरोधक शक्ति बहुत ही कम है और विभिन्न स्थलों पर किये गये परीक्षणों में कीटो के खिलाफ मात्र 73 फीसदी नियंत्रण क्षमता पायी गयी है यदि बैंगन के फल और कलियों पर कीड़े लगने प्रारम्भ हो गये तो क्या होगा गरीब किसानों का। हिन्दुस्तान में बहुत सारी चीजों का अकाल है किन्तु बैंगन तो प्रचुरता से मिलता है, फिर बी.टी बैंगन को अनुमति देने में जी.इ.ए.सी. इतनी जल्दीबाजी में क्यों? बात कुछ और है? वैज्ञानिक एंडो ने तो जी.इ.ए.सी. की रिपोर्ट को संदिग्ध अधकचरी वैज्ञानिक मान्यताओं और प्रक्रियाओं पर आधारित करार दिया है।

बैंगन के सम्बन्ध में अनेक भ्रांतियाँ हैं जैसे—यह गैस पैदा करता है, इसको खाने से खाँसी पैदा होती है, बिना गुण के होने के कारण ही इसे बैंगन कहते हैं, आदि आदि। लेकिन ये बेबुनियाद भ्रांतियाँ हैं। जरा गौर से देखें तो पता चलेगा कि इसके गुणों के कारण ही प्रकृति ने इसके सिर पर ताज पहना रखा है। यह सभी जगह उपलब्ध होता है। बैंगन में खास प्रकार का माइक्रो न्यूट्रिएन्ट पिगमेन्ट एन्थोसायनिन होता है जो कैन्सर, हृदय रोग से रक्षा करता है। त्वचा की खूबसूरती को बढ़ाता है। बैंगन से बैंगनी रंग बना है। बैंगनी रंग के समस्त सब्जियों तथा फलों महाशक्तिशाली फ्लेवोनॉइड्स "एन्थोसायनिन" पाया जाता है। ओहियो स्टेट यूनिवर्सिटी के वैज्ञानिकों ने खोज किया है प्राकृतिक रंगों वाली फल तथा सब्जियों में कोलन कैंसर से लोहा लेने की गजब की शक्ति होती है। बैंगनी लाल, गुलाबी लाल, सिन्दूरी लाल, नीला तथा बैंगनी

रंग वाली सब्जियों में मौजूद एन्थोसायनिन कोलन कैंसर का अचूक औषधि है। काला बैंगनी नीला अंगूर, बैंगनी मूली, बैंगन, मूली, बैंगन, बैंगनी मक्का, बैंगनी पत्तागोभी, चोकबेरीज, बिलबेरीज, बैंगनी गाजर, एल्डरबेरीज, स्ट्राबेरीज, चेरीज में एन्थोसायनिन खूब होता है जो कोलन कैंसर के कोशिकाओं का महाकाल विनाशक है। एन्थोसायनिन के अणुओं में किंचित परिवर्तन करने मात्र से उनकी कैंसर कोशिकाओ मारक क्षमता कई गुना बढ़ गयी। बैंगन में मौजूद मैग्नेशियम, मैगनीज तथा पोटाशियम प्रचुर मात्रा में क्रमश: 16, 24 तथा 200 मि.ग्रा. प्रति 100 ग्राम होता है। इन तत्त्वों के कारण यह कोलेस्ट्रॉल पर नियंत्रण रखता है तथा हृदय की माँसपेशियों को सशक्त बनाता है। हृदयरोगियों को बैंगन की सब्जी, इसके पत्ते का रस या चटनी प्रतिदिन 50 से 100 ग्राम तक लेनी चाहिए। बड़ा बैंगन कफवर्द्धक तथा खाँसी को सुखाने वाला होता है। छोटे नरम बैंगन का भुर्ता या सब्जी के प्रयोग से खाँसी ठीक होती है। यह कफनाशक है। मुलायम छोटे बैंगन की सब्जी तथा भुर्ता खाने से लकवा, वीर्य की कमी या पतला होना, मंदाग्नि, यकृत व प्लीहा वृद्धि आदि रोग ठीक होते हैं। ताजे, लम्बे बैंगन की सब्जी वायुफुल्लता, यकृत व प्लीहा को ठीक करती है। अरण्डी के तेल में तल कर बैंगन का भुर्ता बनाकर खाने से सायटिका दर्द में लाभ मिलता है। प्रसव के बाद नवजात शिशु की नाभि की सूजन की स्थिति में गोल बैंगन को भूनकर उसके गूदे में दही मिलाकर नाभि पर बाँधें, लाभ होता है। इसे संक्रमण से बचायें। इसी प्रयोग को नारू वाली जगह पर करने से आराम मिलता है।

कच्चा बैंगन खाने से सांखिया या अन्य विषों का दुष्प्रभाव उदासीन होता है। बैंगन को आग में भूनकर या उबालकर पुल्टिस बाँधें, मोच तथा नसों का तनाव दूर होगा। कच्चा बैंगन पीसकर योनि पर पुल्टिस बाँधने से फैली योनि संकुचित होती है। प्रसव के बाद यह प्रयोग करें। बैंगन का रस हथेली तथा पादतली पर भलीभाँति लगाने से अधिक पसीना आना ठीक होता है। अति पसीने में बैंगन के टुकड़े-टुकड़े करके एक घंटा पानी में छोड़ दें। फिर उसे पीयें। घाव के पश्चात् के सूजन में बैंगन, मट्ठा तथा हल्दी पीसकर लेप करें। प्रतिदिन बैंगन का भुर्ता खाने से गर्भस्राव एवं बंध्यापन दूर होता है तथा विटामिन 'ई' प्रचूषण की क्षमता बढ़ती है। इसका बीज खसरा एवं चेचक अवरोधक है। बैंगन का लोहा शरीर में शीघ्र अवचूषित होता है।

भिण्डी

(वानस्पतिक नाम—Abelmoschus Esculentus
अंग्रेजी नाम—Lady Finger)

भिण्डी मालवेसी परिवार का प्रमुख फल शाक है। यह बहुत ही उपयोगी एवं सर्वत्र उपलब्ध होने वाली सब्जी है। थोड़ी सी मेहनत से उपर्युक्त सभी प्रकार की सब्जियाँ घर पर ही उगायी जा सकती हैं। विख्यात आहारशास्त्री डॉ. राक्सवर्ग इसे पौष्टिक आहार मानते हैं। आयुर्वेद के अनुसार भिण्डी पौष्टिक, मूत्रल, स्वेदेक, विषहर, शोथघ्न, वातघ्न, ज्वरघ्न तथा ग्राही होती है। यह उष्ण, ग्राहिणी, रोचक, अम्ल रस, मन हर्षाने वाली, वृष्य, वीर्यवर्द्धक, श्लेष्मकर, बल्य, शुक्रजनक, चिकनी, कामोद्दीपक, स्नेहन तथा लुआबदार होती है। इसके प्रयोग से पेचिश,

सुजाक, उष्ण खाँसी तथा सूजन ठीक होती है। बार-बार होने वाली खाँसी से उत्पन्न प्रदाह में यह श्लेष्म निस्सारक द्रव्य के कारण स्निग्ध, स्नेहन तथा मार्दवकर्ता के रूप में कार्य करता है। इसमें कार्बोज की मात्रा अधिक होने से यह पचने में थोड़ी भारी होती है। इसकी सब्जी, लुआबदार रस या सूप के प्रयोग से प्रमेह, वीर्य स्खलन, नपुंसकता, जलन, आन्त्रिक प्रदाह, यकृत प्रदाह, पीलिया, अतिसार, मूत्रकृच्छ, रक्त-मूत्र, सूजाकजन्य मूत्रेन्द्रिय वेदना, जीर्ण श्वास नली प्रदाह, एम्फिसिमा, यक्ष्मा, पथरी तथा अरुचि ठीक होती है। काम ऊर्जा तथा वीर्य बढ़ाने के लिए इसका रस या सूप लें। रस बनाने के लिए सौ ग्राम भिण्डी में ढाई सौ मि.ली. पानी डालें। मसलकर छानें तथा पी जायें।

सूप बनाने के लिए सौ ग्राम भिण्डी में पाँच सौ मि.ली. पानी डालकर उबालें। उबलने के बाद हींग, जीरा आदि से छौंक लगाकर छान कर पियें। रस तथा सूप में शहद भी मिला सकते हैं। कच्ची भिण्डी या उसकी जड़ को सुखाकर चूर्ण बना लें। प्रतिदिन पाँच ग्राम चूर्ण को पानी के साथ लेने से प्रदर, पित्तज, प्रमेह, हाथ, पैर, आँख एवं सिर में होने वाली जलन ठीक होती है। खाँसी व दमे के दौरे के समय इसके सूप को धीरे-धीरे पीने से शीघ्र आराम मिलता है। भिण्डी में आयोडीन भी होता है। इसके हरे भाग में आयोडीन की मात्रा अधिक होती है। भिण्डी स्निग्ध, शीतल, मूत्रल व बाजीकर होती है। यह गलशोथ, कफजन्य प्रमेह, मूत्रकृच्छ, पूयमेह (यूरिन इन्फेक्शन) में उपयोगी है। इसके शुष्क बीज़ों को भूनकर कॉफी, हरे बीज की चटनी तथा पक्के शुष्क बीज की रोटी बनायी जाती है। इसके बीज में श्रेष्ठ किस्म का पुफा तेल होता है। पित्तमयता की स्थिति में इसकी सब्जी उपयोगी है। भिण्डी के पत्ते तथा पुष्प विरेचक, रुचिकर तथा हृदय को शक्तिशाली बनाने वाले हृद्द होते हैं। इसकी सब्जी पित्तज रोग को ठीक करती है। इसके फूलों के 50 मि.ली. रस में शहद मिलाकर खाने से पित्त-प्रकोप ठीक होता है, शौच साफ होकर कब्ज दूर होता है। इसके बीजों का तेल मोच तथा पीड़ा को ठीक करता है।

प्रयोगों से प्रमाणित हो गया है कि भिण्डी तथा परवल का ग्लाइसेमिक इन्डेक्स कम होने तथा इसमें इन्सुलिन (सी. पेप्टाइड) और नन इस्टरफाइड फैटी एसिड (NEFA) होने से मधुमेही रोगियों के लिए ये उत्तम आहार है।

सभी प्रकार की सब्जियों को घर पर ही जैव (Compost) खाद से पैदा करनी चाहिए। बम्बई विज्ञान संस्थान द्वारा किये गये शोध के अनुसार बाजार में मिलने वाली सब्जियों के पचास प्रतिशत नमूनों में कीटनाशी एवं अन्य रासायनिक प्रदूषण पाये गये हैं। महाराष्ट्र में उगाये गये सिर्फ आलू में 4.2 पी.पी.एम. डी.डी.टी., 1.4 पी.पी.एम. एल्ड्रीन पाई गई है जो कि घातक है। विश्व स्वास्थ्य संगठन तथा खाद्य व कृषि संगठन द्वारा निर्धारित न्यूनतम मात्रा (1.0 तथा 0.1 पी.पी.एम.) से यह काफी अधिक है। अन्य कीटनाशी रसायन भी फल एवं सब्जियों में निर्धारित मात्रा से अत्यधिक पाये गये हैं। अतः बाजार की फल एवं सब्जियों को खाना भी खतरे से खाली नहीं है। अन्तर्राष्ट्रीय स्वास्थ्य को बचाये रखने के लिए जैव खेती का आन्दोलन त्वरित गति से फैलाना होगा। इसी में समस्त राष्ट्र का कल्याण है।

विभिन्न फल वाली सब्जियों के प्रति सौ ग्राम में स्वास्थ्य सम्वर्द्धक तत्वों का तुलनात्मक अध्ययन

खाद्य	खायोभा	जल	प्रोटीन	''वसा	खल.	सेलु.	कार्बो.	ऊर्जा	Ca	P	Fe	A	B_1	B_2	B_3	C
लौकी	86	96.1	0.2	0.1	0.5	0.6	2.5	12	20	10	0.7	0	0.03	0.01	0.2	-
तोरई	82	95.2	0.5	0.1	0.3	0.5	3.4	17	18	26	0.5	31	- -	0.01	0.2	5
ककड़ी	83	96.3	0.4	0.1	0.3	0.4	2.5	13	10	25	1.5	0	0.03	0.02	-	7
पेठा	67	96.5	0.4	0.1	0.3	0.8	1.9	10	30	20	0.8	0	0.06	0.01	0.4	1
कद्दू	79	92.6	1.4	0.1	0.6	0.7	4.6	25	10	30	0.7	50	0.06	0.04	0.5	2
टिण्डा	99	93.5	1.4	0.2	0.5	1.0	3.4	21	25	24	0.9	13	0.04	0.08	0.3	18
कुंदरू	96	93.5	1.2	0.1	0.5	1.6	3.1	18	40	30	1.4	156	0.07	0.03	0.7	15
परवल	95	92.0	2.0	5	0.5	3.0	2.2	20	30	40	1.7	153	0.05	0.06	0.5	29
नेनुआ (घीया तोरई)	-	93.2	1.2	0.2	0.5	2.0	2.9	18	36	19	1.1	120	0.02	0.06	0.4	-
ककोड़ा	-	84.1	3.1	1.0	1.1	3.0	7.7	52	33	42	4.6	1620	0.05	0.18	0.6	-
चिचिंड़ा	98	94.6	0.5	0.3	0.5	0.8	3.3	18	26	20	0.3	96	0.04	0.06	0.3	-
कच्चा कटहल	-	84.0	2.6	0.3	0.9	2.8	9.0	51	30	40	1.7	0	0.05	0.04	0.2	14
टमाटर हरा	98	93.1	1.9	0.1	0.6	0.7	3.6	23	20	36	1.1	192	0.07	0.01	0.4	31
करेला बड़ा	97	92.4	1.6	0.2	0.8	0.8	4.2	25	20	70	1.8	126	0.07	0.09	0.5	88
करेला छोटा	93	83.2	2.1	1.0	1.4	1.7	10.6	60	23	38	2.0	126	0.07	0.06	0.4	96
बैंगन	91	92.7	1.4	0.3	0.3	1.3	4.0	24	18	47	0.9	74	0.04	0.11	0.9	12
भिण्डी	84	89.6	1.9	0.2	0.7	1.2	6.4	35	66	56	1.5	52	0.07	0.10	0.6	13
कच्चा केला	58	83.2	1.4	0.2	0.5	0.7	14.0	64	10	29	0.6	30	0.05	0.02	0.3	24

100 ग्राम फल वाली सब्जियों में आवश्यक प्रोटीनों (एमिनो एसिड्स) का तुलनात्मक अध्ययन

खाद्य	कुल N ग्राम % 100 ग्राम	आर्ग	हिस	लाइ	ट्रिप्टो	फिए	टायरो	मेथो	सिस	थ्रेओ	ल्यू	आल्यू	बैल
		ग्राम प्रति ग्राम N											
पेठा	0.06	0.19	0.04	0.07	0.03	0.16	-	0.06	-	0.19	0.38	0.35	0.31
करेला	0.26	0.27	0.08	0.21	0.04	0.24	-	0.15	-	0.25	0.42	0.37	0.37
लौकी	0.03	0.10	0.04	0.35	0.03	0.14	-	0.03	-	0.17	0.35	0.32	0.23
बैंगन	0.22	0.21	0.13	0.33	0.06	0.26	0.24	0.07	0.03	0.23	0.38	0.27	0.32
ककड़ी	0.06	0.47	0.09	0.27	0.05	0.14	-	0.06	-	0.16	0.26	0.19	0.21
कच्चा कटहल	0.42	0.12	0.06	0.30	0.08	0.48	-	0.09	0.09	0.36	0.50	0.45	0.55
भिण्डी	0.30	0.23	0.11	0.21	0.04	0.14	0.27	0.08	0.06	0.14	0.24	0.15	0.19
कच्चा केला	0.22	0.26	0.28	0.35	0.04	0.28	-	0.04	-	0.17	0.34	0.32	0.28
कद्दू	0.22	0.23	0.10	0.27	0.07	0.21	-	0.05	-	0.17	0.33	0.23	0.30
कच्चा टमाटर	0.30	0.19	0.05	0.16	0.02	0.15	-	0.05	-	0.19	0.21	0.42	0.27
फूल गोभी	0.42	0.29	0.12	0.36	0.09	0.23	-	0.10	-	0.26	0.44	0.30	0.35
छोटी गोभी (Brussel sprouts)	0.75	0.39	0.14	0.34	0.08	0.23	-	0.06	0.04	0.27	0.34	0.31	0.30

(संक्षिप्त पोषक तत्त्वों के पूर्ण नामकरण एवं माप की जानकारी हेतु पृष्ठ संख्या 77 पर देखें)

2

कन्द-मूल वाली सब्जी

चुकन्दर तथा चुकन्दर का साग (Beet)

(वानस्पतिक नाम—Beta Vulgaris)

इसका वानस्पतिक नाम बीटा वुलगारीस (Beta Vulgaris) है। यह चिनोपोडिएसी (Chenopodiaceae) परिवार का सदस्य है। चुकन्दर सब्जी के रूप में दो हजार साल से प्रयुक्त हो रहा है। रोम ग्रीक एवं तथा यूनानवासी चुकन्दर के गुणों से भलीभाँति परिचित थे। इन्हीं लोगों के द्वारा फ्राँस, जर्मनी, इंग्लैण्ड में चुकन्दर ले जाया गया। आज इसकी खेती विश्व के प्राय: सभी देशों में की जाती है। प्राचीन काल में चुकन्दर के पत्तों की सिर्फ सब्जी बनती थी, लेकिन कृषि के क्षेत्र में हुई वैज्ञानिक क्रांति से इनके मूल-कन्दों में अप्रत्याशित विकास हुआ। आज चुकन्दर की दो प्रमुख किस्में हैं। प्रथम सब्जी वाला चुकन्दर तथा दूसरा शर्करा वाला चुकन्दर। शर्करा चुकन्दर से सिर्फ शर्करा ही बनाया जाता है, सब्जी नहीं बनती है। चुकन्दर मूल कन्द कई प्रकार के होते हैं। ये लाल, पीले, सफेद, गोल व लम्बे होते हैं। बाजार में प्राय: लाल चुकन्दर मिलता है। सामान्य आकार के गोल, लाल चुकन्दर सब्जी की दृष्टि से श्रेष्ठ होते हैं। कन्द-मूल सब्जियों में चुकन्दर एक उत्तम टॉनिक आहार है। इसमें प्रचुर मात्रा में श्रेष्ठ किस्म की शर्करा 13.6 प्रतिशत होती है।

इसके शर्करा का मुख्य भाग सुक्रोज होता है। परन्तु डेक्स्ट्रोज तथा फल शर्करा भी इसमें पाये जाते हैं। ये शर्करा शरीर में शीघ्र अवचूषित होकर शक्ति, ऊर्जा एवं उष्मा प्रदान करते हैं तथा स्वास्थ्य को बनाये रखते हैं। इसका पंचांग अर्थात् सभी भाग सब्जी के रूप में प्रयुक्त होते हैं। यह क्षारीय तत्त्वों विशेषकर कैल्शियम तथा लोहा का उत्तम स्त्रोत है। चुकन्दर को आग में भूनकर, उबालकर व वाष्प द्वारा बनाया जाता है। यह प्रबल रेचक तथा मूत्रल है। चुकन्दर का रस खनिज तथा विटामिन की दृष्टि से अति उपयोगी होता है। यह पोषण, ऊर्जा, रोग-निवारण तथा स्वास्थ्य संरक्षण की दृष्टि से श्रेष्ठ पेय है।

चुकन्दर को उबालने से पानी लाल हो जाता है। पानी का लाल होना यह सूचित करता है कि इसमें घुलनशील विटामिन, रंजक द्रव्य आदि घुला है। प्रयोगों द्वारा देखा गया है कि इस लाल पानी में विटामिन 'ए' 5 प्रतिशत, विटामिन 'सी' 10 प्रतिशत, विटामिन 'बी' (विशेषकर

रिबोफ्लेविन) 15 प्रतिशत घुला हुआ है। उबालते समय बर्तन को ढक्कन नहीं होने से इन विटामिनों के नष्ट होने का डर बढ़ जाता है। 35 प्रतिशत तक विटामिन 'सी' तथा नायसिन नष्ट हो जाते हैं। चुकन्दर का अवशोषण आँतों द्वारा होता है जिससे मल लाल हो जाता है, किन्तु किसी-किसी को चुकन्दर एलर्जिक प्रतिक्रिया करता है। फलतः उसका लाल रंग रक्त में प्रवेश करके पेशाब का रंग चमकीला लाल बना देता है। विदेशों में चुकन्दर को बनाते समय इसे अच्छी तरह 15 मिनट तक ढक कर उबालते हैं। फिर इसमें नींबू का रस मिलाकर बड़े स्वाद के साथ खाते हैं। चुकन्दर गुर्दे तथा पित्ताशय की अच्छी तरह सफाई करता है। इसमें पोटाशियम, कॉपर, सोडियम, कैल्शियम, सल्फर, क्लोरिन, आयोडीन, मैग्नेशियम तथा लोहा प्रचुरता से होता है। इसका रस तीव्र रक्तशोधक है। यह लाल रक्त कणों के निर्माण में भाग लेता है। इसमें खनिज लवण तथा बी कॉम्पलेक्स प्रचुर मात्रा में होने से यह हृदय को शक्तिशाली बनाता है।

इसमें हृदय की माँस पेशियों को सशक्त बनाने वाले तत्त्व बीटासायनिन, पोटाशियम, मैग्नीज तथा कैल्शियम समानुपात पर्याप्त मात्रा में होता है। चुकन्दर के पत्तों में पालक की तरह ऑक्जेलेट अधिक मात्रा में होता है जो कैल्शियम को अवचूषित होने में बाधा डालता है परन्तु इसमें कैरोटिन, विटामिन 'ए', बी-1, बी-2, बी-3, बी-6, 'पी', 'सी', पेन्टोथेनिक अम्ल व फोलिक अम्ल पर्याप्त मात्रा में होता है। इसके अतिरिक्त अन्य खनिज लवण भी पर्याप्त मात्रा में होते हैं। पथरी वाले लोग इसके पत्ते का शाक नहीं खायें।

चुकन्दर में विशेष तत्त्व बिटिन (Betin) होता है। चुकन्दर का ताजा रस दिन में 3-3 घंटे के अंतराल पर चौथाई ग्लास में टमाटर, खीरा, गाजर, आवलादि सब्जियों का रस मिलाकर पीने से पेशाब की जलन, लिंग के अन्दर की जलन, यूरिन इन्फेक्शन, पथरी, खून की कमी, कम तथा अनियमित माहवारी, पित्त, वमन, हैजा, अतिसार, रोग प्रतिरोधक क्षमता की कमी नाखून का भद्दापन, मानसिक व स्नायविक दौर्बल्य, मधुमेह, आमाशयिक व्रण, हाइपो ग्लूसेमिया व हाइपरग्लूसेमिया, यकृत प्रदाह, यक्ष्मा, आर्द्र एवं शुष्क बेरी-बेरी, हृदय रोग, यकृत एवं गुर्दे सम्बन्धी रोग, माँसपेशीय वात व कमजोरी तथा उच्च रक्तचाप ठीक होते हैं।

चुकन्दर के रस में नींबू का रस भी मिला सकते हैं। चुकन्दर के पत्ते को हल्दी के साथ पीस कर सुबह एवं रात्रि को सिर पर लेप करने से गंजापन ठीक होता है। चुकन्दर का रस, पित्ती, जीर्णव्रण, ततैया, मधुमक्खी के काटने तथा बिवाई पर लगायें। अवश्य लाभ होता है। अन्य सब्जियों के रस भी मिलायें।

विभिन्न प्रयोगों से प्रमाणित हो गया है कि चुकन्दर का रस लाल है इसलिए इसका सीधा सम्बन्ध खून से है। खून के निर्माण में इसकी खास भूमिका है। इसमें गुण एवं मात्रा की दृष्टि से सर्वोत्तम लोहा होने के कारण खून के उत्पादन एवं सक्रिय करने में खास भूमिका निभाता है। रक्त कोशिकाओं के निर्माण तथा रेशे-रेशे तक ऑक्सीजन की आपूर्ति करता है। श्वसन तंत्र का सक्रिय एवं सुव्यवस्थित करके सांस की गति को नियंत्रित एवं नियमित करता है। श्वसन, ध्वनी, सांस की रुकावट, कोशकीय श्वसन (Vesicular Breathing) ठीक होता है। जर्मनी के वैज्ञानिक फ्रिट्ज कीटल (Fritz Keital) के अध्ययन के अनुसार चुकन्दर का लाल रस शरीर

की रोग प्रतिरोधक क्षमता को बढ़ाता है। खून की कमी को दूर करता है। शिशुओं तथा किशोरों में खून बनना कम हो जाता है। उनमें चुकन्दर का रस चमत्कारिक लाभ करता है। अन्य औषधियाँ काम करना बन्द कर देती है। वहाँ चुकन्दर का रस कमाल का काम करता है।

चुकन्दर का रस कैल्शियम का अच्छा घोलक (Solvent) है। इसलिए यह ऑस्टियोपोरोसिस हाइपरटेन्सन, आर्टिरियोस्क्लेरोसिस, वेरिकोस वेन्स, कोरोनरी हार्ट डिजीज के लिए अचूक औषधि है। गाजर, ककडी तथा चुकन्दर का रस मिलकर गुर्दे तथा गॉल ब्लेडर की भलीभांति सफाई करते हैं। इन दोनों अंगों की हर बीमारी के लिये यह रस बेहद असरदार है। चुकन्दर तथा नींबू का रस पीलिया, लीवर की सूजन, मितली, वमन, अतिसार, पेचिश को ठीक करता है। अल्सर में चुकन्दर का रस में शहद मिलाकर पीने से लाभ होता है।

चुकन्दर का सूप जीर्ण कब्ज, रक्तार्श को दूर करता है। रात्रि को सोने के पूर्व 250 मिली. सूप लें। चुकन्दर का काढ़ा या सूप को बिनेगर के साथ मिलाकर सिर में लगाने से डेनड्रफ (Dandruff) खत्म हो जाते हैं। चुकन्दर के रस में अदरक का रस मिलाकर सिर की मालिश करें डेनड्रफ (रूसी तथा जुएं) मिट जाती है। सफेद चुकन्दर नहीं मिलने पर किसी प्रकार का चुकन्दर लेकर पानी में उबालकर लगाने धोने या नहाने से पिम्पल्स पूयस्फोटिका, फुंसी (Pustules) उत्तेजित चमरी, घाव (Boils) तथा चमरी की प्रदाह त्वचा शोथ (Skin Inflammation) खत्म होते हैं। तीन भाग चुकन्दर का रस तथा एक भाग सफेद बिनेगर मिलाकर रोग एवं क्षतिग्रस्त चमरी को धोयें।

वैज्ञानिक अध्ययन के अनुसार कशरत आसन प्राणायाम करने के बाद चुकन्दर का रस पीने से स्टेमिना में गजब की वृद्धि होती है। मांसपेशियां भी शक्तिशाली एवं स्वस्थ होती है। चुकन्दर का रस पीने से खून में नाइट्रेट की मात्रा बढ़ जाती है जिससे मांसपेशियां एडेनोसाइन ट्राइफॉस्फेट (ATP) का उपयोग कम कर देता है। मांसपेशियों की ऑक्सीजन लेने की क्षमता कम हो जाती है जिसमें फ्री रेडिकल्स का निर्माण कम होता है, फ्री रेडिकल्स का निर्माण थोड़ा बहुत होता भी है तो चुकन्दर का शक्तिशाली एण्टी ऑक्सीडेन्ट बीटासायनिन नष्ट कर देता है।

प्रयोगों के दौरान देखा गया कि रोज आधा लीटर चुकन्दर का रस पीने से साइक्लिंग का समय तथा दूरी दोनों में इजाफा हुआ। लम्बी दूरी के धावकों तथा एथलीटो के लिए चुकन्दर का रस सर्वोत्तम एनर्जी ड्रिंक है। चुकन्दर की तरह अन्य लाल रंग की सब्जियों का रस भी शारीरिक क्षमता को बढ़ाता है तथा अन्य अनेक रोगों से मुक्त करता है। चुकन्दर में एक खास प्रकार का प्रबल शक्तिशाली फाइटो केमिकल कम्पाउण्ड यूरीडिन (Uridine) होता है जो डिप्रेशन की बेजोड़ औषधि है। चुकन्दर में मौजूद ओमेगा 3 तथा यूरीडिन का शानदार मिलन मूड को तरोताजा कर देता है। ये दोनों प्रचण्ड फाइटो केमिकल आपस में मिलकर मूड रेग्यूलेटिंग हार्मोन को सक्रिय कर देते हैं जिससे दुश्चिन्ता एवं अवसाद दूर होते हैं।

विख्यात जर्नल हाइपरटेन्सन जून 2010 में लन्दन के क्वीन मेरी यूनिवर्सिटी के अमृत आहुलीवालिया के नेतृत्व में वैज्ञानिकों के एक दल का शोध पत्र प्रकाशित हुआ है जिसके अनुसार चुकन्दर के रस में मौजूद नाइट्रेट रक्तचाप पर कमाल का असर डालता है। वह अपने

प्रभाव से रक्तचाप को तुरन्त कम करके नियंत्रित करता है। यह हृदय रोग तथा स्ट्रोक होने की संभावना को ही खत्म कर देता है, (Cuts the Risk of Heart Disease and Strokes).

कानों के दर्द में अल्पोषण चुकन्दर के पत्ते का रस 3-3 बूँद डालते रहने से लाभ होता है। लाल चुकन्दर गर्भाशय सम्बन्धी रोग में तथा सफेद चुकन्दर यकृत दोष में लाभदायक होता है। चुकन्दर के मूल-कंद तथा पत्तियों की सब्जी, रस, सूप तथा सलाद के रूप में खाया जाता है। चुकन्दर के रस को नाक में डालने से सायनसजन्य सिर दर्द ठीक होता है। कन्द को उबाल कर तथा कच्चा काट कर सलाद बनाया जाता है। इसका मनलुभावन रंग भोजन को स्वादिष्ट एवं रंगीला बना देता है। इसके पत्ते का रस तथा सब्जी रक्तहीनता, दृष्टिमंदता, कोष्ठबद्धता, रिकेट्स तथा ऑस्टियोमलेसिया तथा स्नायविक कमजोरी को दूर करता है।

यह एक ऐसा आहार है जिसमें एक तरफ पोटाशियम, क्लोरीन, सल्फर आदि शरीर से विष निकालने वाले तत्त्व प्रचुर मात्रा में होते हैं वहीं शक्ति व ऊर्जा प्रदान करने वाले अनेक शर्करायें भी प्रचुर मात्रा में मिलती हैं। चौथाई कप चुकन्दर तथा इतनी ही मात्रा में उबली हुई चुकन्दर की पत्तियों के साग में क्रमशः निम्न रोग अवरोधक तत्त्व होते हैं—

	कन्द	पत्तियाँ	कन्द	पत्तियां
उष्णांक	40 कैलोरी	28 कैलोरी	Ca 28 मि.ग्रा.	94 मि.ग्रा.
कार्बोज	6.50 ग्राम	4.20 ग्राम	P 42 मि.ग्रा.	40. मि.ग्रा.
प्रोटीन	2 ग्राम	2 ग्राम	Fe 2.80 मि.ग्रा.	3.20 मि.ग्रा.
वसा	0.10 ग्राम	0.50 ग्राम	Mg 23 मि.ग्रा.	-
			k 350 मि.ग्रा.	570 मि.ग्रा.
विटामिन 'ए'	50	2200		
	-	अ.ई.	Na 110 मि.ग्रा.	130 मि.ग्रा.
बी$_1$	41 मि.ग्रा.	100 मि.ग्रा.	Cu 0.19	-
बी$_2$	374 मि.ग्रा.	500 मि.ग्रा.	Mn 0.54 से 1.35 मि.ग्रा.	-
बी$_3$	13 मि.ग्रा.	0.30 मि.ग्रा.	S 17 मि.ग्रा.	-
कोलिन	8 मि.ग्रा.	0 मि.ग्रा.	Zn 0.93 मि.ग्रा.	-
इनोसिटॉल	21 मि.ग्रा.	-	विटामिन 'सी' 8 मि.ग्रा.	50 मि.ग्रा
फॉलिक एसिड	13.50 मा.ग्रा.	25 मि.ग्रा.		

शलगम

(वानस्पतिक नाम—Brassica Rapa अंग्रेजी नाम—Turnip)

यह क्रुसीफेरी परिवार की प्रमुख कन्द सब्जी है। इसका वानस्पतिक नाम ब्रासिका कम्पेस्ट्रीज वरायटी रेपा है। कॉकसस तथा बाल्टिक समुद्र के मध्य का क्षेत्र ही शलगम का अपना पुराना जन्मस्थान है। प्राचीन भारत में इसकी खेती नहीं होती थी। यह वन्य पौधा है इसीलिए धन्वन्तरि निघंटु में इसे 'आटवीमूलक' कहा गया है। राजनिघंटु में बताया गया है कि गोलाई लिए हुए जिसका मूल गाँठ के समान तथा जिसका कंद लाल हो वह यवनों को प्रिय है। आयुर्वेद में

शलगम के लिए गुंजनम तथा गाजर के लिए गुंजरम आया है। भावमिश्र आदि आयुर्वेदाचार्यों ने दोनों का अर्थ गाजर से लिया है परंतु शब्द कल्पद्रुम के रचयिता इसे शलगम तथा मोन्योर विलियम्स ने इसे टरनिप कहा है। इसकी दो जातियाँ हैं, लाल तथा सफेद। अंग्रेजी में इन्हें रेप तथा टर्निप, हिन्दी में दोनों को शलगम तथा फ्रेंच में फ्रेंच टर्निप कहते हैं। राज निघंटु, चरक, सिद्धभेषज मणिमाला आदि प्राचीन आयुर्वेद ग्रंथों में शलगम को उष्ण, कटु, कफ और वातजन्य वेदनाओं को नाश करने वाला, दीपन, हृद्यं, गुल्मनाशक, दुर्गन्धिनाशक, बाजीकर, मूत्रकृच्छ नाशक, दृष्टिवर्द्धक, पुष्टिकर, कब्जनाशक, कफ निस्सारक व गाजर जैसा पुष्टिकारक बताया है।

इसमें गाजर तथा मूली दोनों के गुण भरे हैं। इसमें कैरोटिन, विटामिन 'ए', 'बी' तथा 'सी' पर्याप्त मात्रा में होता है। शलगम में प्राकृतिक इन्सुलिन पाया जाता है। कन्द फल शाक होने के बावजूद भी इसमें स्टार्च व शर्करा बहुत ही कम मात्रा में हैं, यही कारण है कि इसका रस मधुमेह रोगियों के लिए उत्तम औषधि है। यह जाड़ा (शीत) ऋतु का अति प्रमुख कन्द फल शाक है। अमेरिका, जर्मनी व रुस में शलगम को बड़े चाव से खाया जाता है। शलगम के साथ इसका पत्ता भी अति उपयोगी सब्जी है। इसके पत्ते में बहुमूल्य पोषण एवं स्वास्थ्य संरक्षक तत्त्व भरे हुए हैं। मूर्खतावश हम इसके पत्तों को फेंक देते हैं परंतु रोग-निवारण की दृष्टि से इसके पत्तों का कोई मुकाबला नहीं है।

इसमें सर्वाधिक एवं सर्वश्रेष्ठ विटामिन 'ए' 18,000 अ.ई., विटामिन 'सी'. 180, बी-1 0.31, बी-2 0.57, बी-3 5.4, Ca -710, Fe-28.4 मि.ग्रा., कैरोटिन 9336 अ.ई. प्रति सौ ग्राम में मिलता है। इसमें मैग्नेशियम तथा अन्य तत्त्व भी पर्याप्त मात्रा में होते हैं। यही कारण है कि इसके पत्ते का रस तथा सब्जी विकासशील बच्चों जिनकी हड्डियों का निर्माण हो रहा होता है, रक्तहीनता से पीड़ित रोगियों, मधुमेहजन्य एसिडोसिस, स्प्रू (संग्रहणी), अंधता, रतौंधी, दृष्टिमंदता आदि नेत्र संबंधी रोगों में बहुत लाभदायक है। इसके पत्ते का रस प्रतिदिन दो कप लें। हड्डियों को मजबूत बनाने व रक्त निर्माण में शलगम अति महत्वपूर्ण आहार है। ऑस्टियोमलेसिया ऑस्टियोपोरोसिस व रिकेट्स में इसके पत्ते का रस उपयोगी है।

शलगम के नाजुक पत्तों के रस का उपयोग सभी रोगों में किया जा सकता है। वातश्लेष्मा एवं शरीर-शोथ में शलगम कन्द की सब्जी, सूप तथा रस, जुकाम, श्वास एवं बन्द नाक में इसका रस नाक में डालें। शलगम को दही या मट्ठा में डालकर खाने से अर्श तथा ग्राही होने के कारण इसका रस अतिसार में प्रयोग करें, लाभ होगा। इसके पत्ते तथा कन्द का रस, सलाद तथा सब्जी खाने से मधुमेह, दृष्टिदोष, अन्धता, कब्ज, दमा, खाँसी, रक्तचाप, हृदयरोग, शारीरिक, स्नायविक एवं मानसिक दौर्बल्य, पथरी, मूत्रावरोध, गुर्दे के विभिन्न रोग (सिर्फ कन्द का रस दें, पत्ते की सब्जी तथा रस नहीं दें) वातरक्त, आमवात, दन्तशूल एवं मसूढ़े से खून आना, सायटिका, पीलिया एवं यकृत के अन्य दोष ठीक होते हैं। यह पाचन क्रिया बढ़ाता है। अग्नि प्रदीप्त करता है। अतः मंदाग्नि के रोगियों के लिए श्रेष्ठ आहार है। यह माँसपेशियों को पुष्ट करता है, चर्बी बढ़ाता है तथा शरीर को हृष्ट-पुष्ट बनाता है। यह एण्टीस्कार्ब्यूटिक आहार है। खाँसी तथा गला बैठने की स्थिति में शलगम का सूप धीरे-धीरे पियें।

शलगम यूरिक अम्ल के निर्माण को बाधित करता है, इसलिए इसका रस गठिया वालों के लिए उपयोगी है। शलगम को काटकर फिर पानी में उबालें। उससे कटे-फटे बिवाई को धोयें तथा उबले टुकड़े से रगड़कर कपड़े से बाँधकर सोयें। 10-12 दिन लगातार करें। आराम मिलता है। खाने से पहले तथा बाद में शलगम का सलाद खूब चबा-चबा कर खायें। दाँत साफ एवं कीटाणु रहित हो जाते हैं। इसके बीज को गाय के कच्चे दूध में पीसकर लगाने से मुख का सौन्दर्य निखरता है। दाग एवं मुँहासे दूर होते हैं। इसका बीज पाचक एवं मूत्रल होता है।

मूली तथा मूली का पत्ता

(वानस्पतिक नाम—Raphanus Sativus अंग्रेजी नाम—Radish)

मूली का प्रयोग भारतवर्ष में हजारों वर्ष पूर्व से होता आ रहा है। इसका लैटिन नाम रेफनस सेटाइवस है तथा यह क्रुसीफेरी परिवार का प्रमुख सदस्य है। मूली ऐसी कन्द सब्जी है, जो सबको प्रिय है। प्रसिद्ध वैद्य श्री बापालाल ग. वैद्य ने अपने निघंटु आदर्श में बताया है कि मूली पृथ्वी पर तीनों दोषों को हरन करने की प्रतिष्ठा प्राप्त करती है। इसके कन्द रूपी मूल पृथ्वी में बढ़ते हैं। शार्ङ्गधर निघंटु, राज निघंटु, राजबल्लभ, भाव प्रकाश तथा चरक निघंटु में मूली के उपयोगी गुणों के खूब प्रशस्ति गान गाये गये हैं। इन ग्रंथों के अनुसार मूली रस में कटु तथा तिक्त, उष्ण वीर्य, विपाक कटु, दोषघ्नता वात, शुष्क मूलक-त्रिदोषघ्न, हृद्यं, रोचन, दीपन, सर्वदोषहर, ग्राही, लघु तथा स्वर (कण्ठ) के लिए हितकारी है। यह बवासीर, गुल्म, हृद्रोग तथा वातनाशक है।

छोटी मूली गरम, रुचिकारक, हल्की त्रिदोषनाशक, स्वरशोधक, ज्वर, श्वास, नासिका रोग, कंठ रोग, नेत्र रोगनाशक है। पक्की मूली गुरु, त्रिदोषकृत तथा तीक्ष्ण होती है। सूखी मूली त्रिदोषहर, विषघ्न तथा लघु है। अन्य सूखी सब्जी विष्टम्भी तथा वातल होती है। मूली के पुष्प, पत्र तथा फल गुरु हैं। सुश्रुत के अनुसार मूली के पुष्प कफ और पित्तनाशक हैं। फल कफ और वायुनाशक हैं। चरक के अनुसार मूली त्रिदोषहर है। स्नेह सिद्ध मूली की सब्जी वातहर तथा सूखी मूली कफ, वातहर होती है। भावप्रकाश निघंटु के अनुसार मूली दो प्रकार की होती है—छोटी चाणक्य मूलक तथा हाथी दाँत जैसी बड़ी नेपाल मूलक कहलाती है। बड़ी मूली उष्ण,रुक्ष, गुरु, त्रिदोषनाशक किंचित् मीठी, तेल में भूनी हुई त्रिदोषनाशक तथा छोटी मूली कटु रस युक्त, रुचिकारक, लघु, पाचक, त्रिदोषनाशक, कण्ठस्वर को उत्तम बनाने वाली, ज्वर, श्वास, नाक, कण्ठ तथा नेत्र रोग को दूर करने वाली है। इसका कन्द गाजर के आकार का परन्तु सफेद होता है। पत्ते, फल तथा फूल सरसों की तरह (परन्तु सफेद) होते हैं। फल तथा बीज सरसों से किंचित् बड़ा होता है। इसके बीज में उड़नशील तेल होता है। कन्द में 0.1 मि.ग्रा. आर्सेनिक भी होता है।

मूल तथा बीज में स्थिर तेल भी होता है। इसका बीज कफ नि:सारक, पाचन, वातानुलोमन, मृदुविरेचक तथा मूत्रल होता है। कन्द के साथ मूली की पत्तियाँ बहुत ही उपयोगी हैं। इसमें लोहा, विटामिन 'ए', बी-1, बी-2, बी-3, बी कॉम्पलेक्स, 'सी', कैल्शियम, फॉस्फोरस, लोहा आदि खनिज लवण प्रचुर मात्रा में होते हैं। डॉ. वामन देसाई के अनुसार इसका पत्ता पेट

साफ करने वाला अनुलोमिक, अश्मरीहर तथा मूत्रल होता है। इसके ताजे पत्ते रक्तपित्त शामक होते हैं। मूली के सभी अंग मूत्र रोग, अश्मरी, गुर्दे तथा यकृत के सभी रोगों में लाभदायक हैं। यह शूल, आमाशयिक वेदना तथा अर्श में उपयोगी है। मूली के पत्ते का शाक तथा सलाद (कच्चा) खाने से पुराना से पुराना कब्ज, पीलिया, रक्तहीनतादि रोग दूर होते हैं। इसमें पोटाशियम प्रचुर मात्रा 138 मि.ग्रा. प्रति सौ ग्राम में होने के कारण इसका प्रभाव बहुमूत्रल तथा गुर्दे, हृदय, रक्तवाहिनियों तथा ऑस्मोटिक दाब के लिए अति उपयोगी होता है। चरक ने अर्श में सूखी मूली की पोटली स्वेदन तथा सूप, प्रवाहिका में इसका रस, कफ शोथ में गरम रस से गरारा, श्वास कष्ट में सूखी मूली का सूप तथा वातजन्य खाँसी में इसकी सब्जी देने की सिफारिश की है। सुश्रुत ने कर्णशूल में मूली का गरम स्वरस डालने के लिए कहा है। चक्रदत्त ने शीत पित्त में सूखी मूली का रस या सूप तथा कफ वातजन्य में कोमल मूली का रस देने के लिए कहा है। आयुर्वेदज्ञ सोढ़ल के अनुसार सभी प्रकार की सूजन में तिल के साथ मूली खायें। मूली के पत्ते तथा कन्द के स्वरस उपवास का प्रयोग मैंने पीलिया के 105 तथा पथरी के 15 रोगियों पर किया है, इसका परिणाम अति उत्साहवर्द्धक है। श्वास की स्थिति में पत्ते सहित मूली को उबालकर, छानकर सूप बनायें। इसमें अदरक, कालीमिर्च, सेंधा नमक डालकर पीने से सर्दी, जुकाम, खाँसी, दमा तथा अन्य श्वास कष्ट के दौरे में राहत मिलती है।

मूल-कन्द की सब्जी बनाकर खायें। मूली से मंदाग्नि, गले की खराबी, अरुचि, पेट के कृमि तथा वात गुल्म दूर होते हैं। मूली, अदरक, नींबू, सेंधा नमक डालकर चटनी बनायें। यह चटनी वायुफुल्लता, मंदाग्नि, अजीर्ण तथा अरुचि दूर करती है। पुराना कब्ज, वायुफुल्लता, दाँत के रोग, अग्निमंदता की स्थिति में भोजन से पूर्व, मध्य तथा बाद में मूली के साथ सेंधा नमक व काली मिर्च का चूर्ण मिलाकर खायें। अवश्य आराम होगा। हरेक रात्रि को मूली को पत्ते समेत खुले आसमान के नीचे रख दें। प्रातःकाल उसका रस निकालकर पीने से जीर्ण रक्तार्श, पीलिया तथा पथरी ठीक होते हैं। कच्चा भी खा सकते हैं।

दस ग्राम मूली के बीज-चूर्ण को सौ ग्राम मलाई के साथ खाने से वीर्य गाढ़ा हो जाता है। धातु दौर्बल्य की स्थिति दूर होती है। 3-3 ग्राम मूली बीज का चूर्ण दिन में तीन बार गरम पानी के साथ लेने से मासिक धर्म खुलकर आता है। ताजी मूली के रस में, सरसों-तेल तथा शहद सम मात्रा में मिलाकर तीन-तीन बूँद कान में डालें। ठीक से सुनाई पड़ने लगता है। बधिरता दूर होती है। जलोदर, यकृत सूजन, गुर्दे की सूजन, पथरी, पेशाब रुक-रुक कर आना, कम आना, जलन तथा मूत्रकृच्छ में मूली तथा मूली के पत्ते का रस पियें। मूली के रस में सेंधा नमक, काली मिर्च, अदरक का रस मिलाकर पीने से पेट दर्द, वायुफुल्लता, अजीर्ण तथा मंदाग्नि दूर होती है। विषैले जानवरों के काटने पर मूली का रस लगायें। पिलायें तथा मूली खिलायें। मूली के पत्ते खाने से हिचकी बन्द होती है।

मूली को पचाने के लिए मूली का पत्ता खायें तथा इन दोनों को पचाने के लिए गुड़ खाना चाहिए। मूली के पत्ते का स्वरस 400 मि.ली. तथा इसका तेल सौ मि.ली. लेकर पकायें। जब पानी जल जाये तो शेष बचे तेल को शीशी में भर लें। इसके प्रयोग से कर्णशूल, चर्म रोग, वातज

व्याधि, गुर्दे तथा गुर्दे का दर्द ठीक होता है। स्टुअर्ट के अनुसार मूली का बीज पाचक, मूत्रल, कफघ्न, रेचक, वातघ्न तथा शोधक होता है। आयुर्वेद के अनुसार मूली सभी आहारों को पचाकर अन्त में पचती है। मूली या मूली के रस में नींबू निचोड़ कर खाने से अजीर्ण, यकृत व प्लीहा वृद्धि, पीलिया, रक्तार्श, कब्ज, मंदाग्नि व उदर शूल ठीक होते हैं। मूली के बीज को नींबू के रस में पीसकर मुँह में लगाने से मुँहासे, धब्बे तथा दाद पर लगाने से दाद व दाग ठीक होते हैं। 10 ग्राम बीज चूर्ण को दूध एवं शहद के साथ प्रातःकाल लेने से नपुंसकता दूर होती है। पत्तियों के रस को उबाल कर उसका सत्व तैयार करें। प्रतिदिन 2 ग्राम सत्त चूर्ण लेने से अजीर्ण, मिचली, वमन रक्तार्श दूर होता है। एक लीटर मूली-मूल रस को एक किलो गुड़ में मिला कर सात दिन तक धूप में रखने से शहद, पौष्टिक जेली का निर्माण होता है। मूली के टुकड़े काटकर सेंधा नमक व काली मिर्च डालकर सात दिन तक धूप में रखें। स्वादिष्ट पाचक अचार बन जाता है।

गाजर

(वानस्पतिक नाम—Daucus Carota Var Sativa अंग्रेजी नाम—Carrot)

अम्बेलीफेरी परिवार का यह विशिष्ट सदस्य स्वास्थ्य एवं सौन्दर्य प्रदान करने वाला अद्वितीय आहार है। इसकी खेती सर्वत्र की जाती है। यह एक अति प्राचीन आहार है। इसकी उपयोगिता से आम आदमी अन्जान था। पाश्चात्य देशों में गाजर का बाह्य प्रयोग विषघ्न के रूप में घाव तथा फोड़े एवं फुंसियों पर पुल्टिस के रूप में होता था। अठारहवीं शताब्दी में इसके औषधीय गुणों पर व्यापक शोध कार्य होने के उपरान्त इसका उपयोग वृहद् स्तर पर होने लगा। भारतवर्ष में इसका उपयोग शताब्दियों से होता आ रहा है।

कुछ वनस्पति विज्ञानियों के अनुसार मध्य एशिया, उत्तरी अफ्रीका तथा यूरोप गाजर का जन्मस्थान है। काली गाजर का उपयोग कांजी बनाने तथा नारंगी रंग की गाजर का उपयोग औषध्यार्थ होता है। मूली तथा शलगम की तरह गाजर की दो किस्में, एक वर्षीय ट्रापिकल या एशियाटिक टाइप तथा द्विवर्षीय टेम्परेट या यूरोपियन टाइप होती है। एशियाटिक टाइप काली, लाल व पीली गाजरों में पूसा, केसर, सेलेक्सन 5, 21 व 233, नं. 29 प्रसिद्ध हैं। यूरोपियन टाइप नारंगी रंग में कोरलेस, चैनटनी, इम्परेटर, स्ट्रीमलाइनस, डानवर्स गोल्डन हार्ट, काश्मीर ब्यूटी, नेन्टस तथा हाफलॉगनैन्टस प्रसिद्ध है।

सर जॉर्ज वाट के अनुसार गाजर काश्मीर, पश्चिमी हिमालय, यूरोप, उत्तरी एशिया का आदिवासी पौधा है। भारत में इसका उपयोग विविध रूपों में दो हजार वर्षों से होता आ रहा है। चरक, भावप्रकाश एवं राज निघंटु आदि महान ग्रंथों के अनुसार गाजर मधुर, तिक्त, रस युक्त, विपाक में मधुर, तिक्त, उष्णवीर्य, अग्निदीपक, लघु, ग्राही, मूत्रल, स्नेहन, अनुलोमन, हृदय, रक्तशोधक, कफ निःसारक, त्रिदोषनाशक, बाजीकरण, बृहण, मस्तिष्क एवं नाड़ियों के लिए बल्य एवं रक्तपित्त, अर्श, ग्रहणी, कफ, वात, अग्निमांद्य, यकृतदोष, आनाह, ग्रहणी, रक्तविकार, शोथ, कास, शुक्रदौर्बल्य, अश्मरी, मूत्रदाह, मूत्रकृच्छ, कृमि, कृशता तथा यक्ष्मानाशक होता है।

इसके बीज उत्तेजक, गर्भपातक, सुगन्धित तथा वातहर होते हैं। सुश्रुत आदि अन्य आयुर्वेद ग्रन्थों में इसका वर्णन नहीं आता है। अतः प्राचीन काल में इसका उपयोग पूर्वी एवं पाश्चात्य देशों में कम ही होता था। गाजर काली, लाल, गुलाबी तथा भूरी विभिन्न रंगों की होती है। इसका कंद मूली के समान तथा पत्ते सोया के समान होते हैं। गाजर का रंग इसमें स्थित विशेष पिगमेंट 'कैरोटिन' के कारण होता है। आयुर्विज्ञानियों ने सर्वप्रथम पीले रंग की सब्जियों तथा गहरे हरे रंग की पत्तीदार सब्जियों से ही कैरोटिन निकाला था। कैरोटिन को प्रोविटामिन के नाम से जाना जाता है। यह सुनहरे पीले रंग का होता है। कैरोटिन तथा गाजर के रंग में समानता के कारण लैटिन शब्द कैरोटा के ऊपर गाजर का नाम कैरट तथा रंजक द्रव्य कैरोटिन कहलाया। गाजर में कैरोटिन के चारों प्रकार अल्फा, बीटा, गामा तथा क्रिप्टोजेन्थिन कैरोटिन प्रचुर मात्रा में मिलते हैं। कच्ची गाजर विटामिन 'ए' पोटाशियम विटामिन बी-6, बी-1, फॉलिक एसिड, सी तथा मैग्नेशियम का महान स्रोत है। उबले हुए गाजर में बीटा कैरोटिन, कॉपर मैग्नेशियम की मात्रा बढ़ जाती है। नारंगी रंग का गाजर तो बीटा कैरोटिन का खजाना है। शरीर पर गाजर का प्रभाव स्वेदक, रक्तहीनता अवरोधक, मूत्रल, हीलिंग, अवसादक तथा रिमिनरलाइजिंग होता है।

कच्चा से उबला हुआ गाजर ज्यादा पोषक होता है। इन्हें खाने से रक्त प्रवाह में कैंसर जैसे खतरनाक रोगनाशक विभिन्न एण्टी ऑक्सीडेन्ट का लेवल बढ़ जाता है। गाजर में सभी प्रकार के कैरोटिन ग्लूटेथिओन, फॉलकरनेल तथा सैकडों प्रकार के फाइटो केमिकल तथा एण्टी ऑक्सीडेन्ट पाये जाते हैं। यह सभी आश्चर्यजनक एंटी ऑक्सीडेन्ट है एवं परमशक्तिशाली औषधि एवं कीमोथैरिपि का काम करते हैं।

गाजर से त्वचा का टेक्सचर, रंग, लावण्य एवं चमक बनी रहती है, म्यूकस मेम्ब्रेन को शक्तिशाली बनाकर नासिका, योनि, आँतें, फेफड़े के अन्दरूनी ताकत को बढ़ाता है। हड्डियों, दाँत, आँख एवं प्रजनन संस्थान का जान है—गाजर। आँखों की रोशनी, धूम्रपान, प्रदूषण, थकान, बेहद श्रम आदि कारणों से उत्पन्न फ्री रेडिकल्स के जहरीले प्रभाव से गाजर में मौजूद सैकड़ों फाइटो केमिकल फाइट कर खरबो कोशिकाओं के डी.एन.ए. को डैमेज होने एवं म्यूटेशन से रक्षा करते हैं, कोशकीय प्रोटीन एन्जाइम को नष्ट होने से बचाते हैं। पैरोक्सीडेशन से रक्षा करते हैं।

बीटा कैरोटिन मुख्यतः लाल पीले तथा नारंगी रंग के गाजरों में मिलता है। जापान के क्योटो परफेक्ट्यूरल यूनिवर्सिटी ऑफ मेडिसिन (Kyoto Perfectural University of Medicine) के बायोकेमिकल वैज्ञानिकों ने प्रमाणित किया है कि गाजर में मौजूद अल्फा कैरोटिन बीटा कैरोटिन से दस गुना प्रभावशाली होता है। कैन्सर ट्यूमर को तो खा ही जाता है। कैंसर कोशिका न्यूरोब्लास्टोमा को गाजर के रस का अल्फा कैरोटिन चट करने लग जाता है, कैंसर कोशिका के निर्माण एवं वृद्धि के जिम्मेदार N-Myc जीन की सक्रियता को अल्फा कैरोटिन बीटा कैरोटिन से दस गुना तेजी से नष्ट करता है। गाजर में मौजूद सभी कैरीटोनाइड अल्फा बीटा, गामा, कैरोटीन बीटा क्रिप्टोजेन्थिन या जियाक्सेंथिन, लाइकोपिन, ल्यूटेन, फाल केरिनॉल तथा जेन्थोफिल आदि तथा अन्य फाइटो केमिकल कैंसर तथा अन्य साध्य असाध्य

बीमारियों से लोहा लेते हैं। गाजर वृद्धजनों के लिए अमृतुल्य आहार है। उनके लिए इम्यून सिस्टम बूस्टर है। गाजर सूर्य किरणों के रेडिएशन एवं डैमेज होने से बचाता है। एचआईवी. से रक्षा करता है। आँखों के स्वास्थ्य के लिए वरदान है। एक्ने, पिम्पल्स एवं अन्य सभी चर्मरोगों से रक्षा करता है। माँसपेशियों, त्वचा, हड्डियों, फ्लेश एवं आँतों के स्वास्थ्य के लिए दिव्य उपहार है। सभी प्रकार के संक्रमण से लड़ता है। ब्रोंकाइटिस एवं दमा में फायदेमन्द है। लीवर की सफाई करता है। उच्च रक्तचाप, हृदय रोग तथा कैन्सर को ठीक करता है। अल्कोहल तथा अन्य मादक द्रव्यों के विदड्रावल (Withdrawal) लक्षणों को नष्ट करता है। घाव तथा इन्जुरिज को शीघ्र भरने में सहायक है।

विस्कॉन्सिन-मैडिसन (Wisconsin-Madison) विश्वविद्यालय के वैज्ञानिकों ने प्रमाणित किया है कि लाल, पीला, नारंगी तथा बैंगनी सभी प्रकार के गाजरों में महान मेडिसनल एक्टिव गुण है जो हृदय रोग से बचाता है। कॉलेस्टरॉल को कम करता है। कैंसर का विनाश करता है। 60° से 70°F पर गाजर का रंग स्थिर रहता है। इससे कम या अधिक होने पर गाजर का रंग फीका पड़ने लगता है। बसंत ऋतु तथा ग्रीष्म ऋतु के गाजर का रंग चटकदार होता है जबकि जाड़े एवं हेमन्त पतझड़ ऋतु में का गाजर का रंग कुछ फीका होता है। ज्यादा पानी से गाजर का रंग फीका हो जाता है। बलुआ मिट्टी में होने वाला गाजर वनिस्पत ज्यादा रंगदार भड़कीला एवं चटकदार होता है। दिन के तीव्र रोशनी में गाजर का रंग फीका हो जाता है। अमेरिकी वैज्ञानिकों के अनुसार लाल रंग के गाजर में लाइकोपिन ज्यादा होता है। भारत तथा चीन में लाल रंग के गाजर खूब मिलते हैं। नारंगी रंग के गाजर यूरोप तथा मिडल इस्ट में होते हैं। इनमें सर्वाधिक बीटा कैरोटिन तथा न्यून मात्रा में अल्फा कैरोटिन होता है। पीले रंग के गाजर में बीटा कैरोटिन की तरह जेन्थोफिल भरपूर होता है जो मैक्युलर डिजेनरेशन फेफडे एवं अन्य कैन्सर से रक्षा करता है। बैंगनी काले रंग के गाजर में एन्थोसायनिन पर्याप्त मात्रा में होता है। इसके अन्दर दण्डी में नारंगी रंग पाया जाता है। एन्थोसायनिन फ्लेवोनॉयडस कैरिटोनॉइड्स से पृथक फाइटो एण्टीऑक्सीडेन्ट है।

बैंगनी रंग का गाजर भारत, टर्की तथा मिडिल तथा फार इस्ट में पर्याप्त मात्रा में होता है। यह शक्तिशाली एण्टीऑक्सीडेन्ट है जो समस्त फ्री रेडिकल को चटकर जाते हैं। कैन्सर एवं हृदय रोग से रक्षा करते हैं। सफेद रंग के गाजर अफगानिस्तान, इरान तथा पाकिस्तान में मिलते हैं। इसमें पिगमेन्ट को छोड़कर अन्य अनेक फाइटो केमिकल पाये जाते हैं जो स्वास्थ्य का सम्बर्द्धन करते हैं। पीला तथा नारंगी रंग का गाजर ज्यादा मात्रा में खाने से त्वचा खासकर हथेली पीली हो जाती है। ज्यादा मात्रा में गाजर का रस पीने से उसका कैरोटिन का उपयोग लीवर भलीभांति नहीं कर पाता है, लीवर के लिए टॉक्सिक एवं हानिकारक हो सकता है। रक्त में कैरोटिन की मात्रा बढ़ने की बीमारी कैरोटिनेमिया हो जाता है। एक समय में 8 से 10 औंस यानि एक ग्लास रस लें। दूसरा ग्लास लेने के लिए कम से कम दो-तीन घंटे का अंतर रखें। एक साथ एक ग्लास से ज्यादा गाजर का रस पीने से यकृत दुष्प्रभावित हो सकता है। वैसे गाजर के रस का अभी तक हमने दुष्प्रभाव नहीं देखा है। संश्लिष्ट बीटा कैरोटिन तथा विटामिन 'ए' की अधिक मात्रा

लीवर के लिए टॉक्सिक होता है। प्रतिदिन 3 से 4 ग्लास गाजर का रस ले सकते हैं। ज्यादा मात्रा में लेने से लीवर पर टॉक्सिक प्रभाव होने से टॉक्सिन्स का निष्कासन होता है। जिससे हथेली पगतली एवं त्वचा पीली होने लगती है।

विटामिन 'ए' की तरह कैरोटिन का विषैला प्रभाव इतना घातक नहीं होता है। हथेली पगतली पीला होने पर एक सप्ताह तक गाजर का रस कम यानि एक ग्लास से ज्यादा नहीं पीने से सामान्य अवस्था में लौट आती है। बीटा कैरोटिन ज्यादा मात्रा में लेने पर वह विटामिन 'ए' में बदल नहीं पाता है। त्वचा का रंग बदलने से कोई हानिकारक प्रभाव नहीं होता है। प्रतिदिन 50 मिग्रा. कैरोटिन शरीर में जाने से दस दिन के अन्दर त्वचा पीली होने लगती है। स्वस्थ व्यक्ति में कैरोटिन ज्यादा मात्रा में जाने से आवश्यकता के अनुसार कैरोटिन विटामिन 'ए' में बदल जाता है। बाकी कैरोटिन पेशाब पाखाना एवं पसीने से निकल जाता है। कभी-कभी टमाटर ज्यादा खाने से लाइकोपिनेमिया हो जाता है, त्वचा लाल रंग की हो जाती है। प्रायः गाजर से किसी प्रकार एलर्जी नहीं के बराबर होती है। गाजर में किसी प्रकार का एलर्जेन एवं जहरीला पदार्थ नहीं मिलता है। कभी-कभी किसानों द्वारा आर्गेनो फास्फोरस पेस्टीसाइड्स के छिडकाव से वह जहरीला हो सकता है। यह जहरीला पदार्थ उसके मोटे जड़ वाले हिस्से में जमा होता है जिसे काटकर फेंक दें।

गाजर या किसी भी सब्जी या फल को कच्चा खाने से एन्जाइम तथा विटामिन मिल जाते हैं। परन्तु कच्चा खाने से कुछ तत्व शरीर में भलीभांति जज्ब नहीं हो पाते हैं। गाजर का रस कच्चा ही लें। खाने में गाजर को न्यूनतम जल में उबाल कर खायें। टुकड़ों में न काटकर सीधे उबल कर खाने से इसका बहुत सा पोषक तत्व शरीर शीघ्रता से हज्म जज्ब कर लेता है। फाइबर सेल मेम्ब्रेन, सेल्युलोज की मोटी दीवारों में बंधे जुड़े कैद पोषक तत्व उबालने से मुक्त होकर शीघ्र हजम एवं जज्ब हो जाते हैं। गाजर को उबालने एवं स्टीमिंग के बाद छोटे-छोटे टुकड़ों में काटकर ऑलिव ऑयल से ड्रेसिंग करके खायें। उबले हुए गाजर, टमाटर अथवा किसी कैरिटेनॉइड वाले आहार के साथ थोड़ा फैट लेने से कैरीटोनॉइड शीघ्र जज्ब हो जाता है। चीन में गाजर को हल्का उबालकर खाने की प्रथा शताब्दियों से है। टफ्टस यूनिवर्सिटी के वैज्ञानिक जियांग डांग बांग ने प्रमाणित किया है कि उबले गाजर तथा गाजर के रस का कैरोटिन शरीर में जाकर रेटिनॉइक एसिड में बदल जाता है और यही कैंसर को ठीक करता है।

गाजर को उबालकर खाने से उसकी कैंसर मारक एवं एण्टीऑक्सीडेन्ट की सक्रियता काफी बलशाली हो जाता है। गाजर में कैरोटिन के अतिरिक्त कई प्रकार के फेनोलिक कम्पाउण्डस भी होते हैं। फेनालिक कम्पाउण्डस प्रायः फल तथा सब्जियों के छिलकों में होते हैं। प्रयोग के दौरान देखा गया है कि गाजर को टुकड़ों में काटकर छिलकर 75 मिनट तक 250°C तापमान पर उबालकर 4 सप्ताह तक स्टोर में रखकर देखा गया उसकी एण्टी ऑक्सीडेन्ट क्षमता कच्ची गाजर की उपेक्षा 34 फीसदी अधिक थी। संग्रहित करने के प्रथम सप्ताह तक एण्टीऑक्सीडेन्ट की गुणवत्ता क्रमशः बढ़ती गयी और यह तीन सप्ताह तक बढ़ी चौथे सप्ताह एण्टीऑक्सीडेन्ट की गुणवत्ता एवं क्षमता गिरना प्रारम्भ हो गया तथा चौथे सप्ताह के अन्तिम दिन संग्रहित उबला

गाजर की कैंसरकारी ऑक्सीडेटिव क्षमता बढ़ गयी। चौथे सप्ताह परिणाम उल्टा ही हो गया। काटने छिलने उबालने से गाजर की एन्जाइम सक्रियता, जल में घुलनशील विटामिनों के नष्ट होने का डर, रंगरूप फ्लेवर, टेक्सचर सभी परिवर्तन होने के बावजूद वैज्ञानिक इस नतीजे पर पहुँचे हैं कि गाजर या अन्य आहारों में मौजूद फाइटो केमिकल जैसे फेनॉलिक कम्पाउण्ड में जो परिवर्तन होता है वह अत्यन्त रोग उन्मूलक एवं स्वास्थ्य सम्वर्द्धक एवं स्वास्थ्य संरक्षक होता है। उबालने से जो नया कम्पाउण्ड बनता है वह अलग ही प्रकार का महान बलशाली एवं प्रभावशाली होता है। सभी प्रकार की गोभियों, गाजर, टमाटर तथा ब्रोकोली आदि की उबालने से उनकी कैंसर मारक क्षमता बढ़ जाती है तथा गैस बनने की क्रिया कम हो जाती है।

जंगली गाजर छोटे होते हैं किन्तु उनकी औषधीय क्षमता जबरदस्त होती है। ये महान शक्तिशाली होते हैं। यह सुगंधित जड़ी-बूटी (Herbs) वाला पौधा है। यह वह मूत्रल, पाचन संस्थान को मृदु शान्तिदायक तथा गर्भाशिय उत्तेजक होता है। यह यकृत को ताकत देता है एवं विषमुक्त करता है, पेशाब के धार को उद्दीप्त करता है। गुर्दे एवं यकृत को सक्रिय करके शरीर के विषैले पदार्थ को निकाल बाहर करता है। शरीर के सूजन को कम करता है। इनके पत्ते भी कमाल के होते हैं, सिस्टाइटिस तथा गुर्दे की पथरी के निर्माण को खत्म कर देते हैं। बने हुए पथरी को तोड़कर निकाल देते हैं।

गाजर के पत्तों में पोरफाइरिन्स (Porphyrins) नामक फाइटो केमिकल प्रचुरता से पाया जाता है। यह पिट्यूटरी ग्लैंड को सक्रिय एवं उद्दीप्त करता है जो सेक्स हार्मोन के स्राव को बढ़ा देता है। इसके फूल के काढ़ा मधुमेह को ठीक करता है। इसके ताजे कन्द या मूल थ्रेडवार्म को खत्म कर देता है। माहवारी नहीं होने या विलम्ब से होने पर इसके कन्द का काढ़ा देने से लाभ होता है। गाजर के बीज का काढ़ा भी अनियमित माहवारी को ठीक करता है। जंगली गाजर के कन्द मूल तीव्र गर्भाशिय संकोचक होता है। गर्भावस्था में प्रयोग नहीं करें। इसका काढ़ा पथरी को निकालता है। यह सूजन पेट में गैस बनना तथा माहवारी सम्बन्धित रोगों से मुक्त करता है। समागम के बाद इसके बीज का चूर्ण या काढ़ा पीने से गर्भ नहीं ठहरता है। यह गर्भनिरोधक एवं गर्भपातक है। इसके फूल का काढ़ा पीने में समागम क्षमता बढ़ती है, औरतों का बांझपन दूर होता है। गाजर जबरदस्त कृमि एवं कीटाणुनाशी होता है। यकृत रोग में इसका पुल्टिस कारगर होता है। गाजर में मौजूद पेक्टिन कॉलेस्टरॉल को कम करता है। अमेरिकी वैज्ञानिकों के अनुसार प्रतिदिन मात्र दो गाजर खाने से कॉलेस्टरॉल 10 से 20 फीसदी कम हो जाता है। गाजर का तेल शुष्क एवं कटी-फटी त्वचा के लिए उत्तम औषधि है। गाजर के तेल का 4 बूंद बादाम रोगन या अखरोट के तेल में मिलाकर होठ पर लगायें, होठ फटना बन्द हो जाता है। रात्रि क्रीम या विटामिन क्रीम बेबी ऑयल तथा बॉडी लोशन के रूप में गाजर तेल का उपयोग पूरे विश्व में शताब्दियों से होता आ रहा है।

गाजर फेफड़े के कैन्सर का उपचार एवं रोकथाम दोनों ही करता है जो लोग धूम्रपान करते हैं और गाजर का रस तथा उबला गाजर का उपयोग करते हैं। उनमें भी कैन्सर होने की सम्भावना कम हो जाती है लेकिन अच्छा यही है धूम्रपान छोड़ दें। नन स्मोकर्स काफी मात्रा में सब्जियाँ

खाते हैं उनमें 30 फीसदी कैन्सर होने की संभावना कम हो जाती है, जो लोग साइट्रस फ्रूटस नहीं खाते हैं, किन्तु सब्जियाँ विशेष रूप से गाजर खूब खाते हैं उनमें 40 फीसदी कैन्सर होने की संभावना कम हो जाती है। गाजर कोशिकाओं के सामान्य विकास विखंडन के लिए आवश्यक है। जंगली गाजर में क्रिप्टोजेंथिन तथा जियाक्सेंथिन खूब होते हैं। प्रत्येक गाजर ब्लैडर, स्वरयंत्र, ग्रासनली, आमाशय प्रोस्टेट कोलन तथा रेक्टम कैन्सर से हमारी रक्षा करते हैं। गाजर में मौजूद बीटा कैरोटीन, मधुमेह, मंदाग्नि, गठिया, संधिवात को ठीक करता है। सामान्यतया कैन्सर वाला गांठ, ग्रीवा, गर्भाशय, आंत एवं आमाशय के अल्सर जो कैन्सर में बदल जाता है उसे भी गाजर अपने मजबूत इरादे तथा शक्तिशाली एण्टीऑक्सीडेन्ट के बदौलत ठीक करता है।

गाजर में मौजूद विटामिन 'ई' हृदय रोग से रक्षा करता है। गाजर में पर्याप्त मात्रा में फाइबर तथा रेटिनॉइड जैसा रसायन पाया जाता है। इसके बीज में यूबीक्यूसस बीटा सिटोस्टरॉल (Ubiquitous-sitosterol) पाया जाता है जो कॉलेस्टरॉल को शरीर में जज्ब होने से रोकता है। बी.पी.एच. को नियंत्रित करता है। स्तन कैंसर, टेस्टिकल्स कैन्सर, स्किन कैन्सर से भी गाजर रक्षा करता है। गाजर, स्ट्रोक, आँख के सभी रोग के लिए उपयोगी होता है।

यूनिवर्सिटी ऑफ विसकॉन्सिन के वैज्ञानिकों ने ऐसे गाजर को विकसित किया है जिसमें सामान्य गाजर के अपेक्षा तीन से पाँच गुना विटामिन 'ए' है। गाजर में मौजूद बीटा कैरोटिन रेटिनॉल या विटामिन 'ए' में बदल जाता है। रेटिनॉल रेटिना के लिए अतिआवश्यक है जिससे हम कोई चीज स्पष्ट देखते हैं। आँखों के प्रकाश के प्रति संवेदनशीलता को वरदाश्त करने की शक्ति प्रदान करता है। आँखों में मौजूद रड्स तथा कोन्स कोशिकाओं के लिए भी रेटिनॉल अतिआवश्यक है। रड्स कोशिकाएं श्वेत श्याम तथा कोन्स कोशिकाएं हर प्रकार के रंगीन दृश्यों को देखने में सहयोगी होते हैं। यह सारा कार्य रड्स तथा कोन्स कोशिकाएं एक खास प्रकार की एन्जाइम की सहायता से करते हैं। इन सब कार्यों के लिए गाजर का रस अत्यन्त महत्वपूर्ण योगदान प्रदान करता है। अंधेरे में भी किसी भी चीज को देखने में शरीर में संग्रहित गाजर के रस का रेटिनॉल काम में आता है। कुछ लोग मैक्युलर डिजनरेशन संग्रस्त हो जाते हैं। वास्तव में आँख के पीछे रेटिना का हिस्सा होता है मैक्युला जो किसी दृश्य को भलीभांति देखने में सहायता करता है। मैक्युला में दो कैरोटिनाइड ल्युटीन तथा जियाक्सेंथिन पाया जाता है। ये दोनों कैरेटेनॉइड्स गाजर में मिलते हैं।

शकरकन्द, संतरा, गहरे हरे रंग के तथा पीले रंग के सब्जियों में लुटीन तथा जियाक्सेंथिन खूब मिलते हैं। गाजर के रस से कन्जक्टीवाइटिस, ब्लेफेराइटिस, रेटिनोपैथी तथा मोतियोबिन्द ठीक होते हैं। गाजर के रस से पेप्टिक गैस्ट्रिक तथा ड्यूडिनल अल्सर, गैस्ट्राइटिस, डायरिया, सिलियक डिजीस, क्रोहन्स डिजीस में चमत्कारिक लाभ करता है। उबले गाजर को खूब चबा-चबाकर खायें। खूब लाभ मिलता है। कब्ज दूर होता है। अतिसार के लिए उत्तम औषधि है। इसमें सभी प्रकार के इलेक्ट्रोलाइट्स मिल जाते हैं। एक कप उबला कटा हुआ गाजर सुबह खाली पेट खाने से थ्रेडवॉर्म (सूत्रकृमि) निकल जाते हैं। कच्चे गाजर का सलाद प्रतिदिन 150 ग्राम खाने से बांझपन एवं नपुंसकता दूर होते हैं। गाजर में मौजूद ऑक्सीस्टरॉल फंगस इन्फेक्शन को

नष्ट करता है। गाजर में किंचित मात्रा में मौजूद लेसिथिन भी कॉलेस्टरॉल को कम करता है। वैज्ञानिक खोजों के अनुसार विख्यात जिंनसेंग का सम्पूर्ण लाभ गाजर से लिया जा सकता है। इन्टर-नेशनल जर्नल ऑफ कैन्सर में प्रकाशित एक अध्ययन के अनुसार चार गाजर साबुत खाने से महिलाओं को ओवरियन कैंसर नहीं होता है। हावर्ड के शोधकर्ताओं ने चार हजार से अधिक पुरुषों पर 18 साल तथा फॉलोअप कर इस नतीजे पर पहुँचे हैं कि प्रतिदिन गाजर खाने से उसमें मौजूद बीटा, कैरोटिन, मनोभ्रंश, स्मृतिलोप, एलजीमर्स डिमेंशिया को रोक देता है। बीमारी को बढ़ने नहीं देता है। ब्रिटिश जर्नल ऑफ न्यूट्रिशन में प्रकाशित एक शोध अध्ययन के अनुसार गाजर खाने से खून में बीटा कैरोटिन का लेवल काफी बढ़ जाता है। जिसके खून में बीटा कैरोटिन का लेवल ज्यादा होता है उनमें श्वसन तंत्र का इन्फेक्शन 29 फीसदी कम हो जाता है। यूनिवर्सिटी ऑफ मिनोसोटा स्कूल ऑफ पब्लिक हेल्थ के अनुसंधान के अनुसार गहरे नारंगी रंग के गाजर कैरेटेनॉइड्स प्रचुर मात्रा में होते हैं।

4500 लोगों पर पन्द्रह साल तक खोज के बाद यह बात सामने आयी है कि खून में कैरेटिनॉइड्स का लेवल सर्वाधिक होने से मधुमेह का खतरा काफी कम हो जाता है। इन्स्टीट्यूट ऑफ फूड रिसर्च अमेरिका के वैज्ञानिकों ने कैरोटिन, लाइकोपिन आदि कैरीटोनॉइड से भरपूर गाजर, पालक टमाटर आदि को उबालकर तथा कच्चा खिलाकर स्वयं सेवकों के खून की जाँच की नतीजा यह निकाला कि जिन लोगों ने पका उबला हुआ खाया था उनके खून में कैरेटिनॉइड तथा अन्य पोषक तत्वों का पाचन एवं अवशोषण भी 5 गुना ज्यादा पाया गया।

अभी हाल ही में रशियन आयुर्वैज्ञानिकों ने गाजर पर एक क्रान्तिकारी खोज की है। अब तक माना जाता रहा है कि गाजर का रोगहर तत्त्व कैरोटिन यकृत की सहायता से विटामिन 'ए' में परिवर्तित होकर ही शरीर की रोगप्रतिरोधक क्षमता को बढ़ाता है। नेत्रों के लिए उपयोगी हो पाता है तथा अन्य जीवनदायी कार्यों का सम्पादन करता ह। रूस के जैव भौतिक विज्ञानियों ने अपनी खोजों से इस तथ्य को गलत साबित करते हुए खोज की है कि गाजर का कैरोटिन स्वतंत्र रूप से कार्य करता है। उसे विटामिन 'ए' में परिवर्तित होने की जरूरत ही नहीं पड़ती है। यह स्वयं विटामिन 'ए' की अपेक्षा स्वास्थ्य के लिए अति उपयोगी है।

इन वैज्ञानिकों के अनुसार कैरोटिन, ट्यूमर, कैंसर, वृद्धावस्था के समय होने वाले विध्वंसकारी परिवर्तन से हमारी रक्षा करता है। कैराटिन तथा विटामिन 'ए' धूम्रपान, शराब तथा अन्य दुर्व्यसनों के घातक प्रभाव को निष्प्रभावी बनाता है। इसलिए दुव्यर्सनी व्यक्तियों के लिए तो गाजर अमृत तुल्य है। कुछ वैज्ञानिकों के अनुसार गाजर या अन्य आहार में स्थित कैरोटिन यकृत तथा आँतों की दीवारों से स्रावित होने वाला एन्जाइम 'कैरोटिनेज' कैरोटिन को विटामिन 'ए' में परिवर्तित करता है। यह विटामिन 'ए' मुख्य रूप से यकृत में तथा अल्पांश, गुर्दे, फेफड़े तथा फैटी-ऊतकों में जमा रहता है।

गाजर को घिसकर या रस बनाकर ही काम में लें। कोरा गाजर उतना उपयोगी नहीं हो पाती है। गाजर रस का 20 से 36 प्रतिशत कैरोटिन शरीर में अवचूषित होता है। जबकि कोरे गाजर का मात्र 5 से 10 प्रतिशत कैरोटिन ही अवचूषित हो पाता है। गाजर का रस अन्य दृष्टियों

से भी उपयोगी है। जैसे गाजर का रस पीने से कैराटिन प्रचुरता से मिलता है जिससे उसकी दैनिक पूर्ति अच्छी तरह हो जाती है। गाजर का रस थोड़े समय में काफी मात्रा में लिया जाता है। वहीं कोरा गाजर थोड़े समय में अल्प मात्रा में ही खाया जाता है। एक किलो गाजर आसानी से नहीं खाया जा सकता है लेकिन रस आसानी से लिया जा सकता है। अग्निमांद्य, वायुफुल्लता, पथरी, उदरशूल, दस्त, आध्मान एवं डिहाइड्रेशन की स्थिति में कच्चा कोरा गाजर खाने से उपद्रव बढ़ते हैं जबकि रस या सूप पीने से लाभ ही लाभ होता है। उपद्रव नहीं होता है। गाजर खाने से उसके साथ कुछ धूलकण अन्दर चले ही जाते हैं जबकि रस में वे नीचे बैठ जाते हैं।

परिपक्व गाजर में कैरोटिन की मात्रा शिशु गाजर की अपेक्षा अधिक होती है। इसमें उत्तम किस्म का फॉस्फोरस पर्याप्त मात्रा में 0.53 प्रतिशत होता है, इसीलिए डॉ. एमरसन ने गाजर को मस्तिष्क सर्वज्ञान तन्तुओं को बल प्रदान करने वाला नवाईन टॉनिक कहा है। गाजर को 32 से 40° पर काफी दिनों तक रखा जा सकता है। अधिक तापक्रम एवं वायु के लगातार सम्पर्क में आने पर कैरोटिन समाप्त होने लगता है। गाजर को उबालकर एवं ढककर ही बनायें। तलने-भूनने से कैरोटिन एवं अन्य तत्त्व नष्ट होने लगते हैं। डॉ. एच.सी. मेन्केल का कहना है कि गाजर खेत से लाने के बाद शीघ्र काम में लेना चाहिए। इसमें थायमिन, एम किरण, विटामिन 'सी', 'बी', 'डी', भी मिलता है। काफी देर से पड़ी गाजर में इन तत्त्वों की कमी हो जाती है। स्वीडन के डॉ. सेलेण्डर ने अपने प्रयोगों से सिद्ध किया है कि बच्चों के अतिसार में गाजर से बेहतर औषधि नहीं है। उनके प्रयोग के अनुसार ऐसी स्थिति में 500 ग्राम गाजर को धोकर, कसकर 200 ग्राम पानी में कुकर या अन्य बर्तन में ढककर उबालें। फिर गूदे को मसलकर छान लें। 100 सी.सी. अल्पोषण सूप 2-2 घंटे के अंतराल पर दें। यह सूप रामबाण दवा जैसा कार्य करता है। गाजर के आधे कप रस में Ca 46, P 38, Fe 0.60, Cu 0.08, Mg 0.06, Cl 36, Na 31, Zn 0.5 से 36 मि.ग्रा. तथा कोबाल्ट 2 माइक्रोग्राम होता है। विटामिन बी-1 60 से 70, बी-2 60, बी-3 95, 'ई' 15, 'के' 0.10, 'सी' 5 मि.ग्रा. व 'ए' 10,000 से 12,000 अन्तर्राष्ट्रीय इकाई होता है। अतिसार के समय निर्जलीकरण की स्थिति में गाजर का रस या सूप अमृततुल्य कार्य करता है। यह आँतों के क्षत भाग पर सौम्य प्रभाव डालता है। खनिज तत्त्वों की क्षतिपूर्ति कर शरीर में नवचेतना का संचार करता है।

यह समस्त इलेक्ट्रोलाइट्स खनिज लवणों की पूर्ति कर विक्षुब्ध आँतों को शांति प्रदान करता है। डॉ. मेचिनकॉफ ने अपने प्रयोगों से सिद्ध किया है कि गाजर के प्रयोग से आँतों के समस्त हानिकारक कीटाणु एवं कृमि समाप्त हो जाते हैं। लेखक ने अनेक रोगियों पर गाजर रस प्रारम्भ के पूर्व एवं पश्चात् में पाखाना जाँच करवाकर उपर्युक्त तथ्य पाया है। डॉ. एच. सी. मेन्केले का कहना है कि प्रतिदिन करीब डेढ़ गिलास गाजर का रस लेने से शरीर के आवश्यक तत्त्वों की पूर्ति हो जाती है। गाजर प्रबल विषाणु अवरोधक,एण्टीडोट्स तथा एण्टीसेप्टिक है। डॉ. मेचिनकॉफ ने खरगोशों पर गाजर तो प्रयोग करके देखा कि उनके मल से सभी प्रकार के कीटाणु तथा दुर्गन्ध समाप्त हो गये।

अमेरिकी आहार विशेषज्ञ हेन्स एण्डरसन ने लिखा है कि 72 वर्ष की एक वृद्धा के पेट

का कैंसर गाजर रस से ठीक हुआ। डॉ. जॉन बी. लस्ट के अनुसार दृष्टि के लिए गाजर का कोई विकल्प नहीं है। 20 तोला रस में 50,000 अ.ई. विटामिन 'ए' होता है। डॉ. जॉन हार्वे केल्लाग ने अपनी पुस्तक **द हेल्थ क्वेश्चन बॉक्स** में गाजर के चिकित्सकीय गुणों की अद्भुत प्रशंसा की है। इस पुस्तक से प्रेरणा पाकर निराश, हताश रोगिणी श्रीमती मेरी सी. हांगले ने गाजर के रस का प्रयोग किया। वे आमाशयिक एवं आन्त्रिक रक्तस्राव, तीव्र पीड़ा एवं सड़न से मुक्त हुई और एक पुस्तक लिखी **फूड्स दैट अल्कालिनाइज एण्ड हील**। इस पुस्तक ने सैकड़ों रोगियों का मार्गदर्शन कर गाजर के रस के प्रयोग द्वारा अनेक रोगों से मुक्त किया है।

गाजर के रस से गठिया का मूल कारण यूरिक अम्ल का निष्कासन तीव्रता से होता है। इसमें पर्याप्त मात्रा में उच्चतम किस्म का कैल्शियम तथा शर्करा होने के कारण यक्ष्मा रोगियों के लिए बेहद फायदेमंद है। जर्मनी में सूखी गाजर को दूध के साथ कॉफी बनाकर पीते हैं। रूस में गाजर यकृत, गुर्दे एवं हृद्रोग की उत्तम औषधि मानी जाती है। वहाँ प्राचीन काल से ही जलने, हिमदाह तथा सूजन के उपचार में गाजर का उपयोग होता रहा है। अमेरिकन दर्द, सूजन, घाव तथा फोड़ों से मुक्त होने के लिए गाजर की पुल्टिस का प्रयोग शताब्दियों से करते आ रहे हैं।

डॉ. क्राइल के अनुसार गाजर में सूर्य की किरणें संचित रहती हैं जो मनुष्य तथा अन्य प्राणियों के शरीर में गाजर द्वारा प्रविष्ट कर एक-एक कोशाणुओं को जीवन प्रदान करती हैं। गाजर विटामिन 'ए' के अतिरिक्त 'ई' का भी महान स्त्रोत है। हाल ही में हुए शोधों से पता चला है कि इसमें अल्फा, बीटा तथा गामा टोकोफेरौल अर्थात् विटामिन 'ई' कॉम्पलेक्स प्रचुर मात्रा में पाया जाता है। काम ऊर्जा सम्वर्द्धन, बन्ध्यत्व से मुक्ति तथा गर्भपात से छुटकारे के लिए गाजर एक उत्तम औषधि है। विटामिन 'ई' रक्त कैंसर कोशिकाओं के तीव्र अराजक विभाजन को बाधित करता है। रोगप्रतिरोधक क्षमता तथा कोशिकाओं को सशक्त बनाने की दृष्टि से गाजर एक अमूल्य आहार है।

डॉ. एच. ई. क्रिश्नर ने अपनी पुस्तक 'लीव फूड ज्यूस' में गाजर के रस से रक्त कैंसर, ल्यूकेमिया, यकृत कैंसर आदि अनेक कैंसर ग्रस्त रोगियों की रोगमुक्ति की कहानी लिखी है। डॉ. क्रिश्नर के अनुसार गाजर में उत्तम किस्म के जीवन तत्त्व होने के कारण यह शरीर के समस्त कोशों तथा रक्तवाहिनियों को पुनर्जीवन प्रदान करते हैं। इसके रस के सेवन से रक्त कैंसर, हृदयरोग, श्वसन रोग, गठिया रोग ठीक होते हैं। इन रोगों में गाजर अमृत तुल्य औषधि है। गर्भावस्था के समय गाजर का रस उपयोग करने से गर्भस्थ शिशु की आँखें, हड्डियाँ, दाँतों तथा स्नायु का संरचनात्मक विकास अच्छी तरह होता है। इससे माँ का स्वास्थ्य भी ठीक रहता है तथा दुग्धस्राव प्रचुरता से होता है। नवजात शिशु की रोग-प्रतिरोधक क्षमता प्रबल हो जाती है। उसे किसी प्रकार के टीके की आवश्यकता भी नहीं रह जाती है।

डॉ. क्रिश्नर की उक्त पुस्तक में श्रीमती केथेरिन फिशरों का वर्णन है जो स्वयं यकृत कैंसर से पीड़ित थी। परन्तु गाजर के रस से स्वस्थ हुई। उसके तीन बच्चे थे। इनमें से पहला बच्चा दो माह बाद रक्त कैंसर का रोगी बन गया। दूसरा रक्त कैंसर के साथ जन्मा। तीसरे बच्चे को गर्भावस्था से ही गाजर का रस दिया गया और वह पूर्ण स्वस्थ पैदा हुआ। प्रथम बच्ची थी जिसका

साढ़े पाँच दिन में 25 बार रक्त बदला गया परन्तु वह नहीं बच सकी। दूसरे बच्चे को तीन माह तक अस्पताल में प्रतिदिन 500 सी.सी. गाजर का रस दिया गया। तीन माह बाद फल तथा सब्जी दी गई। एक वर्ष बाद रक्त परीक्षण से पता चला कि वह कैंसर से पूर्ण मुक्त है। यह था गाजर का अद्वितीय चमत्कार।

प्रतिदिन दो गिलास गाजर रस लेने से रतौंधी, अंधता, गले के रोग, सायनस, फेफड़े, गुर्दे, आँख, मुँह, आमाशय, आँत, श्वसनांग, गुप्तांग सम्बन्धी संक्रमण तथा इनके रोग, शरीर अपविकास, गर्भावस्था, प्रकाश के प्रति संवेदनशीलता, आँखों की जलन, सूजन, प्रदाह, आँसू स्रावित करने वाली ग्रंथि के रोग, जिरोफथैलमिया, बच्चों के कोर्निया के चारों तरफ धुंधले कण जैसा पदार्थ दिखना, कान्जक्टीवल जिरोसिस, चर्म का शुष्क रहना, असाध्य चर्म रोग सोरायसिस, एक्जिमा, डायरिया, कब्ज, आँतों की सूजन, यकृत के समस्त रोग, पीलिया, लीवर की वृद्धि, पैंक्रियास के रोग, भूख की कमी, पाचन की कमी, अनिद्रा, थकान, दमा, क्षय, सुजाक, रक्तस्राव, वृक्क एवं यकृत की पथरी, टान्सिलाइटिस, दस्त, सभी प्रकार के संधियों के दर्द, सूजन व अन्य रोग, अम्लरक्तता, अम्लता, पेट के कृमि, कैंसर, बन्ध्यत्व, गर्भस्राव आदि रोग ठीक होते हैं। गाजर को घिसकर गर्म कर उसका पुल्टिस शोथ, व्रण, कटने व दग्ध व्रण पर लगाने से शीघ्र आराम होता है। इसके बीज का प्रयोग सर्वांगशोथ, गुर्दे के रोग, जलोदर, गर्भाशय की पीड़ा तथा प्रसव वेदना में करते हैं। बीजों को खाने से गर्भपात हो जाता है। फ्रांस में बीजों से एक उड़नशील औषधि तेल निकाला जाता है। कहीं-कहीं जंगली गाजर (Daucus Carota Linn—Wild Carrot) भी मिलता है।

अमेरिका की **सेंटर फॉर साइंस फॉर पब्लिक इन्टरेस्ट संस्थान के श्री स्टीव फिण्डले तथा जापान राष्ट्रीय कैंसर संस्थान** के निदेशक डॉ. हिरायामा बरसों तक खोज कर इस निष्कर्ष पर पहुँचे हैं कि गाजर में स्थित बीटा कैरोटिन कैंसर कोशिकाओं को नियंत्रित करता है। अमेरिका तथा जापान में इस अध्ययन पर करोड़ों डालर खर्च किये गये हैं और उसके परिणाम भी आरोग्य एवं मंगलकारी आये हैं।

हाउसर तथा बर्ग की पुस्तक **डिक्शनरी ऑफ फूड्स** के अनुसार गाजर में प्रबल शोधक क्षार होते हैं जो शरीर की अम्लता को कम करते हैं। इसमें टोकोकीनिन पाया जाता है जिसका प्रभाव इन्सुलिन की तरह हाइपोग्लूकेमिक होता है। मधुमेही रोगियों के लिए ऊर्जा प्राप्ति तथा रक्त शर्करा को सामान्य बनाये रखने में पालक तथा लेटूस मिश्रित गाजर का रस एक श्रेष्ठ आहार है। गाजर का रस तथा शहद मिलाकर लेने से यौन शक्ति, शुक्राणुओं की क्रियाशीलता तथा उनकी संख्या बढ़ती है। प्रात:कालीन मिचली, वमन, कष्टरज, स्नायुदौर्बल्य, बुढ़ापा, स्मरणशक्ति ह्रास, रेडियम एवं कोबाल्ट का पार्श्व दुष्प्रभाव, हृदय, यकृत व फेफड़े की कमजोरी, समागम के बाद की कमजोरी निरन्तर गाजर का रस लेने से दूर हो जाती है।

आलू

(वानस्पतिक नाम—Solanum Tuberosum अंग्रेजी नाम—Potato)

आलू सब्जियों का सरताज है। यही कारण है कि निर्धन से लेकर धनवान, सभी आलू

के दीवाने हैं। सभी कौम तथा सभी देशों का प्रिय आहार है आलू। आलू का इतिहास अतिप्राचीन है। यह दक्षिणी अमेरिका का आदिवासी मूल कन्द सब्जी है। आज की लोकप्रियता को हासिल करने के लिए आलू को अनेक पापड़ बेलने पड़े हैं। अनेक विकट समस्याओं से गुजरना पड़ा है। इसकी खेती आज से करीब ढाई हजार वर्ष पूर्व एथेंस में प्रारम्भ हुई। वहाँ पर अन्य आहारों को उपजाने में कठिनाई होने के कारण लोगों ने आलू खाना प्रारम्भ किया। उनकी कब्रों की खुदाई से काफी बड़े आकार के सूखे आलू प्राप्त हुये हैं। उत्खनन में भी आलू आकार के अनेक पात्र तथा आलू मिले हैं।

यूरोप में सर्वप्रथम आलू का परिचय स्पेनी यात्री 'केस्टेलेनास' ने कराया। उसने दक्षिण अमेरिका की यात्रा पर वहाँ के रेड इण्डियनों के घर मक्का, द्विदल अनाज के साथ नई चीज देखी थी जो आलू था। उसका नाम उसने ट्रफल्स रखा। दक्षिण अमेरिका की इंका सभ्यता का मुख्य आहार आलू ही था। वे आलू को देवता मानते थे तथा उसकी पूजा करते थे। सर्वप्रथम आलू यूरोप में स्पेन आया। स्पेन के राजदरबारों का यह प्रिय व्यंजन था। स्पेन में यह वी.आई.पी. आहार था। अतिविशिष्ट व्यक्तियों ने आलू को सर्वमान्य बनाने के लिए जी-तोड़ कोशिश की। बुद्ध और महावीर के जमाने में भारत में बहुत से आहार नहीं थे, उस समय आलू भी संभवतः नहीं था। जब आलू का प्रचलन बढ़ा तो ईसाई धर्मगुरुओं ने अनेक अफवाहें उड़ाईं। क्योंकि जिस आहार का वर्णन बाइबिल में नहीं आया था वह मनुष्यों के लिए निषिद्ध माना जाता था। "आलू के सफेद गूदे को खाने से कोढ़ होता है, स्कर्वी नामक जहाजी रोग होता है" आदि अफवाहों के भय से मुक्ति के लिए फ्रांस के सम्राट लुई 16वें काफी प्रयत्नशील रहे। उन्होंने मुनादी करवाई कि आलू गरीबों के लिए श्रेष्ठ पौष्टिक आहार है। उनकी रानी एंतोहते आलू के फूल को बालों में लगाने लगी तथा वे स्वयं कोट में लगाते थे। जब इससे भी लोगों के दिल मे आलू के प्रति विशेष आकर्षण पैदा नहीं हुआ तो उन्होंने एक बड़े खेत में आलू बोकर उसके चारों तरफ पहरा लगा दिया। इसका मनोवैज्ञानिक परिणाम यह हुआ कि लोगों के मन में आलू के प्रति आकर्षण पैदा हुआ। वे समझने लगे कि किसी खास गुण के कारण ही आलू की इतनी हिफाजत हो रही है।

तब आलू चुरा-चुरा कर लोग खेत से ले जाने लगे। राजा यही चाहता था। इस प्रकार से आलू का प्रचलन फ्रांस में बेहद बढ़ा। विश्व में आलू की सर्वाधिक खपत यूरोप में ही है। शेक्सपियर ने भी आलू की चर्चा अपने साहित्य में की है। विभिन्न देशों में आलू के विभिन्न नाम हैं। सर वाल्टर रैले ने आयरलैंड के अपने फार्म पर आलू को बोया। फिर वहाँ से वह खूब प्रचारित हुआ। आयरलैंड में लोग आलू खूब खाते हैं। आलू की कमी से सन् 1846 ई. में आयरलैंड में भयंकर अकाल पड़ा और 20 लाख लोग बेमौत मारे गये। आयरलैंड के लोगों का स्वास्थ्य, शक्ति, पुरुषों के चेहरे पर तेजस्विता तथा नारी के सौन्दर्य का राज आलू ही माना जाता है। आलू के सिवा ये लोग अन्य कोई ताजा आहार नहीं लेते हैं। नीदरलैंड, पोलैंड, पर्शिया का मुख्य आहार आलू ही है। अरबों की मुख्य पसन्द आलू तो है ही साथ ही साथ बहुओं की योग्यता की जाँच भी आलू से ही की जाती है। शादी के पहले उन्हें आलू तथा चाकू

देकर उनकी गतिविधियों का मनोवैज्ञानिक विश्लेषण किया जाता है। पतला छिलका उतारने वाली बुद्धिमान, आँख के पास छोड़ने वाली लापरवाह व आलसी, गूदा समेत मोटा छिलका उतारने वाली फिजूलखर्ची, छिले आलू को मात्र एक बार धोने वाली सफाई नापसन्द, फूहड़, पकाते समय जलाने वाली या कच्चा छोड़ने वाली असावधान तथा ज्यादा घी डालने वाली चिपचिपा स्वभाव वाली मानी जाती थी। इस आलू परीक्षा में उत्तीर्ण कन्यायें ही शादी के योग्य समझी जाती थीं। आलू का इतिहास यहीं समाप्त नहीं होता। जर्मनी के हास्य विशेषज्ञ डॉ. ब्राइलेंस्टाइन ने एक 'आलू सिद्धान्त' पुस्तक लिख डाली है तथा प्रतिवर्ष अजीबोगरीब मजेदार सिद्धान्त रखने वालों में प्रथम व्यक्ति को 'गोल्डेन पोटाटो' पुरस्कार भी शुरू किया है।

ब्रिटेन के सुप्रसिद्ध जड़ी-बूटी विशेषज्ञ जान गेरार्ड ने 1596 ई. में आलू बोया। काफी अच्छी फसल हुई। उन्हीं दिनों इंग्लैंड में भयंकर अकाल पड़ा। लोगों ने भूखे मरना मंजूर किया परन्तु अंधविश्वास के कारण आलू खाना पसंद नहीं किया। उनका मानना था कि आलू खाने से यक्ष्मा, कोढ़, सिफलिस तथा चर्मरोग आदि होते हैं। इस अंधविश्वास के कारण 1619 ई. से वहाँ आलू की खेती बंद कर दी गई। ठीक इसके विपरीत जब क्रोमवेल ने आयरलैंड पर हमला कर वहाँ के खेत-खलिहानों को जलाकर एवं रौंद कर नष्ट कर दिया, उस संकट की स्थिति में जमीन के नीचे होने के कारण आलू ने आयरिशों की जान बचाई। आलू के इतिहास से अमेरिका के ब्रिटिश नागरिक आर्मी अधिकारी रेमफोर्ड भी जुड़े हुए हैं। वे 1784 में बावेरिया के सम्राट के निमंत्रण पर बावेरिया गये। वहाँ जर्मन सैनिकों में सब्जी उगाओ अभियान में आलू को प्रमुख स्थान दिया। कर्नल रेमफोर्ड ने आलू के सम्बन्ध में प्रचलित सभी भ्रांतियों को दूर किया। इतिहास की घटना के अनुसार भारत में 1615 में सर टामस रो के सम्मान में आलू के व्यंजन परोसे गये थे। भारत में आलू की खेती 822 ई. के करीब नीलगिरी पर्वत शृंखला में प्रारम्भ हुई।

आलू सोलेनेसी परिवार की अतिविशिष्ट कन्द सब्जी है। आयुर्वेद मतानुसार आलू मधुर, रुक्ष, शीतल, पाक में भारी, दुर्जर, मल को गाढ़ा करने वाला, वीर्यवर्द्धक, जठराग्नि प्रदीपक, रक्त-पित्त वात, कफनाशक, मल-मूत्र निःसारक, स्तन्यवर्द्धक, विष्टम्भजनक तथा बल्य होता है। भाव प्रकाश निघंटु के अनुसार सभी प्रकार के आलू कफ तथा वायु को उत्पन्न करने वाले होते हैं। कार्बोज की दृष्टि से आलू श्रेष्ठ आहार है। इसमें 20 प्रतिशत तक कार्बोज तथा 2 प्रतिशत श्रेष्ठ किस्म का प्रोटीन होता है। इसका प्रभाव शरीर में प्रबलक्षारीय होता है। इसमें कैल्शियम, मैग्नेशियम, पोटाशियम आदि क्षारीय तत्त्वों की मात्रा प्रचुर होती है।

विश्व में आलू का सकल उत्पादन 2,950 मिलियन टन है अर्थात् चावल, गेहूँ तथा मक्के आदि अनाजों के बाद आलू का ही स्थान है। विश्व में आलू उत्पादन में अग्रणीय राष्ट्रों में भारतवर्ष भी एक है। सोवियत राष्ट्र का प्रथम स्थान है जहाँ पर 87,85,300 टन आलू प्रतिवर्ष उगाया जाता है। सर्वाधिक आलू की प्रति व्यक्ति खपत पौलेण्ड में 1,748 कि.ग्रा., रूस में 378 कि. ग्रा., जर्मनी में 328 कि.ग्रा., फ्रांस में 215 कि.ग्रा., स्वीडन में 173 कि.ग्रा., इंग्लैंड में 120 कि.ग्रा., अमेरिका में 71 कि.ग्रा. तथा जापान में मात्र 35 कि.ग्रा. होती है। हिन्दुस्तान

में आलू की खपत सबसे कम सिर्फ 9 कि.ग्रा. प्रति व्यक्ति है। आलू उत्पादन में भारत का स्थान पाँचवाँ, खेती क्षेत्रफल की दृष्टि से चौथा 8,06,000 हेक्टर प्रतिवर्ष है। आलू उत्पादन में अग्रणीय राष्ट्र क्रमश रूस, पौलेण्ड, अमेरिका, जर्मनी (डी.आर.) भारत, स्पेन, यूगोस्लाविया, रूमानिया, चीन तथा जर्मनी (एफ.आर.) हैं।

भारत में उत्तरप्रदेश, पंजाब, हरियाणा, राजस्थान, बिहार तथा बंगाल में आलू की खेती क्रमशः प्रचुरता से की जाती है। भारत में इण्डियन काउंसिल ऑफ एग्रीकल्चर रिसर्च के अन्तर्गत शिमला (कुफरी) तथा उत्तरप्रदेश (भोवाली, कुमाऊ) में आलू पर शोध कार्य कर आलू की अनेक किस्में निकाली गई हैं। इनमें कुफरी बादशाह, कुफरी चमत्कार, कु. ज्योति, कु. कुबेर, कु. बहार, कु. अलंकार, कु. सिन्दुरी, कु. देवा, कु. चन्द्रमुखी आदि प्रसिद्ध हैं। इनकी उपज 250 से 400 क्विंटल प्रति हेक्टर होती है। बाजार में सामान्यतः देशी तथा पहाड़ी आलू के नाम से ये बिकते हैं। सेन्ट्रल पोटाटो रिसर्च इन्स्टीट्यूट आलू की बेहतर किस्में एवं बेहतर उत्पादन के लिए निरन्तर प्रयत्नशील है।

नयी खोज के अनुसार आलू में परम शक्तिशाली एण्टीऑक्सीडेन्ट, कैरोटोनॉइड्स, फ्लेवोनायड्स, कैफिक एसिड तथा प्रोटीन को एकत्रित करने वाला कम्पाउण्ड जैसे पेयाटिन पाया जाता है। इसमें रक्तचाप को कम करने वाला तत्त्व क्यूकोमाइनस पाया जाता है। इसमें अच्छी गुणवत्ता के कार्बोहाइड्रेट होने के बावजूद भी कैलोरी कम होता है। आलू, केला, चावल को लोगों ने बदनाम कर रखा है कि ये सब वजन बढ़ाने वाले होते हैं। वास्तव में खाने का तरीका वजन बढ़ाता है। ये तीनों कार्बोहाइड्रेट वाले आहार हैं अतः कैलोरी संतुलन बनाकर इन्हें खाइये। आलू एवं केला को रोटी या चावल मानकर खायेंगे तो वजन नहीं बढ़ेगा। आलू को तलकर नहीं उबालकर बेक या आग में भूनकर खायें।

जापानी वैज्ञानिकों ने खोज की है कि आलू तथा शकरकन्द में 'प्रोटीयस इन हिबिटर्स'' पाये जाते हैं जो शरीर में प्रोटीन को रोककर रखते हैं, उनके उपयोग को बढ़ा देते हैं। प्रोटीयस इनहिबिटर्स' अण्डकोषों की क्षमता को बढ़ाते हैं, तले हुए आलू में ये सारी खूबियां समाप्त हो जाती है। जय विज्ञान मिशन के अन्तर्गत भारतीय वैज्ञानिकों ने जेनेटिक मोडिफिकेशन की मदद से प्रोटीन तथा विटामिन से भरपूर आलू की एक नई वेरायटी पैदा की है। रामदाने की एक जीन ए.एम.ए.-1 को आलू में डालकर यह किस्म पैदा की गयी है। ज्यादा धूप, नमी, गर्मी, ठण्ड के सम्पर्क में आने या अंकुरण होने पर आलू के कुछ हिस्से हरे रंग के हो जाते हैं। आलू के इस हरे हिस्से में सोलनिन (Solanine) तथा अन्य विषैले टॉक्सिक कम्पाउण्ड पैदा हो जाते हैं जो यकृत, गुर्दे आदि अंगों को दुष्प्रभावित करते हैं। आलू के इस हरे हिस्से को गहराई तक काटकर निकाल दें।

ब्रिटेन आहार विज्ञानी फियोना हन्टर (Fiona Hunter) के शोध अध्ययन के अनुसार 175 ग्राम पोटेटोचिप्स में शक्ति शाली एण्टी ऑक्सीडेन्ट विटामिन 'सी' होता है जो फ्री रेडिकल्स के दुष्प्रभाव को नष्ट कर देते हैं। सभी जंक फूड डीप फ्राइवाले होते हैं जो शरीर में फ्री रेडिकल पैदा करते हैं जो कोशिकाओं को नष्ट करने में जुट जाते हैं। भांति-भांति के कैन्सर

पैदा करते हैं, स्वस्थ कोशिकाओं को कैंसर कोशिकाओं में उत्परिवर्तित कर देते हैं। डेली स्टार अखबार में प्रकाशित शोध अध्ययन के अनुसार जबकि जंक फूड का ही एक रूप चिप्स वेफर्स खाने से इनमें मौजूद विटामिन 'सी' के कारण कैन्सर की गांठें सिकुडने लगती हैं।

आलू का गूदा ही नहीं बल्कि आलू का छिलका भी उपयोगी है। ब्रिटेन की ही चिप्स निर्माता कम्पनी वॉकर्स आलू के छिलके से इको फ्रेन्डली बैग बना रही है। अब तक आलू के छिलके जानवरों के भोजन के रूप में काम में आते हैं। इसके पहले इसी कम्पनी ने लकड़ी से प्राप्त सेल्युलोस से इको फ्रेन्डली पैकेट बना चुकी है।

इतना ही नहीं पैप्सिको कम्पनी के वैज्ञानिकों ने तो ब्रिटेन के लंकाशायर की सयंत्र से आलू से करीब 3 हजार लीटर प्रतिघंटा वाष्प से शुद्ध पेयजल बनायेगी। आलू के चिप्स तथा अन्य स्नैक्स बनाने की प्रक्रिया में इसमें मौजूद 75% जल बेकार वाष्प बनकर नष्ट हो जाता था। उसे दोहन तथा संधारित करने का काम यू.के. स्थित सभी चिप्स कम्पनियों में किया जायेगा। इस प्रकार अन्य सब्जियाँ में मौजूद पानी का पुनरूपयोग करने के संयंत्रों का विकास करके पेयजल की आपूर्ति हो सकती है। भविष्य में जल के लिए होने वाला विश्वयुद्ध को इस प्रकार से शान्ति में बदला जा सकेगा।

वाशिंगटन के यू.एस. डिपार्टमेन्ट ऑफ एग्रीकल्चर के वैज्ञानिकों ने नारंगी, लाल तथा बैंगनी रंग के आलू का उत्पादन प्रारम्भ कर दिया है। वैसे दक्षिण अमेरिकन एण्डेसनिवासी वरसों से लाल बैंगनी तथा नीले रंग के गुदा वाले आलू उगाने में कुशल रहे हैं, आलू का मूल स्थान भी यही है एण्डेस क्षेत्र में आलू में स्वाभाविक जिनेटिक परिवर्तन के कारण शताब्दियों से विभिन्न रंगों के आलू पाये जाते हैं। वैज्ञानिकों ने दक्षिण अमेरिका के जंगली जाति के विभिन्न रंगों के आलुओं तथा पूरे विश्व में खाये जाने वाले आयरिश जाति के सामान्य सफेद रंग के आलू के मध्य क्रास ब्रिडिंग करके विभिन्न रंगों के पैदा करने में सफल हुए हैं। इन विभिन्न रंगों के आलुओं के स्वाद में मनोनुकूल अन्तर तो है ही साथ ही इनमें नाना प्रकार के रंग पिगमेन्ट बढ़ जाने से इनकी रोग निवारण एवं स्वास्थ्य संरक्षण क्षमता में कमाल की वृद्धि पायी गई है। प्राकृतिक रंग वाले आलू महाशक्तिशाली एण्टीऑक्सीडेन्ट है जो कैंसर से लेकर दिल तथा धमनियों के रोगों से बचाव नियंत्रण एवं उपचार करते हैं। नीले रंग के गुदे वाली आलू में एन्थोसायनिन, जियाक्सन्थिन (Zeaxanthin) तथा ल्युटिन (Lutein) सामान्य आलू से चौगुना पाया जाता है। इन रंगीन आलुओं की एण्टीऑक्सीडेन्ट क्षमता की जाँच प्रयोग शाला में ओराक (Orac-Oxygen Radical Absorbance Capacity) द्वारा ज्ञात करने पर पता चला कि ये रंगीन आलू; गोभी, पालक तथा केले को भी मात कर देता है। कॉम्पलेक्स कार्बोहाइड्रेट, पोटाशियम, लोहा तथा विटामिनों एवं अन्य सैकड़ों पोषक तत्वों से भरपूर भविष्य में रंग-बिरंगे आलुओं से हमारा डाइनिंग टेबल सजा हुआ मिलेगा-अपूर्व।

इसमें गंधक तथा क्लोरीन भी पाया जाता है, जो शरीर के सभी संस्थान एवं त्वचा की सफाई करता है। एक सामान्य आलू में विटामिन 'सी', बी-1, पर्याप्त मात्रा में होता है। आलू प्रबल एण्टीस्कारब्यूटिक तथा एण्टीन्यूरोटिक आहार है। इसमें विटामिन 'ए' तथा 'ई' भी पाया

जाता है। इसमें पोटाशियम तथा सोडियम की प्रबलता होने से यह 'एसिडोसिस' अर्थात् शरीर की अम्ल विषाक्तता से आसानी से लड़ता है। इसमें रफेज की मात्रा न्यून होने के कारण कमजोर आँतों के लिए उत्तम औषधि है। आलू को 40° तापमान पर अँधेरे में बालू पर बिछाकर महीनों रखा जा सकता है। इस अनुकूल स्थिति में आलू की मिठास बढ़ जाती है। गर्म जगह पर रखने से आलू अंकुरित हो जाते हैं तथा प्रकाश में आलू का रंग हरा हो जाता है।

अपक्व आलू भी हरे होते हैं। प्रत्येक आलू में तीन भाग होते हैं। छिलके के ठीक नीचे दस प्रतिशत भाग चौड़ी पट्टी में अति महत्वपूर्ण खनिज एवं विटामिन होते हैं। इस हिस्से का अधिकांश भाग छिल कर लोग आलू का सत्यानाश कर देते हैं। इसमें भीतर का गूदा 79% होता है, जिसमें स्टार्च ज्यादा होता है। आलू को काटकर बार-बार धोने से स्टार्च, विटामिन 'बी' तथा 'सी' नष्ट हो जाते हैं। हरे, काले तथा नीले आलू निकृष्टतम एवं हानिकारक, सफेद तथा पीले आलू मध्यम व न्यूनतम तथा पूर्णवृद्धि को उपलब्ध पक्व लाल आलू श्रेष्ठ कोटि का होता है। कच्चा आलू दाहजनक एवं मदकारक होता है। पकाने पर यह प्रभाव खत्म हो जाता है। आलू की सब्जी स्वादिष्ट, शक्तिदायक, रुचिकर, वात एवं धड़कन दूर करती है। कास, जुकाम, दमा, हृदय की तीव्र धड़कन, मधुमेह तथा मोटापा में उपयोगी है। पूर्ण पक्व कच्चे आलू का रस संधिवात, बेरी-बेरी, त्वचा रोग, हृदय की जलन, गुर्दे के सभी रोग, स्कर्वी, पथरी, गुर्दे फेल्योर व गुर्दे के सभी रोग, स्नायविक एवं माँसपेशीय कमजोरी में अति उपयोगी है। जलने, कटने विसर्प (Erycipeals), ततैया, बर्रे, हड्डा के काटने, नील पड़ना (Bruises), कटि वेदना आदि की स्थिति में आलू को पीसकर शीघ्रता से प्लास्टर लगायें।

कच्चे आलू का रस त्वचा की झुर्रियों, दाद, फुंसी तथा चेहरे पर लगायें। किसी प्रकार के दर्द, वातज व्याधि में आलू को पीसकर पुल्टिस बाँधने से लाभ होता है। आलू बूढ़ों तथा बच्चों के लिए शीघ्र पचित प्रोटीन, कार्बोज, खनिज एवं विटामिन की दृष्टि से श्रेष्ठ पौष्टिक एवं संतुलित आहार है। कच्चे आलू को पत्थर पर घिसकर सुबह-शाम आँखों में आँजने से जाला एवं फूला ठीक निर्विघ्न हो जाता है। विभिन्न रोगों में निर्दिष्ट आहारों का प्रयोग बराबर रोग हटने के बाद भी कर सकते हैं। इन जैव औषधमय आहारों के सम्यक् निरंतर उपयोग से किसी प्रकार का दुष्प्रभाव नहीं होता है। आग में भूने आलू का भुर्ता खाने से अम्लता, रक्तपित्त, स्नायविक दुर्बलता, मज्जा तंतु वात, यकृत तथा अग्निमांद्य संबंधी रोग में फायदा होता है। बिहार के ग्रामीण अंचलों में बुखार के बाद आलू का भुर्ता तथा पुराने चावल का भात पथ्य दिया जाता है। दूध पीते बच्चों को पुष्ट आलू के रस में शहद मिलाकर पिलाने से बच्चों की रोग-प्रतिरोधक क्षमता बढ़ती है और वे हृष्ट-पुष्ट होते हैं। भूलवश कील आदि हानिकारक पदार्थों को खा लेने पर आलू या केला खिलाने से वे सरक कर कुछ दिनों में बाहर निकल जाते हैं। आलू के पत्ते की भाप संधिवात, वेदना तथा शोथ में लाभ करती है। आलू में सभी प्रकार के एमिनो अम्ल मिल जाते हैं। आलू या छेना सम्पूर्ण आहार माना जाता है। मोटापा बढ़ाने के साथ घटाने में भी हमने आलू का प्रयोग किया है। इसके प्रयोग से शरीर की सप्त धातुओं का निर्माण होता है। शरीर एवं मन हृष्ट-पुष्ट तथा बलशाली बनता है।

इसके पत्ते की सब्जी खायी जाती है। कोमल पत्ते जिनमें सोलानिन न्यून मात्रा में है, की सब्जी बनायी जाती है। इसके कोमल पत्ते की सब्जी में लोहा, कैल्शियम विटामिन 'ए', 'बी' तथा सी प्रचुर मात्रा में मिलता है। इसके पत्ते की सब्जी चिरस्थायी जीर्ण खाँसी एण्टीस्पैसमेडिक के रूप में कार्य करती है। सुजाक, आतशक, संग्रहणी, अतिसार, मरोड़, मूत्राघात आदि में पके आलू या सब्जी का प्रयोग नहीं करें। रस का प्रयोग करें। आलू बनाने का श्रेष्ठ तरीका है कि उबलते पानी में आलू डालकर ढक दें अथवा कुकर में उबालें। ठण्डे पानी में आलू को नहीं उबालें।

एक सामान्य बड़े उबले आलू में विटामिन 'ए' 20 आई.यू., बी-1 11 मि.ग्रा., बी-2 0.04 मि.ग्रा., बी-3 0.10 मि.ग्रा., पायरिडॉक्सिन 320 मि.ग्रा., पेन्टोथेनिक एसिड 450 से 650 मि.ग्रा., ईनोसिटॉल 29 मि.ग्रा., फॉलिक एसिड 140 मि.ग्रा., कोलिन 20-105 मि.ग्रा., सी-24 मि.ग्रा., ई-0.06 मि.ग्रा., Ca 5-11 मि.ग्रा., P 35-56 मि.ग्रा., Fe 0.46-0.70 मि.ग्रा., Cu 0.15 मि.ग्रा., कोबाल्ट 2-3 मि.ग्रा., F 20 मि.ग्रा., K-410 मि.ग्रा., S-24-30 मि.ग्रा. होता है। इन आँकड़ों से यह सिद्ध होता है कि आलू अत्यन्त पोषक एवं श्रेष्ठ आहार है। इसलिए सुप्रसिद्ध आलू विशेषज्ञ क्राफर्ड ने ठीक ही कहा है कि आलू खाने वाली जातियाँ अपने जीवन में निरन्तर साहसिक परिवर्तन चाहती हैं। ये हमेशा साहसी जीवन जीने में विश्वास रखती हैं। निडर तथा प्रबल आत्मविश्वास से परिपूर्ण सदैव दृढ़ बनी रहती हैं। उनका मानना है कि भारतीयों ने इसका नामकरण 'आलू' अर्थात् 'आल' गुण सम्पन्न कर इसे सार्थक अर्थवत्ता प्रदान की है।

शकरकन्द

(वानस्पतिक नाम—Ipomoea Batatas अंग्रेजी नाम—Sweetpotato)

शकरकन्द उष्ण अमेरिका का मूलवासी पौधा है। कोलम्बस की यात्रा के पूर्व भी क्यूबा के रेड इण्डियन्स इसकी खेती करते थे। मैक्सिको तथा दक्षिण अमेरिका के लोग भी शकरकन्द से अच्छी तरह परिचित थे। आज यह रूस, जापान, भारत, अफ्रीका, स्पेन, चीन तथा अमेरिका की प्रमुख उपज है। शकरकन्द विभिन्न आकार एवं विभिन्न रंगों में पाया जाता है। सफेद, लाल, भूरा, गुलाबी तथा तांबिया रंग का शकरकन्द प्रसिद्ध है। यह पोषण की दृष्टि से बेहतरीन खाद्य पदार्थ है। इसमें प्रचुर मात्रा में 28 प्रतिशत कार्बोज होता है जिसमें 29 प्रतिशत स्टार्च तथा 8.2 प्रतिशत शर्करा होती है। इस शर्करा में श्रेष्ठ किस्म की शर्करा ग्लूकोज, फल शर्करा, इक्षु-शर्करा तथा माल्टोज पाया जाता है।

शकरकन्द की एक विशेषता है कि इसे काफी दिनों तक सुरक्षित रखने से इसकी मिठास बढ़ती जाती है। पड़े-पड़े इसका स्टार्च फलों की तरह शर्करा में रूपान्तरित होता जाता है। फलत: स्टार्च की मात्रा घटकर शर्करा की मात्रा बढ़ जाती है। इसे जमीन या बालू के सीधे सम्पर्क में रखने से इसके विटामिन 'सी' में कोई परिवर्तन नहीं होता है। शकरकन्द पूर्ण वयस्क होने पर ही उपयोग में लायें।

आस्ट्रेलिया तथा इटली के वैज्ञानिकों ने संयुक्त रूप से डाइबिटीज के रोगियों पर शक्करकन्द

के रस का सफल प्रयोग किया है। मधुमेह ग्रस्त 61 रोगियों को तीन माह तक 40 मिली. शकरकन्द का रस पिलाने से शुगर का लेवल 15 प्वाइंट तक कम हो गया। शकरकंद दो प्रकार का होता है-एक सफेद तथा दुसरा लाल। सफेद रतालू का उपयोग जापान के पहाड़ी इलाका कगवा के लोग एनीमिया, हाइब्लडप्रेशर तथा डाइबिटीज रोग में परम्परा से कर रहे हैं। केयापो के सेवन से कॉलेस्टरॉल तथा ट्राइग्लिसराइड्स का लेवल भी कम होता है। कन्सस स्टेट यूनिवर्सिटी के वैज्ञानिकों ने शकरकन्द की एक ऐसी वैरायटी विकसित किया है जिसका गुदा एवं छिलका बैंगनी रंग का होता है। इस बैंगनी रंग के शकरकन्द में एन्थोसायनिन (Anthocyanin) नामक एण्टी कैन्सरस, एण्टी एजिंग एवं शक्तिशाली एण्टीऑक्सीडेन्ट है। डेली टेलिग्राफ में प्रकाशित शोध लेख में बताया गया है कि कोलन कैन्सर के रोकथाम एवं उपचार में बैंगनी रंग का शकरकन्द उपयोगी होता है। अन्य रोगों में भी शकरकन्द उपयोगी होता है। शकरकन्द इतना पावरफुल एवं ऊर्जा वाला है कि विश्व का सुपर मैन धावक जमाईका निवासी उसैन बोल्ट अपने ही रिकॉर्ड को अगस्त 2009 में तोड़कर 9.58 सेकण्ड में 100 मीटर दौर के लक्ष्य को पूरा किया है, उनका मुख्य आहार शकरकन्द है।

वयस्क शकरकन्द में सभी पोषक तत्त्व प्रचुर मात्रा में मिलते हैं। इसमें विटामिन आलू से अत्यधिक होता है। विटामिन 'ए' 7,700 अ.ई., बी-1 0.08, बी-2 0.04, बी-3 0.7 तथा सी. 24 मि.ग्रा. प्रति सौ ग्राम में मिलता है। इसमें पोटाशियम प्रचुर मात्रा में 393 मि.ग्रा., न्यून मात्रा में सोडियम 90 मि.ग्रा., Ca 46 मि.ग्रा., P 50 मि.ग्रा. तथा लोहा 0.8 मि.ग्रा. प्रति सौ ग्राम में होता है। इस प्रकार से यह गुर्दे एवं यकृत सम्बन्धी रोगों में बेहिचक प्रयोग किया जा सकता है। यह शरीर में क्षार एवं अम्लीय संतुलन को बनाये रखता है। इसमें पेन्टोथेनिक अम्ल भी प्रचुर मात्रा में मिलता है। जापान में इससे स्टार्च तथा सिरप बनाया जाता है। अन्य देशों में इससे अल्कोहल तथा स्टार्च बनाते हैं।

भारत में यह अति श्रेष्ठ किस्म का गरीबों का मुख्य आहार है। ग्रामीण बच्चे इसे बड़े शौक से भूनकर या उबालकर काम में लेते हैं। इसे उबालकर या कुकर में बनाते हैं। भारतीय व्रत-त्यौहारों में इसका उपयोग वृहद् स्तर पर किया जाता है। इसे दूध के साथ मिलाकर खाया जाता है। दूध का प्रोटीन तथा शकरकन्द का कार्बोज दोनों मिलकर पूर्ण पोषक आहार बन जाता है। इससे अनेक प्रकार की मिठाइयाँ बनती हैं। कहीं-कहीं इसके अचार भी बनाये जाते हैं। शकरकन्द फेफड़ों तथा माँसपेशियों को शक्ति प्रदान करता है। इसमें रफेज की मात्रा न्यून होने के कारण किंचित् कब्जकारक किन्तु आँतों के लिए उपयोगी है। लाल शकरकन्द श्रम के बाद की थकान तथा सफेद शकरकन्द प्रमेह दूर करता है। शकरकन्द का हलवा बकरी के दूध के साथ खाने से मूत्रकृच्छ दूर होती है। शकरकन्द प्यास को मिटाकर तृप्ति प्रदान करता है।

Convolvalaceae परिवार के विशिष्ट सदस्य शकरकन्द को दक्षिण अमेरिका में "Camote", "Kumara" तथा Potata के नाम से जाना जाता है। जबकि वे आलू को White Potata या Irish Potata कहते हैं। भारत में शकरकन्द की खेती करीब दो लाख हेक्टर पर की जाती है। उपज करीब डेढ़ लाख टन प्रतिवर्ष है। इससे स्टार्च एवं अल्कोहल बनता है। भारत

में पूसा सुनहरी तथा पूसा लाल शकरकन्द की प्रमुख किस्में हैं। गोल्ड रूस तथा सेनटेनिया अमेरिका की प्रमुख किस्में हैं जो अत्यधिक उपज देती हैं। इसके अतिरिक्त टिकोटी, जरसी, पम्पकिन, साउर्दन क्वीन, शांगाई, फ्लोरिडा, बेलमान्ट तथा साँगाई ग्रुप अमेरिका की प्रचलित जातियाँ हैं।

शकरकन्द तथा आलू को छोड़कर डायस्कोरिया परिवार में कन्द की 50 प्रजातियाँ भारतवर्ष में होती हैं जिनमें कुछ कृषित तथा कुछ वन्य हैं। इनके रंग एवं स्वाद भी अलग-अलग होते हैं। बड़े, छोटे, लम्बे, गोल, अण्डाकार जमीन के नीचे खूब गहराई में होने वाले, सतह पर होने वाले, एक कन्द वाले अथवा झुण्ड के झुण्ड अनेक कन्द वाले भाँति-भाँति के गुण धर्म के होते हैं। कुछ बड़े कठोर रोयेंदार तो कुछ बिना रोयें के मुलायम होते हैं। कुछ जंगली प्रकार के आलूकों में सॅपोनिन एवं टैनिन की मात्रा अधिक होने से वे विषैले होते हैं। कुछ वन्य आलूक जानवरों के प्रिय भोजन हैं। मुख्य आलकों में शंखालू, हस्त्यालू, पिण्डालू (सूथनी), मध्वालूक (बड़ी सूथनी) तथा रक्तालूक (रतालू) प्रसिद्ध हैं।

जापान के एक गाँव है, 'विलेज ऑफ लॉगेविटी', जिनका मुख्य आहार कंद मूल ही है। कंद मूल में एक अमृत रसायन Hyaluronic Acid पाया जाता है, जो संधियों, सायनोवियल फ्ल्युइड एवं माँसपेशियों को शक्तिशाली बनाता है। उम्र को बढ़ाता है तथा प्रतिरक्षा प्रणाली को ताकतवर बनाता है।

सभी प्रकार के आलूकों के गुणधर्म एक से होते हैं। ये शीतल, विष्टम्भ जनक, मधुर रसयुक्त, गुरु, मूत्र तथा मल को निकालने वाले, रुक्ष, देर से हजम होने वाले, कफ तथा वायुकारक, बल्य, वीर्यवर्द्धक किंचित जठराग्नि प्रदीपक तथा रक्तपित्त नाशक होते हैं। सभी प्रकार के आलूकों में डायस्कोरिन क्षाराभ कम तथा न्यून मात्रा में होती है। जिस आलूक में इस क्षाराभ की मात्रा अधिक होती है उसे ज्यादा खाने से श्वसनघात होता है। इन्हें बार-बार धोकर तथा अच्छी तरह उबालकर या पकाकर खायें। आलू तथा शकरकन्द कम मात्रा में कच्चा खा सकते हैं,अधिक खाने से गैस के कारण उदरशूल हो जाता है। सूथनी एवं पिण्डालू को उबालकर बकरी के दूध के साथ खाने से प्रदर, पेट की जलन, स्वप्नदोष तथा पित्तजन्य कमजोरी दूर होती है।

अरुइ या अरबी

(वानस्पतिक नाम—Colocasia Antiquorum Schott

अंग्रेजी नाम—Colocasia)

अरुइ अरेसी परिवार की प्रमुख कन्द सब्जी है। वा. ना. कोलोकेस्या एण्टीकोरम है। अरबी कृषित तथा वन्य दोनों प्रकार की होती है। वन्य अरबी नदी, तालाबों, दलदली जमीनों के किनारे तथा अन्य आर्द्र स्थानों में होती है। ये विभिन्न प्रकार के ½ से लेकर 6 इंच व्यास डेढ़-दो फीट तक लम्बे होते हैं। विभिन्न प्रकार के अनुरूप इन कन्दों में चरपराहट होती है। यह कब्जकारक तथा वायुकारक है। इसके साथ अजवायन अवश्य खायें। इसके कन्द में अमाइलेस एन्जाइम होता है जो इसके स्टार्च को पचाता है। इसमें कार्बोज, विटामिन 'ए', बी-1, बी-2, बी-3, कैरोटिन, Ca, P पर्याप्त मात्रा में होते हैं। वनस्पति विज्ञानी मेहता 1959 के अनुसार अरबी का

जन्म स्थान पुराने विश्व का उष्ण कटिप्रदेश ट्रापिकस है। यह Genus- Colocasia, Species Esculenta तथा Araceae परिवार का प्रमुख सदस्य है। वनस्पति शास्त्री Maaigowda 1952 ने अरबी का जन्म स्थान भारत माना है। बंसी, फैजाबादी, लदरा, एस 3 व 11, वार्म नं. 1 व 2 तथा ग्यानों नं. 12, 36 व 40 अरबी की प्रसिद्ध जातियाँ हैं।

इसमें कैल्शियम ऑक्जेलेट होने के कारण गले में खरास पैदा होती है। आलू तथा शकरकन्द को छोड़कर सभी आलूक कन्दों को खूब धोना चाहिए। अरुइ के कन्द तथा पत्तों की स्वादिष्ट सब्जी बनती है। अरबी का भुर्ता, सब्जी तथा सूप हृदय रोगियों के लिए उपयोगी हैं। इसकी सब्जी में काली मिर्च डालकर खाने से कफ तथा सूखी खाँसी कम होती है। यह पचने में भारी होने के कारण कम मात्रा में लें। इसका सूप, भुर्ता तथा सब्जी खाने से शारीरिक एवं काम शक्ति की वृद्धि होती है। डण्ठल सहित पत्तों को कुकर या वाष्प में उबालकर इसका सूप बनायें। इसमें घी डालकर लेने से वात गुल्म ठीक होता है। ततैया, बर्र, हाड़ा आदि विषैले कीटों के खाने पर अरबी को घिसकर रस लगायें। जले हुए स्थान पर इसे घिस या पीसकर लगाने से फफोले नहीं उठते हैं। काली अरबी के रस को सिर पर मलने से गंजापन दूर होता है। इसके रस में जीरा डालकर पीने से यकृत वृद्धि तथा रक्तार्श ठीक होता है। प्रसवोपरान्त इसकी सब्जी खाने से दुग्धस्त्रवण बढ़ जाता है। गाँठ पर इसके डण्ठल तथा पत्तों को सेंधा नमक के साथ पीसकर लगायें। लाभ होगा। इसके पर्णवृन्त का स्वरस लगायें, रक्तस्राव रुकता है तथा घाव शीघ्र भरता है।

अरबी श्रेष्ठ स्नायु टॉनिक है। वीर्य को गाढ़ा करती है। इसके उपयोग से बवासीर तथा अतिसार ठीक होता है। अरबी के पत्ते की सब्जी बलवर्द्धक होती है। इसकी सब्जी खाने से खुश्की, कफ वृद्धि तथ पेट की गर्मी शांत होती है। अरबी के पत्ते में सर्वाधिक विटामिन 'ए' 10,278 अ.इ. प्रति सौ ग्राम में होता है। कम पेशाब आने पर तथा नेत्रज्योति बढ़ाने के लिए 50 ग्राम पत्ते के सूप या रस में 20 ग्राम शहद मिलाकर दें।

सुरन

(वानस्पतिक नाम—Amorphophallus Campanulatus)

इसका अंग्रेजी नाम Yam elephant है तथा अरेसी परिवार का सदस्य है। सुरन भी वन्य तथा कृषित दो प्रकार के होते हैं। वन्य सुरन रक्ताभ, श्वेत तथा इसमें कैल्शियम ऑक्जेलेट की मात्रा अधिक होने से यह तीव्र गला प्रक्षोभक होता है। कृषित सुरन श्वेत होते हैं। इसमें कैल्शियम ऑक्जेलेट न्यून मात्रा में होने से खुजली कम करते हैं। औषधीय दृष्टि से वन्य तथा खाने की दृष्टि से कृषित सुरन उपयोगी है। इसका कन्द शीर्ष पर धँसा, नारंगी की तरह 3 से 10 इंच व्यास का होता है। इसे जमीन कन्द भी कहते हैं। आयुर्वेद की दृष्टि से यह कषाय, कटु रसयुक्त, रुक्ष, खुजली पैदा करने वाला विष्टम्भक, रुचिकारक, लघु, प्लीहा, गुल्म, कफ एवं अर्शनाशक होता है। यह दाद, कुष्ठ तथा रक्तपित्त वाले रोगियों के लिए उपयोगी नहीं है। अर्श के रोगियों के लिए श्रेष्ठ पथ्य है। जीर्ण व्रण में इसका रस लगायें। जमींकन्द का चूर्ण या उबाल कर दही या छाछ के साथ खाने से पेचिस, अतिसार, उपदंश, बवासीर में लाभ करती है।

यह वातहर, दीपन, पाचन तथा रुचिकर है। इसकी सब्जी खटाई डालकर बनाने से काटता नहीं है। इसका विक्षोभक गुण कम हो जाता है। इसकी सब्जी या सूप में नींबू डालकर लेने से अर्श, यकृत, प्लीहा तथा आँतों के विभिन्न रोग ठीक होते हैं। इसके भुरते को दही के साथ खाने से खूनी बवासीर ठीक होता है। जमींकन्द को छोटे-छोटे टुकड़े करें, नींबू के रस में 12 घंटे छोड़ दें। फिर धूप में सूखाकर चूर्ण बनायें। छाछ या पानी के साथ 4 ग्राम चूर्ण सुबह-शाम लेने से रक्तार्श ठीक होता है। जमींकन्द को सीधे धूप में सूखा कर चूर्ण बना सकते हैं। जमींकन्द के टुकड़ों को तल कर उसे पनीर के रूप में स्वादिष्ट सब्जी बनायी जाती है। जमींकन्द का चिप्स, रायता तथा अचार भी बनाया जाता है। इसी प्रकार से मूलकन्दों में मानकन्द, वाराही कन्द, हस्तीकर्ण, विदारीकन्द, मुसलीकन्द, शतावरी आदि का वर्णन सुप्रसिद्ध आयुर्वेद ग्रंथों में आया है। इसमें क्षीरविदारी कन्द का काफी वर्णन किया गया है। विदारीकन्द भूमि में बहुत ही गहराई पर लगता है इसलिए इसे पातालकन्द या भूमि कुम्हरा भी कहते हैं।

इसका वा.ना. इपोमियाडिजिटेटा है। यह कॉन्वॉल्व्युलेसी परिवार का सदस्य है। इससे खूब रस क्षीर निकलता है। यह बाहर से भूरे रंग का रतालू आकार का तथा भीतर से श्वेत रंग का होता है। यह अनुलोमक, पित्तसारक, स्तन्यजनक, स्नेहक, प्रबल काम ऊर्जा एवं वीर्यवर्द्धक, दीपन, कब्ज निरोधक, वजन व बलवर्द्धक तथा शिथिलता अवरोधक होता है। यह यकृत तथा प्लीहा वृद्धि को कम करता है। सुश्रुत ने इस कन्द के चूर्ण को प्रबल कामवर्द्धक माना है। इसके चूर्ण को इसके रस से इक्कीस भावना देकर मधु के साथ खाने से एक रात्रि में दस युवतियों के साथ रमण किया जा सकता है। विषम ज्वर, मूत्रकृच्छ, पित्तशूल, स्तन्य वर्धनार्थ इसके स्वरस को शहद के साथ लें। हरिद्वार में यह सराल नाम से बिकता है।

इसके अतिरिक्त मूल कन्दों में काँटा आलू (Dioscorea Pcntaphylla), चुपरी आलू (Dioscorea Alata), शिमला आलू (Maninot Esculenta-Tapioca), खम्बा आलू (Typhoniom Trilobatum), बनालू (Dioscore Versicolor) आदि प्रमुख हैं। इन सभी के गुण धर्मों में काफी समानता है। प्रत्येक जमींकन्द के विषैले प्रभाव को दूर करने के लिए उन्हें इमली के पत्ते, धान की भूसी तथा खटाई के पानी से धोना चाहिए। इनके विषैले प्रभाव से स्नायुसंस्थान विशेष प्रभावित होते हैं।

प्याज

(वानस्पतिक नाम—Allium Cepa अंग्रेजी नाम—Onion)

प्याज लिलिएसी परिवार की महानतम सब्जी है। मध्य एशिया इसका जन्मस्थान है। सब्जी के रूप में इसका उपयोग पाँच हजार वर्ष से किया जा रहा है। इसकी खेती विश्व के सभी देशों में की जाती है। मुख्यत: प्याज गोल, अण्डाकार, चपटा, भूरा, सफेद, पीला तथा लाल रंग का होता है। सफेद तथा लाल प्याज हर कहीं मिल जाते हैं। इनका आकार गोल तथा अण्डाकार होता है। ये बड़े तथा छोटे दो प्रकार के होते हैं। सभी जातियों के प्याज में गंध होती हैं। जिस प्याज में गंध ज्यादा होती है वह औषधीय उपयोग तथा जिस प्याज में गंध कम होती है वह सब्जी एवं आहारीय उपयोग दृष्टि से श्रेष्ठ माना जाता है। सुश्रुत संहिता, चरक संहिता, अष्टाङ्गहृदय

तथा भावप्रकाश निघण्टु आदि अनेक आयुर्वेद ग्रंथों में प्याज के गुणों की सविस्तार चर्चा की गई है। इन ग्रंथों के अनुसार प्याज (प्लाण्डु) कफवर्द्धक, वायुनाशक, बलकारक, भारी, रजःस्थापनीय, त्वचा का दोष हरने वाला, रक्तवाही संस्थान उत्तेजक, स्तम्भक, छेदन, कफ निःसारक, शुक्रजनन, बाजीकरण, आर्त्तवजनन, ओजवर्द्धक, दूषित पित्त निःसारक, संभोग शक्तिवर्द्धक एवं कण्डुघ्न, योषपस्मार, हिस्ट्रिया, जल-संत्रास, अग्निमांद्य, कामला, गुदाभ्रंश, अर्श, विबन्ध, वातिक, मूत्रकृच्छ, शुक्र दौर्बल्य, रजःकृच्छ, विशूचिका आदि नाशक अनुलोमन, मूत्रल, वेदनास्थापन, व्रणशोथ, पाचन, वृष्य, तीक्ष्ण, कफ व पित्तकारक, सिर, हृदय, बालों को शक्ति देने वाला, रतिशक्तिवर्द्धक, स्निग्ध दीपन, पाचन, रुचिकारक, धातुओं को स्थिर करने वाला, मेधापुष्टि कारक, स्वाद गुरु रक्तपित्त में प्रशस्त व पिच्छिल, अस्थि संधानकारक, बल्य तथा श्वित्र, कुष्ठ, गुल्म, अर्श, प्रमेह, कृमिरोग, कफ, वायु, हिचकी, पीनस, रक्तपित्त, रक्तस्राव, निर्बलता, श्वास तथा कास रोग को नाश करने वाला होता है।

कुछ वनस्पति शास्त्रियों के अनुसार प्याज का जन्म स्थान उत्तर पश्चिमी भारत, अफगानिस्तान, रूस का उजबेक, पश्चिमी तेइनशान, मध्य एशिया व उष्ण कटिबन्धीय क्षेत्र है। भारत में इसकी पैदावार इतनी होती है कि इसका निर्यात किया जाता है। प्याज के बाह्य छिलके में 'क्वेरसीटिन' नामक पीले रंग का उपचारात्मक रसायन होता है। Genus-Allium, Species-capa Amaryllidaceae-Alliceae परिवार के प्रतिष्ठित सदस्य प्याज की अनेक जातियाँ है। लाल प्याज में पूसा लाल, पूसा रतनार, हिसार-2, एन 2-4-1 व 53, बी.एल.12 व 67, यू.डी. 101 व 103, पीले प्याज में इबेनेजर, यलो ग्लोब डेनवर्स, अर्लीग्रेनो, अर्ली येलो ग्लोब, सफेद प्याज में पूसा सफेद, पटना सफेद, उदयपुर 102, व्हाइट ग्रेनो, बरमूडा व ग्लोब, क्रिस्टलवैक्स, एन 257-191, संकर प्याज में स्परटाम इरा, फिस्टा, एरिस्ट्रोक्रेट बवी.एल.-67, खरीफ के साथ होने वाले प्याज एन-53, नम्बर 780 आर्काकल्याण तथा अन्य प्रजातियों में स्पेनिश ब्राउन व व्हाइट, अर्ली लाकियर ब्राउन तथा क्रीम गोल्ड प्रसिद्ध हैं। अर्का निकेतन, कल्याण व प्रगति 350 से 450 क्विंटल प्रति हेक्टर पैदावार देते हैं।

प्याज मुख्य रूप से उत्तरप्रदेश, बिहार, पंजाब, आंध्रप्रदेश, महाराष्ट्र तथा तमिलनाडु में उगाया जाता है। स्वाद एवं सुगंध के कारण इसके कन्द तथा पत्ते दोनों ही सब्जियों, मसाले तथा औषधि के रूप में प्रयुक्त होते हैं। पत्तों में विटामिन 'ए', 'बी', 'सी' तथा क्लोरोफिल प्रचुर मात्रा में होते हैं। सारे भारत में करीब 9,057 लाख हैक्टेयर से भी अधिक क्षेत्रफल में प्याज की खेती की जाती है। जमीन के अन्दर प्याज का कन्द बनते समय अधिक तापमान तथा लम्बे प्रकाश अवधि की आवश्यकता होती है। प्याज के पत्ते का सलाद खाने से दाँत एवं पेट में सड़ांध की क्रिया मंद होती है व कीड़े मरते हैं।

प्राचीन काल से ही प्याज का उपयोग विश्व के सभी देशों में औषधि के रूप में किया जाता है। जान हार्वे केल्लाग के द न्यू डायटिक्स के अनुसार हेरोडोट ने लिखा है कि गीजा का पिरामिड बनाने वालों के लिए प्याज खरीदने पर 9 टन सोना खर्च किया गया था। प्राचीन काल से ही मिस्र में यह मान्यता रही है कि प्याज श्रमसाध्य कार्य करने को शक्ति और साहस प्रदान

करता है। महान अयुर्वैज्ञानिक हिप्पोक्रेट्स का दृढ़ विश्वास था कि प्याज आँखों की ज्योति को बढ़ाता है। प्याज में स्थित विशिष्ट प्रकार के उग्रगन्धी चरपरा, कटु, उत्तप्त तेल तथा गन्धक सेन्द्रीय योगज रसायन अलाइल सल्फाइड होता है। प्याज खाने से यह विशिष्ट रसायन फेफड़ों द्वारा सोख लिया जाता है। यह बाद में फेफड़े द्वारा श्वास से उत्सर्जित होता रहता है। इसलिए प्याज खाने के बाद भी साँस से उसकी गंध आती है।

भारतीय आहारशास्त्री एम.एस. नेहरू के अनुसार सभी प्रकार के कन्द मूल, प्याज, आलू, शलगम, लहसुन तथा शकरकन्द आदि ऐसे विशिष्ट आहार हैं जो नैसर्गिक वैज्ञानिक प्रक्रिया गुरविच रेडियशन (Gurwitch Radiation) द्वारा अपने अन्दर अद्भुत अलभ्य शक्ति संचय करते हैं। यह गुरविच रेडियेशन पराबैंगनी किरण होती है। सभी प्रकार के कन्द-मूल पराबैंगनी किरण, विटामिन डी, कैल्शियम, फॉस्फोरस तथा पोटाशियम के अति उत्तम स्रोत हैं। विटामिन डी की सार्वभौम उपयोगिता की सविस्तार चर्चा प्रथम भाग में की गयी है। क्वीसलैंड विश्वविद्यालय के नेतृत्व में एक अन्तर्राष्ट्रीय दल ने डेनमार्क के नवजात शिशुओं की नियमित जाँच के तहत उनके रक्त नमूनों की जाँच कर इस नतीजे पर पहुँचे हैं कि हड्डियों को मजबूत बनाने वाला सनसाइन हार्मोन विटामिन डी की सान्द्रता कम होने से बच्चों में दिमागी असंतुलन यहाँ तक कि आगे चलक शिजोफ्रेनिया होने का खतरा ढाई गुना तक बढ़ जाता है।

मुख्य शोधकर्ता प्रोफेसर जॉन मेक्ग्रा के अनुसार तीन साल तक किये गये इस अध्ययन से यह भी स्पष्ट हो गया है गर्भवती महिलाओं तथा नवजात शिशुओं को धूप स्नान एवं आहारादि से शरीर में विटामिन डी का स्तर बढ़ाने से शिजोफ्रेनिया होने का खतरा खत्म हो जाता है। गर्भावस्था में ताजा प्याज खाना चाहिए। वेनिश के एक अन्तर्राष्ट्रीय रेडियोलॉजी कांग्रेस में एक शोध पत्र प्रस्तुत किया गया था, जिसमें बताया गया था कि प्याज में एम-किरण होती है जिसका गुण-धर्म पराबैंगनी किरण की तरह होता है। यह ताजे प्याज से ज्यादा मात्रा में उत्सर्जित होती है। प्याज को जमीन से निकालने के बाद 24 घंटे तक एम अर्थात् पैराबैंगनी किरण तीव्र गति से सक्रिय रहती है। यह किरण ऊतकों, माँसपेशियों, मस्तिष्क तथा अस्थियों के स्वास्थ्य एवं विकास के लिए अति उपयोगी है। इस दृष्टि से ताजे प्याज का सेवन करें। इटली, जर्मनी, अमेरिका, रूस, ब्रिटेन में जानवरों (गिनीपिक, कुत्तों इत्यादि) तथा मनुष्यों पर किये गये प्रयोगों से इस निष्कर्ष पर पहुँचा गया है कि प्याज खाने से क्षय रोग, दंत क्षय, हृदयरोग तथा उच्च रक्तचाप रोग ठीक होते हैं। इसमें प्रतिजैविक, रक्त का थक्का न बनाने वाले तत्त्व तथा प्रोस्टेग्लैंडिन ए-1 हार्मोन होते हैं।

कच्चे प्याज में प्रोस्टेग्लैंडिन ए-1 हार्मोन प्रचुर मात्रा में होता है। हाल ही में किये गये प्रयोगों से यह सिद्ध हो गया है प्याज से दिल की धड़कनें कम होती हैं, इसका कारण इसमें स्थित प्रोस्टेग्लेनडिन हार्मोन ही है। एक मि.ग्रा. प्रोस्टेग्लैंडिन हार्मोन का इंजेक्शन देकर देखा गया है कि यह रक्तचाप को घटाता है। एक सामान्य प्याज में 1/4 मि.ग्रा. प्रोस्टेग्लैंडिन हार्मोन होता है अर्थात् चार प्याज का रस उच्च रक्तचाप रोगी को शहद के साथ देने से उच्च रक्तचाप शीघ्रता से नियंत्रण में आता है।

मानव शरीर में एंजियोटेन्सिन नामक हारमोन का लेवल बढ़ने से रक्तवाहिकाएं सिकुड़ने लगती है नतीजन रक्तचाप बढ़ जाता है। प्रोस्टेग्लैंडिन ए-1 हार्मोन एंजियोटेन्सिन पैदा करने वाले स्विच को ऑफ कर देता है जिससे रक्तचाप नियंत्रण में आने लगता है स्ट्रोक तथा कार्डियक अटैक होने की संभावना को कम कर देता है। प्री एक्लेंपसिया से पीड़ित गर्भवती महिलाओं पर लेखक ने प्याज के रस का प्रयोग किया है सफलता पायी है। प्री एक्लेंपसिया उच्च रक्तचाप का खतरनाक रूप है जो गर्भावस्था में विकसित होकर जच्चा एवं बच्चा दोनों के लिए जानलेवा सिद्ध हो सकता है। प्याज के रस में मौजूद प्रोस्टेग्लैंडिन ए-1 हार्मोन एंजियो टेन्सिन को नियंत्रित करता है जबकि एन्जियोटेन्सिन कन्वर्टिंग एन्जाइम (ACE) एन्जियोटेन्सिन II (A11) निर्मित करता है जो रक्तवाहिनियों को संकुचित करके रक्तचाप को बढ़ा देता है।

हांग कांग के चाइनीज यूनिवर्सिटी के वैज्ञानिकों ने डॉ. झेन यू चेन के नेतृत्व में प्रमाणित किया है कि प्याज खाने से मानव शरीर पर कोलेस्टरॉल मेटाबॉलिज्म से जुड़े जीन तथा प्रोटीन पर सर्वाधिक असर होता है। शरीर में प्याज का असर विभिन्न एंजाइम के साथ प्रतिक्रिया करके कॉलेस्टरॉल को नियंत्रित करने वाला होता है। डॉ. झेन यू चेन के अनुसार लाल प्याज के शारीरिक गतिविधियों के साथ सम्बन्ध के बारे में पहली बार सविस्तार शोध अध्ययन किया गया है। अध्ययन के अनुसार लाल प्याज शरीर से खराब कॉलेस्टरॉल एल.डी.एल. को निकाल बाहर करता है। इसी कॉलेस्टरॉल के चलते दिल का दौरा तथा दिमागी रक्तस्राव एवं स्ट्रोक होता है। इतना ही नहीं लाल प्याज हृदय हितैषी अच्छे कॉलेस्टरॉल एच.डी.एल. को बरकरार रखता है तथा उसके लेवल को बढ़ाता है जिससे दिल तथा दिमाग की बीमारियों से सुरक्षा होती है।

लेखक ने उच्च रक्तचाप के सात सौ रोगियों पर प्रातःकाल एवं दोपहर में 4 प्याज के रस के साथ 3 चम्मच शहद मिलाकर प्रयोग किया है। इससे आशा अनुरूप सफलता मिली है। इसके अतिरिक्त मानसिक तनाव, अनिद्रा, हृदय रोग, दमा के दौरे की स्थिति में इस प्रकार प्याज का प्रयोग लेखक ने सफलता के साथ किया है। प्रोस्टेग्लैंडिन हार्मोन मानसिक तनाव एवं स्नायविक विक्षोभ को दूर कर प्रशान्तक प्रभाव डालता है। प्याज के प्रयोग से स्नायु मंडल का उद्वेग त्वरित गति से कम होता है साथ ही साथ रक्तचाप भी सामान्य हो जाता है। यह प्रबल कीटाणु रोगाणुनाशक है। रोगियों के बिस्तर के नीचे तथा रोगियों के कमरे में इसे टाँगने से रोगी शीघ्र आरोग्य लाभ करते हैं। इसमें एक विशेष प्रकार का कार्बोज होता है, यही कारण है कि प्याज को भूनने पर मीठी गंध निकलती है।

इसमें विटामिन 'ए', बी-1, बी-2, बी-3, 'सी', 'डी', 'ई', के तथा खनिज लवणों में Ca, Si, P, Fe, Na, K, S, I, Cl, Cu, Mg पर्याप्त एवं सम्यक् मात्रा में होते हैं। इसके अतिरिक्त इसमें प्रोविटामिन 'ए' कैरोटिन, फाइटानिसाइड्स, इसके बाह्य छिलके में क्वेर्सेटिन नामक पित्त पिगमेंट और कंद में श्वेतसार, स्टार्च, कैल्शियम, साइट्रेट, पिच्छिल द्रव्य सिलपिक्रन, सिलामेरिन तथा सिललिनाइन ये तीन सक्रिय तत्त्व होते हैं। इसके बीज में रंगहीन पारदर्शी तेल होता है। औसतन चार प्याज के रस में एक मि.ग्रा. प्रोस्टेग्लैंडिन हार्मोन तथा उपर्युक्त सभी आवश्यक रोग-निवारक तत्त्व पर्याप्त एवं संतुलित मात्रा में मिल जाते हैं। प्रातःकाल 4 प्याज

के रस से रक्तहीनता, उच्च रक्तचाप, दमा, पाण्डु रोग, अनिद्रा, दृष्टिदोष, यकृत तथा प्लीहा सम्बन्धी रोग, वायुविकार, पेट सम्बन्धी समस्त रोग, भूख की कमी, कब्ज, अजीर्ण, पीलिया, मूत्रकृच्छ, गुर्दे तथा पित्ताशय की पथरी, हैजा, हृदय की धड़कन, भाँग या शराब का नशा, जलोदर, दमा तथा नपुंसकता आदि रोग दूर होते हैं।

प्याज का रस डिप्थीरिया व यक्ष्मा तथा अन्य रोगाणुओं को मार देता है। इसके वाष्पशील विखंडन गुण के कारण यह जुकाम तथा खाँसी व दमा में फेफड़े से कफ को निकाल कर बाहर करता है। यूनानी तथा रोमन लोग सहस्त्र शताब्दियों से प्याज का प्रयोग करते आ रहे हैं। अंग्रेजों को प्याज बेहद पसन्द है। ब्रिटेन की महारानी एलिजाबेथ प्रथम प्रतिदिन नाश्ते के साथ प्याज अवश्य लेती थीं। प्याज शरीर संधियों तथा अन्य संस्थानों में एकत्रित चूना योगज, ऑक्जेलिक तथा यूरिक अम्ल आदि विषाक्त पदार्थों को घुलाकर बाहर फेंकता है। यह संधिवात तथा गठिया के रोगियों के लिए उत्तम औषधि है। प्याज को उबालकर, भूनकर तथा तलकर खाया जाता है। रोगों के अनुसार इसका रस तथा सूप भी निकालकर दिया जा सकता है। इसका कच्चा रस आँख में डालने से धुन्ध, जाला, गुबार, मोतियाबिन्द आदि नेत्र रोग ठीक होते हैं।

'द ग्रेट हर्बल' पुस्तक के अनुसार गंजे सिर पर रगड़ने से बाल उग आते हैं। ऐंठन की स्थिति में इसके गर्म रस की मालिश, कान दर्द में प्याज का रस डालें। मधुमक्खी, ततैया आदि विषैले जन्तु के काटने पर छिलका घिसकर लगायें। बेहोशी, मूर्च्छा, हिस्टीरिया तथा नकसीर में प्याज का रस नाक में डालें तथा सुँघायें। अतिसार में एक प्याज का रस पियें तथा नाभि पर लगायें। दाँत तथा मसूढ़े की पीड़ा में रुई में रस लगाकर दबायें, फोड़े-फुंसी, कटने, जलने या जख्म होने पर प्याज का रस लगायें तथा गर्म पुल्टिस बाँधें। लू से बचने के लिए सफेद प्याज अपने पास रखें तथा कमर में बाँधें। खाँसी, जुकाम, दमा, क्षय, गले की सूजन आदि श्वास संबंधी रोग में इसका नसवार तथा भाप छाती, पीठ एवं चेहरे पर लें। प्याज के रस में पिसी हुई राई मिलाकर मालिश करने से दर्द, गठिया संधिवात ठीक होते हैं। प्याज में नींबू का रस निचोड़कर खाने से अजीर्ण, मंदाग्नि ठीक होते हैं। साँप काटने पर प्याज का रस तथा सरसों का तेल सम मात्रा में मिलाकर एक कप पिलायें, उल्टी होती है तथा विष कम होता है। 5 ग्राम प्याज का बीज शहद तथा गाय के दूध के साथ लें। नपुंसकता दूर होती है।

इसके उपयोग से चेहरे का सौन्दर्य बढ़ता है तथा जुकाम ठीक होता है। बाजीकरण तथा सेक्स ऊर्जा बढ़ाने के लिए प्याज का रस 50 मि.ली. + शहद 60 मि.ली. + घी 15 ग्राम मिला कर लें। प्याज को गर्म करके मस्से पर बांधने से मस्से का दर्द ठीक होता है। इसके रस में शहद मिलाकर लेने से अर्श ठीक होता है। प्याज का सूप आंत्र अवरोध, अर्श, पीलिया, गुदाभ्रंश में उपयोगी है। इसका रस मधु के साथ मिलाकर आँख में लगाने से नेत्र रोग ठीक होते हैं। प्याज में प्लेग से लड़ने की अद्‌भुत क्षमता है।

प्याज को कूटकर ताजे दही या छाछ के साथ खाने से आँव की बीमारी तथा अम्लपित्त में लाभ होता है। घिसा हुआ प्याज 100 ग्राम, गाय का दूध 400 मि.ली. में उबालें। जब गाढ़ा हो जाये तो उसमें शहद मिलाकर प्रतिदिन खायें। इसके प्रयोग से संभोग शक्ति बढ़ती है। गाँठों

पर प्याज की उष्ण पुल्टिस बाँधने से बैठ जाती है। 100 ग्राम प्याज रस में 800 मि.ली. जल मिलाकर एनीमा लेने से पेट के कीड़े मरते हैं।

प्याज कन्द के अतिरिक्त प्याज पत्र तथा ठण्डल भी अति उपयोगी सब्जी हैं। इनमें लोहा, कैरोटिन, विटामिन 'बी' कॉम्पलेक्स तथा सी एवं खनिज लवण पर्याप्त मात्रा में होते हैं। इसके प्रयोग से रक्तहीनता, नेत्रदोष तथा उपर्युक्त रोगों में लाभ होता है। मुँह का लार रस तथा गैस्ट्रिक रस का स्राव बढ़ता है। यकृत व पाचन संस्थान के रोग ठीक होते हैं। प्याज का काढ़ा एक कप प्रतिदिन शहद के साथ लें। कृमि रोग व रतौंधी दूर होती है। पेशाब खुलकर आता है। प्याज को धूप में सूखाकर कूटकर चूर्ण भी काम में लिया जाता है। अत्यधिक प्याज खाने से घेंघा हो सकता है। प्याज का अचार तथा सिरप भी बनता है।

अनमोल लहसुन (Alliumsativum) के कितने गुण

लहसुन के संबंध में महर्षि रमण की कथा इस प्रकार है—समुद्र मंथन से अमृत निकाला जा चुका था। देवताओं में अमृत पान का उत्सव मनाया जा रहा था। एक राक्षस भी देवताओं का वेश धारण कर उस उत्सव में पहुँच गया। उसे पहचाना नहीं जा सका। जैसे ही राक्षस ने अमृत पान शुरू किया सूर्य एवं चन्द्रमा के इशारे पर विष्णु भगवान ने राक्षस की गर्दन काट दी। जहाँ-जहाँ अमृतमय शोणित पृथ्वी पर गिरा वहीं लहसुन की उत्पत्ति हुई। इसी कारण लहसुन में अमृततुल्य गुण हैं। आयुर्विज्ञानियों ने लहसुन के दिव्य गुणों की चमत्कारिक खोज कर यह सिद्ध कर दिया है कि लहसुन सभी रोगों की एक अनुपम औषधि है। कुछ धर्मगुरुओं ने इसे तामसिक खाद्य मानकर आम जनता को इसके गुणों से वंचित कर रखा है। यही धर्मगुरु लहसुन से भी तामसिक आहार लाल मिर्च, पुए, पूड़ियाँ व कचौड़ियाँ इत्यादि खाते हैं। औषधियाँ खाते हैं। एक औषधि की खोज-शोध में सैकड़ों मूक जानवरों पर बेदर्दी से प्रयोग किया जाता है। औषधि का उपयोग हिंसा को बढ़ावा देना है। अनेक धर्मगुरु अज्ञानतावश गाजर, टमाटर आदि से भी आम लोगों को वंचित रखने का प्रयास करते हैं। यह अज्ञानता है।

बुद्धकालीन महावैद्य जीवक से सम्बद्ध प्राचीनतम ग्रंथ काश्यप संहिता ने लहसुन के दिव्य गुणों का यशोगान इस प्रकार किया है—अमृत से उत्पन्न लहसुन रसायन है। इसके प्रयोग से दाँत, माँस, नख, दाढ़ी, केश, वर्ण, अवस्था एवं बल कभी क्षीण नहीं होता है। स्त्रियों के स्तन ढीले नहीं होते हैं। उनका रूप, सन्तान, बल, आयु, यौवन एवं सौभाग्य कभी क्षीण नहीं होते हैं। उनमें मैथुन से उत्पन्न रोग, कटि श्रोणि एवं अन्य अंगों के रोग, बाँझपन आदि नहीं होते हैं। लहसुन के सेवन से पुरुष दृढ़, मेधावी, दीर्घायु, सुन्दर, सन्तानयुक्त होता है। वह जिन स्त्रियों से संभोग करता है उन्हें नीलकमल की सुगन्धि वाला तथा पद्मवर्ण का गर्भ ठहरता है। शुक्र की सक्रिय वृद्धि होती है। चरक, सुश्रुत, भावप्रकाश आदि ग्रंथों के अनुसार लहसुन उष्ण, तीक्ष्ण, मेधा, स्मृति, स्वर, वर्ण, बल, अवस्था तथा आँखों के लिए हितकारी है। भग्नास्थि को जोड़ने वाला, हृद्रोग, जीर्ण कटिशूल, गुल्म, विबन्ध, अरुचि, शोथ, अर्श, कुष्ठ, अग्निमांद्य, कृमि, वायु, श्वास, कास तथा मुख की दुर्गन्धि को नाश करने वाला है। यह शुक्र, शोणित तथा गर्भवर्द्धक है। प्राचीन रोमन प्राकृतिक चिकित्सक प्लीनी लहसुन का उपयोग श्वसन रोग तथा

यक्ष्मा में करते थे। प्राचीन नाटककार एरिस्टोफेंस ने लहसुन का उल्लेख अपने प्रसिद्ध ग्रंथ 'लिसिट्राता' में किया है।

भारत में इसका उपयोग तीन हजार वर्ष से होता आ रहा है। करीब साढ़े चार हजार वर्ष पूर्व प्राचीन पिरामिड के निर्माता खनोयुइन खोउफोउफ ने प्रत्येक मज़दूर के लिए लहसुन लेना अनिवार्य कर दिया था क्योंकि उस समय श्रमिकों की कार्यक्षमता, सहनशक्ति, लगन, ऊर्जस्विता एवं स्वास्थ्य को हमेशा बनाये रखने के लिए लहसुन आवश्यक था। मजदूरों का प्रबल आत्मविश्वास था कि लहसुन से प्राप्त जीवनी शक्ति उन्हें कार्य करने की प्रेरणा देती है। संभवत प्रथम औद्योगिक मजदूर क्रान्ति का आधार लहसुन ही था। करीब तीन हजार वर्ष पूर्व सुप्रसिद्ध मिश्र का पिरामिड चियोप्स बन रहा था। अकस्मात मजदूरों को लहसुन की आपूर्ति बन्द कर दी गई। वहाँ के कठिनतम श्रमिक जीवन के लिए लहसुन अति आवश्यक था। लहसुन के बिना उनकी कार्यक्षमता समाप्त सी हो गई। लहसुन के लिए मजदूर संघर्ष हो गया। इस पिरामिड के निर्माता मिश्र के सम्राट हेरोड ने आज के मूल्य से करीब तीस मिलियन डालर का लहसुन खरीद कर आपूर्ति की। फिर संघर्ष की स्थिति टली। लहसुन का उपयोग हजारों वर्ष से लेटिन यूनानी, फ्रांसिसी, रोमन आदि प्राचीन सुसंस्कृत सभ्यताओं से सम्पन्न जातियाँ करती आ रही हैं। लहसुन की विशेष गंध, उपचारात्मक मूल्य पर शोध कार्य हेतु विश्व के समस्त देशों में विगत 5 हजार वर्ष से आयुर्वैज्ञानिक प्रयासरत हैं। बेबीलोन की समृद्ध प्राचीन सभ्यता का अध्ययन करने से पता चला है कि ईसा से तीन हजार वर्ष पूर्व बेबीलोनियन्स लहसुन के उपचारात्मक गुणों से भलीभाँति परिचित थे।

मध्य एशिया का मूल निवासी लहसुन अमरीलीडेसी या लिलिएसी परिवार का अति विशिष्ट सदस्य है। लहसुन दो प्रकार का होता है— एक पूतीवाली लहसुन (Allium Ascalonicum Linn) तथा सामान्य लहसुन (Allium Sativum Linn)। इन दोनों प्रकार में लहसुन छोटे कन्द वाले एवं बड़े कन्द वाले होते हैं। पुष्ट बड़े कन्द वाला लहसुन दोनों में उत्तम माना जाता है।

विश्वविख्यात दु:साहसी नाविक विकिंग्स तथा फोएनिशिएन्स अपनी यात्रा पर ऊर्जा प्राप्ति एवं रोगमुक्ति के लिए अपने साथ लहसुन ले जाते थे। आधुनिक आयुर्विज्ञान के जनक हिप्पोक्रेट्स दीर्घ एवं स्वस्थ जीवन के लिए स्वयं लहसुन खाते थे तथा रोगियों को निरन्तर खाने की सलाह दिया करते थे।

आधुनिक आयुर्विज्ञान जगत में लहसुन पर सर्वाधिक खोज 1914 ई. में इंग्लैण्ड के डॉ. मिन्चिन, अमेरिका के डॉ. एफ. डब्ल्यू. मैकड्यूफी ने यक्ष्मा पर, 1922 में पेरिस में उच्चरक्तचाप को 10 से 20 मि.मी. कम करने में, 1923 में चीन में इसके रोगाणुनाशक गुण पर, 1925 में जर्मनी में आँतों के रोग पर, 1932 में इंग्लैंड में उच्च रक्तचाप पर, 1938 में स्वीडन में पोलियो पर, 1945 में रूस के टी.डी. यानोविच ने कीटाणुनाशक गुण पर, 1948 में जी. पिट्रोवस्की ने उच्च रक्तचाप पर शोध अध्ययन प्रस्तुत किया।

सेन्ट्रल फूड टेक्नोलॉजिकल रिसर्च इन्स्टीट्यूट मैसूर के शोध निष्कर्ष के अनुसार लहसुन

की सामान्य स्थिति में कोई गन्ध नहीं होती है परन्तु जवा या क्लोवस को छीलने व पीसने के पश्चात् इसमें स्थित एलीनेज पर किण्वण-क्रिया होती है जिससे लहसुन में स्थित एलीन तीव्र गन्ध वाले एलीसिन जैव रसायन में विघटित हो जाता है। एलीसिन प्रबल रोगाणुहन्ता है। इसकी 1 मि.ग्रा. 15 ऑक्सफोर्ड यूनिट पेन्सिलिन के बराबर है। लहसुन का जन्म स्थान मध्य एशिया तथा उष्ण कटिबन्धीय क्षेत्र हैं। भारत में फवारी, रोजले गद्यी, पूना, मदुराई, मैदानी व पहाड़ी, सोलन व जामनगर आदि जातियाँ प्रसिद्ध हैं। क्रियोल, इटेलियन तथा टाहीटी विदेशी किस्में हैं। टी-56-4 व विदेशी किस्में छोटे आकार की तथा अन्य कुछ बड़े आकार की होती हैं।

दुनिया की सबसे महानतम प्रबल कीटाणुनाशक औषधि लहसुन है। इस तथ्य को सैकड़ों आयुर्वैज्ञानिकों ने सिद्ध किया है। विख्यात यक्ष्मा विशेषज्ञ डॉ. डब्ल्यू. सी मिन्चिन (इंग्लैण्ड) डब्ल्यू. मैकड्यूफी (अमेरिका) ने लहसुन का सफल प्रयोग यक्ष्मा की अन्तिम स्थिति से ग्रस्त रोगियों पर किया है। डॉ. मिन्चिन भयंकर हाथ के क्षय से ग्रस्त दस वर्षीय बच्चे तथा ग्रीवा क्षय से पीड़ित पन्द्रह वर्षीय मरणासन्न बच्ची तथा अन्य सैकड़ों विभिन्न प्रकार के यक्ष्मा से ग्रस्त रोगियों का लहसुन से सफल उपचार किया है। वे अपने उपचार में लहसुन खिलाते थे तथा उसका वाष्प, पट्टी, मल्हम के रूप में बाह्य प्रयोग करते थे। अमेरिकन डॉ. मैकड्यूफी ने 1082 यक्ष्मा रोगियों पर सर्जरी से लेकर 56 प्रकार की अन्य उपचार विधियों का प्रयोग किया। उन्होंने पाया कि इनमें लहसुन चिकित्सा सर्वोत्कृष्ट है।

विख्यात कैंसर विशेषज्ञ डॉ. जोजेफ वर्डा ने लहसुन को कैंसर से लड़ने में श्रेष्ठ औषधि बताया है। उनकी खोज है कि आँतों में स्थित पैथोजेनिक बैक्टीरिया को गुनगुने पानी का एनीमा लेकर साफ कर लें, फिर लहसुन के प्रयोग से रोगोत्पादक कीटाणु नियंत्रण में रहते हैं। उपयोगी बैक्टीरिया फ्लोरा का सम्वर्द्धन होता है। उनका कहना है कि कैंसर पैदा करने वाला कोई वायरस बैक्टीरिया या पैरासाइट्स नहीं होता है। परन्तु आँतों में स्थित पैथोजेनिक बैक्टीरिया अनेक प्रकार के टॉक्सिन्स पैदा करते हैं जिससे सामान्य कोशिका के जीन उत्तेजित होकर कैंसर कोशिका में परिवर्तित हो जाते हैं। वेस्टर्न रिसर्च विश्वविद्यालय के दो आयुर्वैज्ञानिक डॉ. ऑस्टिन एस. विबर्गर तथा जैके पेन्की ने यह शोध किया है कि लहसुन में स्थित एन्जाइम कैंसर कोशिकाओं पर नियंत्रण रखते हैं।

डॉ. जे. आर. रोडुले के अनुसार डिप्थीरया जैसे भयंकर कीटाणु भी लहसुन के प्रभाव से कुछ ही घंटों में समाप्त हो जाते हैं। डिप्थीरियाजन्य बुखार भी चला जाता है। यूरोप में लहसुन का प्रयोग प्लेग जैसे भयंकर रोग को दूर करने के लिए सदियों से होता आ रहा है। लहसुन में एलिसिन, एलीन, डायसल्फाइड्स, एण्टीहिमोलाइटिक फैक्टर, एण्टी अर्थराइटिक फैक्टर, सुगर रेगुलेटिंग फैक्टर, एण्टीऑक्सीडेन्ट फैक्टर, एण्टीकोएगुलेन्ट फैक्टर, एल्लिथायमिन, सेलेनियम तथा आयोडीन होते हैं।

लहसुन में एक विशिष्ट प्रकार का एन्जाइम एल्लिनेस पाया जाता है जो एलीन को एल्लीसिन में परिवर्तित कर देता है। एल्लीसिन प्रबल कीटाणुनाशक होता है। यह ग्राम नेगेटिव जैसे हठधर्मी रोगाणुओं को मारने में भी सक्षम है। मूत्र संक्रमण ई. कोली, डिसेन्ट्री एण्टरटाइटिस,

प्लेग, एबरथेल्ला, टायफोसा, टायफायड बैसिल्लस को लहसुन समाप्त करता है। लहसुन प्रचुर मात्रा में सल्फर पाया जाता है फलतः इसके बाह्य एवं आन्तरिक प्रयोग से एक्जिमा, सोरायसिस धब्बे, बाल का गिरना, संधिवात, गठिया, उच्च रक्तचाप तथा हृदय रोग ठीक होते हैं।

अन्य आहारों की अपेक्षा लहसुन में सेलेनियम अधिक मात्रा में होता है। अप्राप्य तत्त्व सेलेनियम रक्त प्रवाह की अशुद्धि को दूर करता है। यह विटामिन 'ई' के कार्य सम्पादन में सहयोग करता है। रक्तचाप तथा हृदय रोग को नियंत्रित रखता है। जापानी आयुर्वैज्ञानिक फुजीवारा ने खोज किया है कि लहसुन का एल्लीसिन विटामिन बी-1 के साथ मिलकर एल्ली थायमिन बनाता है, जो थायमिन की अपेक्षा आँतों द्वारा शीघ्रता से अवचूषित होता है। आयुर्वैज्ञानिकों के अनुसार सिर्फ थायमिन का अवचूषण पूर्ण रूप से नहीं होता है परन्तु लहसुन का एल्लीथायमिन शीघ्रता से अवचूषित होने के कारण अवसाद तथा थायमिन के अभावजन्य रोग दूर करता है।

स्पेन के डॉ. ग्रीन स्टॉक ने सिद्ध किया है कि जिद्दी रोगाणु स्टेफिलोकोकस ऑरियस को भी लहसुन खत्म कर देता है। इसके व्यापक रोगाणुहन्ता प्रभाव के कारण रूस में इसे गार्लिक प्राकृतिक पेन्सिलिन के नाम से पुकारा जाता है। ब्राजील के डॉ. सेन पाउलो ने आँतों के संक्रमण, पैराटायफायड, अमीबिक डिसेन्ट्री से पीड़ित 400 रोगियों पर लहसुन का सफल प्रयोग किया है। सभी रोगों में लहसुन कारगर सिद्ध हुआ।

डॉ. एफ. डब्ल्यू. क्रासमैन ने खाँसी, इन्फ्लूएंजा तथा न्यूमोनिया पर लहसुन का सफल प्रयोग किया है। अनुभव के आधार पर उनका कहना है कि मात्र दो से पाँच दिन में लहसुन के प्रयोग से उपर्युक्त रोग नियंत्रण में आने लगते हैं। वे रोगियों को एक हिस्सा लहसुन का रस तथा पाँच हिस्सा जल मिलाकर पिलाते थे। अमेरिकन आयुर्विज्ञानी डॉ. ई. ई. मार्केविसी ने अपने प्रयोग से यह सिद्ध किया है कि जीर्ण बैसिलरी डिसेन्ट्री, कॉलरा संक्रमण में लहसुन अति उपयोगी है। इन रोगों में लहसुन का एनीमा दे सकते हैं। डॉ. कोले, डॉ. लउबेन्हीभर तथा डॉ. बोल्लभर स्टेफिलोकोकस कल्चर पर लहसुन के प्रभाव का अध्ययन कर इस निष्कर्ष पर पहुँचे हैं कि लहसुन ग्राम पोजिटिव तथा ग्राम नेगेटिव सभी प्रकार के रोगाणुओं को समाप्त करता है।

डॉ. वॉरन का मानना है कि अधिक मात्रा में लहसुन लेने से रक्तस्थित कीटाणु भी समाप्त हो जाते हैं। डॉ. कुक्स, डॉ. गैबरियल ने विभिन्न प्रकार के पुराने घाव में लहसुन का सफल प्रयोग किया है। वर्षों पूर्व लखनऊ मेडिकल कॉलेज द्वारा विभिन्न घावों से पीड़ित रोगियों पर लहसुन की ड्रेसिंग का प्रयोग किया गया। इसमें 50 प्रतिशत रोगियों में पूर्ण सफलता मिली। डॉ. बोनेभ ने पाचन संस्थान पर लहसुन के प्रभाव पर काफी शोध कार्य किया है। लहसुन से पाचक रसों में वृद्धि होती है। इसके उड़नशील एथेरिक तेल के प्रभाव से फ्री तथा टोटल हाइड्रोक्लोरिक अम्ल बढ़ता है। पित्ताशय तथा क्लोमग्रंथि का स्राव बढ़ता है। आँतों की सर्पिल गति स्वाभाविक होती है। यह आँतों में सड़न क्रिया को रोकता है। पैथोजेनिक कीटाणुओं के समाप्त होने से टॉक्सिन कम बनता है।

डॉ. बेचर तथा डॉ. फुस्सेगेंगर ने अपने शोधों के दौरान देखा कि लहसुन के प्रयोग से आँतों में सड़ांध पैदा करने वाला विजातीय तत्त्व 'इण्डिकन' का निर्माण कम होने से उसकी उपस्थिति

पेशाब में खत्म हो जाती है। शरीर विषमयता से उत्पन्न रोग सिर दर्द, आलस्य, सुस्ती, काहिलपन, रक्तवाहिनियों का स्पास्म इत्यादि लहसुन के प्रयोग से दूर होते हैं। स्वीडिश डॉ. रेंगर हुस्स तथा डॉ. मेयर होफ्फर अपने शोधों से इस नतीजे पर पहुँचे हैं कि पोलियो से ग्रस्त बच्चों में आँत सम्बन्धी रोग अवश्य होते हैं। लहसुन के प्रयोग से बच्चे आँत एवं पोलियो रोग से मुक्त रहते हैं। जर्मन डॉ.ई. रूस अपनी वर्षों की खोजों से इस निष्कर्ष पर पहुँचे हैं कि स्नायविक डायरिया, तीव्र इन्टरकोलाइटिस, जीर्ण कोलाइटिस तथा अन्य आँत सम्बन्धी रोगों में लहसुन का प्रयोग सर्वाधिक कारगर सिद्ध होता है क्योंकि लहसुन आँतों में स्थित रोगोत्पादक कीटाणुओं का तीव्रता से संहार करता है। डामराड तथा डॉ. फर्गुसन बेरियम सल्फेट एक्स-रे शोध प्रयोगों से इस निष्कर्ष पर पहुँचे हैं कि वायुफुल्लता, पेट के अन्दर सड़ांध, गैस कोलिक, बेलचिंग, तीव्र डकार, मुँह में पानी आना, मितली आदि अजीर्ण सम्बन्धी रोग में लहसुन एक बेहद कारगर औषधि है। डॉ. एल. क्लोसा आदि आयुर्विज्ञानियों ने खोज की है कि जुकाम तथा गले का रोग आदि ठण्ड जन्य तकलीफों में लहसुन अति उपयोगी है। इसमें स्थित सल्फाइड तथा डाइसल्फाइड भयंकर से भयंकर रोगाणुओं को समाप्त कर देता है। ठण्ड के दिनों में इसका लगातार प्रयोग करें। ठण्ड से बचाव तो होगा ही साथ ही साथ दर्द, कफ व वात-व्याधि से भी मुक्ति मिलेगी।

डॉ. जी. पायोट्रोवस्की (रूस) डॉ. एन. राधाकृष्णन, डॉ. के. माधवन कुट्टी, डॉ. अरुण बोर्डिया (भारत) आदि अनेक विख्यात आयुर्विज्ञानियों ने अपने प्रयोगों से लहसुन को विभिन्न हृद्रोग और उच्च रक्तचाप के लिए श्रेष्ठ औषधि बताया है। लहसुन रक्तवाहिनियों के लचीलेपन को बढ़ाता है। रक्तवाहिनियों को कठोर बनाने वाले तत्त्व कोलेस्ट्रॉल, यूरिक अम्ल आदि को कम करता है। डॉ. ब्रोर्डिया के प्रयोगों के अनुसार लहसुन के आन्तरिक प्रयोग से सीरम कोलेस्ट्रॉल 17 प्रतिशत तक तथा धमनियों तथा हृदय को क्षतिग्रस्त करने वाली चिकनाई ट्राइग्लिसराइड्स 20 प्रतिशत तक कम हो जाती है। श्रेष्ठ किस्म का सुरक्षाकारक लाइपोप्रोटीन की वृद्धि होती है। रक्तवाहिनियों एवं हृदय को क्षति पहुँचाने वाली निम्नतम किस्म के लाइपोप्रोटीन कम होते हैं। लहसुन रक्त में थक्का नहीं बनने देता है। फलतः हृदय रोग के दौरे तथा थ्रोम्बोसिस की स्थिति दूर होती है।

सर्वप्रथम अमेरिकी आयुर्विज्ञानी डॉ. डेविड स्टीन तथा डॉ. एडवर्ड एच. कोटिन का मानना था कि लहसुन में विटामिन 'ए', बी तथा सी प्रचुर मात्रा में होने के कारण ही इनकी औषधीय क्षमता प्रबल है। उनका मानना था कि इसमें अल्ब्यूमुनियम, मैग्नीज, ताँबा, जस्ता, सल्फर, लोहा, कैल्शियम तथा क्लोरीन प्रचुर मात्रा में होने से इसकी चिकित्सकीय क्षमता बढ़ जाती है। इसी आधार पर इन आयुर्विज्ञानियों ने सन् 1937 में 'न्यूयार्क फिजिशियन' में एक लेख द्वारा घोषणा की कि लहसुन में टी.बी., खाँसी, फैरिंजाइटिस, क्षीण श्वास, दमा, कब्ज, अजीर्ण, गैस, वायुफुल्लता, हृदय की जलन, ऐंठन, घबराहट, मिचली, उल्टी, बुखार, फेफड़े तथा पेट के रोग, स्नायविक रोग, नर्वसनेस, डायरिया आदि रोग ठीक होते हैं। इन्होंने अपने प्रयोगों से बताया कि लहसुन के प्रयोग से एक सप्ताह से लेकर एक माह के अन्दर उपर्युक्त रोग ठीक हो जाते हैं।

इस प्रकार कुछ बरसों तक लहसुन में स्थित विटामिन तथा खनिज लवण को ही रोग-निवारण का कारण माना जाता रहा। बाद में लहसुन के रासायनिक विश्लेषण से पता चला कि लहसुन का मुख्य चिकित्सकीय घटक इसमें स्थित 0.1 से 0.3 प्रतिशत पीले रंग का उड़नशील तेल है, जिसका विशिष्ट गुरुत्व 1.046 से 1.057 होता है। इस उड़नशील सल्फाइड तेल में विश्व का प्रबलतम एण्टीबायोटिक्स तत्त्व अलिल सल्फाइड (C_6, H_{10} S_2) तथा अलिल प्रोपिल सल्फाइड तथा अल्पांश श्रेष्ठ किस्म का पॉलीसल्फाइड भी होता है। इसमें दो प्रबल एण्टीसेप्टिक एन्जाइम एलिन तथा एलिसिन होता है। इसके मद्यसारीय सत्व से भी एल्लीसिन ($C_6H_{10}S_{20}$) नामक एण्टी बैक्टीरियल तत्त्व निकाला गया है। इसके अतिरिक्त इथर में घुलनशील परन्तु जल में अघुलनशील अल्लीसेशन I तथा अल्लीसेशन II दो प्रबल तीव्र एण्टीबायोटिक तत्त्व प्राप्त किये गये हैं। कुछ आयुर्विज्ञानियों के अनुसार लहसुन में अलिल 2, प्रोपीन-1 तथा थियोल्सलफिनेट होता है। ये सभी रसायन प्रबल कीटाणुनाशक हैं।

अमेरिकन इन्स्टीट्यूट फॉर कैन्सर रिसर्च के वैज्ञानिकों के अनुसंधान अध्ययन के अनुसार एलियम (Allium) परिवार के सभी सदस्य प्याज, लहसुन, स्केलिऑन (Scallion), लीक्स (Leeks) तथा चाइव्स (Chives) पियाजी, विलायती लसोन (Alliumporrum) सब्जियाँ आमाशय के कैंसर से लोहा लेते हैं, इनसे बचाते हैं तथा चिकित्सा भी करते हैं। कोलन रेक्टल कैन्सर विकसित होने से रोकते हैं। लहसुनादि एल्लियम सब्जियों में मौजूद एल्लिसिन, एल्लिक्सिन, एलाइल सल्फाइड, क्येरसेटिन, आर्गेनो सल्फर कम्पाउण्ड का विशालतम वर्ग के कैन्सर अवरोधी गुणों पर विश्व के अनेक प्रयोगशालाओं में अनुसंधान हुए हैं तथा हो रहे हैं। इनमें उपलब्ध चमत्कारिक फाइटो किमोथैरिपि के चलते प्रोस्टेट, ब्लैडर, कोलन, स्टमक ऊतक के ट्यूमर तथा कैन्सर से बचाव, रोकथाम एवं उपचार में सहायता मिलती है। लहसुन में मौजूद डाइएल्लाइल सल्फाइड अत्यन्त शक्तिशाली फाइटो कीमोस्युटिकल सक्रिय रसायन है जो अपने सशक्त एवं सक्रिय प्रभाव से चमरी, आंत, स्तन तथा फेफडे के कैन्सर से लोहा लेता है। यह ल्यूकेमिया के कोशिकाओं को भी तहस-नहस कर देता है। लहसुन में एजोलिक एसिड (Ajoelic Acid) खोजा गया है यह भी कैन्सर कोशिकाओं को नष्ट करने वाली शक्तिशाली फाइटो कीमोथैरिपि है।

प्याज तथा लहसुन में मौजूद सल्फर आँखों के लेंस की सुरक्षा करता है। वास्तव में रेटिना में नैसर्गिक डोकोसाहेक्सो नोइक एसिडर (डी.एच.ए.) कॉन्सट्रेट होता है। इकोसे पेन्टोनोइक एसिड (EPA) तथा डी.एच.ए., एजरिलेटेड मेक्युलर डिजेनरेशन (ए.एम.डी) को कम कर देते हैं। पालक तथा गाजर में मौजूद कैरोटेनॉइड्स समूह के एण्टी ऑक्सीडेन्ट मैक्युलर में जमा होकर सूर्य की अल्ट्रावायलेट किरणों से सुरक्षा प्रदान करते हैं।

इस प्रकार से लहसुन में स्थित मुख्य उड़नशील सल्फर तेल इतना समर्थ विषहर है कि यक्ष्मा, न्यूमोनिया, टायफस, डिप्थीरिया, दस्त, खाँसी, दमा, मधुमेह आदि के कीटाणुओं एवं विषाणुओं को समाप्त कर इन रोगों से मुक्ति दिलाता है। साथ ही यह पैरासाइट्स कृमि, फंगस, अमिबा आदि रोगाणुओं का संहार करता है। विश्व का यही एक अद्भुत प्रबल एण्टीबायोटिक्स

है जिसका कोई दुष्प्रभाव नहीं होता है। कैंसर विशेषज्ञ डॉ. जोजेफ बर्डा के अनुसार लहसुन खाने से शरीर में एण्टीऑक्सीडेन्ट सेलिनियम की मात्रा काफी बढ़ जाती है। यह सेलिनियम शरीर को हर प्रकार के रोगों से यहाँ तक कि कैंसर से भी मुक्त रखने की क्षमता प्रदान करता है। यह शरीर की प्रतिरक्षात्मक मेकानिज्म का प्रमुख तत्त्व ग्लूटायपेराक्साइड का प्रमुख घटक है। यह वसा के ऑक्सीकरण से उत्पन्न 'पेट्रोक्साइड वसा' के घातक प्रभाव से हमारी रक्षा करता है। यह पेट्रोक्साड वसा शरीर की रोग प्रतिरोधक शक्ति को तहस नहस कर कैंसर जैसा रोग पैदा करता है। डॉ. वर्डा के अनुसार दस जवा से अधिक लहसुन नहीं खाना चाहिए क्योंकि इसका अधातु पदार्थ सल्फर शरीर की कोशाओं पर घातक प्रभाव डाल सकता है। उनके अनुसार भोजन के पूर्व लहसुन को छिलके समेत खायें, इससे आँतों में लहसुन आत्मसात नहीं होता है तथा उससे निकलने वाला सल्फर का वाष्प आँतों के रोगाणुओं को समाप्त करता है व लड़ने की रोग प्रतिरोधक क्षमता को बढ़ाता है। लहसुन का मुख्य प्रभाव श्वेत रक्तकणों की संख्या वृद्धि तथा सक्रियता पर होता है।

लहसुन के इस प्रभाव से शरीर की कोशिकाओं में कैंसर से लोहा लेने की क्षमता बढ़ जाती है। उक्त प्रयोगों की सविस्तार जानकारी अमेरिका की प्रायोगिक जीव विज्ञान से सम्बन्धित वैज्ञानिकों के संघ की एक वार्षिक कार्यशाला में दी गई है। यह आँतों के रोगाणुओं को समाप्त कर देता है। हाल ही में कुछ (अमेरिकी) आयुर्विज्ञानियों ने खोज किया है कि लहसुन तथा हरी सब्जियाँ शरीर में कैंसर और प्रदूषण से लड़ने की शारीरिक रोग प्रतिरोधक क्षमता को बढ़ाती है। शिकागो के डॉ. एमिलविश ने पाचन तन्त्र के रोगियों पर लहसुन का प्रयोग करके देखा कि सभी रोगियों में पैथोजेनिक कीटाणु समाप्त हो जाते हैं तथा उपयोगी बैक्टीरिबल फ्लोरा की संख्या बड़ी तेजी से बढ़ती है। रूसी डॉ. टी.डी. मनोविच ने कल्चर बैक्टीरिया पर लहसुन का प्रयोग कर देखा कि उन रोगाणुओं की चलन क्षमता तथा सक्रियता दस मिनट में ही समाप्त हो जाती है। लहसुन के तेल का उत्सर्जन आँत, गुर्दा, फेफड़े तथा त्वचा द्वारा होता है। अतः लहसुन इन अंगों में स्थित रोगाणुओं को समाप्त करता है। वात-नाड़ी संस्थान पर यह उत्तेजक प्रभाव डालता है। अधिक मात्रा में लहसुन खाने से वमन विरेचन तथा शिरः शूल आदि उपद्रव हो जाते हैं। अतः ऐसी स्थिति में धनिया तथा छाछ लेना चाहिए।

बच्चों को भूल कर भी अधिक मात्रा में लहसुन नहीं दें। नई बीमार सभ्यता के वासियों ने लहसुन को भी विभिन्न रासायनिक प्रक्रियाओं डिहाइड्रेशन आदि द्वारा उनके रोगनाशक गन्ध को निकालकर कैप्सुल के रूप में प्रयोग करना आरम्भ कर दिया है। हाल ही में पंतनगर कृषि विश्वविद्यालय के कुछ शोधकर्ताओं ने अपने प्रयोगों से सिद्ध किया है कि लहसुन को तलने, उबालने या डिहाइड्रेशन से उसके अनेक जैव सक्रिय तत्त्व समाप्त हो जाते हैं तथा प्रबल सक्रिय एण्टीबायोटिक प्रभाव इतना जोरदार नहीं रह जाता है।

यक्ष्मा के रोगियों को इसका रस 4 से 8 मि.ली. प्रतिदिन पिलायें। यक्ष्मा तथा वायरस फफूँद एवं कीटाणुजन्य अन्य रोगियों पर लेखक का सफल अनुभूत प्रयोग है। इन रोगों में लहसुन का स्थानीय बाह्य प्रयोग भी करें। लहसुन का स्थानीय प्रयोग फोड़े, फुंसी एवं एक्जिमा पर

मक्खन के साथ लोशन बनाकर करें। इसे गरम पानी में डालकर गरारा तथा घाव प्रक्षालन करें। रस, चटनी या सीधे ही 2 से 5 कली ले सकते हैं। एक किलो नींबू रस तथा एक किलो लहसुन मिलाकर धूप में सुखाकर स्वादिष्ट लहसुन का अचार बनाया जाता है। लहसुन को कूटकर सूँघने से फेफड़े, गले एवं नाक के रोगाणु समाप्त होते हैं। जीर्ण या क्षययुक्त घाव में लहसुन को पानी में मिलाकर प्रक्षालन करें। खुजली, अस्थि व संधि शूल, शोथ, खाँसी, कुक्कर खाँसी, क्षय, प्ल्युरिसी, दमा इत्यादि फेफड़े के रोग में पानी में कुचला हुआ लहसुन डालकर प्रयोग करें। सेक कर तथा सरसों के तेल में इसे पकाकर स्थानीय मालिश करें। इन रोगों में प्रतिदिन 5-10 लहसुन कूट कर पानी से निगल जायें।

डॉ. मिन्चिन लहसुन रस तथा जैतून का तेल मिलाकर असाध्य मुँहासे तथा दाग पर लगवाते थे। आँख, नाक आदि से पानी गिरने जैसी एलर्जिक प्रतिक्रिया को दूर करने के लिए 3 से 10 लहसुन की कली खायें। कुत्ते, साँप आदि अन्य विषैले जानवरों के काटने पर लहसुन को पीसकर अतिशीघ्र लगायें तथा 6 से 12 लहसुन की कली चबाकर खायें। लहसुन को गाय के दूध में पीसकर सारे शरीर पर मलते रहें, विष उतरने लगता है।

गले सम्बन्धी समस्त रोगों में इसके 10 मि.ली. रस को 250 मि.ली. गरम पानी में मिलाकर गरारा करायें। पेट के सभी प्रकार की कीड़े शैथिल्यप्रधान कुपचन, आध्यमान, उदरशूल, वमन, गुल्म, आँव, डायरिया इत्यादि में इसके रस को पानी में मिलाकर एनीमा दें। इसके रस को तथा लहसुन पीसकर पानी, दूध या शहद के साथ खायें। डिप्थिरिया में 2 मि.ली. रस 3-3 घंटे के अंतराल पर गर्म पानी के साथ लें, रस को गले में लगायें तथा एक कली को चूसते रहें। कर्णशूल में इसका गुनगुना रस या सिद्ध तेल कानों में डालें। गर्भावस्था में लहसुन का आन्तरिक प्रयोग अधिक नहीं करें। हृदय रोग के दौरे के समय तथा इससे बचने के लिए 5-10 लहसुन की चटनी शहद के साथ मिलाकर लें। लहसुन, सेंधा नमक तथा गुड़ समान मात्रा में मिलाकर अवलेह बनायें। अवलेह के बराबर जमा हुआ घी में मिलाकर रखें। सुबह-शाम खाने के पूर्व आधा चम्मच लें। यह सभी प्रकार की बीमारियों में लाभदायक है। लहसुन तथा नीम के पानी का एनीमा देने से सभी प्रकार के पेट के कीड़े मर जाते हैं। मक्खन, लहसुन तथा नमक को एक साथ पीसकर चोट, मरोड़ तथा गठिया रोग में पुल्टिस बाँधें।

ब्रिटिश मेडिकल जर्नल में प्रकाशित इम्पेरियल कॉलेज की डायटिशियन निकोलगेस के नेतृत्व में हुए अनुसंधान के अनुसार लहसुन, शतावरी तथा वजांगी (Artichokes) में खास प्रकार का फर्मेन्टेबल कार्बोहाइड्रेट पाया जाता है जिन्हें खाने से आंतों में भूख को नियंत्रित करने वाले हार्मोन का स्तर बढ़ जाना है। भूख लगना कम हो जाता है। मधुमेह भी नियंत्रित होने लगता है। ये इन्सुलिन की सक्रियता एवं संवेदनशीलता को बढ़ा देते हैं, जिससे ग्लूकोस का उपयोग उत्तकों में बढ़ जाता है। मधुमेह नियंत्रित होने लगता है। ब्रोकोली, केले, पालक में मौजूद मैग्नेशियम एवं अन्य एण्टीऑक्सीडेन्ट मधुमेह को 14 फीसदी कम कर देते हैं। लहसुन बेहोशी की सर्वोत्तम औषधी है। योग ग्राम में दो महिलाएँ क्रम से बेहोश हो गयी, उन्हें 8-10 लहसुन खिलाया गया, उन्हें होश आया। अमेरिका से एक दम्पति योग ग्राम देखने के लिए आया। उन्हीं

में से एक 20 वर्षीय लड़का बेहोश हो गया, मरन्नासन/कोहराम मच गया, काफी मशक्कत के बाद लहसुन खिलाने से उसे होश आया। ऐसे कई उदाहरण है। लहसुन आकस्मिक चिकित्सा का हमारा प्रमुख अंग है। लहसुन से शरीर में ऑक्सीजन का लेवल बढ़ जाता है।

डॉ. लेलार्ड कोडैल के अनुसार लहसुन में स्थित एलिसिन कीटाणुनाशक तत्त्व कीटाणुओं के श्वास लेने की क्रिया को अवरुद्ध कर मार डालता है। इसका प्रभाव पेन्सिलिन की तरह होता है। पेन्सिलिन उस सँड़ांध को नष्ट करने में अक्षम है जिससे कीटाणु पनपते व पैदा होते हैं। इसे लहसुन का एलिसिन नष्ट कर देता है। लहसुन रोगाणुओं की वृद्धि को भी प्रतिबंधित करता है क्योंकि यह कीटाणुओं की प्राणवायु ग्रहण करने की क्षमता को नष्ट कर देता है। यह सूक्ष्म कृमियों को भी नष्ट कर देता है। कैलिफोर्निया विश्वविद्यालय के प्रख्यात कीट विशेषज्ञ डॉ. एम.बी. अमोंकर तथा डॉ. ई.आर. रीव्स ने लहसुन से दो श्रेष्ठ किस्म के कीटनाशी द्रव्य बनाये हैं। प्रत्येक कीटनाशी रसायनों के निर्माण में वायु प्रदूषण भयंकर रूप से होता है परन्तु लहसुन से कीटनाशी द्रव्य प्राप्त करने की प्रक्रिया प्रदूषण रहित है। फ्रांसिसी डॉ. फाईल्लाडे नीदर तथा लीओ ने लहसुन का प्रयोग कुत्तों, चूहों तथा मेंढ़कों पर करके देखा कि लहसुन हृदय रोग, रक्तचाप तथा रक्तसंचार क्रिया को नियंत्रित करता है। डॉ. एमिलविश ने विभिन्न उदर रोगों से ग्रस्त 22 रोगियों पर लहसुन का सफल प्रयोग किया। उनके पूर्व तथा प्रतिदिन के मल मूत्र की जाँच से पता चला कि लहसुन के प्रयोग से कीटाणु तथा सभी रोग कुछ ही दिन में समाप्त हो गये।

अदरक

(वानस्पतिक नाम—Zingiber Officinale अंग्रेजी नाम—Ginger Root)

यह जिंजिबिरेसी परिवार का प्रमुख सदस्य है। इसकी खेती विश्व के अनेक देशों में होती है। भारत के सभी प्रान्तों में इसकी खेती की जाती है। यह एक अतिश्रेष्ठ औषधि मसाला सब्जी है। इसके पौधे ढाई फुट लम्बे तथा पत्ते बाँस-पत्र आकार के छोटे होते हैं। इसकी जड़ की कंद अदरक कहलाती है। अदरक के लिए नमीयुक्त जमीन चाहिए। आवश्यकतानुसार अदरक काम में लेकर बचे अदरक को जमीन में गाड़ कर रखें। जमीन के अन्दर यह बढ़ती रहती है।

इसके फूल तथा फल कम ही दिखते हैं। अति पुराने पौधे में यदा-कदा ही दिखते हैं। फूल जामुनी रंग के होते हैं, अत: इसके टुकड़े ही बोये जाते हैं। रेतीली भूमि में गोबर की खाद डाल कर बोने से अदरक की पैदावार खूब होती है। इसके लिए दुम्मट मिट्टी चाहिए। यह बरसात की फसल है। आयुर्वेद मतानुसार अदरक गुरु, तीक्ष्ण, उष्ण वीर्य, अग्निदीपक, कटु रस युक्त, मल को भेदन करने वाली, विपाक में मधुर रस, युक्त, रुक्ष, वात, कफ नाशक होता है। भोजन के पूर्व अदरक के साथ नमक खाना उपयोगी है, क्योंकि यह अग्नि प्रदीपक, रुचिकारक, जिह्वा तथा कण्ठशोधक होती है।

अदरक को पानी या दूध में उबाल कर सुखाने से सोंठ बनती है। इसे टिकाऊ बनाने के लिए चूने के साथ शोधन किया जाता है। कम रेशे वाली अदरक या सोंठ उत्तम किस्म की होती है। आयुर्वेद मतानुसार सोंठ रुचिकर, आमवातनाशक, पाचक, कटु रसयुक्त, कफवात व विबन्ध नाशक, वृष्य, गले व स्वर के लिए हितकारी, वमन, श्वास, शूल, कास, हृद्रोग, श्लीपद, शोथ,

बवासीर, अनाह तथा ऊपर की वायु इन सभी रोगों को नाश करने वाली है। यह मल का भेदन करती है, वहीं यह ग्राही अर्थात् मल को गाढ़ा भी बनाती है। इसमें उड़नशील तेल, जिंजेरोल तथा शोगोल नामक कटु रस होता है। इसके अतिरिक्त इसमें रेजिन स्टार्च 1.7 प्रतिशत जल में घुलनशील राख, मद्यसार में घुलनशील सत्व 4.5 प्रतिशत तथा जल में घुलनशील सत्व 10 प्रतिशत तक होता है। भोजन को पचाने, अवशोषण तथा सात्मीकृत करने के लिए अदरक बेजोड़ औषध आहार है। बच्चे, बूढ़े, जवान, स्त्री, गर्भावस्था, प्रसूति के समय अर्थात् सभी स्थिति में अदरक का सम्यक् प्रयोग किया जा सकता है।

अदरक एवं लौंग को चूसने से स्वर लोप व स्वर यन्त्र प्रदाह, अरुचि, दुर्गन्ध दूर होती है। अदरक या सोंठ को सेंधा नमक के साथ पीस कर दोनों समय लेने से पुराने दस्त, उदर शूल, कब्ज, अजीर्ण आदि ठीक होते हैं। अदरक का काढ़ा, सर्दीजन्य कष्टरज तथा अल्परज में लाभ करता है। अदरक के रस में शहद मिलाकर पीने से खाँसी, दमा, क्षय, रोग, प्रातःकालीन मिचली, वमन, पीलिया, बवासीर, आर्टिकेरिया जुकाम, मूत्रकृच्छ, अण्डकोश वृद्धि, शोथ, बवासीर, मसूढ़े के दर्द, हृद्रोग, वातरोग, गठिया, कर्णनाद, कफ, ज्वर, सन्निपात, बैठी हुई आवाज, पित्ती रोग, गले की खराबी तथा ज्वर में शीघ्र लाभ होता है।

अदरक में मितली, वमन को रोकने वाला जिंजेरॉल उड़नशील तेल होता है जो शीघ्रता से प्रभावी होकर वमन एवं मिचली को रोक देता है। अमेरिकन सोसायटी ऑफ क्लिनिकल ऑन्कोलॉजी द्वारा केमोथैरिपि लेने के पहले इस्तेमाल की जाने वाली मिचली रोधक दवाओं के साथ अदरक सप्लीमेन्ट का सेवन 644 लोगों को चार भागों में बांटकर किया है। एक ग्रुप को प्लेस्बो (झूठी दवा) दूसरे को आधा ग्राम तीसरे को एक ग्राम तथा चौथे ग्रुप को डेढ ग्राम अदरक का सेवन करवाया गया है। जिन्हें डेढ ग्राम अदरक दिया गया था वे मितली के शिकायत से मुक्त थे। दूसरे एवं तीसरे ग्रुप के लोगों को भी कम मात्रा में अदरक दिए जाने के बावजूद भी मिचली की शिकायत काफी कमी पायी गयी। प्लेसबो लेने वालों पर कोई प्रभाव नहीं हुआ। अदरक में चक्कर को रोकने वाला तत्व ''ड्रेमामाइन' भी पाया जाता है। ड्रेमामाइन मस्तिष्क में ऑक्सीजन की आपूर्ति बढ़ाकर चक्कर को टक्कर देता है।

अदरक में दर्दनाशक फाइटो केमिकल भी पाया जाता है। अमेरिका में हुए एक शोध अध्ययन के अनुसार रेनॉडस सिण्ड्रोम नामक बीमारी में अदरक का सेवन चमत्कारिक लाभ होता है। इस रोग में रक्त प्रवाह ठीक से नहीं होने पर दिल से दूर अंगों हस्तांगुलियों आदि में सूनापन झनझनाहट तथा कभी-कभी यातनादायी तेज दर्द होता है। यूनिवर्सिटी ऑफ मिशिगन के अनुसंधानरत वैज्ञानिकों ने रेडियेशन ले रहे कैंसर के रोगियों पर मिचली एवं अन्य दुष्प्रभावों को रोकने में अदरक का सफल परीक्षण किया है। इन वैज्ञानिकों के अनुसार अदरक में मौजूद वाष्पशील तेल तथा जिंजेरॉल तथा शोगोल परम शक्तिशाली एण्टीऑक्सीडेन्ट है। इन्हीं के कारण अदरक का स्वाद विशेष चरपराहट वाला होता है। ये पाचन मार्ग में मिचली पैदा करने वाले कम्पाउण्ड तथा वमन पैदा करने वाले स्नायविक प्रतिवर्त प्रक्रिया को नियंत्रित कर वमन को रोक देता है।

यूनिवर्सिटी ऑफ मियामी अमेरिका के शोधकर्ताओं ने अदरक को आर्थराइटिस को बेहतरीन औषधि बताया है। अन्य पेनकिलर की तरह अदरक में परम प्रभावशाली फाइटोएनाल जेसिक फैक्टर पाये जाते हैं। 250 तीव्र वेदना वाले ऑस्टियो आर्थराइटिस के रोगियों को अदरक के रस से बनी 250 मिग्रा. की गोली का डोज रोज दिया गया, परिणाम अप्रतिम उत्साहजनक रहा। जार्जिया यूनिवर्सिटी के प्रो. पैट्रिक ओकॉनर के शोधों के अनुसार दर्द होने पर पेनकिलर से भी ज्यादा प्रभावशाली अदरक होता है। जमकर कसरत करने से उत्पन्न तीव्र दर्द वाले रोगियों को अदरक खिलाकर इस नतीजे पर पहुँचा गया कि अदरक खाने से 25 फीसदी दर्द दूर हो जाता है।

अदरक व मेथी का काढ़ा पीने से सर्दी, जुकाम, इन्फ्लूएंजा व ज्वर ठीक होता है। अदरक के काढ़े में शहद मिलाकर पीने से जुकाम, बुखार, जोड़ों में दर्द, गठिया, कष्ट रज, लकवा, हृदय दौर्बल्य, वातश्लेष्म ज्वर, पसली का दर्द, सायटिका, बेहोशी, दाँत भिंच जाना, पीड़ा तथा अपस्मार की स्थिति दूर होती है। सौ ग्राम अदरक को कूटकर कपड़े में बाँधकर रस निकालें। दो लीटर पानी में मिलाकर गर्म करें। रस निचोड़ कर पुल्टिस को पानी में ही डाल दें। कपड़े भिगो व निचोड़ कर सेंक करने से गुर्दे, यकृत, फेफड़े, संधियों तथा अन्य रोग दूर हाते हैं। इससे सभी प्रकार की अवरुद्धता दूर होती है। शीघ्र आराम मिलता है। सूजन व दर्द की स्थिति में अदरक को पीसकर गर्म कर पुल्टिस बाँधें।

न्यूमोनिया की स्थिति में अदरक के रस में खूब पुराना घी तथा कपूर मिलाकर छाती की मालिश करें, फिर ऊनी कपड़े से बाँध दें। शीघ्र आराम मिलता है। यह प्रयोग फेफड़े के सभी रोगों में उपयोगी है। सिर दर्द, संधियों तथा अन्य अंगों के दर्द तथा सुन्नापन की स्थिति में अदरक में सेंधा नमक, लहसुन तथा हींग पीसकर तथा थोड़ा गर्म कर स्थानीय मालिश करें। दृष्टि मंदता, जाले, प्रारम्भिक मोतियाबिंद की स्थिति में इसका रस दो बूँद आँखों में डालें, शीघ्र लाभ होता है। आधासीसी या सिर दर्द, जुकाम की स्थिति में अदरक, प्याज का रस तथा शहद सम मात्रा में लेकर जिस तरफ दर्द हो उस नाक में 3 बूँद 5-5 मिनट के अन्तराल पर 3-4 बार टपकाएँ। हाथ-पैर ठण्डे होने पर इसे रस या सोंठ को पीसकर गर्म करें। हथेली तथा तलुए पर रगड़ें। अदरक के रस को किंचित गर्म कर कान में डालने से कर्णशूल ठीक होता है। इसका रस आधा चम्मच + आधा चम्मच शहद लेने से जी मिचलना ठीक होता है। अति जीर्ण शीर्ण हृद्रोग, ब्राइट्स डिसीज तथा रक्त पित्त में इसका उपयोग जरा सँभल कर करें। इसके रस का प्रयोग तीव्र मूत्र निःसारक के रूप में जलोदर में किया जाता है।

सोंठ (अदरक) को गुड़ के साथ उबालकर पीने से कष्टार्तव, जुकाम, ठण्ड लग जाना एवं ठिठुरना दूर होता है। निस्पन्द अंग पर अदरक तथा कालीमिर्च पीसकर लेप करें तथा धूप से सेंकें। अदरक तथा तिल का तेल सममात्रा में लेकर गर्म करें। रस जल जाने पर तेल को शीशी में भर कर रखें। इस सिद्ध तेल से संधिवात, लकवा, गठिया, सुन्नापन वाले रोगी की मालिश करें। अवश्य लाभ होता है। अदरक के रस में अजवायन को भिगोकर छाया में सुखा लें। इसका प्रयोग मंदाग्नि, वायुफुल्लता, अजीर्ण, वायुशूल पेटदर्द, यकृत रोग में करने से ये ठीक होते हैं।

हल्दी

(वानस्पतिक नाम—Curcuma Domestica or Longa Linn अंग्रेजी नाम—Turmeric)

यह झिंजिबेरेसी (Zingiberaceae) परिवार का सदस्य है। हल्दी अति उपयोगी आहार है। हल्दी के कारण व्यंजन बड़े ही आकर्षक तथा रंगीले लगते हैं। यह दाल एवं सब्जी को निखारती है। मन को खाने हेतु प्रेरित करती है। हल्दी के अभाव में स्वादिष्ट व्यंजन भी अनाकर्षक एवं फीके लगते हैं। हल्दी विविध आहार व्यंजनों के लिए नैसर्गिक श्रृंगार प्रसाधन है।

हल्दी विभिन्न आहार-व्यंजनों को सजाती तथा सँवारती है। इसके पत्ते नवीन कदली पत्र की तरह, इसकी जड़-कन्द अदरक की तरह किन्तु उससे आकार में बड़ी पीले रंग की होती है। यह कन्द ही हल्दी है। इसके अन्दर का भाग नारंगी पित्त, गन्ध मधुर, स्वाद कड़वा, चूसने पर लार भी पीली हो जाती है। किसी चीज को रंगने के लिए कच्ची हल्दी काम में लें। खाने में प्रयुक्त होने वाली हल्दी को सर्वप्रथम साफ करें। फिर इसका पत्ता तथा गोबर मिलाकर एक से छह घंटा तक उबालें। गोबर से इसका रंग खिलता है। फिर शुष्क हवा में डालकर उलट-पुलट कर सुखायें। सूखने पर इसे रगड़कर साफ करें। फिर इसे सुरक्षित रखें। उबालने से उष्णवीर्य हल्दी की तीव्रता कम हो जाती है। हल्दी में करक्यूमिन नामक रवेदार पीला रंजक द्रव्य होता है। 5-6 प्रतिशत कर्पूर की तरह गंधवाला उड़नशील तेल होता है। इसमें कोलेस्ट्रॉल को घुलाने वाला करक्यूमेन नामक टरपेन होता है। हल्दी में 34 प्रतिशत स्टार्च, 30 प्रतिशत अल्ब्युमिनाएड्स भी होते हैं।

अमरिका की न्यूरोबायोलॉजी ऑफ एजिंग में यूनिवर्सिटी ऑफ कैलिफोर्निया के वैज्ञानिकों ने प्रमाणित किया है कि हल्दी का पीले रंग को करक्युमिन कहते हैं जो महाशक्तिशाली एण्टी इन्फ्लेमेटरी तथा प्रबल एण्टीऑक्सीडेन्ट है। बुढ़ापा का त्रासद यातनादायी रोग अलजाइमर्स तथा डिमेंशिया से बचाता है। नर्व सेल्स को डैमेज होने से रोकता है। एलजाइमर्स के मूल कारण दिमाग में बीटा एमिलॉयड प्रोटीन को नियंत्रित करता है बनने नहीं देता है, उन्हें के दुष्प्रभाव को नष्ट करता है, हल्दी सिस्टिक फाइब्रोसिस को गला जला देता है। सिस्टिक फाइब्रोसिस का महान उपचार है करक्युमिन। सिस्टिक फाइब्रोसिस एक वंशानुगत बीमारी है। जिसमें मरीज के गले, नाक एवं आँत से म्यूकस निकलता रहता है, फेफड़े का क्रोनिक इन्फेक्शन हो जाता है। शरीर का हाजमा खराब हो जाता है। पेट फैट तथा अन्य पोषक तत्वों को हजम एवं जज्ब करने में असमर्थ हो जाता है। हल्दी में 5 से 8 फीसदी करक्युमिन होता है। करक्युमिन पीले रंग का तैलीय पदार्थ है जो क्षार के सम्पर्क में आते ही भूरे रंग का हो जाता है। करक्युमिन को 'डाइफेरूयूल्वाएल मीथेन' भी कहते हैं। यह फिनोलिक होने के कारण ही करक्युमिन परमशक्तिशाली एण्टी ऑक्सीडेन्ट है। हैदराबाद स्थित नेशनल इन्स्टीट्यूट ऑफ न्यूट्रिशन के वैज्ञानिकों के अनुसार प्रतिदिन एक चुटकी हल्दी खाने से मधुमेहजन्य तथा सामान्य मोतियाबिन्द होने की संभावना खत्म हो जाती है। यह कमाल करक्युमिन ही करता है।

सेंट लुईस यूनिवर्सिटी के वैज्ञानिक एनपिंग चेन के अनुसार फैटी लिवर फाइब्रोसिस के

मॉलिक्युलर मेकानिज्म को हल्दी का करक्युमिन नैसर्गिक ढंग से स्वस्थ करता है। लिवर को क्षतिग्रस्त होने से बचाता है।

टफ्ट्स यूनिवर्सिटी के यूएसडीए ह्यूमैन न्यूट्रिशन रिसर्च सेन्टर ऑफ एजिंग के वैज्ञानिकों ने खोज किया है कि पॉलीफेनॉल्स करक्युमिन वजन वृद्धि को कम करता है। साइन्स पत्रिका में प्रकाशित शोध लेख के अनुसार वजन वृद्धि वसा ऊतकों के वृद्धि एवं विस्तार के कारण होता है, इन्हें पोषण देने के लिए रक्तवाहिनियां भी निर्मित होती है, हल्दी का करक्युमिन रक्तवाहिनियों के निर्माण की प्रक्रिया की सक्रियता (Angiogenic Activity) को रोक देता है। फैटी आहार खाने के बावजूद भी वजन नहीं बढ़ने देता है। कैंसर की गांठ को खत्म कर देता है।

यूनिवर्सिटी ऑफ साउथ हैम्पटन (South Hampton) के वैज्ञानिकों ने हल्दी पर अध्ययन कर इस नतीजे पर पहुँचे हैं कि हल्दी में मौजूद करक्युमिन एलजीमर रोग के दुष्प्रभाव को कम करता है। उसकी रोकथाम करता है तथा इलाज में अद्वितीय काम करता है। भारतीयों के भोजन तथा हर शुभकार्य को रंगीन बनाकर स्वास्थ्य को भी रंगीन बनाने वाला हल्दी आज के आहार वैज्ञानिकों को अपनी रंगीन अदा से आकर्षित कर रहा है। भारतीय संस्कृति परम्परा एवं आहार में हल्दी का खास स्थान है, हल्दी ने भी अपनी गरिमा एवं करिश्मा दोनों को बरकरार रखा है। हल्दी ही है जिसने भारतीयों को अलजीमर, कोलन रेक्टल कैन्सर, आर्थराइटिस आदि अनेक रोगों के चंगुल में फंसने से बचाया है।

सामान्य स्थिति में दिमाग के स्नायु कोशिकाओं में कुछ ऐसे प्रोटीन होते हैं जो एक दूसरे से सम्वाद सम्पर्क साधने तथा इनफॉरमेशन नेटवर्क में सहायता करते हैं। आनुवांशिकता, खान-पान एवं रहन-सहन के गड़बड़ी के कारण दिमाग को भरपूर ऑक्सीजन एवं पोषण नहीं मिल पाता है वैसी स्थिति में दिमाग की जैव रासायनिक श्रृंखला प्रतिक्रिया (Biochemical Chain Reaction) अस्त-व्यस्त हो जाता है। सम्वाद साधने वाले प्रोटीन में विकृति आ जाती है। वह प्रोटीन इ एल एफ 2 अल्फा (el F_2 Alpha) में बदल जाता है। इ एल एफ 2 अल्फा प्रोटीन कुछ ऐसे हानिकारक एन्जाइम के लेवल को बढ़ा देते हैं जिससे दिमाग में फाइबर की गांठें बन जाती है। फाइबरनॉटस (Fibre Knots) वास्तव में एमिलॉयड बीटा प्रोटीन होता है जो न्यूरोट्रान्समीटर्स, नर्वसेल्स आदि के मध्य संवादों के आदान-प्रदान प्रक्रिया क्षमता एवं कुशलता को दुष्प्रभावित करता है। कुछ खास बीमारियां मोटापा, ब्लडप्रेशर, स्ट्रोक, मधुमेह, कार्डियोवस्कुलर रोग, कॉलेस्टरॉल एवं लिपिड का बढ़ना, धूम्रपान, शराब, चीनी के सेवन तथा कुपोषण आदि अनेक कारणों से दिमाग को पर्याप्त ऑक्सीजन एवं पोषण नहीं मिल पाता है। लॉस एंजिल्स स्थित कैलिफोर्निया यूनिवर्सिटी के वैज्ञानिकों के अनुसंधान अध्ययन के अनुसार हल्दी का करक्युमिन जमे हुए बीटा एमिलॉयड प्रोटीन को साफ करता है, याददाश्त की जिम्मेदार इ एल एफ 2 अल्फा तथा एमीलायडल बीटा प्रोटीन को बनने से रोकता है। यादाश्त को नष्ट करने वाले ऑक्सीडेटिव स्ट्रेस से बचाता है। इन्फ्लामेशन तथा जलन पैदा करने वाले तत्वों में कमी लाता है। दिमाग की तरफ रक्त प्रवाह को नियंत्रित करके ग्लूकोस आदि पोषक तत्वों की पर्याप्त एवं नियमित आपूर्ति करने में सहयोग करता है। द वर्ल्ड अल्जाइमर रिपोर्ट 2010 के अनुसार

अल्जाइमर बीमारी पर होने वाला खर्च विश्व की सबसे बड़ी रिटेल कम्पनी बालमार्ट के कुल राजस्व से अधिक है। रिपोर्ट के सहलेखक प्रो. मार्टिन प्रिंस के अनुसार 2030 तक इससे पीडित होने वाले लोगों की संख्या बढ़कर दुगुनी तथा 2050 तक तिगुनी होने का अनुमान है। यह बीमारी महंगे इलाज वाले बीमारियों में शुमार है। इस बीमारी में स्मृति, भाषा तथा निर्णय लेने आदि की क्षमता खत्म होने लगती है। लंदन के किंग कालेज तथा स्वीडन के कार्लोनिस्का इन्स्टीट्यूट के संयुक्त अध्ययन के अनुसार यह बीमारी भारत चीन और लातिन अमेरिका जैसे विकासशील देशों में तेजी से फैल रही है। इस साल इस रोग पर होने वाला खर्च छ सौ अरब डॉलर पहुँचने का अनुमान है यानि विश्व के सकल घरेलू उत्पाद अर्थात् जी.डी.पी. का एक प्रतिशत से अधिक हिस्सा इसके इलाज पर ही खर्च हो जायेगा। रिपोर्ट के लेखकों के मुताबिक इतनी बड़ी रकम दुनिया की 18वीं सबसे बड़ी अर्थव्यवस्था के बराबर होगी। आने वाले वर्षों में यह खर्च और बढ़ने वाला है। एल्जीमर डिमेंशिया के रोकथाम अभियान से जुड़े लोग चाहते हैं कि विश्व स्वास्थ्य संगठन इसके इलाज के लिए वैश्विक स्तर पर प्राथमिकता तय करें।

डब्ल एच ओ को एल्जीमर तथा कोलन रेक्टल कैन्सर से बचने के लिए 40 साल आयु के ब.द प्रतिदिन 5 ग्राम हल्दी की गांठ मुँह में रखकर चूसने एवं 10 घंटे के बाद लार से भली-भांति भीगकर फूल जाने के बाद चबा-चबाकर खाने का आन्दोलन प्रारम्भ करें। इन दोनों विश्वव्यापी रोगों से बचाव का इससे बेहतरीन निरापद सर्वसाध्य एवं सस्ता साधन नहीं हो सकता है। दिमाग को सोचने समझने बुद्धिमता एवं यादाश्त को बरकरार रखने तथा सदा सतेज रखने के लिए ग्लूकोस की आवश्यकता होती है। किन्तु चीनी का ग्लूकोस तथा फ्रक्टोस दिमाग के स्नायुओं को क्षतिग्रस्त करता है। अमरिकी अनुसंधान के अनुसार चीनी मेटाबॉलिज्म को खतरनाक ढंग से दुष्प्रभावित करता है। अनाज, किशमिश, अंगूर, खजूर आदि फलों का ग्लूकोस दिमागी कुव्वत को बढ़ा देता है। हल्दी का करक्युमिन चमत्कार है। बर्मिंधम की एंलबामा यूनिवर्सिटी के वैज्ञानिकों ने प्रमाणित किया है कि चीनी खाने से यादाश्त की कमी तथा एलजाइमर्स रोग होते हैं।

ब्रिटेन में प्रतिसाल 17-18 हजार लोग कोलन कैन्सर से मरते हैं, इससे बचने का एक मात्र उपाय हल्दी का ज्यादा से ज्यादा प्रयोग करना है। हल्दी में मौजूद करक्युमिन कैंसरकारी एन्जाइम साइक्लो ऑक्सीजेनेज कॉक्स-2 (Cyclooxygenase-2) का बनना तथा उसकी सक्रियता को रोक देता है। यह एन्जाइम ही आँतों के कैन्सर तथा अन्य कई कैन्सर का मुख्य कारण होता है।

अमेरिका में प्रतिसाल करीब डेढ लाख लोग कोलन कैंसर के रूप में दर्ज होते हैं। कोलन कैंसर का मुख्य कारण 80% जिनेटिक क्रोमोसोमल गड़बड़ी के कारण तथा 15 से 20% कोशिकाओं के डी.एन.ए. मिसमैच रिपेयर सिस्टम (DNA MMR) में आयी खराबी के कारण होता है। 90% रोगियों में डीएनए एम एम आर की गड़बड़ी के चलते हेरिडिटरी नन पॉलीपोसिस कोलोन रेक्टल क्रैन्सर होता है जिनका इलाज मात्र करक्युमिन तथा चाय में मौजूद एपि गैलोकैटेचिन 3 गैलेट से ही हो सकता है। ये दोनों डीएनए एम एम आर की गडबडी को मरम्मत करते हैं।

ये दोनों पॉलीफेनॉल्स कैन्सर एन्जियोजेनेसिस को नष्ट कर देते हैं। जिससे मेटास्टेसिस प्रक्रिया रुक जाती है। कॉक्स 2 पाथवे से उत्पन्न ब्रेस्ट कैन्सर भी करक्युमिन से ठीक होते हैं। कॉक्स-1 तथा कॉक्स-2 से उत्पन्न कैन्सर को नष्ट करने की क्षमता करक्युमिन में है।

हल्दी ने एक और करिश्मा कर दिया है। ऑस्ट्रेलिया की एडेलेडस (Adelaides) सेन्टर फॉर स्टेमसेल रिसर्च के वैज्ञानिकों ने सिद्ध कर दिया है किसी अंग के प्रत्यारोपण (ट्रान्सप्लान्ट) को शरीर का इम्यून सिस्टम स्वीकार नहीं करता है। प्रतिरोध करता है, वैसी स्थिति में हल्दी का करक्युमिन चमत्कार करता है। करक्युमिन इम्यून कोशिकाओं को स्वीकार करने के लिए राजी कर लेता है साथ दातव्यांग (Donated Organ) की नष्ट होने, मृत्यु होने तथा क्षतिग्रस्त होने से बचाता है, उसे जीवित रखता है। करक्युमिन के सत्व (Extract) को दाता (Donor) के रक्तप्रवाह में इन्जेक्ट किया गया वह उस अंग में भी प्रवाहित होने लगा जिसे (Donate) करना था। ट्रान्सप्लान्ट के बाद अंग पाने वाले (Recipient) के खून में पहुँचकर अंग की सुरक्षा करता है। पाने वाले के इम्यून कोशिकाओं को उस अंग को स्वीकार करने हेतु सहजता से राजी कर लेता है। अभयदान देता है। प्रत्यारोपण के दौरान तथा बाद में भी इम्यून कोशिकाओं द्वारा अस्वीकार एवं मारक प्रवृति पर करक्युमिन अंकुश लगाकर रोक देता है। नियंत्रित एवं नियोजित करता है। प्रतिरोधक प्रणाली को प्रतिबंधित कर प्रत्यारोपित अंग के कार्य प्रणाली को सुव्यवस्थित एवं नियमित करता है। प्रत्यारोपित अंग पाने वाले के जीवन को दीर्घजीवी बनाने में सहायता करता है। वैज्ञानिकों का मानना है यह प्रयोग कल्पना के परे आशातित सफल रहा है। क्योंकि प्रत्यारोपण के दौरान तथा बाद में दी जाने वाली एण्टी रिजेक्शन सैकडों प्रकार की दवाइयां तथा इन्जेक्शन का दुष्प्रभाव काफी खतरनाक होता है, इनके दुष्प्रभाव से कभी-कभी रोगी का जीवन ही खतरे में पड़ जाता है तथा इन दवाइयों का प्रयोग लम्बे समय तक करना पड़ता है। इस विषम एवं खतरनाक परिस्थिति से बचने के लिए करक्युमिन ऐसे रोगियों के लिए आशदीप की तरह अमृत तुल्य है। करक्युमिन प्रत्यारोपित अंग को दीर्घ जीवन प्रदान करता है।

हल्दी सूजन पैदा करने वाले तत्त्व प्रोटिएस एन्जाइम (ट्रिप्सिन तथा हायएल्यूरोनिडेस) की सक्रियता को बाधित करता है। इसके अतिरिक्त हल्दी में उपस्थित रंजक द्रव्य करक्यूमिन भी शोथ तथा दर्द को कम करता है। हल्दी ग्राम पोजिटिव तथा निगेटिव दोनों ही प्रकार के रोगाणुओं को समाप्त करता है। हल्दी में स्थित उत्पत् तेल भयंकर कवकों तथा विषाणुओं को समाप्त कर सकता है। हल्दी में एण्टी हिस्टेमिनिक गुण होने के कारण एलर्जी रोगों के लिए उत्तम औषधि है। एक व्यक्ति को 35 साल से गुप्तांगों का खाज रोग था। लेखक ने हल्दी, नमक तथा सरसों के तेल से मंजन करने से प्राप्त सारे थूक की मालिश खाज पर करने की सलाह दी। खुजली नहीं करने की हिदायत दी। कुछ सप्ताह के प्रयोग के बाद ठीक हो गया।

आयुर्वेद की दृष्टि से हल्दी कटु तथा तिक्त रसयुक्त रुक्ष, उष्ण वीर्य, कफ पित्तनाशक, उत्तेजक, सुगन्धित, रक्तशोधक, चर्मरोगनाशक, शोथहर, दीपन, ग्राही, कफघ्न, विषघ्न, प्रमेह, रक्तविकार, कामला, व्रण, यकृत विकार, संग्रहणी, अतिसार, ज्वर को नाश करती है। शरीर को गौर वर्ण बनाती है।

जुकाम, खाँसी, प्रमेह, प्रदर, गठिया, संधिवात में बकरी के दूध में हल्दी को उबाल कर शहद या गुड़ मिलाकर पियें। निरंतर खाँसी की स्थिति में हल्दी के छोटे कन्द को कड़वे तेल के दीपक में अथवा आग में सेंक भूनकर आधे का चूर्ण बनाकर शहद मिलाकर लें तथा आधे कन्द को मुँह में डालकर चूसते रहें। शीघ्र आराम होता है। हल्दी तथा शहद सममात्रा में लें। पतला वीर्य गाढ़ा होता है। जुकाम के प्रारम्भ में इसके धुएँ का नस्य लें। हल्दी तथा आँवले के चूर्ण को शहद के साथ सममात्रा में लेने से प्रमेह, क्षुधाधिक्य तथा प्रदर रोग ठीक होते हैं। हल्दी के चूर्ण को गौमूत्र के साथ खाने तथा मक्खन या नारियल के तेल में मिलाकर लेप करने से सभी प्रकार के चर्म रोग ठीक होते हैं। हल्दी की सब्जी, दमा तथा श्वास कष्ट के लिए उपयोगी है। इसका अचार भी बनता है। श्लीपद में इसे गुड़ तथा गौमूत्र के साथ प्रयोग करें। शिर:शूल, चक्कर आना तथा रक्तप्रवाह को रोकने के लिए इसका लेप करें। हल्दी को छाछ या दही के साथ प्रयोग करने से पीलिया, शरीर की विषाक्तता की स्थिति तथा पेट के कीड़े दूर होते हैं। स्तनशोथ या बवासीर में हल्दी तथा मक्खन या घृतकुमारी का स्थानीय लेप करें। एक भाग हल्दी बीस भाग पानी में उबालकर छानें। इसकी 2-2 बूँद बराबर आँखों में डालते रहने से आँखों का दर्द व आँख आना ठीक होता है। आम्मा हल्दी (कर्क्युमा अमाडा) आम के गन्ध जैसी होती है। आयुर्वेद की दृष्टि से आमा हल्दी शीतल, वातकारक, सुगन्धित, पित्तनाशक, दीपन पाचन, ग्राही तथा सभी प्रकार की खुजली को नाश करने वाली होती है। इसका उपयोग उपर्युक्त घरेलू हल्दी की तरह होता है। दोनों प्रकार की हल्दी का लेप (चूना व सरसों का तेल मिलाकर) करने से चोट, मोच, ऐंठन, पिचित व्रण तथा पुराने घाव ठीक होते हैं। इसके अतिरिक्त वन हल्दी तथा दारू हल्दी भी होती है जिसका उपयोग औषधि के रूप में होता है। हल्दी में एक विशेष प्रकार का दर्दनाशक रसायन होता है जिसके कारण इसके बाह्य एवं आन्तरिक उपयोग से गठिया, संधिवात तथा दुर्घटनाजन्य पीड़ा शांत होती है। हल्दी का आन्तरिक प्रयोग शहद, दूध तथा पानी के साथ किया जाता है। हल्दी तथा बेल कभी भी मिलाकर नहीं लें क्योंकि इनमें एक-दूसरे के गुण धर्म के विपरित एन्जाइम पाये जाते हैं। बाह्य प्रयोग में इसकी पुल्टिस बाँधें।

बंगलौर स्थित आइ आइ एससी के वैज्ञानिकों (संध्या मराठे तथा दीपशिखा चक्रवर्ती) के अनुसार हल्दी में मौजूद करक्युमिन टायफायड के कीटाणु साल्मोनेला के कुछ खास जीन्स को सक्रिय कर उन्हें अधिक खतरनाक बना देता है। इन वैज्ञानिकों का मानना है कि एशियाई देशों में जहाँ हल्दी का इस्तेमाल 1 से 1.50 ग्राम प्रतिदिन है साल्मोनेला संक्रमण के कारण टायफायड से हर साल पाँच हजार लोग मारे जाते हैं। इन वैज्ञानिकों के अनुसार साल्मोनेला के संक्रमण के दौरान हल्दी का प्रयोग करने से साल्मोनेला जबरदस्त ताकतवर बनकर संक्रमण को बढ़ा देता है, लेकिन अफ्रीका एवं लातिन अमेरिका में साल्मोनेला का संक्रमण सबसे ज्यादा है किन्तु वहाँ तो करक्युमिन इतना अधिक प्रयोग नहीं होता है। फिर भी साल्मोनेला संक्रमण एवं टायफायड के दौरान हल्दी के प्रयोग से बचें।

प्रति सौ ग्राम सफेद मूली में Na- 33.0, K-138। छोटे प्याज में Na-4.0, K- 127, Oa 1। शकरकन्द में Na- 9.0, K- 393। खम्बा आलू में Na- 9.0, K-237। सिमला आलू

में ऑ. ए.- 17। सुरन में फाइटिन- 4 मि.ग्रा. होता है तथा सुरन में कुल P का फा. 12 प्रतिशत होता है। सुरन में मुक्त फॉलिक एसिड- 0.9 तथा कुल फॉलिक एसिड 17.5, गाजर में मु.फा.ए., 5.0 कु.फॉ.ए. 15, अरबी में मु.फॉ.ए. 16, कु.फॉ.ए. 54 तथा आलू में मु.फॉ.ए. 3 तथा कु.फॉ.ए. 7 मा.ग्रा. प्रति सौ ग्राम में होता है।

♦♦♦

प्रति 100 ग्राम कन्द मूल वाली सब्जियों में स्वास्थ्य संरक्षक तत्त्वों का तुलनात्मक अध्ययन

खाद्य	Mg	Na	K	Cu	S	Cl	अक्षास अ.	क्षा.	ऑए	फॉ. P
चुकन्दर	9	59.8	43	0.20	14	24	-	93	40	-
गाजर	14	35.6	108	0.13	27	13	268	-	5	-
अरबी	135	25.2	326	0.22	173	93	-	68	-	-
गुलाबी मूली	9	63.5	10	0.19	31	11	-	27	20	13
आलू	20	11.0	247	0.20	37	16	-	36	20	14
शि.आ.चि.*	66	7.5	764	0.15	58	10	-	214	31	17
सुअर आलू	34	11.0	450	0.16	35	29	-	80	15	7
हल्दी	-	25.0	3300	-	-	-	-	-	97	34

**शि.आ.चि. = शिमला आलू चिप्स*

प्रति 100 ग्राम विभिन्न फल वाली सब्जियों में रोग-निरोधक तत्वों का तुलनात्मक अध्ययन

खाद्य	Mg	Na	K	Cu	S	Cl	अक्षास अ.	क्षा.	ऑए	फॉ.P	कुल P का फा. P%
लौकी	5	1.8	87	0.03	10	5	-	23	-	-	-
तोरई	11	2.9	50	0.16	14	7	-	7	27	11	28
ककड़ी	11	10.2	50	0.10	17	15	-	-	15	-	-
बैंगन	16	3.0	200	0.17	44	52	-	14	18	3	6
कद्दू	14	5.6	139	0.20	16	4	-	24	-	-	-
टिण्डा	14	35.0	24	0.12	-	44	-	-	2	-	-
भिण्डी	43	6.9	103	0.19	30	41	-	31	8	-	-
परवल	9	2.6	83	1.11	17	4	-	7	7	8	20
कच्चा केला	33	15.0	193	0.16	15	6	-	59	480	11	37
चिचिंडा	53	25.4	34	0.11	35	21	-	48	34	-	-
हरा टमाटर	15	45.8	114	0.19	24	38	-	22	2	-	-
करेला	17	17.8	152	0.18	15	8	-	14	-	4	6
छोटा करेला	21	2.4	171	0.19	21	8	19	-	-	26	19
कच्चा कटहल	-	35.0	328	-	-	-	-	-	-	-	-

प्रति सौ ग्राम कन्द-मूल वासी सब्जियों के रोग-प्रतिरोधक तत्वों का तुलनात्मक अध्ययन

खाद्य	खायोभा	जल	प्रोटी	वसा	खल.	सेलु.	कार्बो.	ऊर्जा	Ca	P	Fe	A	B_1	B_2	B_3	C
चुकन्दर	85	87.5	1.7	0.1	0.8	0.9	8.8	43	18.3	55	1.0	0	0.04	0.09	0.4	10
शलगम	65	91.6	0.5	0.2	0.6	0.9	6.2	29	30	40	0.4	-0.4	0.4	0.4	0.5	43
जमीकन्द	- 78.7	1.2	0.1	0.8	0.8	18.4	79	50	34	0.6	260	0.06	0.07	0.7	-	
गाजर	95	86.0	0.9	0.2	1.1	1.2	10.6	48	80	530	2.2	1890	0.04	0.02	0.6	3
मोथा (अंनत मूल)	-	66.5	0.7	0.4	0.9	1.6	29.9	121	200	40	-	-	-	-	-	-
शकरकन्द	97	68.5	1.2	0.3	1.0	0.8	28.2	120	46	50	0.8	6	0.08	0.04	0.7	24
अरबी	-	73.1	3.0	0.1	1.7	1.0	21.1	97	40	140	1.7	24	0.09	0.03	0.4	-
गुलाबी मूली	98	90.8	0.6	0.3	0.9	0.6	6.8	32	50	20	0.5	3	0.06	0.02	0.4	17
मूसक-पूंछ मूली	-	92.3	1.3	0.3	0.7	1.1	4.3	25	78	24	-	-	-	-	-	-
सामान्य मूली	100	94.9	0.5	0.1	0.7	0.6	3.2	16	20	20	1.0	4	0.02	0.03	1.4	21
सफेद मूली	99	94.4	0.7	0.1	0.6	0.8	3.4	17	35	22	0.4	3	0.06	0.02	0.5	15
चुपरी आलू	-	79.6	1.3	0.1	0.8	0.1	18.1	79	16	31	0.5	-	-	-	-	-
सामान्य आलू	85	74.5	1.6	0.1	0.6	0.4	22.6	97	10	40	0.7	24	0.10	0.01	1.2	17
शिमला आलू	-	59.4	0.7	0.2	1.0	0.6	38.1	157	50	40	0.9	-	0.05	0.10	0.3	25
शि.आ.चि.		100	12.0	1.3	2.0	1.8	82.6	338	91	70	3.6	-	0.23	0.10	1.4	-
सुअर आलू	89	70.4	2.5	0.3	1.4	1.0	24.4	110	20	74	1.0	565	0.19	0.47	1.2	1
कान्टा आलू	-	79.6	2.9	0.3	0.8	0.9	15.5	76	25	53	-	-	-	-	-	-
खम्बा आलू	92	69.9	1.4	0.1	1.6	1.0	26.0	111	35	20	1.3	78	0.07	-	0.7	-

* शिमला आलू चिप्स

खाद्य	खायोभा	जल	प्रोटी	वसा	खल.	सेलु.	कार्बो.	ऊर्जा	Ca	P	Fe	A	B_1	B_2	B_3	C
छोटा प्याज	-	84.3	1.8	0.1	0.6	0.6	12.6	59	40	60	1.2	15	0.08	0.02	0.5	2
लहसुन	85	62.0	6.3	0.1	1.0	0.8	29.8	145	30	310	1.3	0	0.06	0.23	0.4	13
अदरक	-	80.9	2.3	0.9	1.2	2.4	12.3	67	20	60	2.6	40	0.06	0.03	0.6	6
हल्दी	100	13.1	6.3	5.1	1.5	2.5	69.4	349	150	282	14.8	30	0.03	-	2.3	-
आमा हल्दी	87	85.0	1.1	0.7	1.4	1.3	10.5	53	25	90	2.6	20	0.01	0.03	-	1
कमल की जड़	85.9	1.7	0.1	0.2	0.8	11.3	53	21	74	0.4	-	0.10	-	-	22	

खाद्य	कुल N ग्राम % 100 ग्राम	आर्ग	हिस	लाइ	ट्रिप्टो	फिए	टायरो	मेथो	सिस	थ्रेओ	ल्यू	आल्यू	वैल
		ग्राम प्रति ग्राम N											
चुकन्दर	0.27	0.32	0.10	0.41	0.06	0.21	0.17	0.07	0.12	0.25	0.33	0.20	0.23
शलगम	0.08	0.25	0.07	0.23	0.08	0.18	-	0.05	0.01	0.21	0.34	0.22	0.23
मूली	0.11	0.70	0.16	0.27	0.02	0.27	-	0.05	-	0.23	0.42	0.30	0.39
गाजर	0.14	0.25	0.09	0.23	0.04	0.21	0.14	0.07	0.06	0.21	0.31	0.23	0.31
आलू	0.26	0.33	0.10	0.32	0.10	0.27	0.17	0.09	0.05	0.22	0.38	0.27	0.31
शकरकन्द	0.19	0.28	0.09	0.26	0.11	0.27	0.15	0.10	0.5	0.36	0.28	0.29	0.38
अरबी	0.48	0.47	0.11	0.30	0.11	0.32	0.23	0.08	0.16	0.28	0.51	0.27	0.38
शिमला आलू	0.12	0.58	0.11	0.29	0.08	0.18	0.10	0.05	0.09	0.20	0.30	0.25	0.24
कांटा आलू	0.22	0.48	0.12	0.28	0.07	0.30	0.20	0.10	-	0.22	0.40	0.23	0.29
प्याज	0.19	0.17	0.07	0.29	0.09	0.18	-	0.07	-	0.09	0.17	0.09	0.14

3

पत्ते वाली सब्जियाँ

(GREEN LEAFY VEGETABLES)

स्वास्थ्य-संरक्षण एवं रोग-निवारण की दृष्टि से पत्ते वाली सब्जियों का विशेष महत्त्व है। इनमें प्रचुर मात्रा में रोग से लड़ने वाले तत्त्व विटामिन 'ए', 'सी', बी-1, बी-2, बी-3, 'के', 'ई', पेन्टोथेनिक एसिड,बायोटिन, फोलिक एसिड, Ca, P, Fe, Mg, Cu, Cl, I, Co, Mo, एन्जाइम, क्लोरोफिल, रोग जीवाणु नाशक (एन्टीबायोटिक) तथा अन्य ज्ञात, अज्ञात स्वास्थ्य संरक्षक एवं स्वास्थ्य सम्वर्द्धक तत्त्व पाए जाते हैं।

प्राचीन आयुर्वेद ग्रंथों में शाक वर्ग को निकृष्टतम आहार माना गया है। हो सकता है कि उस समय के निरीक्षणात्मक शोध की कसौटी पर सब्जियाँ निरर्थक सिद्ध हुई हों, परन्तु आज ये पूर्ण एवं श्रेष्ठ आहार के रूप में हमारे सामने हैं। प्राचीन आयुर्वेद ग्रंथ भावप्रकाश निघंटु के दशम् शाक वर्ग प्रकरण में आया है कि सब्जी के रूप में पत्र, पुष्प, फल, नाल, कन्द तथा संस्वेदज काम में आते हैं। इनमें से पत्र से पुष्प, पुष्प से फल अर्थात् क्रमशः उत्तरोत्तर पचने में भारी होते हैं। इस अध्याय का अगला सूत्र है—

''सभी प्रकार की सब्जियाँ विष्टम्भक, गुरु, रुक्ष, विशेष रूप से मल निष्कासक, मल तथा अधोवायु को प्रवृत्ति कराने वाली होती हैं। शाक शरीर स्थित अस्थियों को भेदन करने वाला, नेत्र-वर्ण (शक्ति), रक्त, शुक्र, बुद्धि (प्रज्ञा), स्मरणशक्ति तथा गति (चलने वाली शक्ति) को नष्ट करने वाला होता है। इनके प्रयोग से अकाल बाल सफेद हो जाते हैं। सभी शाकों में रोग रहते हैं, वे ही रोग को नष्ट करने में कारण हैं। अतः समझदार को चाहिए कि शाक सब्जियाँ खाना छोड़ दें तथा अम्लीय खाद्य पदार्थों में भी जिसमें उपर्युक्त सभी दोष होते हैं, छोड़ देना चाहिए। उपर्युक्त सभी निन्दा के भाव सामान्य रूप से हैं।'' इसी प्रकार से सुश्रुत संहिता के अध्याय 6, श्लोक 266 में बताया गया है कि शाक विरेचक, गुरु, रुक्ष प्रायः विष्टम्भि (गुड़गुड़ाहट कारक), दुर्जर तथा कषाय रस युक्त है। आयुर्वेद ग्रंथों का सृजन कई सौ वर्ष पूर्व हुआ है, अतः कोई आवश्यक नहीं है कि उस समय की सभी मान्यताएँ एवं शोध निष्कर्ष सही ही हों। प्राचीन मान्यताओं को अर्वाचीन शोधों की कसौटी पर कसकर उसके अनुरूप चलें, तभी स्वस्थ जीवन जी सकते हैं।

हर क्षेत्र में जो सत्य है उसे स्वीकार करें, अंगीकार करें। विधायक, नित्य नूतन शोधों का अनुसरण करें। लकीर के फकीर न बनें। हर तथ्य युग काल तथा समय के शोध-साधनों के अनुरूप सत्य हो सकते हैं लेकिन परम सत्य नहीं है। शास्त्र में लिखा है इसलिए यह अकाट्य सत्य है, ऐसा मानना मूर्खता है। भारतवर्ष में प्राचीन आयुर्वेद मनीषियों ने अद्भुत कार्य किये हैं। उस समय के उनके कुछ शोध कार्य आज भी आयुर्विज्ञान की कसौटी पर खरे उतरे हैं। उस समय के आयुर्विज्ञानी मनीषियों ने अनुभव एवं अन्त:प्रज्ञा से अनेक खाद्य पदार्थों का इतना सूक्ष्म, तार्किक एवं गहन विश्लेषण किया है कि वे आज भी विज्ञान की कसौटी पर सत्य सिद्ध हुए हैं। यह कार्य स्तुत्य है! दिव्य है!

डॉ. केल्लाग के अनुसार विटामिन तथा खनिज लवणों की दृष्टि से पत्तीदार भाजियों का कोई मुकाबला नहीं है। ये खुज्झा के श्रेष्ठ स्त्रोत हैं। सलाद, पत्तागोभी, बथुआ, गाजर, पालक, धनिया, चौलाई, मेथी के कुछ पत्ते (50 ग्राम) प्रतिदिन कच्चा ही खाना चाहिए।

गर्भावस्था तथा दूध पिलाने वाली माताओं तथा उनके शिशुओं के लिए यह बहुत ही श्रेष्ठ आहार है। यदि आम आदमी अपने आस-पास की जमीन में सब्जी उगाकर उसका उपयोग करें तो राष्ट्रीय स्वास्थ्य समस्या हल हो सकती है। आज तक ऐसी कोई औषधि नहीं खोजी जा सकी है जो कुपोषण से लड़ सके। इस कुपोषण से हजारों लोग प्रतिदिन मरते हैं। कुपोषण का मुकाबला मात्र हरी शाक-सब्जियाँ ही कर सकती हैं। आइये प्रकृति के दिव्य वरदान हरी शाकों के सम्बन्ध में जानें।

पत्तोंवाली सब्जियों में विटामिन 'बी' ग्रुप की प्रचुरता होने से ये प्रोटीन के पाचन, अवचूषण एवं सात्म्य में विशेष उपयोगी हैं। दाल बनाते समय उसमें पत्तेवाली सब्जियां डालने से दाल के प्रोटीन की गुणवत्ता एवं अवचूषण क्षमता बढ़ जाती है। पत्ते वाली सब्जियाँ कच्ची खाने से पाचन संस्थान रोग से लड़ने के लिए प्रचुरता से प्रोटेक्टिव कम्पाउण्ड पैदा करती हैं। शोध अध्ययनों के अनुसार स्टैफीलोकोकस आदि स्टैफ संक्रमण व कैंसर से मुक्त रहने के लिए प्रतिदिन सलाद के रूप में कच्ची हरी सब्जियाँ खूब चबा-चबा कर खानी चाहिए। इससे दाँत एवं चेहरे का सौन्दर्य निखर जाता है।

बथुआ

(वानस्पतिक नाम—Chenopodium Album

अंग्रेजी नाम—Lambs Quarters)

बथुआ चिनोपोडिएसी (Chenopodiaceae) परिवार का प्रमुख सदस्य है। बथुआ को वास्तुक अर्थात वासयति लोकनेति (लोकों में जो जीवन संचार करे) कहा गया है। इस अद्वितीय शाक को राजनिघंटुकार ने चक्रवर्ती राजशाक तथा भावप्रकाश निघंटु में शाक राट यानि शाकों का सम्राट कहा है। यह प्रबल क्षारीय आहार होने के कारण इसे क्षार पत्र भी कहा जाता है। वाग्भट्ट (अष्टांग हृदय) चरक, भावप्रकाश तथा शलिग्राम निघंटु आदि में बथुआ का खूब यशोगान हुआ है। इन महान आयुर्वेद ग्रंथों के अनुसार बथुआ का शाक त्रिदोषशामक, लघु तथा

ग्राही, कब्जनाशक, स्वादिष्ट, क्षार युक्त कटुरस अग्निदीपक पाचक, रुचिकारक, लघु शुक्रजनक, बल्य, सारक, रक्तपित्त, बवासीर, प्लीहा रोग, कृमि तथा त्रिदोषनाशक होता है।

बथुआ आँखों के लिए अत्यन्त हितकारी होता है। बथुआ एक से तीन फुट तक लम्बा होता है। भावप्रकाश के अनुसार जो बथुआ बड़े पत्तों वाला तथा लाल रंग का होता है उसे 'गौड वास्तुक' कहते हैं। इसके पत्ते त्रिकोणाकार, नुकीले, कटे हुए, स्थूल, स्निग्ध तथा हरित वर्ण के होते हैं। बथुआ हर जगह होता है। यह तीन प्रकार के होते हैं (1) अपने आप उगने वाला बथुआ (चिनोपोडियम एलबम), (2) लाल गौड बथुआ (चिनोपोडियम परप्युरासेस), तथा (3) सुगंधित बथुआ (चिनोपोडियम एम्ब्रेसिओडिस)। सर्व उपलब्ध बथुए में कैरोटिन तथा विटामिन पर्याप्त मात्रा में होते हैं। यह सारक, कब्जनाशक तथा कृमिघ्न है। जल जाने, कट जाने पर इसके पत्ते का लेप लगाएँ, दाह में शान्ति मिलती है। सुगन्धित बथुए के समस्त पौधों से तीव्र गन्ध आती है क्योंकि इसमें 0.17 प्रतिशत विशिष्ट प्रकार का उड़नशील तेल होता है। अमेरिका में इस तेल से चिनोपोडियम तेल बनता है। इसमें कीड़े मारने वाला तत्त्व हेल्मासाइड 'स्करिडाल' पाया जाता है। यह तेल हुकवर्म तथा अन्य आन्त्रस्थ कीड़ों को खत्म करता है। बथुए के सभी अंगों में सपोनिन तथा अन्य खनिज रसायन होते हैं।

बथुआ प्राय: जौ के खेत में होता था इसलिए संस्कृत में इसे 'यव शाक' भी कहा गया है। यह लघु, मधुर (किंचित क्षारीय) शीतवीर्य, यकृदुत्कोश मलमूत्र पित्तसारक, शोधक, शोणित स्थापन व बल्य होता है। इसके बीज का काढ़ा छोटी आँत की निष्क्रियता तथा ग्रीष्म का ज्वर ठीक करता है। इसका कच्चा रस, उबली सब्जी या सूप देने से मंदाग्नि, अजीर्ण, कोष्ठबद्धता, किसी प्रकार के कृमि के कारण आन्तरिक एवं बाह्यशोथ, प्लीहा, आन्त्र तथा यकृत शोथ एवं वृद्धि, अर्श, रक्तपित्त, ज्वर उरक्षत जीर्ण कास, श्वास, मूत्रकृच्छ, सामान्य दौर्बल्य, पीलिया, यक्ष्मा, मलेरिया, कालाज्वर, कुष्ठ, सुजाक तथा रक्तहीनता के रोग में अत्यन्त उपयोगी है। यह प्रबल रोगाणुनाशक एवं स्नायविक टॉनिक है। यह पेट के कीड़ों को समाप्त करता है। इसमें अत्यन्त उच्चतम किस्म का मैग्नेशियम, लोहा, कोबाल्ट तथा ताँबा होता है। यह रक्तनिर्माण में भाग लेता है। गुर्दे तथा पित्ताशय की पथरी में प्रतिदिन सौ सी.सी. रस पियें। इसमें पोटाशियम, क्लोरीन तथा सल्फर भी पर्याप्त मात्रा में होने से यह शरीर तथा त्वचा की शुद्धि कर स्वास्थ्य प्रदान करता है।

सबका पालनहार—पालक

एक दिन बाजार में पालक के ताजे, कोमल व हरे हरे पत्तों को देखकर प्रेरणा हुई—प्रकृति के इस अद्भुत उपहार के उपर कुछ लिखूँ। 'पालक' यह अपने नाम में ही गूढ़ तत्त्व को छिपाये हुए है। सबको पालन करने वाले को पालक कहा जाता है। सचमुच में लगता है कि भगवान ने इस अद्भुत साग को जमीन पर इसलिए भेजा कि इन्सान इसे खाकर अपना पालन पोषण करता रहे। स्वस्थ एवं सशक्त रहे ताकि पालक का अर्थवता सार्थक सिद्ध होता रहे।

चिनोपोडिएसी परिवार का प्रमुख सदस्य पालक को अंग्रेजी में 'स्पीनेच' कहते हैं। इसका

लेटिन नाम 'स्पिनेसिया ओलिरेसिया (Spinacia Oleracea)' है। कहीं-कहीं विशेषकर उत्तरी भारत (बिहार) में पालकी भी कहा जाता है। सचमुच में स्वास्थ्य संवर्द्धन एवं संरक्षण की दृष्टि से पालक का विशिष्ट महत्त्व है।

जीवन को दीर्घायु एवं स्वस्थ बनाये रखने के हर तत्त्व पालक में मौजूद है। पालक में शरीर वृद्धि की अद्‌भुत क्षमता है और यह क्षमता प्रत्येक हरी साग-भाजियों में है। आपने देखा होगा कि मवेशी हरी साग भाजियों को खाकर स्वास्थ्य एवं वृद्धि पाते हैं। सभी प्रकार के खनिज लवण जो कि हमारे शरीर के संवर्द्धन एवं स्वास्थ्य संरक्षरण के लिए आवश्यक हैं, वे सब पालक में पाये जाते हैं। पालक के साग में लोहा, विटामिन 'ए' 'बी' तथा कैल्शियम विशिष्ट रूप से पाया जाता है। इसमें वेजिटेबल हीमोग्लोबिन की मात्रा अधिक होती है इसलिए रक्तहीनता (एनीमिया) की बीमारी के लिए यह रामबाण औषधि है।

वनस्पति विज्ञानियों के अनुसार पालक की सर्वप्रथम खेती अरब में होती थी इसलिए इसका जन्मस्थान दक्षिणी-पश्चिमी एशिया ही होना चाहिए। कुछ विज्ञानियों के अनुसार चिकने बीज वाली पालक की जातियाँ चीन में 7वीं शताब्दी से उगायी जा रही हैं। पालक का सर्वाधिक उपयोग कनाड़ा, अमेरिका तथा अन्य यूरोपियन देशों में होता है। पालक को पूर्ण नर वेजेटेटिव नर, मादा फूल और एक ही पौधे पर नर तथा मादा इन चार समूहों में बाँटा गया है। काँटेदार चिकने बीज वाली पालक में बरजीनिया सवीय तथा चिकनी बीज वाली में अर्ली स्मूथ लीफ, पूसाज्योति, पूसा हरित तथा आल ग्रीन प्रसिद्ध है। विदेशी जातियों में ब्लूमसेडल, ओल्ड डोमिनिऑन, न्यू अमेरिका, जायन्ट थीक लीफ नोबल, लांग स्टेडिंग ब्लूम्सडेल प्रसिद्ध है।

पालक को जीवन संरक्षक खाद्य पदार्थ (Life Protective Food) भी कहा गया है। दुर्भाग्य की बात है कि गरीब व अमीर बच्चों के बढ़ोतरी के समय संपूर्ण प्रोटीन की दृष्टि से डिब्बा बंद संश्लेषित प्रोटीन का उपयोग किया जाता है जबकि पालक एवं अन्य हरे पत्ते वाले सागों के कच्चे रस में संपूर्ण प्रोटीन तो उपलब्ध हैं ही साथ ही साथ रोगाणुओं से लड़ने की इनमें अद्‌भुत क्षमता है। इन अमूल्य खाद्य पदार्थों के प्रति उपेक्षा दृष्टि अपनायी जाती है। गरीब बेचारा ज्ञान के अभाव में ऐसा करता है और अमीर बेचारा अहंकार, प्रमाद एवं स्वाद के लोभ में ऐसा करता है। पर हैं दोनों बेचारे ही। दालों को हम प्रोटीन की दृष्टि से खाते हैं लेकिन उनमें संपूर्ण आवश्यक प्रोटीन (कुछ विशिष्ट एमिनो अम्ल) का अभाव होता है। उन अभावजन्य एमिनो अम्ल की पूर्ति पालक जैसे हरी साग भाजी खाकर की जा सकती है। दालों से प्राप्त कुछ एमिनो अम्ल (प्रोटीन) को पचाने के लिए विटामिन 'ए' एवं विटामिन 'बी' की आवश्यकता होती है। इस दृष्टि से भी पालक एवं अन्य हरी साग भाजियाँ खाना आवश्यक हो जाता है। पक्व आहार में विटामिन 'सी' का सर्वथा अभाव होता है। अतः उसकी पूर्ति के लिए कुछ कच्ची पालक के पत्तों को खाना चाहिए।

द कैन्सर ट्रीटमेन्ट सेन्टर ऑफ अमेरिका के न्यूट्रिशन विभाग के वैज्ञानिकों ने पालक के गहरे हरे पत्तों में ग्लुटाथिओन नामक फाइटोकेमिकल की खोज की है। ग्लूटेथिओन इम्यून सिस्टम

को शक्तिशाली तथा दीर्घायु करने वाला एन्जाइम के निर्माण में सहायता करता है। कच्चे पालक में ग्लूटेथिओन की मात्रा ज्यादा होती है पकाने पर कम हो जाती है। एक कटोरी कच्चा पालक खाने से शरीर को पर्याप्त मात्रा में ग्लूटाथिओन मिल जाता है। पालक में मौजूद फालेट ब्रेनस्ट्रोक को 35 फीसदी कम कर देता है।

जर्नल ऑफ न्यूरोपैथोलॉजी एण्ड एक्सपेरीमेन्टल न्यूरोलॉजी में प्रकाशित शोध पत्र में विज्ञानियों का कहना है कि हाइड्रोसिफेलस में बच्चों का सिर बड़ा हो जाता है, उनमें वमन, अनिद्रा, बेचैनी, उत्तेजना, आँखों के नीचे झुके रहना, बेहोशी, आक्षेप, सिजर्स (Seizures) आदि लक्षण दिखते हैं। इस रोग से ग्रस्त होने से बच्चे बड़े होने पर नटखटापन, तीव्र उत्तेजना, मौखिक उत्तेजना (Verbal Irritation and Aggression) कंपकंपी, हाइपर एक्टिविटी, ध्यान का एकाग्र नहीं कर पाना, असामान्य व्यवहार आदि लक्षणों से ग्रस्त हो जाते हैं।

वैज्ञानिकों के अनुसार, गर्भावस्था में पालक तथा उन सब्जियों का ज्यादा प्रयोग करना चाहिए जिसमें फॉलिक एसिड ज्यादा मात्रा में हो। पालक फॉलेट का खजाना है। ब्रिटेन में हुए एक खोज के अनुसार फालेट युक्त आहार देने से गर्भस्थ शिशु मस्तिष्क सम्बन्धित विकृति हाइड्रोसिफेलस बचा रहता है। पालक के प्रयोग से दिमाग सम्बन्धित अन्य विकृतियाँ भी नहीं होती हैं। कन्सिव करने के साथ पालक का रस प्रतिदिन एक से दो ग्लास लेने से गर्भस्थ शिशु इन सभी रोग लक्षणों से मुक्त रहता है तथा प्रसवोपरान्त 9 माह के बाद बच्चों में पालक खाने की प्रवृत्ति होती है।

कार्टून धारावाहिक पोपेये की मांसपेशियों की मजबूती (Popeye's Biceps) का राज पालक है। ब्रिटेन की सुविख्यात जर्नल न्यूट्रिशन एण्ड डायटेटिक्स एवं टेलीग्राफ में प्रकाशित शोध पत्र के अनुसार बच्चों में विख्यात कार्टून चरित्र पोपेये के चलते चार से पाँच वर्ष के आयु के बच्चे कार्टून से प्रभावित होकर चौगुना शाक-सब्जी खाने लगे हैं। पालकादि शाक सब्जियों के खाने से इनके स्वास्थ्य में अप्रत्याशित सुधार हो रहा है। यह है टी.वी. का सृजनात्मक उपयोग। ब्रिटेन की रटगर्स यूनिवर्सिटी (Rutgers University) से जुड़े वैज्ञानिक अपने शोधों से इसे प्रमाणित कर दिया है।

इन वैज्ञानिकों का कहना है कि हरी सब्जियाँ शरीर को पर्यापत शक्ति एवं ऊर्जा प्रदान करती है। पालक में एक खास प्रकार एनर्जी बूस्टर्स फाइटोकेमिकल फाइटोएकडीस्टीरॉयड (Phytoecdysteroids) पाया जाता है। फाइटोएकडीस्टीरॉयड ठीक वैसा ही काम करता है जिस प्रकार का एनाबॉलिक स्टीरॉयड का प्रयोग एथलेट्स अपनी मांसपेशियों की ताकत एवं क्षमता को बढ़ाने के लिए करते है, न्यू साइंटिस्ट जर्नल के अनुसार पालक से प्राप्त फाइटोएकडीस्टीरॉयड का सत्व (Extract) जब मनुष्यों को दिया गया तो उनकी मांसपेशियाँ 20 प्रतिशत तक विकसित हो गयी। चूहों पर जब प्रयोग किया गया तो उनकी ताकत कई गुनी बढ़ गयी। पालक अनेक रोगों से रक्षा एवं उपचार भी करता है।

वैज्ञानिकों का मानना है कि पॉपेये जैसे बायोसेप्स मांसपेशियों को विकसित करने के लिए

प्रतिदिन कम से कम एक किग्रा. पालक खाना चाहिए। शिकांगो के एक आप्थोमोलॉजिस्ट ने सलाह दी है कि सप्ताह में 4 से 7 बार 5 औंस पालक खाने से तीन महीने के अन्दर नजर सम्बन्धित विकार दूर हो जाते हैं।

एक शोध अध्ययन के अनुसार गर्भावस्था में लगातार 9 माह तक पालक का रस लेने से पालक का फॉलेट गर्भस्थ शिशु के न्यूरल ट्यूब डिफेक्टस को आसानी से रोकता है। यह गड़बड़ी गर्भावस्था में प्रारम्भिक स्थिति में भ्रूण में पैदा होने लगती है। पालक में मौजूद फॉलेट स्नायु मस्तिष्क तथा रीढ की पैदाइशी गडबडी को ठीक करता है। गर्भधारण करने के पूर्व से ही पालक रस लें। यूनिवर्सिटी ऑफ कैलिफोर्निया के वैज्ञानिकों के अनुसार प्रतिदिन पालक खाने से अलजाइमर्स, यादाश्तं की कमी होने का खतरा कम हो जाता है। पालक में मौजूद फॉलिक एसिड, विटामिन 'सी', 'ई' बीटा कैरोटिन तथा जिंक वाले भोजन करने से मैक्युलर डिजनरेशन से बचाव होता है। पालक तथा आँवला रेडिएशन से बचाता है।

पालक में अब तक 13 प्रकार के फ्लैवोनॉइड कम्पाउण्ड्स की खोज की गयी है जो एण्टी कैन्सर एजेन्टस तथा शक्तिशाली एण्टीऑक्सीडेन्ट का काम करते हैं। वैज्ञानिकों ने पालक का अर्क बनाया है जो पेट के कैंसर तथा त्वचा कैंसर में लाभ करता है। कनाडा के वैज्ञानिकों ने जिन चूहों को फॉलेट वाला आहार कम मात्रा में दिया उनके आँतों में गांठें बनने लग गयी, जबकि फॉलेट वाले आहार लेने वाले चूहों में गांठें नहीं बनीं।

वैज्ञानिकों ने यह भी देखा कि फॉलेट की कमी से डी.एन.ए. डैमेज बढ़ गया। मनुष्यों पर भी प्रयोग किया गया। दोनों प्रयोगों से प्रमाणित हुआ कि भोजन में फॉलेट के अभाव से कोलन रेक्टल कैंसर पैदा होता है। पालक फॉलेट का खजाना है। पालक का फॉलेट होमोसिस्टिन को धमनियों में जमने नहीं देता है। दिल, दिमाग तथा धमनियों के रोग से बचाता है। वैज्ञानिकों ने पालक तथा जामुन में मौजूद एण्टी ऑक्सीडेन्ट्स फ्लेवोनॉइड्स को यादाश्त बढाने वाला साबित किया है। फ्लेवोनॉइड्स इन्फ्लामेशन को कम करके ब्रेन सेल्स को नष्ट होने से बचाते हैं। पालक यू.टी.आई को कम करता है। एण्टी एजिंग सब्जी है। पालक की सब्जी सलाद में कैल्शियम, लोहा तथा मैग्नीशियम की मात्रा सर्वाधिक होने से यह सिरदर्द को कम करता है। इनकी कमी से सिर दर्द होता है।

पालक बनाने का वैज्ञानिक तरीका—प्राय: घर की गृहणियाँ अज्ञानवश हरी साग-भाजी बनाने की विधियाँ नहीं जानती हैं। फलस्वरूप बहुत सारे ऐसे तत्त्व, जो स्वास्थ्य संरक्षण एवं सम्वर्द्धन की दृष्टि से उपयोगी होते हैं, नष्ट हो जाते हैं। अत: पालक जैसी साग-सब्जियों को पहले अच्छी तरह साफ कर लेना चाहिए, बाद में धोना चाहिए। यदि पत्तों को अलग-अलग करके बिना काटे बनायें तो बहुत अच्छा अन्यथा सावधानीपूर्वक काटें। महीन न काटें। महीन काटने से पत्ती का रस स्राव अधिक होता है जिसके फलस्वरूप उसके बहुत सारे विटामिन (विशेषकर 'सी' एवं 'बी' ग्रुप विटामिन) तथा क्लोरोफिल नष्ट हो जाते हैं। एक बर्तन में थोड़ा पानी समशीतोष्ण कर उसमें साग को डालना चाहिए (कुकर का बना हुआ साग स्वास्थ्यवर्द्धक

होता है) कुछ समय (7 मिनट) आग पर ढक कर रखें। उसके बाद ढक्कन सहित उतार कर ठण्डा होने के लिए रख दें। ऐसा बना हुआ साग भी कुकर में बने हुए साग जैसा स्वास्थ्यवर्द्धक एवं संरक्षक होता है। ढक्कन सावधानीपूर्वक हटायें ताकि वाष्प अधिक न निकले। पत्ती वाली सब्जियों को उन्हीं के रस में बनाना चाहिए।

पालक में आयोडीन, लेसिथिन, कैरोटिन, आर्सेनिक तथा ऑक्जेलिक अम्ल मुख्य रूप से होते हैं। आयुर्वेद मतानुसार यह वात जनक, शीतल, कफकारक, मलभेदक, गुरु, विष्टम्भ उत्पन्न करने वाला, नशा, श्वास पित्त, रक्त विकार तथा कफनाशक होता है। डण्ठल सहित शाक शीघ्र पचने वाला, लघु, पेट साफ करने वाला सारक, पैत्तिक ज्वर, राजयक्ष्मा, मलावरोध, उरक्षत, आंत्र-विकार तथा मूत्रदाह में उपयोगी है। यह शीत, मूत्र जनन, रोचन, शोथघ्न दाह प्रशामक होता है। इसका सर्वांग रस कब्ज, यक्ष्मा, पथरी, मूत्रदाह में उपयोगी है। इसका बीज सारक एवं शीतल होता है। यह पीलिया, यकृत शोथ तथा श्वास कृच्छ में लाभदायक है। जे.आइ.रोडाले ने अपनी पुस्तक 'आहार एवं पोषण की संपूर्ण पुस्तक' में लिखा है कि पालक में अधिक आक्जेलिक अम्ल होता है। पाचन क्रिया के दोरान यह कैल्शियम से क्रिया कर कैल्शियम आक्जेलेट में परिवर्तित होकर पेशाब, पाखाने द्वारा बाहर निकल जाता है। इसलिए वैज्ञानिकों का मानना है कि पालक शरीर में कैल्शियम की कमी उत्पन्न करता है।

कुछ आयुर्वैज्ञानिकों का मानना है कि कच्चा पालक खाने से उपर्युक्त क्रिया बाधित होती है। फलत: कैल्शियम के साथ अन्य तत्त्वों की भी पूर्ति हो जाती है। पथरी तथा गठिया वाले रोगी को पालक नहीं खानी चाहिए। उन्हें कच्ची पालक का सलाद तथा रस देने से हानि नहीं होती है। पालक में फॉलिक अम्ल प्रचुरता से होने के कारण सभी प्रकार के संग्रहणी रोग में लाभदायक है। गर्भ, प्रसव एवं स्तन्य काल में प्रतिदिन दो गिलास पालक रस पीने से जच्चा-बच्चा पूर्ण स्वस्थ रहते हैं। गर्भ संबंधी समस्त रोग लक्षण, रक्तहीनता, दस्त, संग्रहणी, हिस्टीरिया, पीलिया, यकृत की कमजोरी, क्षीण श्वास, वजन कम होना सभी दूर होते हैं। कुलथी का सूप तथा पालक रस में नींबू का रस मिलाकर पीने से पथरी तथा प्रोस्टेट में लाभ करता है। पालक व मेथी के काढ़े में शहद व नींबू मिलाकर पीने से स्मरणशक्ति, मेधाशक्ति, यक्ष्मा, सूखी खाँसी, दमा दूर होते हैं व कफ ढीला पड़ जाता है। फेफड़े व हृदय की कार्यक्षमता बढ़ती है।

पालक के विशिष्ट अनुभूत प्रयोग—प्राय: कच्ची पत्तीवाली सब्जियों को अपक्व ही खाने से पहले उन्हें जीवनाशक औषधियों और जीवाणुओं से मुक्त करने के लिए नमक अथवा पोटाशियम परमैंगनेट घोल में धोकर पुन: शुद्ध जल से धो लेना चाहिए।

कच्ची पालक का रस—पालक का रस कड़वा लगता है लेकिन बहुत ही गुणकारी एवं शक्तिवर्धक होता है। प्रयोगों से साबित हो चुका है कि गर्भावस्था तथा स्तन्य काल में पालक या अन्य सब्जियाँ खाने से बच्चे भी इन्हें खाना पसन्द करते हैं। पालक को कूट-पीस कर महीन या जालीदार कपड़े से निचोड़ कर अथवा मिक्सी या ज्यूसर द्वारा रस निकालें। पालक को पीसकर रस निकालें। प्रतिदिन सुबह 125 से 200 सी.सी. पालक का रस लेना चाहिए। कच्चा रस लेने

से निम्न बीमारियाँ दूर होती देखी गई हैं—(1) किसी प्रकार की रक्तहीनता (एनीमिया) (2) लीवर संबंधी रोग जैसे पीलिया (जांडिस, कामला आदि) (3) दृष्टि कमजोर एवं आँख संबंधी बीमारियों में (4) मधुमेह (डायबिटीज) (5) मुँह पर काले-काले धब्बे (6) आँखों के नीचे कालिमा (7) मायूस चेहरे पर लालिमा व निखार लाता है। (8) किसी भी प्रकार के चर्म रोग में गाजर तथा पालक का रस बहुत ही गुणकारी दवा है, गाजर के अभाव में पालक का रस श्रेष्ठ है। (9) रक्त कैंसर एवं क्षय (10) मानसिक बीमारियां (11) पाचन संस्थान की समस्त बीमारियों में विशेषकर कब्ज (12) दाँत संबंधी बीमारियों में (13) प्यास व जलन मिटाने में (14) खून (विशेष कर आर.बी.सी. तथा हीमोग्लोबिन) की वृद्धि करने में (15) कृमि नाश करने में (16) रक्तस्राव (17) स्नायु विकार (18) प्रोटीन की कमी से होने वाले समस्त रोगों में (19) विटामिन 'ए' एवं 'बी' की कमी से होने वाले समस्त रोगों में, शक्ति संवर्द्धन में (20) भूख की कमी (21) वी.डी.रति रोग (सुजाक आदि) (22) रक्त अम्लता (23) अम्लता इत्यादि (24) रोग-प्रतिरोधक शक्ति की कमी (25) गर्भस्थ शिशु को रोगमुक्त एवं स्वस्थ रहने के लिए (26) एलजीमर्स (27) सी.वी.डी. आदि अनेक रोगों में पालक-रस लाभदायक है।

उबले पालक का रस अथवा सूप—यह भी ऊपर बतायी गई सभी बीमारियों में फायदा करता है, लेकिन इसका गुण धर्म पालक के रस से काफी कम हो जाता है। विशेषकर बुखार को उतारने के लिए सूप का प्रयोग किया जाता है। बुखार में पालक की सब्जी या पालक का रस लेकर चादर ओढ़कर सो जाना चाहिए। उससे पसीना आकर बुखार उतर जाता है। कभी-कभी पालक के रस या सूप से दस्त हो जाते हैं, वैसी स्थिति में इसे बन्द कर दें, सिर्फ पालक का रस अच्छा नहीं लगने पर टमाटर का रस मिलाकर लें।

डॉ.जे.आई.रोडले तथा उनके स्टाफ द्वारा 'द कम्पलीट बुक ऑफ फूड एण्ड न्यूट्रिशन' के अनुसार एक कप पका हुआ पालक एवं चार ओंस कच्चे पालक में रोग अंवरोधक एवं जीवन संरक्षक तत्त्व निम्न मात्रा में पाये जाते हैं—

जीवन संरक्षण तत्व	**कच्चा पालक**	**उबला हुआ पालक**
मिनरल्स	4 औंस	एक कप
कैल्शियम	81 मिली ग्राम	124 मिली ग्राम
फॉस्फोरस	55 मिली ग्राम	33 मिली ग्राम
लोहा (IRON)	3 मिली ग्राम	2 मिली ग्राम
पोटाशियम	780 मिली ग्राम	- -
ताँबा (Copper)	0.12 मिली ग्राम	0.26 मिली ग्राम
जीवन तत्व (विटामिन्स)		
विटामिन 'ए'	9420 आई.यू.	11,780 आई.यू.

विटामिन 'बी' ग्रुप		
बी$_1$ अथवा थायमिन	0.11 मिली ग्राम	0.08 मिली ग्राम
बी$_2$ अथवा रिबोफ्लेविन	0.20 मिली ग्राम	0.20 मिली ग्राम
बी$_3$ अथवा नायसिन	0.60 मिली ग्राम	0.60 मिली ग्राम
पायरिडॉक्सीन	83 माइक्रो ग्राम	-
पेन्टोथेनिक अम्ल	120-180 माइक्रो ग्राम	-
बायोटिन	6.90 माइक्रो ग्राम	-
विटामिन 'सी'	59 मिली ग्राम	30 मिली ग्राम

पालक में सभी प्रकार के आवश्यक एमिनो अम्ल पाये जाते हैं, यह पालक की विशेषता है। अत: प्रोटीन की दृष्टि से भी पालक श्रेष्ठतम आहार है। पालक में उपलब्ध एमिनो अम्ल की मात्रा निम्न है—

कुल N ग्राम प्रतिशत 0.32, आर्गिनिन 0.35, हिस्टाइडिन 0.35, लाइसिन 0.40, ट्रिप्टोफिन 0.10, फेनाइलएलानिन 0.33, टायरोसिन 0.31, मेथियोनिन 0.11, सिस्टिन 0.08, थेरिओनिन 0.29, ल्यूसिन 0.53, आइसोल्यूसिन 0.30, वैलिन 0.35 ग्राम प्रति ग्राम N।

इस प्रकार से सबका पालनहार पालक प्रकृति प्रदत्त एक ऐसा दिव्य आहार है जिसके प्रयोग से मानव विभिन्न दुखों से छुटकारा पाकर तथा स्वास्थ्य संवर्द्धन कर अपने मानवीय विकास में अग्रसर हो सकता है। इस प्रकृति प्रदत्त स्वर्णिम उपहार को स्वीकार कर आजीवन स्वस्थ रहने का संकल्प लें।

मरसा या चौलाई

(Amaranthus अंग्रेजी नाम—China Spinach)

चौलाई अनेक प्रकार की होती है। इनमें सफेद चौलाई (Amaranthus Blitum Var Oleracea Duthie), लाल चौलाई (Amaranthus Gangeticus Linn) तथा काँटे वाली चौलाई (Amaranthus Spinosus) प्रमुख हैं। ये सभी अमरेन्थेसी (Amaranthaceae) परिवार की मुख्य शाक-भाजी है। आयुर्वेद की दृष्टि से सफेद मरसा मधुर, रसयुक्त, शीतल, विष्टम्भ जनक, गुरू, वात तथा कफ कारक, रक्तपित्त नाशक तथा विषम अग्नि का शमन करने वाला होता है। लाल चौलाई किंचित गुरु, क्षारयुक्त, मधुर रस वाला, सारक, कफजनक, पाक में कटु रस युक्त तथा स्वल्प दोष वाला होता है। काँटेवाली चौलाई लघु, शीतल, रुक्ष, पित्त, कफ एवं रक्तविकार नाशक, मलमूत्र को निकालने वाली, रुचिकारक, अग्निदीपक तथा विषघ्न होती है। तीनों प्रकार की चौलाई के पत्ते मधुर, संकोचक, बहुमूत्रल, कफ नि:सारक, व्रणपूरक, ऋतुस्राव नियंत्रक, दंतशूल शोथ, यकृत विकार, दाह इत्यादि पित्त विकार नाशक तथा ज्वरघ्न होते हैं। सफेद चौलाई का प्रयोग शीत, पित्त तथा रक्त पित्त को दूर करने के लिए करते हैं। इसमें प्रोटीन 2.9 प्रतिशत तथा लोहा 18.18 प्रतिशत मि.ग्रा. प्रति सौ ग्राम होता है। इसके बीजों को भूनकर खाया जाता है। इसके क्षुप गुदेदार तथा पत्ते आयताकार होते हैं।

चौलाई का जन्म स्थान मैक्सिको साउथ अमेरिका माना जाता है लेकिन अब उष्ण कटिबंधीय देशों भारत, चीन, मलेशिया, ताइवान, अफ्रीका आदि देशों में गर्मी तथा बरसात के दिनों में उगाया जाता है।

लाल चौलाई का क्षुप 2 से 3 फुट ऊँचा, हरा या गहरा लाल तथा पत्ते आयताकार हरितलाल, नीलाभ लाल तथा चमकीले लाल एवं विभिन्न आकार एवं रंग के होते हैं। प्रायः सब्जियों में इन्हीं का उपयोग होता है। इसके पत्तों में प्रोटीन, कार्बोज, खनिज, विटामिन 'ए', बी कॉम्पलेक्स (बी-1, बी-2, बी-3 इत्यादि) तथा सी पर्याप्त मात्रा में होते हैं। Ca, Fe, P, Na, K, Cl, I, S आदि तत्त्व भी प्रचुर मात्रा में होते हैं। इसके बीज में सेपोनिन पाया जाता है। इसके रस, सूप तथा सब्जी का प्रयोग रक्तपित्त, घाव भरने हेतु, अतिसार, रक्तातिसार, रक्तप्रदर तथा ज्वर रोग में निःसंकोच करें। चौलाई का रस विषैले प्रभाव को उदासीन करता है। रोग-प्रतिरोधक शक्ति को बढ़ाता है।

चौलाई पोषक, रोगाणुनाशक (Antibiotic), वात दर्दनाशक (Anti Rheumatic) उदर वायुनाशक (Carminative), प्रदाहनाशक, म्यूकस मेम्ब्रेन का रक्षक तथा उत्तेजनानाशक (Demulcent), स्नेहक त्वचा लावण्यवर्द्धक (Emollient), सेक्सवर्द्धक (Aphrodisiac) होता है। चौलाई का साग स्वादिष्ट एवं रोगनाशक तो होता ही है साथ ही इसका काढ़ा सूप पुल्टिस तथा रस में नीबू शहद डालकर काम में लिया जाता है। विटामिन 'ए', बी-1, बी-2 'सी' कैल्शियम, लोहा तथा पोटाशियम अभावजन्य रोगों में अत्यन्त उपयोगी है। मसूढ़ों की कमजोरी, नाक, फेफड़ा तथा पाइल्स में इसका रस काम में लें। किसी भी अंग से होने वाले रक्तस्राव सम्बन्धित रोग में फायदेमन्द है। इसके पत्ते तथा जड़ का काढ़ा 100 मिली. डायरिया, ल्यूकोरिया, अतिरक्तस्राव तथा नपुंसकता में फायदा करता है। इसके पत्ते का पुल्टिस शहद एवं हल्दी में मिलाकर बांधने से दर्द में फायदा करता है। दृष्टिदोष बार-बार होने वाला जुकाम (Recurrent Colds), दमा, एक्जिमा, टी.बी., कब्ज, दांत के रोग, मंद विकास (Retarded Growth) ल्यूकोरिया, ज्वर, लीवर की खराबी, कफ, खांसी, गर्भावस्था, स्तन्य काल, बच्चों के विकास, स्तन्य (दूध) वृद्धि, योनि, गुदा, फेफड़ा, माहवारी, नाक से अधिक रक्तस्राव प्रसवोपरान्त बीमारी (Postnatal Complication) में चौलाई के रस में नीबू, शहद डालकर पीने से चमत्कारिक लाभ होता है।

उम्र बढ़ने के साथ कैल्शियम तथा लोहा का मेटाबॉलिस्म अस्त व्यस्त हो जाता है। कैल्शियम के अणु उत्तकों में जमा होकर वार्धक्य को हवा देते हैं। कैल्शियम वितरण गड़बड़ होने से लोहे का आण्विक गति अनियमित हो जाता है। शरीर में प्रतिदिन पर्याप्त मात्रा में लोहा तथा कैल्शियम की आपूर्ति होते रहने से कैल्शियम तथा लोहा के आण्विक अव्यवस्था को ठीक किया जाता है, इस दृष्टि से चौलाई तथा पालक का रस अत्यन्त उपयोगी है। चौलाई का रस डेढ दो चम्मच से ज्यादा नहीं लें अन्यथा उल्टी हो सकती है। विकासशील शिशुओं को चौलाई का रस देने से उन्हें सभी आवश्यक प्रोटीन मिल जाते हैं। इसका बीज का काढा या पावडर ल्यूकोरिया तथा अन्य अनेक रोगों में लाभदायी है।

कांटे वाली चौलाई हर जगह अपने आप बिना बोये भी उग जाती है। इसका क्षुप दो फीट झारीदार, पत्ते मालाकार के नुकीले लाल व नीले रंग के एक डेढ़ इंच लम्बे होते हैं। पत्तों के मूल में तीक्ष्ण काँटे होते हैं। इसमें प्रोटीन, वसा, खनिज तथा विटामिन प्रचुर मात्रा में होता है।

चौलाई के सर्वांग रस का उपयोग मदहोशी अथवा अधिक शराब के नशे को कम करने के लिए, पीलिया, यकृत के सभी रोग, रक्तपित्त तथा उन्माद रोग को दूर करने में किया जाता है। इसकी जड़ का रस या सूप सुजाक तथा रक्त प्रदर में देते हैं। इसकी जड़ का रस गाँठ, फोड़े, विसर्प तथा अन्य चर्म रोग में लगायें। इसके पत्ते के रस, सूप तथा सब्जी के उपयोग से मूत्रकृच्छ, गंडमाला, गर्भपात, श्वेतप्रदर, गठिया, उच्चरक्तचाप, कब्ज, पित्त व कफ वृद्धि, सूजन, कब्ज, बवासीर, पागलपन, हृदयरोग, संधिवात, बाल गिरना, तथा पथरी रोग दूर हो जाते हैं। इसका एक अन्य प्रकार जल-चौलाई है। यह जल के पास होती है। यह तिक्त रस युक्त, वायुदोष तथा रक्तपित्त को दूरी करती है। इसका रस एक या दो चम्मच ही उपयोग में लायें।

पोई का साग

(वानस्पतिक नाम—Basella Rubra Linn
अंग्रेजी नाम—Indian Red Spinach)

यह बेसेलेसी (Basellaceae) परिवार का प्रसिद्ध शाक है। हिन्दुस्तान में इसकी खेती सभी जगह की जाती है। यह लता सदृश फैलने वाली है। यह वनों में अपने आप उग आती है। इसके पत्ते शीशम की तरह गोलाकार, मोटे तथा गूदेदार होते हैं। इसमें लालाभ सफेद पुष्प आते हैं। यह दो प्रकार की होती है। सफेद तथा लाल यह शीतल, स्निग्ध, कफजनक, वात-पित्त नाशक, कंठ के लिए किंचित हितकर, पिच्छिल, निद्रा तथा शुक्रजनक, रक्त-पित्तनाशक, बलदायक, रुचिकर, पथ्य, वृहण (रक्त रसादि वर्द्धक) तथा तृप्तिकारक होता है। इसकी सब्जी, रस तथा सूप बच्चों तथा महिलाओं के रक्तहीनता, कोष्ठबद्धता, मानसिक एवं नाड़ी दौर्बल्य, कृशता, कोष्ठगत रुक्षता, रक्तार्श तथा सुजाक में अति उपयोगी है। इसमें विटामिन 'ए' 12,400 अ.ई., बी-1 0.13, बी-2 0.16, बी-3 0.5, C 87, Ca 200, P 35, Fe 35, मि.ग्रा. प्रति सौ ग्राम में होते हैं।

मेथी का शाक

(वानस्पतिक नाम—Trigonella Foenumgraecum
अंग्रेजी नाम—Fenugreek Leaves)

यह पपिलिओनेसी परिवार का प्रमुख शाक है। मेथी का शाक वात, कफ तथा ज्वरनाशक होता है। यह अति पौष्टिक तथा शीतलता प्रदाता है। इसके पत्ते का रस, सब्जी तथा सूप संधिवात, रक्तवात, गठिया, र्‌यूमेटिज्म, दृष्टि दोष, स्नायविक विकार, सभी प्रकार के चर्म रोग, जीर्ण प्रतिश्याय, बार-बार छींकें आना, सायनोसाइटिस, रिनाइटिस, अत्यधिक कफ प्रकोप, यकृत, हृदय, फेफड़े, स्नायु तथा मस्तिष्कीय रोग, कमर दर्द, अजीर्ण, वायुफुल्लता, खट्टी डकार तथा सभी प्रकार के उदर रोग में लाभदायक है।

मेथी के पत्तों में ट्रिगोथिन रसायन पाया जाता है। 100 सी.सी. मेथी के रस में एक चम्मच शहद मिलाकर लेने से यकृत दोष, यकृत की वृद्धिजन्य कठोरता, संधिवात, दर्द, सूजन तथा मधुमेह में लाभ करता है। इसके रस तथा चटनी से सिर को धोने से बाल चमकदार एवं स्वस्थ होते हैं। चेहरे पर इसका लेप करने से चेहरे का सौन्दर्य निखरता है। सूजन, मोच, गाँठ पर इसकी गर्म पुल्टिस बाँधें। नेत्र रोग में इसकी पत्तियों के रस में शहद व नींबू रस मिलाकर डालें।

लोणा का शाक

(वानस्पतिक नाम—Portulaca Quadrifida Linn)

लोणा या नोनिया का शाक सभी जगह होता है। यह अपने आप उगने वाली तथा कृष्य दोनों प्रकार की होती है। यह दो प्रकार की होती है—छोटी लोणा (Portalaca Quadrifida Linn) तथा बड़ी लोणा (P. Oleracea) दोनों ही पोर्टुलेकेसी (Portulacaceae) परिवार के सदस्य हैं। इनके पत्ते अंडाकार, अल्यवृन्तयुक्त, लालाभ, हरे रंग के खट्टे खारी होते हैं। इनके पुष्प पीले तथा शाखाएँ सूत जैसी पतली होती हैं। इसकी शाक बड़ी ही स्वादिष्ट बनती है। आयुर्वेद के मतानुसार छोटी लोणा लवण तथा अम्ल रस युक्त, रुक्ष, गुरु,अग्निदीपक एवं वात, कफ, अर्श, अग्निमंदता तथा विषनाशक है। बड़ी नोनिया अम्ल रस युक्त, सारक, उष्ण, वातकारक एवं कफ, पित्त, व्रण, गुल्म, श्वास, खाँसी, प्रमेह, शोथ, हकलाना आदि वाणी दोष तथा विभिन्न नेत्र रोगों को दूर करने वाली होती है। बड़ी लोणा शीतल, शोथहर तथा रक्तशोधक है। इसके बीज मूत्रजनक, कृमिघ्न, तथा स्नेहन होते हैं। इसका पत्र स्वरस वृक्कशोथ, अर्श वस्तिशोथ, रक्तपित्त तथा ज्वर को दूर करता है। विसर्प, मोच, चोट, सूजन, दाह एवं शोथ में इसका रस लगाकर पुनः इसे पीसकर लेप करें। छोटी लोणा का रायता खाने से मंदाग्नि दूर होती है तथा नेत्रज्योति बढ़ती है। इसे अच्छी तरह साफ कर प्रयोग में लायें। बड़ी लोणा की सब्जी तथा रस का प्रयोग कब्ज में मृदु रेचक के रूप में शरीर की जलन, मंदाग्नि, मूत्राशय की विकृति, रक्त दूषित होने तथा विषनाश के लिए अवश्य करें। ऑपरेशन के बाद तथा किसी प्रकार के घाव सुखाने तथा भरने के लिए इसका रस, सब्जी व सूप का निरन्तर प्रयोग करें। लोणा को कुल्फा साग भी कहते हैं।

सरसों का शाक

(वानस्पतिक नाम—Brassica Campestris अंग्रेजी नाम—Mustard Leaves)

सरसों का शाक भी हर कहीं उपलब्ध हो जाता है। सरसों की कोमल पत्तियों का शाक कटु रस युक्त, बहुमूत्रल, अधिक मल निकालने वाला, पचने में भारी, विपाक में अम्ल रस युक्त, विदाही, उष्ण, रुक्ष त्रिदोषकारक, क्षारयुक्त, लवण रस वाला, तीक्ष्ण एवं स्वादिष्ट होता है। भावप्रकाश निघंटु ने सरसों के शाक को सभी शाकों से निकृष्ट माना है। यह सारक, अम्ल-पित्तकारक, स्वादिष्ट, गरम, खारा, कषैला एवं कफघ्न होता है। इसमें लोहा, कैल्शियम, फॉस्फोरस, ताँबा, विटामिन 'ए', बी-1, बी-2, बी-3, प्रचुर मात्रा में होते हैं। इसके कोमल पत्ते की सब्जी, सूप तथा रस का उपयोग रक्तहीनता, कोष्ठबद्धता तथा मूत्रकृच्छ, अरुचि, वायु

और कफ वृद्धि, वमन, खुजली तथा मंदाग्नि में करते हैं। मल-मूत्र बढ़ाने तथा पेट की सफाई के लिए सरसों को डण्ठल सहित सब्जी, रस तथा सूप का प्रयोग करें। सरसों के साग में डाइइण्डोलाइलमिथेन सल्फोराफेन, सेलेनियम, एरोमेटिकआइसोथायोसाइनेट, इंडोल्सादि प्रमुख अत्यन्त जैव सक्रिय रसायन होते हैं जो सभी प्रकार के वायरस, बैक्टीरियाओं यहाँ तक कि कैन्सर कोशिकाओं को नष्ट करने की क्षमता रखते हैं। शाकों में रफेज की मात्रा ज्यादा होने से आयुर्वेद शास्त्रियों ने इसे निम्नतम आहार माना है क्योंकि उससे पेट की सफाई एवं मल की मात्रा बढ़ जाती है। आयुर्वेद शास्त्रियों की दृष्टि में वह आहार श्रेष्ठ है जिसे खाया जाये अधिक परन्तु निष्कासन कम हो जैसे घी और दूध। परन्तु आधुनिक आयुर्विज्ञान ने यह सिद्ध कर दिया है कि आँत व अन्य कैंसर तथा सभी प्रकार की बीमारियों से मुक्ति के लिए आहार में पर्याप्त मात्रा में रफेज होना अति आवश्यक है। अतः सरसों का साग स्वादिष्ट, स्वास्थ्यप्रद एवं सर्वश्रेष्ठ है।

चूका का शाक

(वानस्पतिक नाम—Rumex Vesicarius Linn अंग्रेजी नाम—Bladder Dock)

यह पॉलिगोनेसी परिवार का प्रमुख सदस्य है। इसके पत्ते अण्डाकार, लट्वाकार तथा आयताकार 1 से 3 इंच लम्बे होते हैं। इसका क्षुप 6 से 16 इंच तक होता है। पत्ते का आधार हृदयवत तथा लम्बे वृत्त युक्त होते हैं। इसमें सफेद तथा गुलाबी फूल आते हैं। आयुर्वेद मतानुसार यह दीपन, रुचिकर, अम्लरस युक्त, खट्टा रक्त साफ कर सौन्दर्य बढ़ाने वाला, स्वादिष्ट, रुचिकर, कफ व पित्त उत्पन्न करने वाला, बैंगन के साथ खाने से अत्यधिक रुचिकर, शोथघ्न, सारक तथा वेदनास्थापक होता है। इसकी जड़ का रस 20 मि.ली. दिन में तीन बार लेने से रक्त, यकृत व लिम्फ सम्बन्धी रोग दूर होते हैं। आमाशयिक प्रदाह, पित्त-प्रकोप, पीलिया, ग्रसनीशोथ, चर्म रोग, खाँसी, पित्तातिसार आँव, वमन, क्षुधानाश, मंदाग्नि में इसकी सब्जी, रस तथा सूप दें। इसे खट्टा पालक भी कहा जाता है। इसका भुना बीज वमन, मिचली, मंदाग्नि, प्रदर, पेचिश तथा अल्पकालिक ज्वर में लाभ करता है।

इसके पंचांग का रस, सूप तथा सब्जी के उपयोग से अरुचि, वायुफुल्लता, गैस बनना, कफ एवं पित्त की कमी, कमजोरी, शारीरिक, मानसिक एवं स्नायविक दौर्बल्य दूर होते हैं। इसमें कैरोटिन 3600 अ.ई. तथा लोहा 8.7 मि.ग्रा. प्रति सौ ग्राम में होते हैं। यह आँखों तथा रक्तहीनता की उत्तम औषधि है। इसमें Ca - 17, P- 17 बी-1, 0.03 बी-2, 0.06, बी-3 0.2, तथा 'सी' 12 मि.ग्रा. प्रति सौ ग्राम में होते हैं।

चने का शाक

(वानस्पतिक नाम—Cicer Arietnum अंग्रेजी नाम—Bengal Gram Leaves)

आयुर्वेद के अनुसार चने का शाक रुचिकर, देर से पचने वाला, कफ तथा वातकारक, अम्लरस युक्त, विष्टम्भ पैदा करने वाला पित्त तथा मसूढ़े की सूजन को दूर करने वाला होता है। इसके शाक में उच्चतम किस्म का प्रोटीन 7 प्रतिशत, वसा 1.4 प्रतिशत, कार्बोज 14.1 प्रतिशत, विटामिन 'ए' 161 अ.ई., बी-1 0.9, बी-2 0.10, बी-3 0.6 मि.ग्रा. प्रति सौ

ग्राम होता है। इसके ताजे पत्ते का रस, सब्जी तथा सूप दाँतों में दर्द, दृष्टि मंदता, पित्त वृद्धि, अरुचि तथा पेशाब रुकावट की तकलीफ को दूर करता है। इन रोगों में सूखे पत्ते का काढ़ा भी प्रयोग में लायें।

सोया का शाक

(वानस्पतिक नाम—Anethum Sowa Kurz Peucedanum Araveolens)

यह अंबेलिफेरी (Umbellieferae) परिवार का सदस्य है। इसके पौधे एक से तीन फुट तक ऊँचे, पत्ते कई भागों में बँटे हुए बारिक तथा अत्यन्त नाजुक होते हैं।

भावप्रकाश निघंटु के अनुसार यह परिपाक में लघु, तीक्ष्ण, पित्तकारक, अग्निदीपक, कटुरस युक्त, उष्ण वीर्य एवं ज्वर, वातश्लेष्म, व्रण, शूल तथा नेत्र संबंधी रोग को दूर करने वाला है। पाचक, निद्राजनक, उत्तेजक, स्तन्य दुधवर्द्धक होता है। इसके प्रयोग से मंदाग्नि दूर होती है। गुल्म, उदरशूल, ज्वर, गर्भाशय के दर्द, मासिक सम्बन्धी दर्द, कष्ट रज, संधिवात तथा गठिया रोग दूर होते हैं। महिलाएँ इसका निरन्तर प्रयोग करती रहें तो उन्हें वातजन्य बीमारी नहीं होती है।

मिस्रवासी इसकी पत्तियों को टोपियों में लगाते हैं क्योंकि उनकी मान्यता है कि इससे नींद आती है। इससे दूध बढ़ता है। प्रसूति के समय का यह उत्तम शाक है। इससे कैरोटिन 15970 अ.ई., बी-1 0.03, बी-2 0.13, बी-3 0.2 तथा 'सी' 25 मि.ग्रा. प्रति सौ ग्राम होते हैं। सोया तथा अजवायन के पत्ते का रस 50 सी.सी. लेने से युवतियों के मासिक संबंधी रोग दूर होते हैं।

सोया का शाक, सब्जी, रस तथा सूप के उपयोग से यकृत दोष, उदर शूल, अत्यधिक माहवारी, कर्ण शूल, प्रमेह, योनिशूल, गुर्दे की खराबी तथा प्लीहा वृद्धि में लाभ करता है। इसके शाक को पीसकर संधि-सूजन एवं शूल पर पुल्टिस बाँधें। फोड़े व फुंसियों पर इसकी पुल्टिस बाँधने से शीघ्र लाभ मिलता है। वातज व्याधि में इसकी पत्तियों से सिद्ध तेल की मालिश करें। मेथी तथा सोयाबीज चूर्ण सममात्रा में 20 ग्राम लेकर ऊपर से छाछ पीने से संग्रहणी, उदर शूल, गैस आदि पेट के रोग दूर होते हैं।

मटर का शाक

(वानस्पतिक नाम—Pisum Sativum अंग्रेजी नाम—Peas Leaves)

मटर के कोमल पत्तों को कच्चा तथा पकाकर खाने से अति स्वादिष्ट लगता है। कच्ची पालक, मटर, खेसारी, सलाद, चना की कच्ची भाजी अति स्वादिष्ट एवं पौष्टिक होती है। भाव प्रकाश निघंटु के अनुसार मटर का शाक मल को भेदन करने वाला, लघु, तिक्त रस युक्त तथा त्रिदोषनाशक होता है। इसका शाक, रस, या सूप लेने से प्यास, मस्तिष्क तथा शरीर की गर्मी शान्त होती है। शुष्क बलगम ढीला होकर निकलता है। अधिक खाने से उदर शूल एवं वायुविकार की तकलीफें होती हैं।

पटुआ का शाक

(वानस्पतिक नाम—Corchorusolitorius Linn and Corchorus Capsularis)

पटुआ का शाक टिलिएसी (Tiliaeae) परिवार का प्रमुख शाक है। इसके कोमल पत्तों का स्वादिष्ट शाक बनाया जाता है। आयुर्वेद के मतानुसार पटुआ का शाक रक्तपित्त नाशक, विष्टम्भ जनक, वात को कुपित करने वाला, स्नेहन, प्रदाह शामक, मूत्रजनन, संग्राहक, ज्वरघ्न व बल्य होता है। इसके अत्यधिक कोमल पत्तों का रस तथा शाक खाने से नेत्रज्योति बढ़ती है। पेट की गर्मी शान्त होती है तथा अरुचि दूर होती है।

सलाद का पत्ता

(वानस्पतिक नाम—Lactuca Sativa Linn अंग्रेजी नाम—Salad or Lettuce)

यह Compositae परिवार का प्रमुख शाक है। विश्व में पत्तों वाली सब्जियों में लेटुस सलाद को जितनी प्रसिद्धि मिली है उतनी किसी भी अन्य शाक-भाजी को नहीं। यह एक ऐसी अन्तर्राष्ट्रीय ख्याति प्राप्त, सर्वलोकप्रिय सब्जी है, जिसे प्रत्येक देश तथा जाति के लोग कच्चा ही खाना पसन्द करते हैं। इसलिए इसका हिन्दी नामकरण सलाद अर्थात् कच्ची खाई जाने वाली सब्जी किया गया है। इसे सलाद फल एवं सब्जियों का चक्रवर्ती सम्राट माना जाता है। 550 ईसा वर्ष पूर्व पर्सियन रॉयल्टी ने इसका प्रयोग किया था।

सम्राट ऑगस्टस सीजर लेटूस को बेहद पसन्द करते थे। वे सिर्फ सलाद के प्रयोग से नाना प्रकार के व्याधियों से मुक्त हुए थे। सहस्त्र शताब्दियों से लेटुस मिस्त्र तथा यूनान का प्रमुख भोजन रहा है। कुछ विद्वानों का मानना है कि इसका जन्मस्थान भारत है क्योंकि आज इसकी अन्य प्रजाति (Prickly Lettuce वा.ना. Lactuca Serriola Linn) हिमालय की पहाड़ियों में 6 से 12 हजार फीट की ऊँचाई पर मिलती हैं। इसके पत्ते खंडित तथा कंटकित होते हैं। इसके बीज औषधि के रूप में प्रयुक्त होते हैं। बीज आयताकार, 1 से.मी. लम्बे तथा 1-2 मि.मी. चौड़े धूसर रंग के होते हैं। इसके बीजों का चूर्ण खाँसी, कास में तथा इसका काढ़ा अनिद्रा रोग में देते हैं। सिरदर्द, अनिद्रा, गंजापन व बालों के तेजी से गिरने की स्थिति में इसका लेप सिर पर करें।

बीजों का तेल भी अनिद्रा, ज्वर तथा बालों के लिए अति उपयोगी है। एक अन्य प्रकार के विदेशी सलाद (Lactuca Virosa Linn) के दूध को संग्रह कर सलाद अफीम (Lactucarium) बनायी जाती है। यह विशिष्ट वन्य सलाद (L.V.) मूत्रल, शामक तथा निद्राजनक होता है।

इस प्रकार से सलाद की कई प्रजातियाँ हैं। इन प्रजातियों को सलाद के पत्ते का रंग, संरचना तथा आकार के आधार पर पृथक किया जाता है। प्राय: पत्तों का रंग हल्का हरा से लेकर गाढ़ा हरा होता है। कुछ के पत्ते पत्ता गोभी की तरह चारों तरफ ढीले-ढीले लटके हुए तो कुछ के पत्ते सीधे सपाट, खींचे हुए तथा कुछ के पत्ते Curls में विकसित होते हैं। प्राय: खाने में

बागी सलाद (Garden Lettuce or Lactuca Sativa Linn) ही काम में लिए जाते हैं। इसकी खेती सभी जगह की जाती है। अमेरिका तथा अन्य पाश्चात्य देशों में इसकी खेती काँच घरों के अन्दर की जाती है ताकि इसकी पूर्ति बराबर होती रहे। इसमें बेजाड़ पोषक एवं रोग-निवारक तत्त्व पाये जाते हैं। प्रति सौ ग्राम सलाद में Ca 0.05 प्रतिशत, P 0.03 प्रतिशत, Fe 2-4, Mg 30, Na 58, K 33, Cu 0.08, S 27, Cl 23, विटामिन बी-3 0.4 व 'ई' 14 मि.ग्रा. होते हैं। कैरोटिन 2,200 अ.इ., बी-1 40 मि.ग्रा., बी-12 120 माइक्रो ग्राम पाये जाते हैं। खाये जाने वाले सलाद के रस में भी न्यून मात्रा में ''लेक्टूकेरियम'' शामक द्रव्य होता है। इसका प्रभाव मृदु हिप्नोटिक अनिद्रानाशक होता है।

सलाद माइनर एशिया, ईरान तथा तुर्किस्तान का मूल निवासी है। अमेरिका तथा पाश्चात्य देशों में इसका सर्वाधिक उपयोग किया जाता है Genus–Lactuca Species Sativa तथा कम्पोजिटी परिवार के इस शाक के चार समूह हैं—(1) हेड टाइप वैराइटी—कैपिटेटा। इसे भी दो भागों में बाँटा जा सकता है—(अ) क्रिस्पहेड (ब) बटर हेड, (2) लीफ कटिंग टाइप वैराइटी क्रिस्प, (3) कॉस या रोमेन टाइप वेराइटी—लांगिफोलिया, (4) एसपरागस टाइप वैराइटी एस. पेरागिना। क्रिस्पहेड में ग्रेट लेक्स, न्यूयॉर्क, आइसबर्ग, इम्पीरियल, बटर हेड समूह में व्हाइट लीफ कटिंग समूह में चाइनीज येलो, स्लोबोल्ट तथा स्टीम समूह में सेल्यूटूस जातियाँ प्रसिद्ध हैं। भारत में ग्रेटलेकस, चाइनीज यलो, इम्पीरियल—847, स्लोबोल्ट, पेरीस व्हाइट, गोल्डेन बॉल पेरिस कास, लिटिल जेम, गोल्डन बॉल, बरपीयना तथा वन्डरफुल विशेष प्रसिद्ध हैं।

सलाद को चन्द्रसूर तथा ऊल्ली इल्ले भी कहते हैं। इसमें मौजूद 'आइसोथायोसाइनेट्स' शक्तिशाली एण्टीऑक्सीडेन्ट पाया जाता है। यह शरीर में संचित विषैले विजातीय पदार्थ से लड़ने जूझने एवं निकाल बाहर करने में लीवर की सहायता करता है।

यह स्नायविक तनाव एवं विक्षोभ को दूर कर अनिद्रा को दूर करता है। इसमें विटामिन 'इ' पर्याप्त मात्रा में होने से यह काम ऊर्जा को सशक्त बनाकर प्रजनन क्षमता को बढ़ाता है। प्रारम्भ में जिन्हें अपक्वाहार के प्रयोग से अजीर्ण या वायुफुल्लता की शिकायत होती है वे सलाद के कच्चे पत्ते से प्रारम्भ कर सकते हैं। कच्चा सलाद पचने में अति हल्का होता है। अतः इसे कमजोर पाचन संस्थान वाले भी आसानी से खा सकते हैं।

सलाद का पत्ता किसी भी फल या सब्जी के सलाद के साथ मिलकर सलाद के स्वाद एवं पोषण क्षमता को बढ़ा देता है। इसमें उच्चतम किस्म का शीघ्र अवचूषित एवं सात्मीकृत होने वाला विटामिन 'ए' 'बी' तथा 'सी' लोहा एवं कैल्शियम होता है। सलाद के कैल्शियम का 80 प्रतिशत भाग अवचूषित हो जाता है। प्रयोगों से देखा गया है कि इसके प्रयोग से जीवन दीर्घायु एवं स्वस्थ होता है। सलाद के पत्तों को अच्छी तरह धो लें। सलाद को ताजा ही काम में लें। बहुत समय तक पड़े रहने से इसकी पोषण क्षमता कम हो जाती है। उत्तम तो यह है कि प्रत्येक व्यक्ति को घर पर ही सलाद उगाना चाहिए। सलाद 30 दिन में तैयार हो जाता है। सलाद के पौधों में फूल, फल या बीज आ जाने पर इसके पत्ते तथा डण्ठल कठोर हो जाते हैं। कठोर

पत्तों को कच्चा नहीं खाएँ, इसे उबालकर काम में लें। ढीले-ढाले लटकने वाले सलाद के प्रकार में विटामिन 'ए' 700 से 7000 मा. ग्राम प्रति सौ ग्राम में होता है। हाल ही में किये गये कुछ प्रयोगों से यह बात स्पष्ट हो गई कि लेटुस में 'स्टैफीली कोकस' नामक भयंकर रोगाणु को समाप्त करने की क्षमता है। कनाड़ा के डब्ल्यू.जी. बेकर तथा अन्य विज्ञानियों का कहना है कि संक्रमण 'स्टफ' से बचने के लिए प्रतिदिन 50 से 100 ग्राम सलाद खायें।

सलाद के प्रयोग से मूत्रकृच्छ कम होता है तथा पेशाब अधिक होता है। चेचक तथा अन्य संक्रामक रोगों से लोहा लेने की प्रबल क्षमता है सलाद में। इसमें कार्बोज की मात्रा अति न्यून किन्तु उच्चतम किस्म की होती है फलतः यह मधुमेही रोगियों के लिए श्रेष्ठ आहार है। इसे सलाद तथा रस के रूप में प्रयोग करने से स्नायविक व मानसिक कमजोरी एवं विक्षोभ, तनाव, न्यूरेस्थेनिया, तीव्र क्षोभोन्माद, तीव्र हृदय की धड़कन तथा अनिद्रा रोग ठीक होते हैं। इसके पत्ते के बाह्य हिस्से पर जिस पर सूर्य की किरणें पड़ती हैं उसमें आन्तरिक हिस्से की अपेक्षा विटामिन 'ए', डी तथा अन्य पोषक तत्व अधिक होते हैं।

पटसन या पिटवा का शाक

(वानस्पतिक नाम—Hibiscus Cannabinus अंग्रेजी नाम—Gogu)

पटसन माल्वेसी परिवार का सदस्य है। राजनिघण्टु तथा कैयदेव निघण्टु के अनुसार पटसन का शाक अम्ल एवं कषाय रस युक्त, कफ, व कण्ठवेदना को नाश करने वाला होता है। यह वात रोग तथा कफनाशक, रुचिकर तथा भूख को खूब बढ़ाने वाली होती है। इसके पौधे 4-5 फुट ऊंचे, शाखाएँ काँटेदार, पत्ते 3 से 5 कोण वाले दन्तुर, हृदयाकार तथा खट्टे होते हैं। वैसे इस पौध का सर्वांग खट्टा होता है। इसमें हल्के पीले रंग के फूल आते हैं। पुष्पदल के मध्य का भाग बैंगनी रंग का होता है। फल गोलाकार, नुकीले, सूक्ष्म, रोयेंदार, काँटे वाले होते हैं। इसकी खेती तन्तु के लिए करते हैं परन्तु इसके कोमल पत्तों का अति स्वादिष्ट शाक बनता है। इसका खट्टापन स्वाद को बढ़ा देता है। इसके पत्ते तथा पुष्प स्नेहन, विरेचक, रुचिकर तथा हृदय को बल देने वाले होते हैं। पित्त प्रकोप में इसकी सब्जी अत्यन्त प्रभावकारी है। इसके बीज भूरे रंग के होते हैं। इसका तेल मोच में अति उपयोगी है। इसको खाने से पुष्टिवर्द्धन होता है। लाल पटसन में गहरे लाल रंग के फूल होते हैं। इसके खट्टे फूल एवं पत्तों में टार्टरिक तथा मैलिक अम्ल होते हैं जिससे स्वादिष्ट शर्बत बनाया जाता है।

कैंसर के लिए महाविनाशकारी क्रुसीफेरस सब्जियाँ

ब्रेसीकेसी (Brassicaceae) परिवार अथवा क्रुसीफेरस सब्जियाँ एक ही परिवार के सदस्य हैं जिनमें दर्जनों कम से कम 35 प्रकार की सब्जियाँ हैं जिनका उपयोग आहार एवं औषधि के रूप में किया जाता है। सभी प्रकार की गोभियां जैसे केले चाइनीज ब्रोकोली, पत्तागोभी, गांठगोभी, फूल गोभी, कोलाइग्रीन्स, बुसल्स स्प्राऊट, ब्रोकोली, ब्रोकोफ्लावर, शलगम, कनोला का शाक, सरसों का शाक, ब्रोकी सेमनेस्की, जंगली ब्रोकोली, खोल राबी (Kholrabi), मूली, वाटर क्रेस, गार्डेन क्रेस, हासरेडिस (सॉस बनाया जाता है) आदि सब्जियाँ प्रायः हर देश में खायी

जाती है। इस परिवार के अन्य सब्जी सदस्य मिजुना (Mizuna) रैपिनी (Rapini Broccolirabe) फ्लावरिंग कैबेज (Flawering Cabbage) चायनीज कैबेजनेपा (Chinese Cabbage Napa) रूटा बगा (Rutbaga) साइबेरियन केले (Siberian Kale) कनोला/रेपसीड की पत्तियाँ (Canola/ Rapeseed, Greens) रेप्ड हार्ट मस्टर्ड कैबेज (Wrapped Heart Mustard Cabbage), सरसों बीज भूरा, सफेद काला (Mustard Seed, Brown, White, Black) ततसोइ (Tatsoi) इथोपियन मस्टर्ड (Ethiopian Mustard) डाइकॉन (Daikon) रिलवासबी (Realwasbi) तथा बॉक चोय (Bokchoy) है।

क्रुसीफेरस सब्जियों में जबरदस्त शक्तिशाली एण्टीकेन्सर बायोएक्टिव फाइटो केमिकल डाइण्डोलाइल मिथेन (Di Indolyl Methane), सल्फोराफेन (Salforaphane) तथा सेलेनियम पाया जाता है कैलिफोर्निया विश्वविद्यालय बर्क ले (Berkley) के वैज्ञानिकों ने इन सब्जियों में 3, 3-डाइइण्डोलाइलमिथेन नामक अत्यन्त शक्तिशाली एवं सक्रिय जैव रसायन की खोज की है, जिसका प्रभाव एण्टीवायरल, एण्टी बैक्टीरियल तथा एण्टी कैन्सरस् होता है, कनाडा की यूनिवर्सिटी ऑफ टोरोन्टो, बोस्टन की हावार्ड स्कूल ऑफ पब्लिक हेल्थ तथा अन्य कई विश्वविद्यालय के वैज्ञानिकों ने क्रुसी फेरस सब्जियों में एक असाधारण सक्रिय प्रमुख जैव रसायन आयसोथायसायनेट्स की खोज की है जो ग्लूथिओन एस-ट्रान्सफेरेसेस (Gluthione S-transferases, GSTS) से जुड़कर ऐसा युग्मक एन्जाइम बनाता है जो कैंसरकारी तत्वों से कोशिकाओं को नष्ट होने से बचाता है। फ्री ऑक्सीजन रेडिकल को निकाल बाहर करता है, उनके दुष्प्रभाव को उदासीन बना देता है साथ ही मायोकार्डियल इन्फ्राक्शन होने की संभावना को खत्म कर देता है। युग्मक एन्जाइम, मायोकार्डियल इन्फ्राक्शन पैदा करने वाले जहरीले तत्व को कान पकड़कर निकाल बाहर करता है। कैंसर के रोकथाम एवं उपचार में अत्यन्त उपयोगी होता है।

कमाल का है ब्रोकोली यानि हरे रंग की फूल गोभी

ब्रोकोली क्रुसीफेरी यानि ब्रेसीकेसी परिवार, ब्रेसिका जिन्स (Genus) ओलेकेसिया विशिष्ट एपिथेट (Specific Epithet) इटालिका, बॉट्राइटिस ग्रुप का आरोग्यवर्द्धक क्रान्तिकारी सदस्य है। इसकी कई किस्में है जिसमें इटालिका ग्रुप का ब्रोकोली ब्रोट्राइटिस। इटालिका ग्रुप का ब्रोकोली रोमानेस्को तथा इटालिका X बॉट्राइटिस (Italica X Botrytis Group) का ब्रोकोली रेब रेपिनि (Broccolirabe-Rapini) मुख्य सब्जी सदस्य है जिनका उपयोग किसी न किसी जगह किया जाता है।

वर्तमान में ब्रोकोली भारत में पर्याप्त मात्रा में उगाये जाने लगा है। गोभी परिवार का यह क्रान्तिकारी सर्वहारा साम्यवादी सब्जी है। यह हर प्रकार के बजुर्वा रोगों से लड़ने की कुव्वत रखता है और उन्हें धराशायी करता है। इसकी रोग एवं रोगाणुओं के संहारक क्षमता को देखते हुए ब्रोकोली विश्व के अनेक प्रयोगशालाओं के वैज्ञानिकों का प्रिय अनुसंधान सब्जी बन गया

है। ब्रोकोली के रेशे-रेशे में प्रकृति ने रोगाणुओं को मारने की प्रबल शक्ति भर रखी है। ब्रोकोली के डण्ठल तथा उसके फूलों एवं पत्तियों में रोगाणुओं को मारने वाले सैकड़ों प्रकार के एण्टीबैक्टीरियल कम्पाउण्ड्स पाये जाते हैं। अध्ययन में ब्रोकोली में शक्तिशाली एण्टीबैक्टीरियल सक्रियता प्रदर्शित की है! वैज्ञानिकों ने उस सक्रिय जैव रसायन को ब्रोकोली से पृथक करके परखा है। यह महान शक्तिशाली सक्रिय जैव रसायन आयसोथायसायनेट्स है। आयसोथायसायनेटस ई. कोलाई (Escherichia Coli) स्टेफाइलोकोकस ओरियस (Staphylococus Aureus) तथा चामाइडिया (Chalmydia) जैसे खतरनाक कीटाणुओं को नियंत्रित करके नष्ट कर देता है।

ब्रोकोली से अब तक सात परमशतिशाली पोटेशियल कम्पाउण्ड को पहचान कर ली गयी है। ये सभी फाइटो पोटेंशियल कम्पाउण्ड इतने प्रभावशाली एवं सक्रिय हैं कि क्लेबसिएलान्यूमोनी (Klebsiella Pneumoniae) एसपेरिगिल्लस फ्लेवस (Asperigillus Flavus) तथा बेसिलस सेरिअस (Bacillus Cereus) जैसे खतरनाक रोगाणु भी इनसे नष्ट हो जाते हैं।

ब्रोकोली से सातों शक्तिशाली सक्रिय रसायन अलग भी कर लिए गये हैं। ये सभी रोगाणुओं को नष्ट करने में समर्थ है। परम शक्तिशाली एवं सक्रिय यौगिक 6-मिथाइल सल्फीनाइल हेक्साइल आयसोथायोसाइनेट (6-Methyl Sulfinylhexyl Isothiocynates) तथा इसके कुछ सहधर्मी (Homologues) फाइटो केमिकल भी स्टेफिलो कोकस ऑरेस (Staphylococus Aureus) तथा ई. कोलाई (Eschericha Coli) को भी खत्म कर देता है। इसके तीन होमोलोगस (सहधर्मी) भी उपयुक्त रोगाणुओं के साथ-साथ अन्य रोगाणुओं को भी खत्म कर देते हैं।

ब्रोकोली में मौजूद आर्गेनोसल्फर फाइटो केमिकल में प्रोस्टेट ग्लैंड के कैंसर को दूर करने की अपूर्व क्षमता है। ब्रोकोली प्लान्ट ऊतकों में उपस्थित एमिनो एसिड के जैव संश्लेषण द्वारा आर्गेनो सल्फर फाइटो केमिकल में प्रोस्टेट ग्लैंड के कैंसर को दूर करने की क्षमता है। ब्रोकोली के प्लान्ट ऊतकों में मौजूद एमिनो एसिड के जैव संश्लेषण से आर्गेनो सल्फर बनता है जो एण्टी बी.पी.एच. (Benign Prostate Hyperplasia) होता है।

विश्व के समस्त वनस्पतियों में अब तक सौ प्रकार के थायोग्लूकोसाइड्स खोजे गये हैं। इनमें से चार प्रकार तो सिर्फ ब्रोकोली में पाया जाता है। इन चारों प्रकार के थायोग्लूकोसाइड्स में ओवरी तथा ब्रेस्ट कैन्सर को नष्ट करने की प्रबल क्षमता है। बोकोली में इंडोल्स पाया जाता है। यह परम शक्तिशाली फाइटो केमिकल है जो पुरुषों तथा महिलाओं में टेस्टोस्टेरॉन तथा एस्ट्रोजन हार्मोन को नियंत्रित एवं नियमित करता है। टेस्टोस्टेरॉन की कमी से प्रोस्टेट ग्लैंड की वृद्धि होने लगती है। प्रोस्टेट ग्लैंड से होने वाला स्राव भी कम हो जाता है। एस्ट्रोजन की अधिकता स्तन कैंसर पैदा कर सकता है। ब्रोकोली में 6 प्रकार के इंडोल्स पाये जाते हैं। इसमें दो प्रकार इंडोल्स को पहचानने में वैज्ञानिक सफल हुए हैं जो प्रोस्टेट ग्लैंड से निकलने वाले हार्मोन की कमी को दूर करते हैं। प्रोस्टेट ग्लैंड की वृद्धि तथा सूजन से बचाते भी हैं। दो अन्य सक्रिय इंडोल्स पी.एस.ए. की वृद्धि को रोकता है तथा नियंत्रित करते हैं।

ब्रोकोली सभी प्रकार के मूत्र प्रजनन (Urinogenital) सम्बन्धित समस्याओं को दूर करते हैं। मूत्र एवं प्रजनन संस्थान के रक्त संचय, दबाव तनाव तथा अवरोध (Stenosis) को दूर करता है। रक्त संचार को बढ़ाता है। प्रोस्टेट ग्लैंड ब्रोकोली के प्रभाव से अपना स्राव नियमित कर देता है। नपुंसकता लैंगिक अशक्तता, शीघ्र स्खलन (Sexual and Erectile Dysfunction, Elevation of Ejaculate Volume and Regulation of Libido) को नियंत्रित करता है। यह वैज्ञानिक सच्चाई है कि ब्रोकोली का सूप रस तथा सब्जी के प्रयोग से ब्लैडर की कार्य क्षमता बढ़ जाती है। दर्द दूर होता है। संक्रमण जन्य रोग लक्षणों को नष्ट करता है। रोग प्रतिरोधक एवं वातावरण अनुकूलन क्षमता में वृद्धि होती है। ब्रोकोली शारीरिक ऊर्जा को बढ़ाने वाला एनर्जी बूस्टर का काम करता है।

ओहियो स्टेट यूनिवर्सिटी के प्रो. स्टीवन स्क्वाटर्ग तथा उनके सहयोगियों ने ब्रोकोली में मौजूद शतिशाली जैव सक्रिय पौध रसायन ग्लूकोसिनेलेटस (Glucosinolates) की खोज की है जो ब्लैडर कैन्सर को खत्म कर देता है। जो मनुष्य प्रति सप्ताह दो या दो से अधिक बार ब्रोकोली खाता है उसे कैन्सर होने की संभावना 44 फीसदी कम हो जाती है। ग्लूकोसिनोलेट्स कैंसर की प्रारम्भिक (Genetic Mutation) अवस्था में ही खत्म कर देता है। यू.के. (ब्रिटेन) में प्रति साल ग्यारह हजार ब्लैंडर कैन्सर का निदान होता है जिनमें तीन हजार लोग अकाल काल कवलित हो जाते हैं।

जॉन्स हापकिन्स यूनिवर्सिटी स्कूल ऑफ मेडिसिन से सम्बन्धित लेविस एण्ड डोरोथी (Lewis and Dorothy Cullman) कैन्सर कीमो प्रोटेक्शन सेन्टर के वैज्ञानिकों का एक शोध पत्र कैन्सर रिसर्च जर्नल में प्रकाशित हुआ है। जिसके अनुसार ब्रोकोली समस्त गैस्ट्रिक समस्याओं जैसे स्टमक बग (आमाशयिक रोगाणुओं का समूह) गैस्ट्राइटिस, गैस्ट्रिक अल्सर यहाँ तक कि कैंसर का उपचार एवं बचाव बड़े ही सशक्त तरीके से करता है। प्रतिदिन 2.1/2 औंस यानि मात्र 70 ग्राम बेबी ब्रोकोली खाने से उसमें मौजूद सशक्त एवं सक्रिय पौध रसायन सल्फोरा फेन यह कमाल करता है। सल्फोराफेन (Sulforaphane) आहार नली में ऐसे एन्जाइम को पैदा करता है जिससे कैंसरकारी ऑक्सीजन रेडिकल डी.एन.ए. को क्षतिग्रस्त करने वाले तथा सूजन पैदा करने वाले रसायनों के दुष्प्रभाव को खत्म कर देता है।

जॉन हापकिन्स स्कूल ऑफ मेडिसिन के वैज्ञानिकों के एक दल ने खोज किया है कि ब्रोकोली में मौजूद सल्फोराफेन शरीर में एक खास जीन एनआरएफ2 (Nrf2) को सक्रिय कर देता है। एनआरएफ2 फेफडे के टॉक्सिन्स तथा टॉक्सिक पदार्थों से फेफड़े की रक्षा करता है। सांस की नलियों को क्षतिग्रस्त होने से बचाता है। जो लोग धूम्रपान करते हैं। उनमें इस जीन की सक्रियता कम हो जाती है। वास्तव में एलर्जेन एवं एण्टीजेन वायु प्रदूषण फेफड़ों में मौजूद स्नायुओं के सिरे में रहने वाले रिसेप्टर प्रोटीन टीआरपीए1 (Lung Nerve Ending Receptor Protein TRPA1) को उत्तेजित करके कफ बनने की प्रक्रिया को तेज कर देते हैं। सारा कफ फेफड़े में बनता है गले में नहीं बनता है। ब्रोकोली हल्दी, सेब, अदरक तथा मुलेठी में ऐसे गुण

हैं जो स्नायु के सिरे को उत्तेजित होने से रोकते हैं। जीवन की गुणवत्ता को पुनःस्थापित करते हैं। एनआरएफ2 जीन का सशक्त बनाते हैं। एनआरएफ2 में हर प्रकार के प्रदूषण तथा टॉक्सिन्स को निकाल बाहर करने की अद्वितीय क्षमता है।

ब्रिटेन के इम्पेरियल कॉलेज लन्दन के वैज्ञानिकों ने एक अद्वितीय खोज की है कि ब्रोकोली में मौजूद सल्फोराफेन शरीर में उस प्रोटीन को 'स्वीच ऑन' कर देता है जो धमनियों में कोलेस्टरॉल या किसी पदार्थ को जमने नहीं देता है। वैज्ञानिकों का मानना है कि ब्रोकोली नेचुरल डिफेन्स मेकानिज्म को सक्रिय एवं तेज करके धमनियों में थक्का बनने से रोक देता है जिससे खून के दौरे का चक्का जाम नहीं होता है। दिल दिमाग तथा अन्य अंगों को भरपूर पोषण मिलता है।

पत्तागोभी

(वानस्पतिक नाम—Brassica Oleracea Capitata अंग्रेजी नाम—Cabbage)

पत्तागोभी अति प्राचीन खाद्य पदार्थ है। यह क्रूसीफेरी (Cruciferae) परिवार का प्रमुख सदस्य है। इसका मूलस्थान पश्चिमी यूरोप तथा इंग्लैंड है। प्राचीन काल में यूनानी तथा रोमन पत्ता गोभी का उपयोग बाह्य तथा आन्तरिक औषधि तथा प्रमुख आहार के रूप में करते थे। महान दार्शनिक प्लेटो का मुख्य आहार था पत्तागोभी। पत्तागोभी सौ से भी अधिक प्रकार की होती है। भारत में प्रायः दो प्रकार की पत्तागोभी मिलती है—उपजायी जाने वाली कृषित बागी गोभी तथा बम्बई, खण्डाला, महाबलेश्वर तथा अन्य पहाड़ी स्थलों पर स्वतः उगने वाली जंगली पत्तागोभी। दोनों प्रकार की पत्तागोभियों के रंग तथा आकार भी भिन्न-भिन्न होते हैं। आयुर्वेद की दृष्टि से कृषित बागी पत्तागोभी लघु, मधुर, पाक में कटु (चरपरी), पाचन, दीपन, मल-मूत्र प्रवर्तक, वातकारक एवं कफ, पित्त प्रकोपजन्य श्रमनाशक होती है।

कुछ वनस्पतिविज्ञानियों के अनुसार पत्तागोभी का जन्मस्थान पश्चिमी यूरोप तथा मेडीटेरेनियम समुद्र का उत्तरी किनारा है। रोमन तथा ग्रीकवासियों द्वारा प्राचीन काल से यह सब्जी उगाई जाती रही है। इसे सलाद,करी तथा सूखी सब्जी (Dehydrated Vegetables) के रूप में प्रयोग किया जाता है। Genus—Brassica Species—Oleracea, Group Capitata तथा क्रूसीफेरी परिवार के इस शाक के पत्तियों के रंग, इसके सिर के आकार, स्वरूप, रंग रूप एवं अन्य संरचना के अनुसार इसकी निम्न जातियाँ प्रसिद्ध हैं— शंक्वाकार (Conical) सिर वाली में जर्सी वेकफील्ड, पोचा ट्रम्फ, गोल सिरवाली में गोल्डेन एकड, प्राइड ऑफ इण्डिया, एक्सप्रेस, अर्ली ड्रमहेड, पूसा ममूथ रॉक रेड, कोपेनहेगन मारकेट, चौड़े सिर वाली में लेट ड्रम हेड, पूसा ड्रम हेड, डेनिस बॉल हेड, ग्लोरी ऑफ एनक्वीजिन तथा सेवोय टाइप में चीफटेन, ड्रम हेड सेवोय प्रसिद्ध हैं। सेलेक्सन-8 तथा ए.आर.यू.क्लोरो आदि नई जातियाँ तथा पर्वतीय क्षेत्रों में चोवटिया अगेती नामक जाति विशेष रूप से उगाई जाती है। सेवोय टाइप पत्तागोभियाँ देरी से होती हैं।

वन्य पत्तागोभी किंचित, कड़वी, किन्तु अपेक्षाकृत अधिक पुष्टिकारक तथा सारक होती

है। प्रति सौ ग्राम पत्तागोभी में विटामिन 'ए' 2000 अ.इ., बी-1 60 मि.ग्रा., बी-2 30 मि.ग्रा., 'सी' 124 मि.ग्रा., Ca 0.03 प्रतिशत, P- 0.05 प्रतिशत तथा Fe 0.8 प्रतिशत होता है। उपर्युक्त पोषण क्षमता के आधार पर यह सिद्ध हो चुका है कि पत्तागोभी आँखों,घाव भरने, स्कर्वी, रक्तहीनता तथा अल्सर के लिए अति श्रेष्ठ आहार है। पत्तागोभी का बाह्य भाग जिस पर सूर्य की किरणें पड़ती है, आन्तरिक हिस्से से अधिक गुणकारी होता है। सलाद तथा पत्तागोभी के गुण धर्म आपस में काफी मिलते-जुलते हैं। इन्हें कच्चा ही खाना चाहिए। अधिक देर तक उबालने, पकाने तथा भूनने से इनकी पोषण क्षमता अतिशीघ्रता से नष्ट हो जाती है तथा यह पचने में भारी, गरिष्ठ तथा कब्जकारक हो जाती है। पत्तागोभी को हल्का उबाल कर या अधपका बनाएँ। इसका रायता अतिस्वादिष्ट एवं पोषक होता है।

मिस्र के क्रिसिप्पुस तथा ड्यूचेस नामक प्राचीन आयुर्विज्ञानियों ने पत्तागोभी के सम्बन्ध में सुप्रसिद्ध शोध ग्रंथ का प्रणयन किया है। रोमानो को प्रबल विश्वास था कि पत्तागोभी के प्रयोग से वे कभी बीमार नहीं होते हैं। पत्तागोभी प्रबल एण्टीस्कार्ब्यूटिक आहार है। संतरा तथा विटामिन 'सी' युक्त फल नहीं मिलने पर इसे कच्चा खाने से विटामिन 'सी' की पूर्ति हो जाती है। नींबू, अमरूद, आँवला आदि खट्टे फलों में विटामिन 'सी' पर्याप्त मात्रा में होता है परन्तु हाइपर एसीडिटी, अल्सर तथा अन्य आमाशयिक एवं आन्त्रिक शोथ में खट्टे फलों के प्रयोग से उत्तेजना एवं जलन होती है। ऐसी स्थिति में पत्तागोभी का रस अति उपयोगी होता है। इसमें विटामिन 'सी' अधिक होने से घाव शीघ्रता से भरता है तथा जलन भी नहीं होती है।

इतिहास बताता है कि पत्तागोभी प्रबल पौष्टिक आहार होने से अनेक देशों में अकाल से जूझकर इसने अनेकों को प्राणदान दिया है। प्रसिद्ध आयुर्विज्ञानी डॉ. ई. एम. वर्मेल, डॉ. चेनने सहस्त्रेलर तथा डॉ. हैजिकर ने बरसों तक हजारों अल्सरग्रस्त रोगियों पर पत्तागोभी के रस का सफल प्रयोग किया है। अन्त में वे इस निष्कर्ष पर पहुँचे हैं कि गैस्ट्रिक पेप्टिक ड्यूडिनल अर्थात् सभी प्रकार के अल्सर को ठीक करने की दृष्टि से पत्तागोभी जैसी कोई औषधि या आहार नहीं है। इसका कोई विकल्प नहीं है। पत्तागोभी में विशेष प्रकार का अल्सर अवरोधी फैक्टर विटामिन 'यू' होता है। यह श्लेष्मा कलाओं तथा झिल्लियों को सुरक्षा एवं पोषण प्रदान करता है। यह शीघ्रता से घाव भरता है।

इसके पूर्व स्टेनफोर्ड वि.वि. के डॉ. गार्नेथ चेनी एम.डी. ने ड्यूडिनल अल्सर से ग्रस्त 65 रोगियों पर पत्तागोभी का सफल प्रयोग किया है। उन्होंने ही सर्वप्रथम पता लगाया कि इसमें विशेष प्रकार का एण्टीपेप्टिक अल्सर तथा व्रण रोपक फैक्टर विटामिन यू होता है। यह फैक्टर कच्ची पत्तागोभी के रस तथा पत्ते में खूब होता है। उबालने, पकाने तथा आग के सम्पर्क में आने से पेप्टिक अल्सर फैक्टर समाप्त हो जाता है।

सन् 1881 ई. में फ्रांसिसी डॉ. ब्लंक ने पत्तागोभी के सम्बन्ध में एक पुस्तक लिखी है जिसमें बताया गया है कि पत्तागोभी बेजोड़, सर्वोपयोगी औषधि सब्जी है। यह हर प्रकार के रोग निवारण में सक्षम है। उन्होंने पत्तागोभी के प्रयोग से अनेक असाध्य रोगों का सफल उपचार

किया है। चिकित्सा की दृष्टि से उन्होंने पत्तागोभी का उपयोग बाह्य तथा आन्तरिक दोनों ही रूपों में किया है। डॉ. ब्लंक ने पैरों के भयंकर फोड़े, एक्जिमा, दमा, कैंसर, कार्बकल, सिरदर्द, गैंग्रीन, ब्रोंकाइटिस, जलन, मोच, अनिद्रा, संधिवात, गठिया, न्यूरेल्जिया तथा अन्य लाइलाज रोगों को पत्तागोभी से ठीक किया है। उनका मानना था कि पत्तागोभी के बाह्य प्रयोग से बारह घण्टे के अन्दर-अन्दर जख्म तथा सूजन की स्थिति में यह अंगों में स्थित एकत्रित टॉक्सिक पदार्थों को घुलाकर तथा द्रवीकृत कर अवचूषित कर लेती है। इस प्रकार से विषैले पदार्थों को शरीर से निकाल बाहर करती है। उन्होंने देखा कि इसके स्थानीय प्रयोग से खूब पसीना निकलता है। फलत: विषाक्त द्रव्य पसीने के साथ बह जाने से घाव शीघ्र भरने लगता है। सूजन कम होकर त्वचा नरम पड़ जाती है।

स्विट्जरलैंड के प्रसिद्ध आहार विशेषज्ञ डॉ. आर. वायरलैंड, डॉ. कैमिलेड्रोजने आदि ने इस महान् औषधीय सब्जी की उपयोगिता पर विस्तार से अपनी पुस्तकों में प्रकाश डाला है। जर्मन होमियोपैथ डॉ. एडगार यॉक ने एक 69 वर्षीय महिला का वर्णन किया है जिस पर पत्तागोभी पुल्टिस का प्रयोग करने से भयंकर पैर दर्द व स्नायविक शूल से मुक्ति मिली।

स्वयं लेखक ने अनेक रोगों पर इसके विविध प्रक्रियाओं एवं रूपों का सफल प्रयोग किया है। पत्तागोभी का रस तथा सूप 3-3 घण्टे के अंतराल पर लेने से प्लीहा सूजन, नपुंसकता, कब्ज, उदर कृमि, पुरानी खाँसी, मासिक धर्म अनियमितता, दृष्टि मंदता, घाव, स्कर्वी, अनिद्रा, मूत्रावरोध, पथरी, मंदाग्नि, पायरिया, पेप्टिक तथा गैस्ट्रिक अल्सर, घाव, बाल गिरना, पित्त-ज्वर, शुक्र रोग, मदात्यय, नशा, रक्तार्श तथा अर्श-शूल ठीक होते हैं। वात रक्त, आमवात, कटने, जलने, गीली तथा सूखी खुजली, जख्म, घाव तथा किसी प्रकार के सूजन व शूल पर इसके पत्ते का रस लगाकर इसकी पुल्टिस बाँधें। सलाद के पत्ते की तरह कमजोर पाचन संस्थान वाले रोगी भी इसे कच्चा ही खूब चबा-चबा कर खा सकते हैं।

पत्तागोभी की सब्जी बनाते समय कभी भी ऊपर का पत्ता नहीं फेंकें, क्योंकि विटामिन तथा अन्य पोषक तत्व का दसवाँ भाग बाह्य हिस्से में ही होता है। पत्तागोभी को काटकर ज्यादा देर तक नहीं रखें अन्यथा विटामिन 'सी' नष्ट होने लगता है। सलाद की तरह पत्तागोभी को कच्चा ही खाना चाहिए। बूढ़ी पत्तागोभी में पोषण क्षमता बढ़ती नहीं है इसलिए इसे कोमल एवं मुलायम अवस्था में ही खायें।

प्राचीन काल से ही स्काटलैंड के लोग इसे उबाल कर पानी फैंकते नहीं हैं, इसे अन्य खाद्य पदार्थों को बनाने में प्रयोग करते हैं। इसके पानी को भूलकर भी न फेंकें क्योंकि इसमें विटामिन 'सी', थायमिन, Ca, Fe, P आदि खनिज लवणों का 50 प्रतिशत घुला रहता है। गहरे हरे तथा बैंगनी रंग की ही पत्तागोभी खरीदें। पोली, लालिमा युक्त तथा सफेद पत्ता गोभी निकृष्ट गुण धर्म की होती है। पत्तागोभी में सल्फर प्रचुर मात्रा में होता है, यही कारण है कि इसे जलाने पर एक विशेष प्रकार की गन्ध आती है। इसमें सल्फर तथा क्लोरीन पर्याप्त मात्रा में होने के कारण यह सारे संस्थान की खूब सफाई करती है। साथ ही साथ सभी प्रकार के इन्फेक्शन तथा रोगों से हमारी रक्षा करती है। यह माँसपेशियों के निर्माण एवं सशक्त बनाने, दाँतों के मसूढ़े, बालों

तथा अस्थियों के विकास एवं स्वास्थ्य के लिए उत्तम टॉनिक है। अस्थिभंग (Fracture) के बाद हड्डियों को शीघ्र जोड़ने में यह कमाल का असर दिखाता है। सभी प्रकार की गोभी में कैंसर अवरोधी तत्त्व 'इंडोल' तथा बैंगनी रंग के पत्तागोभी में एन्थोसायनिन अतिरिक्त कैंसरनाशी पाया जाता है। सभी प्रकार के कैंसर में पत्तागोभी का रस अति लाभदायक है।

घेघा (Goiter) वाले रोगी को पत्तागोभी या अन्य कोई भी गोभी नहीं लेनी चाहिए। इसमें एक विशिष्ट रसायन 'थाओसाइनेट' होता है जो ग्रीवा में स्थित थायरॉयड ग्रंथि से निकलने वाला हार्मोन थायरॉक्सिन के निर्माण तथा स्राव में बाधा उत्पन्न करता है। जिनके पेशाब में ऑक्जेलेट होता है वे भी पत्तागोभी तथा अन्य पत्ते वाली सब्जियाँ कम खायें। पत्तागोभी तथा गाँठ गोभी का किसी भी फल या सब्जी के साथ श्रेष्ठ मेल होने से स्वादिष्ट सलाद बनाया जाता है।

प्रति सौ ग्राम कन्द मूल वाली सब्जियों में स्वास्थ्य संरक्षक तत्वों का तुलनात्मक अध्ययन

							अक्षास			
खाद्य	Mg	Na	K	Cu	S	Cl	अ.	क्षा.	ऑए फॉ.	P
मेथी	76	67.1	31	0.26	167	165	-	110	13	-
पटसन का साग	35	-	-	-	60	19	-	-	13	-
कुल्फा	120	67.2	716	0.19	63	73	-	277	1679	4
पालक	84	58.5	206	0.01	30	54	-	134	658	-
लेटुस	30	58.0	33	0.08	27	23	-	41	-	-
पत्तागोभी	10	14.1	114	0.08	67	12	11	-	3	3
चौलाई	247	230.0	341	0.33	61	88	-	472	722	2
बाँस का अंकुर	32	91.0	-	0.19	-	76	-	-	4	5
मोटे नीम के पत्ते	221	-	-	0.19	81	198	-	-	132	35
सहजना के पत्ते	67	76.1	31	0.26	167	165	-	110	101	44
कुसुम के पत्ते	51	126.4	181	0.22	-	235	-	-	3	-
पानिरक	-	-	680	0.39	-	-	-	-	-	-
इमली के पत्ते	71	-	-	2.09	63	94	-	-	196	-

उपर्युक्त पत्ता-शाक प्राय: सभी जगह सब्जी के रूप में प्रयुक्त होता है। इनके अतिरिक्त निम्न कन्द मूल एवं फल-सब्जियों के पत्ते आहार विज्ञान की कसौटी पर स्वास्थ्य संरक्षण एवं रोग निवारण की दृष्टि से बेहतर सिद्ध हुए हैं। अज्ञानता के कारण इन पत्तों को फेंक देते हैं, लेकिन इनका प्रचलन बढ़ाया जाये तो गरीब देशों के लोगों को कुपोषण से होने वाली अनेक बीमारियों से बचाया जा सकता है। इनमें अनेक रोग उन्मूलक, स्वास्थ्य संरक्षक एवं स्वास्थ्य सम्वर्द्धक तत्त्वों की मात्रा प्रचुरता से पायी जाती है। जैसे प्रति सौ ग्राम शलगम के पत्ते में सर्वाधिक कैरोटिन (विटामिन 'ए') 9399 मा.ग्रा., मूली के पत्ते में 5295 मा.ग्रा., राजगिरा शाक (Amarnathus

Paniculatus) में 14190 मा.ग्रा. होता है। उसी प्रकार विटामिन 'बी' ग्रुप के सभी सदस्य थॉयमिन रिबोफ्लेविन तथा नायसिन भी प्रचुरता से मिलते हैं। इस प्रकार से ये शाक-भाजी रोग नियंत्रण एवं स्वास्थ्य सम्वर्द्धन की दृष्टि से अति उपयोगी पाये गये हैं। उनमें से कुछ प्रमुख शाक-भाजियों के पोषक तत्त्वों का तुलनात्मक अध्ययन—

विभिन्न खाद्यान्नों के वैज्ञानिक रासायनिक विश्लेषण में प्रयुक्त पोषक तत्त्वों के संक्षिप्त शब्दों का पूर्ण अर्थ निम्न प्रकार पढ़ें

खा.यो.भा. = खाने योग्य भाग (Edible Portion) प्रतिशत, ज= जलांश (Moisture) ग्राम में, प्रो= प्रोटीन (ग्राम में), कार्बो= कार्बोहाइड्रेट (ग्राम में), व= वसा (ग्राम में), सेलु= सेलुलोज (Fibre) ग्राम में, ऊर्जा= किलो कैलोरी में, ए= विटामिन 'ए' या कैरोटिन (मा.ग्रा. में), बी-1= विटामिन बी-1 या थायमिन (मि.ग्रा. में), बी-2= विटामिन बी-2 या रिबोफ्लेब्रिन (मि.ग्रा. में), बी-3= विटामिन बी-3 या नायसिन (मि.ग्रा. में), सी.= विटामिन 'सी', फॉ.अ.= फॉलिक अम्ल (मा.ग्रा. में), मु.= मुक्त (Free), कु= कुल (Total), को.= कोलिन (मि.ग्रा. में), बी-12= विटामिन बी-12 (मा.ग्रा.) में, Ca= कैल्शियम (मि.ग्रा.) में, P= फॉस्फोरस (मि.ग्रा.) में, Fe= लोहा (मि.ग्रा.) में, Mg,= मेग्नेशियम (मि.ग्रा.) में, Na= सोडियम, K= पोटाशियम, Cu= कॉपर या तांबा (मि.ग्रा.) में S= सल्फर या गंधक (मि.ग्रा.) में, Cl= क्लोरिन (मि.ग्रा.) में, अ.क्षा.सं.= अम्ल क्षार संतुलन/मि.ली. 0.1 N अ= अम्ल, क्षा= क्षार, N= नाइट्रोजन, ग्रा.= ग्राम, आवश्यक एमिनो एसिड के संक्षिप्त का पूर्ण आर्ग आर्ग.= आर्गिनिन, हि.= हिस्टिडिन, लाइ.= लाइसिन, ट्रिप्टो.= ट्रिप्टोफेन, फि.ए.= फेनाइल एलानिन, टायरो.= टायरोसिन, मेथो.= मेथियोनिन, सिस.= सिस्टिन, थ्रेओ.= थ्रेओनिन, ल्यू.= ल्यूसिन, आ.ल्यू.= आइसोल्यूसिन, वैल.= वैलिन। इन आवश्यक एमिनो एसिड की मात्रा ग्राम प्रति ग्राम N में दर्शाया गया है। ऑ.= आक्जेलिक एसिड (मि.ग्रा.) में, फा. P= फाइटिन P (मि.ग्रा.) में, वा.ना.= वानस्पतिक (लैटिन) नाम, अं.= अग्रेजी नाम।

♦♦♦

वर्ष 1988 में डॉ. नागेन्द्र नीरज को श्री महावीर योग प्राकृतिक चिकित्सा शोध संस्थान को नई दिशा एवं दृष्टि देने के लिए आमंत्रित किया गया। डॉ. नीरज ने अपने कार्यों को बखूबी अंजाम दिया जिसके सुन्दर परिणामस्वरूप इस संस्थान में आज भारत के हर राज्य के रोगी उपचार द्वारा स्वास्थ्य लाभ ले रहे हैं।

—28 जुलाई, 1992, दैनिक राष्ट्रीय सहारा, दिल्ली

प्रति सौ ग्राम विभिन्न पत्तों वाली सब्जियों में पोषक तत्वों का तुलनात्मक अध्ययन

खाद्य	खायोभा	जल	प्रोटीन	वसा	खल.	सेलु.	कार्बो.	ऊर्जा	Ca	P	Fe	A	B1	B2	B3	C
बथुआ	-	89.6	3.7	0.04	2.6	0.08	2.9	30	150	80	4.2	1740	0.01	0.14	0.6	35
पोई	-	90.8	2.8	0.04	1.8	-	4.2	32	200	35	10.0	7440	0.03	0.16	0.5	87
मेथी	59	86.1	4.4	0.9	1.5	1.1	6.0	49	395	51	16.5	2340	0.04	0.31	0.8	52
पालक	87	92.1	2.0	0.7	1.7	0.6	2.9	26	73	21	10.9	5580	0.03	0.26	0.5	28
सरसों	-	89.8	4.0	0.6	1.6	0.8	3.2	34	155	26	16.3	2622	0.03	-	-	33
काली सरसों	-	84.9	5.1	0.4	2.5	1.2	5.9	48	370	110	12.5	1380	0.01	0.03	0.9	65
चूका	-	95.2	1.6	0.3	0.9	0.6	1.4	15	63	17	8.7	3660	0.03	0.06	0.2	12
चना	92	73.2	7.0	1.4	2.1	2.0	14.1	97	340	120	23.8	978	0.09	0.10	0.6	61
सोया	-	79.5	6.0	0.5	3.2	-	10.8	72	180	190	8.0	-	-	0.16	-	-
कुल्फा	51	90.5	2.4	0.06	2.3	1.3	2.9	27	111	45	14.8	2292	0.10	0.22	0.7	29
लेट्‌स	66	93.4	2.1	0.03	1.2	0.5	2.5	21	50	28	2.4	990	0.09	0.13	0.05	10
पत्तागोभी	88	91.8	1.8	0.1	0.6	1.0	4.6	27	39	44	0.8	120	0.06	0.09	0.04	124
चौलाई	39	85.7	4.0	0.5	2.7	1.0	6.1	45	397	83	25.5	5520	0.03	0.30	1.2	99
कांटे वाली चौलाई	-	85.0	3.0	0.3	3.6	1.1	7.0	43	800	50	22.9	3564	-	-	-	33
चंद्रासुर का साग	45	89.2	2.9	0.2	2.2	0.6	4.9	33	290	140	4.6	2803	0.12	0.38	0.8	13
पटसन का साग	76	86.4	1.7	1.1	0.9	- -	9.9	56	172	40	5.0	2898	0.07	0.39	1.1	20
वसना मर का शाक	-	73.1	8.4	1.4	3.1	2.2	11.8	93	1130	80	3.9	5400	0.21	0.09	1.2	169
सोआ का शाक	-	88.0	3.0	0.5	2.2	1.1	5.2	37	190	42	17.4	7182	0.03	0.13	1.2	25

प्रति सौ ग्राम विभिन्न पत्तों वाली सब्जियों में पोषक तत्वों का तुलनात्मक अध्ययन

खाद्य	खायोभा	जल	प्रोटीन	वसा	खल.	सेलु.	कार्बो.	ऊर्जा	Ca	P	Fe	A	B_1	B_2	B_3	C
कुसुम का शाक	66	91.1	2.5	0.6	1.3	-	4.5	33	185	35	5.7	3540	0.04	0.10	-	15
शकरकंद के पत्ते	100	80.7	4.2	0.8	2.2	2.4	9.7	63	360	60	10.0	750	0.07	0.24	1.7	27
इमली के पत्ते	100	70.5	5.8	2.1	1.5	1.9	18.2	115	101	140	5.2	250	0.24	0.17	4.1	3
शलगम के पत्ते	51	81.9	4.0	1.5	2.2	1.0	9.4	67	710	60	28.4	9396	0.31	0.57	5.4	180
लोबिया के पत्ते	-	89.0	3.4	0.7	1.6	1.2	4.1	38	290	58	20.1	6072	0.05	0.18	0.6	4
चकवर का शाक	-	84.9	5.0	0.8	1.7	2.1	5.5	49	520	39	12.4	10152	0.08	0.19	0.08	82
गिरिया का शाक	-	89.3	2.0	0.4	3.8	0.9	3.6	26	50	79	1.6	2100	0.01	0.05	0.2	13
कोरला के पत्ते	-	82.7	6.1	0.7	1.5	-	9.0	67	112	122	12.0	1764	0.10	0.27	1.7	10
पार्सली	82	90.5	2.4	0.6	2.3	1.3	2.9	27	111	45	14.8	2292	0.10	0.22	0.7	29
सारन्ति का शाक	-	-	5.0	0.7	2.5	2.8	11.6	73	510	60	16.7	1926	-	0.14	1.2	17
गांठ गोभी के पत्ते	73	8.6	3.5	0.4	1.2	1.8	6.4	43	740	50	13.3	4146	0.25	-	3.0	157
गेंधरी का साग	-	90.6	3.0	0.7	3.3	1.0	2.0	26	200	40	-	-	-	-	-	-
मकोय के पत्ते	-	82.1	5.9	1.0	2.1	-	8.9	68	410	70	20.5	-	-	0.59	0.9	11
परवल के पत्ते	-	80.5	5.4	1.1	3.0	4.2	5.8	55	531	73	-	-	-	-		-
पटवा के पत्ते	-	81.4	5.1	1.1	2.7	1.6	8.1	63	241	93	-	-	-	-	-	-
आलू के पत्ते	-	18.0	4.4	0.9	1.8	1.3	3.6	40	120	50	-	-	-	-	-	-

प्रति सौ ग्राम विभिन्न पत्तों वाली सब्जियों में पोषक तत्वों का तुलनात्मक अध्ययन

खाद्य	खायोभा	जल	प्रोटीन	वसा	खल.	सेलु.	कार्बो.	ऊर्जा	Ca	P	Fe	A	B_1	B_2	B_3	C
बांस का अं.को.	54	88.8	3.9	0.5	1.1	-	5.7	43	20	65	0.1	0.	0.08	0.19	0.2	5
चुकन्दर के पत्ते	51	86.4	3.4	0.8	2.2	0.7	6.5	46	380	30	16.2	5862	0.26	0.56	3.3	70
बकला के पत्ते	-	77.6	5.6	0.3	1.3	3.7	11.5	71	111	149	-	-	-	-	-	-
गाजर के पत्ते	51	76.6	5.1	0.5	2.8	1.9	13.1	77	340	110	8.8	5700	0.04	0.37	2.1	79
लौकी के पत्ते	-	87.9	2.3	0.7	1.7	1.3	6.1	39	80	59	-	-	-	-	-	-
फूलगोभी के पत्ते	-	80.0	5.9	1.3	3.2	2.0	7.6	66	626	107	40.0	-	-	-	-	-
अ. के का.ग. पत्ते	-	78.8	6.8	2.01	2.5	1.8	8.1	77	460	125	38.7	12000	0.06	0.45	1.9	63
अरबी के हरे पत्ते	-	82.7	3.9	1.5	2.2	2.9	6.8	56	227	82	10.0	10278	0.22	0.26	1.1	12
सहजना के पत्ते	75	75.9	6.7	1.7	2.3	0.9	12.5	92	440	70	7.0	6780	0.06	0.05	0.8	220
मीठे नीम के पत्ते	83	63.8	6.1	1.0	4.0	6.4	18.7	108	830	57	7.0	7560	0.08	0.21	2.3	4
कलमी का साग	-	90.3	2.9	0.4	2.1	1.2	3.1	28	110	46	3.9	1980	0.05	0.13	0.6	37
खेसारी का साग	-	84.2	6.1	1.0	1.1	2.1	5.5	55	160	100	7.3	3000	0.01	0.03	-	41
कुम्हरा के पत्ते	-	81.9	4.6	0.8	2.7	2.1	7.9	57	392	112	-	-	-	-	-	-
मूली के पत्ते	100	90.8	3.8	0.4	1.6	1.0	2.4	28	265	59	3.6	5295	0.18	0.47	0.8	81
तोरी (सरसों) के शाक	-	84.9	5.1	0.4	2.5	1.2	5.9	48	370	110	12.5	1380	0.01	0.03	0.9	65
राजगिरा के पत्ते	-	78.6	5.9	1.0	3.8	2.1	8.6	67	530	60	18.4	14190	0.01	0.24	1.1	81

1. *बांस का अंकुर कोपाल। 2. *अरबी के काले गहरे पत्ते।

प्रति सौ ग्राम पत्तों वाली सब्जियों में विभिन्न आवश्यक एमिनो एसिड्स (प्रोटीनों) का तुलनात्मक अध्ययन

खाद्य	कुल N ग्राम % 100 ग्राम	आर्ग	हिस	लाइ	ट्रिप्टो	फिए	टायरो	मेथो	सिस	थ्रेओ	ल्यू	आल्यू	वैल
						ग्राम प्रति ग्राम N							
बथुआ	0.59	-	-	0.75	0.02	0.11	-	0.05	-	0.17	0.41	0.44	0.29
मेथी	0.70	0.35	0.11	0.30	0.08	0.30	-	0.09	-	0.20	0.39	0.33	0.32
पालक	0.32	0.35	0.14	0.40	0.10	0.33	0.31	0.11	0.08	0.2	0.53	0.30	0.35
लेट्स	0.34	0.30	0.11	0.31	0.05	0.28	0.17	0.07	-	0.27	0.39	0.32	0.32
पत्ता गोभी	0.29	0.45	0.13	0.24	0.07	0.20	0.12	0.06	0.07	0.22	0.34	0.23	0.26
चौलाई	0.64	0.24	0.13	0.25	0.07	0.18	0.19	0.07	0.04	0.14	0.37	0.29	0.28
पटसन का शाक	0.27	0.31	0.09	0.40	0.04	0.20	-	0.07	-	0.21	0.44	0.32	0.24
चुकन्दर के पत्ते	0.54	0.18	0.09	0.31	0.06	0.19	0.15	0.05	0.06	0.20	0.30	0.18	0.21
लौकी के पत्ते	0.37	0.28	0.14	0.30	-	0.31	-	0.09	0.07	0.22	0.41	0.26	0.04
गाजर के पत्ते	0.82	0.27	0.12	0.28	0.09	0.41	-	0.11	-	0.28	0.44	0.28	0.34
अरबी के पत्ते	1.09	0.25	0.13	0.26	0.04	0.18	-	0.06	-	0.15	0.36	0.31	0.28
सहजना के पत्ते	1.07	0.38	0.14	0.32	0.10	0.29	-	0.11	0.13	0.25	0.46	0.28	0.35
गांठ गोभी के पत्ते	0.56	-	-	0.54	0.37	0.16	-	0.05	-	0.13	0.50	0.33	0.31
कद्दू के पत्ते	0.74	0.43	0.10	0.34	0.08	0.34	0.31	0.11	0.06	0.31	0.63	0.31	0.36
कुसुम के पत्ते	0.40	-	-	0.61	0.03	0.16	-	0.06	-	0.17	0.70	0.54	0.41
वसना या मर	1.34	0.36	0.12	0.25	0.10	0.38	-	0.09	0.09	0.30	0.56	0.39	0.43
सोया का शाक	0.48	-	-	0.45	0.03	0.09	-	0.02	-	0.12	0.29	0.35	0.28
इमली के पत्ते	0.92	0.37	0.14	0.30	-	0.39	0.22	0.08	0.06	0.29	0.58	0.33	0.36
शलगम के पत्ते	0.64	0.30	0.12	0.32	0.08	0.26	0.22	0.08	0.07	0.24	0.41	0.24	0.28

4

फली वाली या बीज वाली सब्जियाँ

सभी प्रकार की फलियाँ बीज वाली सब्जी होती हैं। इनके बीज कच्चे, पके (सूखे), उबालकर, सलाद तथा सब्जी के रूप में खाए जाते हैं। इस वर्ग की सब्जियों में प्रोटीन की मात्रा अधिक होती है। सूखी फलियों में लोहा, फॉस्फोरस, कैल्शियम आदि खनिज लवण तथा प्रचुरता से रेशा प्राप्त होते हैं। हरी कच्ची फलियों में विटामिन 'सी' तथा बी कॉम्पलेक्स थॉयमिन, रिबोफ्लेविन, नायसिन आदि पर्याप्त मात्रा में मिलते हैं। बीज वाली सब्जियों को अधिक मात्रा में खाने से वायु पैदा होती है।

सेम

(Beans or Scarlet Runner वानस्पतिक नाम—Phaseolus Coccineus)

वनस्पति शास्त्रियों के अनुसार सेम भारतवर्ष का आदिवासी पौधा है क्योंकि यहाँ पर जंगली सेम के पौधे बहुत मिलते हैं। यहीं से सेम की यात्रा चीन, मिश्र, पश्चिम एशिया के अन्य देशों में हुई। फलियों के आधार पर गहरी नीली फलियों वाला तथा हरी चिकनी फलियों वाला दो प्रकार के सेम होते हैं। पौधों के स्वभाव के अनुसार झाड़ीदार जातियों में पूसा स्वेती, पूसा पर्वती, पूसा अर्ली, प्रोलीफिक टेनन्सी, ग्रीन पाड, ब्लैक वैलेन्टाइन, रेन्जर, डेविस हवाईट वैक्स, कन्टेन्डर, बिगबेन रेड, यू.पी.एफ 191, 203 व 204, इम्प्रूव्ड गोल्डन वैक्स, फ्लोरिडा वेले आदि तथा चढ़ने वाली जातियों में कोस्टर, लेजी वाइफ, विक्टर, ब्लू लेक, डेलीसियम जाइन्ट तथा केन्टुकी वन्डर प्रसिद्ध हैं।

सेम सर्वाधिक उपयोग में आने वाली सब्जी है। इसमें प्रोटीन पर्याप्त मात्रा में होता है। इसके अतिरिक्त इसमें लोहा, कैल्शियम, फॉस्फोरस, थॉयमिन, रिबोफ्लेविन तथा विटामिन 'सी' प्रचुर मात्रा में होते हैं। यह स्नायु संस्थान तथा पाचन संस्थान को स्वस्थ रखता है। सेम में माँसवर्द्धक पदार्थ अल्ब्युमिनाइड्स तथा यीस्ट प्रचुर मात्रा में पाये जाते हैं। सफेद तथा हरे रंग की दो प्रकार के सेम होते हैं। इन दोनों प्रकार के सेमों के गुण एक जैसे होते हैं। दोनों प्रकार के सेम मधुर, शीतल, शक्तिदायक, वात पित्त नाशक, दाह तथा कफ को उत्पन्न करने वाली भारी तथा बलदायक होते हैं। सेम की पत्तियों का रस दाद तथा चर्म रोग में लाभदायक है। इसकी पत्तियों का रस तथा नीम का तेल गर्म कर सिर पर लगाने से गंजापन दूर होता है।

राज निघंटु के अनुसार दोनों प्रकार के सेम कसैली, मधुर, कंठशोधक, दीपन, रुचिकर तथा मेधाजनक होते हैं। सेम का सब्जी, रस तथा सूप के रूप में प्रयोग किया जाता है। कब्ज, सूजन तथा कफ की स्थिति में सेम के सूप में काली मिर्च और जीरा डालकर काम में लें। सेम के गुणधर्म का एक और बड़ा सेम होता है जिसे ग्वाछ कहते हैं। यह लेग्युमिनोसी परिवार का पौधा है। भा.प्र निघण्टु के अनुसार सेम मधुर, शीतल, गुरु, बल्य, दाह एवं कफ उत्पन्न करने वाली तथा वात-पित्तनाशक होती है। बड़ी सेम की पत्तियों का रस चर्म रोग तथा रूसी में लाभदायक है। सूखी पत्तियों की राख शहद के साथ लेने से प्रसूति ज्वर ठीक होता है। इसकी जड़ का लेप आँखों पर करने से पागलपन व मिरगी के दौरे में लाभ होता है।

सहजना की फली तथा सहजना का साग

यह मोरिंगेसी परिवार का सदस्य है। इसका अंग्रेजी नाम Drumstick तथा वा.ना. मोरिंगा ओलीफेरा (Moringa Oleifera) है। यह एक बहुत ही उपयोगी फल सब्जी है। सहजना के फूल, पत्तियाँ तथा फलियों की स्वादिष्ट सब्जी बनती है, जो काफी पौष्टिक होती है। इसकी फली स्वादिष्ट, मधुर, कसैली, रक्तशोधक, रक्तवर्द्धक, कफ, वात एवं पित्तनाशक होती है। सहजना की फली की सब्जी खाँसी, शूल, कोढ़, अरुचि, गुल्म, टी.बी., वीर्यपात, स्वप्नदोष, प्रमेह तथा नेत्र रोग में लाभदायक है। इसका फूल प्लीहा, यकृदोतेजक तथा कृमिनाशक होता है। सहजना की कोमल पत्तियों का साग भी बनाया जाता है। इसकी पत्तियों के साग में सभी पोषक तत्त्व प्रचुर मात्रा में होते हैं।

इसका साग शरीर के शोधन, त्वचा, हड्डियों, रक्त तथा रक्तवाहिनियों, मस्तिष्क, हृदय तथा स्नायु कोशिकाओं को निर्मल बनाकर स्वच्छ रखता है। इसमें कैरोटिन भी प्रचुरता से 6780 मा. ग्रा. प्रति 100 ग्राम होता है। इस प्रकार नेत्र, नाक तथा जननांगों के स्वास्थ्य के लिए अति उपयोगी आहार है। इसकी फली भी साग की तरह अत्यन्त उपयोगी आहार है। 100 ग्राम सहजना की फली में Ca-30, P-110, Fe- 5.3, Mg-24, K-259, Cu-0.60, S-137, Cl-423, बी-1 0.05, बी-2 0.07, बी-3 0.2, तथा प्रचुर मात्रा में विटामिन 'सी' 120 मि.ग्रा. होता है। इसके सौ ग्राम पुष्प में Ca 50, P-90 मि.ग्रा. होते हैं। इसकी पत्तियों को कम मात्रा में प्रयोग करें। इस प्रकार से इसकी फली तथा पुष्प में सल्फर, क्लोरीन की मात्रा प्रचुरता से होने के कारण यह रक्त तथा शरीर के सभी संस्थान को तीव्रता से शोधन करती है। इसमें पोटाशियम की मात्रा अधिक होने से गुर्दे की सफाई तथा इसके समस्त रोगों के लिए अति उपयोगी आहार है। सहजना का तेल प्रबल कीटाणुनाशक होता है। सहजना के ताजे फलों की सब्जी अल्सर, प्लीहा के समस्त रोगों में लाभदायक है। यह उष्ण, रुक्ष तथा मूत्रल होती है। आमाशय का शोधन कर भूख बढ़ाती है। फली का प्रयोग वातज व्याधि व कटिशूल को दूर करता है तथा प्रबल रक्तशोधक है। सहजना की फली भी दो प्रकार की होती है— कड़वी तथा मीठी। कड़वी फली विशेष रक्तशोधक है।

सहजना की जड़ तथा पंचांग सभी प्रकार के गठिया आदि वातजव्याधि तथा जलोदर व

अन्य शोथ को दूर करता है। सहजना की हरी पत्तियों का साग बनाकर खाने से पेट के कीड़े भी मरते हैं। सहजना की पक्की फलियों के बीजों को खूब महीन पीसकर इसका नस्य नाक में चढ़ाने से सिरदर्द ठीक होता है। इसके सूखे बीजों तथा छाल को स्वच्छ जल में धोकर रस निकालें। 100 सी.सी. जल में 35 सी.सी. रस डालकर पिलाने से पेट दर्द ठीक होता है। सहजना के बीज में टेरिगोस्पार्मिन (Pterygospermin) एक्टिव एण्टीबायोटिक तत्व होते हैं। सहजना के पक्के एवं सूखे बीज को पानी में डाल दें। सारी गन्दगी एवं बैक्टीरिया बीजों के साथ पेंदें में बैठ जाते हैं। जिन्हें निथारकर या छानकर रखें। पानी का पवित्र बनाने का बेजोड नैसर्गिक तरीका है। सहजना की जड़ में स्टेफिलोकोकल तथा स्ट्रेप्टोकोकल आदि ग्राम पॉजिटिव रोगाणुओं को संहार करने वाला 'स्पाईरोचिन' जैव सक्रिय प्रतिजैविकीय एण्टीबायोटिक औषध रसायन होता है।

फन्गाई की वृद्धि को रोकने वाला एण्टीबायोटिक पदार्थ 'प्टेरिगोस्पर्मिन' भी इसकी जड़ में होता है। इसमें न्यूक्लिक अम्ल तथा वेदनाहर तत्त्व भी होते हैं। ग्राम पॉजिटिव तथा ग्राम नेगेटिव रोगाणुओं को नाश करने की इसमें प्रबल क्षमता है। संधि शोथ, व्रणशोथ, कृमि, दंत, मुख विकार में इसके छालों के क्वाथ से प्रक्षालन करें तथा अंग अनुसार लेप करें। गुर्दे की सूजन में इसकी जड़ का प्रयोग नहीं करें। इसके मूल का काढ़ा ज्वर, अपस्मार, अंगघात, जीर्ण आमवात, प्लीहा व यकृत वृद्धि, अपचन तथा शोथ में उपयोगी है। इसकी फलियों में आंत्रकृमि प्रतिबन्धक तत्त्व पाया जाता है।

सहजना की ताजी कोमल पत्तियों का सूप वायु नली प्रदाह, दमा, सर्दी, क्षय, स्नायु दौर्बल्य, नपुंसकता, रक्तहीनता, कुपोषण, कब्ज तथा सामान्य कमजोरी को दूर करता है। विकासशील बच्चों, रोग प्रतिरोधक क्षमता को बढ़ाने, अस्थियों को मजबूत बनाने, माताओं के दूध बढ़ाने, स्वस्थ प्रसव के लिए ताजी पत्तियों का रस 50 सी.सी. तथा शहद 20 ग्राम मिला कर दें। इसका ताजा रस लेने से रतौंधी, घ्राण एवं श्रवण शक्ति ह्रास, नेत्र-दोष, रक्तार्श, फेफड़े से रक्तस्राव, अजीर्ण आदि रोग ठीक होते हैं। इसके पत्ते का ताजा रस आँख एवं नाक में डालने से तत्संबंधित सभी रोग एवं मूर्च्छा ठीक होती है। इसके पत्र स्वरस से सिद्ध तेल चर्म रोग, मोच व वातज व्याधि को ठीक करता है। पत्र स्वरस व नींबू रस मिलाकर चेहरे पर लगायें। सौन्दर्य खिल उठता है। गाँठ, वातज व्याधि एवं चोट में इसकी पत्तियों का गरम सेंक करने से लाभ होता है।

ग्वार की फली

(वानस्पतिक नाम—Cyamopsis Tetragonoloba अंग्रेजी नाम—Cluster Beans)

ग्वार की फली मेदवर्द्धक, वायुकारक, कफकारक तथा अम्ल प्रधान आहार है। इसमें प्रोटीन की मात्रा अधिक होती है। अधिक श्रम करने वालों के लिए यह उत्तम आहार है। मुलायम ग्वार की फली के रस या सूप में घी तथा जीरा का छौंक लगाकर खाने से पित्त शांत होता है। इसकी सब्जी, सूप या रस लेने से जठराग्नि प्रदीप्त होती है। कफ को सम्यक् बनाकर रखती है।

इसे सूखने नहीं देती है। प्रति सौ ग्राम ग्वार की फली में Ca- 130, P- 57, Fe-4.5, बी-1 0.09, बी-2 0.03, बी-3 0.06, 'सी' 49 मि.ग्रा. तथा कैरोटिन 198 मा.ग्रा. होता है। इस प्रकार यह मानसिक एवं स्नायविक स्वास्थ्य की वृद्धि तथा अस्थि विकास के लिए उपयोगी आहार है। ग्वार का बीज में हाइपोग्लाइसीमिक फैक्टर होता है। खाने के बाद 10-12 बीजों का पावडर खाने से मधुमेह रोग में फायदा होता है।

चौलाई की फली या लोबिया

(वानस्पतिक नाम—Vigna Catjang अंग्रेजी नाम—Cowpea)

आयुर्वेद मतानुसार यह स्मरणशक्ति बढ़ाने वाली, कफ, पित्त, वात अर्थात् त्रिदोषनाशक, सन्तर्पणप्रद, स्तन्यवर्द्धक, शूल, पाण्डुरोग तथा गुल्म को खत्म करने वाली तथा रेचक होती है। इसे बिहार एवं पूर्वी उत्तरप्रदेश में बोरा भी कहते हैं। इसकी सब्जी, रस या सूप लेने से गले की खराबी दूर होती है। यह अरुचि समाप्त कर अग्नि प्रदीप्त करती है। यह मूत्रल है, परन्तु अधिक खाने से देरी से पचती है। फलतः सपने ज्यादा आते हैं। इसका विशद वर्णन भाव प्रकाश निघण्टु, चरक तथा सुश्रुत संहिता में किया गया है।

उपर्युक्त फली तथा छेमीवाली सब्जियों में मक्खन सेम (वा.ना. Vica Faba अं Brood Beans), पपड़ी (वा.ना. Faba Vulgaris अं Double Beans), कद्दू मल या वल (वा.ना. Dolichos lablal अं Field Beans), बकला (वा.ना. Phaseolus Vulgaris अं French Beans), मूली की फली, सेंगरी तथा कुल्थी की फली आदि सभी के गुण धर्म आपस में मिलते हैं। इन सभी की सब्जी, सूप तथा रस बनाई जाती है। इनमें हींग, जीरा तथा घी का छौंक लगाकर खाने से अग्नि प्रदीप्त होती है। ये माँसवर्द्धक होती हैं। इनकी सूखी फलियों को उबालकर पानी भी लिया जा सकता है। इनकी सब्जी स्वादिष्ट एवं रुचिकर होती है। इनका प्रयोग ज्यादा नहीं करें, अन्यथा ये गैस बनाती हैं। इनके सूखे बीजों को अंकुरित करके भी खाया जा सकता है तथा भिगो कर स्वादिष्ट सब्जी बनायी जाती है।

सभी छेमियाँ तथा फलियाँ लेग्यूमिनोसी (Leguminosae) परिवार के पौधे हैं। उपर्युक्त सभी प्रकार की फली एवं छेमियों (Beans or Legumes) का आदिकालीन निवास स्थान दक्षिण अमेरिका है। कोलम्बस ने अमेरिका की खोज की, तत्पश्चात् ही अन्य देशों के लोग छेमी तथा फलियों से परिचित हुए। आज फली तथा छेमियाँ विश्व के समस्त देशों का मुख्य सब्जी आहार है। इनके अनेक आकार-प्रकार होते हैं। डेढ़ से दो फीट लम्बे इनके विभिन्न प्रकार के पेड़ों में इनके भेद के अनुसार पृथक्-पृथक् चिपटी, गोल, लम्बी, सीधी, आड़ी-टेढ़ी अनेक प्रकार की फलियाँ लगती हैं। फलियाँ तथा इनके सूखे बीज जो छेमियाँ कहलाती हैं, सब्जी के रूप में काम आती हैं। सूखी फलियाँ कार्बोज, प्रोटीन, वसा आदि की दृष्टि से काफी महत्त्व की हैं। नाजुक फलियों तथा बीजों को ही काम में लिया जाता है। पूर्ण विकसित छेमियों में लोहा कैल्शियम, फॉस्फोरस, प्रोटीन तथा खनिज लवण एवं भस्म की मात्रा अधिक बढ़ जाती है। कच्ची हरी फलियों में विटामिन 'ए', बी कॉम्पलेक्स, 'सी', एन्जाइम क्लोरोफिल भी पर्याप्त

मात्रा में मिलते हैं। अत: मौसम में इनका उपयोग खूब करना चाहिए। सभी प्रकार की छेमियां क्षार अम्ल के संतुलन को बनाये रखती हैं। ये प्रबल क्षारीय आहार है। इन्हें कम मात्रा में ही प्रयोग करें क्योंकि ये पचने में भारी होती हैं।

मटर

(वानस्पतिक नाम—Pisum Sativum अंग्रेजी नाम—Peas)

मिस्र के पुरातन भित्ती चित्रों तथा स्विट्जरलैंड के कांस्यकालीन प्रतिमाओं में खुदी मटर की लताओं को देखकर पता चलता है कि मटर आदिकालीन सब्जी है। मानव जाति के प्रादुर्भाव काल से ही यह सब्जी जुड़ी हुई है। मटर अफगानिस्तान तथा इथोपिया का आदिवासी पौधा है। यह ठण्डे प्रदेशों तथा शिशिर एवं बसंत ऋतु में होने वाला आहार है। ठण्डे प्रदेशों में यह बारहों महीना मिलता है। इसकी कच्ची, हरी तथा सूखी दोनों ही स्थितियों में सब्जी बनती है। मटर की 200 से भी अधिक किस्में होती हैं। जंगली तथा घर पर उगायी जाने वाली प्रमुख किस्में हैं।

मटर दो प्रकार के होते हैं— सजावटी बागी मटर तथा खेती वाली मटर। बाग वाली मटर का जन्मस्थान इथोपिया तथा खेती वाली मटर का जन्मस्थान हिमालय की तराई तथा रूस सागरीय प्रदेश माना जाता है। मटर की जातियों में शीघ्र 60 से 70 दिन में होने वाली किस्मों में असौजी मेटियोर, खली बदगर, आर्केल, जवाहर 3 व 4, लिटिल मारबेल, पी.एम. 1 व 2, जी.सी. 195, वी.पी. 7839 व 7802, एल्टरमैन, हरा बोना आदि हैं। 85 दिन में तैयार होने वाली मटरों में जवाहर-1 व 2, न्यूलाइन परफैक्सन, वी.ए. 2 व यू.डी. 2 व 3, के, एस. 123 व 126, पी. 87 व 88, जी.सी. 141 तथा 100 दिन में तैयार होने वाली सिलविया तथा मल्टीफ्रीजर हैं। सिलविया, डबार्फ ग्रे सुगर, मेल्टिग सुगर, आर्गोन सुगर, पॉड किस्म का मटर छिलके समेत खाया जा सकता है। अर्ली जायन्ट तथा एल्डरमेन पहाड़ी क्षेत्रों के लिए उपयुक्त है।

घर पर उगाया जाने वाला मटर स्वादिष्ट, मधुर तथा रुचिकर होता है। मुख्य रूप से इसकी ही सब्जी बनती है। हरी सब्जियों में सर्वाधिक प्रोटीन मटर में ही पाया जाता है। जैव रासायनिक दृष्टि से मटर का प्रोटीन सोयाबीन व माँस की तरह उच्च श्रेणी का होता है। इसका प्रोटीन ऊतकों का नव सृजन तथा टूट-फूट को शीघ्रता से ठीक कर उसमें नवजीवन का संचार करता है। यह विकासशील बच्चों तथा वयस्कों के लिए उत्तम सब्जी आहार है। इसमें ऊँची गुणवता के विटामिन तथा अन्य पोषक तत्त्व होते हैं। जैसे-जैसे मटर पकता जाता है उसमें कार्बोज की मात्रा बढ़ती जाती है। मटर को कच्चा तोड़ने के बाद इसमें घुलनशील नाइट्रोजन कम होता जाता है। इसे उबाल कर बनाना चाहिए। उबालने पर इसके पानी को फेंकें नहीं क्योंकि इसमें कुछ विटामिन 'बी' ग्रुप के सदस्य, सी तथा थायमिन होते हैं। भाव प्रकाश निघण्टु के अनुसार मटर मधुर रस युक्त, स्वादिष्ट तो लगता है परन्तु थायमिन तथा विटामिन 'सी' एवं 'बी' की दृष्टि से हीन हो जाता है। सूखे हरे मटर को अंकुरित करके तथा हरे कच्चे मटर खाने से अनेक प्रकार के पोषक तत्त्व, विटामिन 'ए' वं एन्जाइम मिलते हैं।

हरा टमाटर सब्जी—जीनस लाइको परसीकन तथा सोलेनेसी परिवार के इस महत्त्वपूर्ण सदस्य का पूरा विवरण प्रस्तुत पुस्तक के द्वितीय खण्ड में किया गया है। टमाटर सब्जी भी है। इसकी अनेक प्रजातियां हैं परन्तु इस्कुलेन्टम तथा पिम्पाइलीफोलियम (छोटे फल वाली) प्रजातियां सब्जी तथा फल के रूप में प्रयुक्त होती हैं। भारतीय कृषि अनुसंधान संस्थान ने पूसा अर्ली डवार्फ, पूसा रूबी मारग्लोब, बेस्ट ऑफ आल, इटेलियन रेड पियर,रीमा, एच.एस. 101, 102 व 110, एस.एल. 120, 152, सी. ओ.-1, एस 12, स्वीट 72, पन्त टी-1, 2 व 3, 63 वी. एफ 21 आदि अनेक किस्में विकसित की हैं। इटली के नेपल्स (Naples) यूनिवर्सिटी के वैज्ञानिकों ने आनुवांशिक रूप से कैंसर से ग्रस्त चूहों पर अध्ययन कर इस नतीजे पर पहुँचे हैं कि रोजाना टमाटर का सत्व प्रचुर मात्रा में खाने वाले चूहे स्वस्थ होने के साथ लम्बा जीवन भी पाया। वे बीमार भी कम पड़े। दीर्घ एवं कैंसर मुक्त स्वसथ जीवन का राज टमाटर है। इन वैज्ञानिकों के अनुसार रोज उबला हुआ चार टमाटर खाना, पुरुषों के प्रोस्टेट कैन्सर होने की संभावना को खत्म कर देता है। टमाटर कैंसर के ट्यूमर को बढ़ने की रफ्तार पर ब्रेक लगा देता है। प्रोस्टेट कैंसर पर टमाटर के लाइकोपिन की मारक क्षमता को कई देशों के वैज्ञानिकों ने स्वीकार किया है। प्रयोगशालाओं में प्रमाणित किया है।

भारतीय कृषि अनुसंधान परिषद के वैज्ञानिकों ने 2010 का विशेष तोहफा टमाटर की एक खासमखास प्रजाति 'मेघाटामैटो-3' विकसित की है जिसमें लाइकोपिन सर्वाधिक पाया जाता है। वैज्ञानिकों के अनुसार यह विशेष टमाटर बुढ़ापा, बढ़ती उम्र के दुष्प्रभाव एवं रोग, प्रोस्टेट पेट तथा फेफड़े का कैंसर पैदा करने वाले जीन को रोककर इनका उपचार एवं रोकथाम करेगा। मेधा टोमेटो-3 की एक और विशेषता है कि यह रोग रोधक कैंसर मारक टमाटर में सुखा बारिश ठण्डा गर्मी सभी विषम परिस्थितियों वातावरण एवं रोगों को झेलने की प्रबल क्षमता है। इसमें रोग प्रतिरोधक क्षमता कई गुना अधिक है। इसके बीज आम किसानों को उत्पादन के लिए जारी कर दिया गया है। टमाटर के बिना सब्जी फीकी-फीकी सी लगती है। यह दिव्य सब्जी है, इसके संबंध में पूर्ण जानकारी हेतु द्वितीय खण्ड अवश्य पढ़ें।

प्रति सौ ग्राम छेमी व फली वाली सब्जियों में रोग उन्मूलक तत्वों की मात्रा

	अक्षास									
खाद्य	Mg	Na	K	Cu	S	Cl	अ.	क्षा.	ऑए	फॉ. P
मक्खन सेम	33	43.5	39	0.17	53	43	5	-	1	-
सहजना की फली	24	-	259	0.60	137	423	-	-	101	44
वल (नाजुक)	34	55.4	74	0.13	40	31	-	98	1	-
बाकला	29	4.3	120	0.21	37	10	-	38	31	-
लाल सेम	-	32.2	117	0.13	182	47	-	-	-	38
अरहर की फली	58	93.0	463	0.40	494	22	185	-	16	-
मटर	34	7.8	83	1.11	17	4	-	17	14	55

ग्वार की फली में फाइटिन पी-3 मि.ग्रा. तथा पी का फाइटिन 6 प्रतिशत होता है।

♦♦♦

प्रति सौ ग्राम छेमी व फली वाली सब्जियों में पोषक तत्वों का तुलनात्मक अध्ययन

खाद्य	खायोभा	जल	प्रोटीन	वसा	खल.	सेलु.	कार्बो.	ऊर्जा	Ca	P	Fe	A	B_1	B_2	B_3	C
सेम	59	58.3	7.4	1.0	1.6	1.9	29.8	158	50	160	2.6	34	0.34	0.19	-	27
सहजना की फली	83	86.9	2.5	0.1	2.0	4.8	3.7	26	30	110	5.3	110	0.05	0.07	0.2	120
चौलाई की फली	-	85.3	3.5	0.2	0.9	2.0	8.1	48	72	59	2.5	564	0.07	0.09	0.9	14
मटर	53	72.1	7.2	0.1	0.8	4.0	15.9	93	20	139	1.5	83	0.25	0.01	0.8	9
बाकला	94	91.4	1.7	0.1	0.5	1.8	4.5	26	50	28	1.7	132	0.08	0.06	0.3	24
पपड़ी या चस्तांग	-	73.8	8.3	0.3	1.0	4.3	12.3	85	40	140	2.3	-	-	-	-	-
बल (Fieldbeam)	93	86.1	3.8	0.7	0.9	1.8	6.7	48	210	68	1.7	187	0.10	0.06	0.7	9
मक्खन सेम	88	85.4	4.5	0.1	0.8	2.0	7.2	48	50	64	1.7	9	0.08	-	0.08	12
लाल सेम	94	86.8	3.1	0.4	0.6	2.1	7.0	44	54	70	1.5	453	0.06	0.02	0.4	16
ग्वार की फली	-	81.0	3.2	0.4	1.4	3.2	10.8	16	130	57	4.5	198	0.09	0.03	0.6	49
बड़ा सेम	98	87.2	2.7	0.2	0.6	1.5	7.8	44	60	40	2.0	24	0.08	0.08	0.5	12
अरहर की फली	72	65.1	9.8	1.0	1.0	6.2	16.9	116	57	164	1.3	469	0.32	0.33	3.0	25

प्रति सौ ग्राम छेमी व फली वाली सब्जियों में प्रोटीन (एमिनो एसिड्स) का तुलनात्मक अध्ययन

खाद्य	कुल N ग्राम % 100 ग्राम	आर्ग	हिस	लाइ	ट्रिप्टो	फिए	टायरो	मेथो	सिस	थ्रेओ	ल्यू	आल्यू	वैल
		ग्राम प्रति ग्राम N											
मटर	1.15	0.57	0.13	0.40	0.06	0.25	0.22	0.06	0.08	0.24	0.38	0.22	0.29
बकला	0.27	0.28	0.15	0.36	0.09	0.26	0.21	0.08	0.06	0.25	0.43	0.28	0.34

5

फूल वाली सब्जियाँ

फूलगोभी

(वानस्पतिक नाम—Brassica Oleracea Var Botrytis
अंग्रेजी नाम—Cauliflower)

फूलगोभी को अंग्रेजी में Cauliflower कहते हैं जो लेटिन शब्द Caulis (Cabbage) तथा Flower से बना है। पत्ता गोभी Cabbage कोलवॉर्ट्स (Coleworts) से बना है। इनका जन्म स्थान साइप्रस तथा मेडीटेरेनियम समुद्र का उत्तरी किनारा (मेडिटेरियन कोस्ट) के आस-पास माना जाता है। भारत से इनका परिचय डॉ. जेम्सन ने कराया जो 1822 के लगभग ईस्ट इण्डिया कम्पनी बाग सहारनपुर के प्रमुख थे। गोभी की सैकड़ों उन्नत किस्में आज भारतवर्ष में उगाई जा रही हैं।

अब इसकी खेती भारत के हर प्रान्त में वृहद् स्तर पर की जाती हैं। यह क्रुसीफेरी परिवार का सदस्य पौधा है जिसके फूल की चारों पंखुड़ियाँ आमने-सामने होती है। इसका बीज मूत्रल मृदुरेचक, कृमिघ्न, इसके पत्ते आमवात व वात रक्त नाशक तथा फूल रोग जीवाणुनाशक होते हैं। आमवात तथा पित्त रक्त में पत्ते की पुल्टिस बाँधें। अवश्य लाभ होता है। यह पचने में किंचित गुरु, मूत्रल, शीतल, कफकारक एवं वायुरोधक होता है। वायुरोधक होने के कारण इसकी सब्जी में अदरक अवश्य डालें।

फूलगोभी के डण्ठल तथा पत्ते की भी सब्जी तथा रस बनाया जाता है। इसके पत्ते का रस आन्त्रशोथ एवं अल्सर में उपयोगी होता है। फूलों के साग में फूलगोभी सबकी अत्यन्त प्रिय एवं सुप्रसिद्ध सब्जी है। इसमें कैलोरी कम होने से यह मोटापा के लिए अत्यन्त उपयोगी औषधि है। दन्त विष, यक्ष्मा, हृदय की कमजोरी, रक्तहीनता, आँत्र एवं आमाशयिक शोथ में फूलगोभी का रस दें या खूब चबाकर खायें। फूलगोभी को सब्जी, सूप, रस तथा सलाद के रूप में प्रयोग किया जाता है। गोभी में एण्टीबायोटिक पेन्सिलिन स्वल्प मात्रा में होता है। इसका प्रभाव एण्टीस्कार्ब्युटिक होता है। पुरानी खाँसी तथा मधुमेह में रस तथा सूप दें।

फूलगोभी तथा सारी गोभियों में थाओसाइनेट की अधिकता एवं आयोडीन का सर्वथा अभाव होने से थायरॉयड ग्रंथि से निकलने वाला हार्मोन थायरॉक्सिन का निर्माण रुक जाता है।

घेंघा वाले रोगी को फूलगोभी नहीं खानी चाहिए। प्रतिदिन फूलगोभी के पत्तों का रस 100 मि.ली. लेने से रतौंधी, मधुमेह, यक्ष्मा, खाँसी, जीर्ण व तीव्र नासा प्रवाह, गन्ध का लोप, मूत्र नली की पथरी, बालों का सफेद होना, समय पूर्व बुढ़ापा, त्वचा की रुक्षता, बाँझपन आदि अनेक रोगों की स्थितियाँ दूर होती हैं। फूलगोभी में फॉलिक अम्ल विटामिन 'सी' तथा अन्य रोग निरोधक तत्त्व पर्याप्त मात्रा में होते हैं। गर्भावस्था में इसके पत्ते का रस अवश्य लें, इससे सभी आवश्यक तत्त्वों की पूर्ति होती है। गर्भस्थ शिशु के विकास एवं सुखद प्रसव में उपयोगी है। इसके प्रयोग से पुनः गर्भधारण देरी से होता है।

गाँठ गोभी का जन्मस्थान उत्तर यूरोपीय क्षेत्र है। इसकी गाँठ भूमि की सतह के उपर होती है इसलिए इसे जर्मन भाषा में कोहलरबी अर्थात पत्तागोभी शलगम (Cabbage Turnip) कहते हैं। यह Genus Brassica, Species Caulorpha तथा क्रूसीफेरी परिवार का स्वास्थ्योपयोगी सदस्य है। इसकी शीघ्र तैयार होने वाली व्हाइट वियना, अर्ली व्हाइट तथा देर से तैयार होने वाली परपिल वियना तथा ग्रीन वियना जातियाँ प्रसिद्ध हैं।

फूलगोभी में सल्फोराफेन, आयसोथायसाइनेट तथा डाइ इण्डोलाइल मिथेन तथा सेलेनियम पाया जाता है। ये सभी कैंसर के रोगियों के लिए कीमोथैरिपि का काम करते हैं। दिल के रोगों से रक्षा करते हैं। माइकार्डियल इन्फ्राक्शन से बचाते हैं।

फूलगोभी में इंडोल्स, इंडोल्स 3 कार्बिनोल, आदि 6 प्रकार के इंडोल्स पाये जाते हैं, ये प्रोस्टेट ग्लैंड की वृद्धि सूजन तथा कैंसर होने से बचाते हैं। लैंगिक अशक्तता दूर होती है। मूत्र संक्रमण को दूर करता है। ब्लैंडर की धारणा एवं कार्यक्षमता को बढ़ाता है। धूम्रपान के जहरीले प्रभाव को उदासीन करता है।

सहजना का फूल—लाल, काले तथा श्वेत पुष्प के आधार पर सहजना भी तीन प्रकार का होता है। प्रायः सफेद पुष्प ही दीखते हैं। जिन पुष्पों में मधु जैसी गंध होती है उसे मधुशिग्रु कहते हैं। इसके फूलों की सब्जी बनती है, जो स्वादिष्ट एवं पौष्टिक होती है। फूलों को दूध में उबालकर भी पीते हैं, इससे काम ऊर्जा बढ़ती है। वाजीकरण के लिए उत्तम है। इसकी सब्जी, गठिया, संधिवात तथा सभी प्रकार की वातज व्याधि में लाभदायक है।

केले का फूल—यह कषाय रस युक्त, स्निग्ध, गुरु, शीतल, वात-पित्त, रक्त-पित्त तथा क्षयनाशक होता है। यह शोष रोग, क्षय, वायुफुल्लता तथा पित्त-रोग में उपयोगी है। केले का आधा किलोग्राम ताजा फूल आधा लीटर पानी में उबालें। आधा बच जाने पर 250 मि.ली. बकरी का दूध डालकर उबालें। ढाई सौ ग्राम बचने पर 100 ग्राम शहद मिलाकर प्रतिदिन खायें। इस कदली पुष्प क्षीर पाक को खाने से क्षीणकाय क्षयी रोगी भी पुनःयौवन एवं स्वास्थ्य प्राप्त करता है। केले के फूल को उबालकर छाछ में डालकर भूनी हींग, जीरा, काली मिर्च तथा अजवायन डालकर खाने में वायुफुल्लताजन्य शूल ठीक होता है। इसकी सब्जी रक्त पित्त तथा मधुमेह में उपयोगी है।

कद्दू का फूल—इसके फूल पीले रंग के होते हैं। इसमें पर्याप्त मात्रा में कैल्शियम,

फॉस्फोरस, विटामिन 'ए', 'बी', 'सी' होता है। यह नेत्र, यकृत तथा प्लीहा रोगों में उपयोगी होता है।

सेमल का फूल—यह बाम्बकेसी परिवार का सदस्य है। इसका वा.ना. Bombax Malabaricum है। यह कषाय, मधुर रस, विपाक में मधुर रस युक्त, शीतल, गुरु, ग्राही, कफ, यकृत, पित्त तथा रक्तविकार नाशक होता है। घी तथा सेंधा नमक में इसकी सब्जी बनाकर खाने से असाध्य प्रदर रोग ठीक होता है। इसे सुखाकर सुरक्षित रखें। प्रयोग करने के पूर्व रात्रि को भिगो दें। सुबह काम में लें। सेमल का काढ़ा धातु दौर्बल्य को दूर करता है। प्रदर रोगियों को इसके क्वाथ का डूस तथा इसका रस लेना चाहिए। यह रक्तहीनता को कम करता है।

सनई का फूल—यह पित्तनाशक, कफघ्न तथा स्नेहन होता है। इसमें विटामिन 'ए' होने से यह आँखों के लिए बेहद उपयोगी है। इसका साग स्वादिष्ट होता है। यह पचने में भारी होता है।

अगस्त का फूल—यह लेग्युमिनोसी परिवार का पौधा है। इसके पुष्प प्राय: सितम्बर में आते हैं। इसका पुष्प वातकर, क्षय, काश, रतौंधी को दूर करने वाला है। इसका मूल उष्ण, वातहर, कफघ्न तथा शोथघ्न है। पत्र अनुलोमिक तथा शिरोविरेचन है तथा छालग्राही होती है। यह तिक्त रसयुक्त, शीतल, रुक्ष, वातकारक, पित्त, कफ, ज्वर, प्रतिश्याय नाशक होता है। इसके ताजे फूलों के 100 सी. सी. रस में 35 ग्राम शहद डालकर पिलाने से खाँसी, ज्वर, जुकाम, थकावट, रक्तस्राव, तृषा रोग तथा सुजाक रोग ठीक होते हैं। इसका पत्र स्वरस भी उपर्युक्त रोगों में लाभ करता है। चोट लगने पर पत्तों का लेप तथा संधिशूल एवं शोथ पर मूल का लेप करें। इसके वृक्ष की छाल का काढ़ा पीने तथा डूस देने से योनिशूल ठीक होता है। छाल के काढ़े से तृषा रोग रक्तस्राव ठीक होता है। शिर:शूल तथा नेत्रविकार में पुष्प एवं पत्र स्वरस का नस्य तथा भाप दें। दृष्टिमंदता में पुष्प-रस आँखों में डालें। अवश्य लाभ होगा। इसका वा.ना. Sebania Aegyptiac है।

फूलगोभी परिवार के ब्रोकोलाई, बुसेल्स स्प्राउट (छोटी फूलगोभी), केली आदि के पूर्वज एक ही हैं, अत: इसके गुण धर्म भी आपस में मिलते हैं।

कुसुम का फूल
(वानस्पतिक नाम—Carthamus Tinctorius अंग्रेजी नाम—Safflower)

यह कॉम्पोसिटी (Compositae) परिवार का सदस्य है। शरीर में कफ वृद्धि होने पर कुसुम या बेर के फूल को उबालकर उसमें शहद तथा दूध मिलाकर पीने से कफ, कब्ज तथा ठण्ड की स्थिति दूर होती है। कुसुम के फूल में अविलेय कार्थामिन नामक लाल रंग तथा जल में घुलनशील पीला रंग होता है। इसका फूल विरेचक, स्वेदक, बल्य एवं आर्तव वृद्धिकर होता है।

गुलाब का फूल
(वानस्पतिक नाम—Rosa Centifolia Linn अंग्रेजी नाम—Rose)

यह रोजेसी (Rosaceas) परिवार का सदस्य है। गुलाब के फूल का गुलकन्द कब्ज,

मंदाग्नि, हृदय की तीव्र धड़कन, प्यास की शान्ति तथा रक्त शुद्धि करता है। यह शीतल, हृदय के लिए हितकर, संग्राही, शुक्रजनक, लघु, त्रिदोष तथा रक्तविकार नाशक, कटु तिक्त रसयुक्त, पाचक तथा शरीर के रंग को सुन्दर बनाने एवं संवारने वाला होता है। शोथ तथा व्रण में इसका लेप करते हैं। यह शीत वीर्य, मृदुसारक, पाचन, त्रिदोषघ्न तथा पौष्टिक होता है। गुलाब अनेक प्रकार के होते हैं। चूर्ण तथा रस 50 सी.सी. लें। एक समय एक ही चीज लें।

अनार का फूल—इसकी कली शुद्ध मिट्टी के भीतर रखकर सुखाकर उपले की आग पर पकाकर उसका रस निकालें। उसमें शहद मिलाकर देने से खाँसी, पेचिश, यकृत एवं प्लीहा वृद्धि दूर होती है। इसकी जड़ का काढ़ा यकृत व प्लीहा वृद्धि तथा ज्वर में लाभ करता है।

कमल

(वानस्पतिक नाम—Nelumbium Speciosum N. Nelumbo
अंग्रेजी नाम—Sacred Lotus)

यह निंफिएसी कुल का प्रमुख सदस्य है। सब्जी के रूप में कमल की जड़ व कमल की नाल (मृणाल) का प्रयोग किया जाता है। आयुर्वेद के विभिन्न ग्रंथों में कमल के खूब गुणगान किये गये हैं। यह त्वचा के रंजक द्रव्य का शोधन कर शरीर के रंग को निखारने वाला, मधुर रसयुक्त, शीतल, कफ-पित्त शामक, तृष्णा, दाह, रक्तविकार, छोटी-छोटी फुंसियाँ, विष एवं विसर्प नाशक होता है। इसके सभी अंग औषधि के रूप में प्रयुक्त होते हैं। मृणाल को दूध में पकाकर खाने से रक्तपित्त एवं दाँत हिलना ठीक होता है। इसके पुष्प को दूध में सममात्रा में डालकर एक माह तक जमीन के अन्दर गाड़ने के बाद सिर पर लगाने से बाल काले होते हैं। एक कमल पुष्प को 200 सी.सी. बकरी के दूध के साथ खाने से नेत्र-रोग ठीक होता है। कमल कंद, मृणाल तथा पुष्प का क्वाथ लेने से मूत्रकृच्छ में लाभ करता है। कमल के कोमल पत्तों को खाने से गुदा बाहर आना ठीक होता है।

नीलकमल के पत्र-स्वरस या कन्द के साथ शहद खाने से गर्भपात रुक जाता है। कमल के रस या क्वाथ के प्रयोग से नाक से रक्त बहना, गर्भस्राव, सोमरोग, हृदय ज्वर रोग ठीक होते हैं। कमल मूल चबाने से दाँत के कीटाणु मरते हैं। मृणाल की सब्जी गलगण्ड, क्षय तथा रक्तपित्त में दें। बेर्रा या कुमुदनी या पद्मिनी का फल शीतल, स्निग्ध, गुरु, मधुर, लवण रसयुक्त, पित्त कफ तथा रक्तविकार को नाश करने वाला होता है। इसके अन्य गुण कमल से मिलते हैं। ये दोनों ही निम्फएसी (Nymphaeaceae) परिवार के हैं।

तिरुअनन्तपुरम मेडिकल कॉलेज अस्पताल में शल्य चिकित्सा विभाग के एसोसिएट प्रो. डॉ. फाजिलमरीकर की अगुवाई में किये गये एक शोध निष्कर्ष के अनुसार इमली में पोटाशियम बाइटारट्रिक टाइट्रिक अम्ल की मात्रा अत्यधिक होने के कारण यह मूत्राशय में पथरी बनाने वाले कैल्शियम ऑक्जेलेट के निर्माण तथा जमा होने में बाधा डालती है। यही कारण है कि दक्षिण भारत में जहाँ इमली का खूब प्रयोग किया जाता है, अन्य राज्यों की तुलना में मूत्र पथरी के रोगी कम मिलते हैं।

प्रयोगात्मक अध्ययनों से यह भी ज्ञात हुआ है कि टमाटर के प्रयोग से कैल्शियम ऑक्जेलेट हाइड्रेट तथा कैल्शियम ऑक्जेलेट मोनोहाइड्रेट की कमी होने से भी मूत्राशय की पथरी नहीं बनती है परन्तु इमली की तुलना में टमाटर का कम प्रभाव होता है। मूत्राशय में पथरी रोग पीड़ितों का इमली से इलाज करने पर 52 फीसदी मरीजों को लाभ मिलता है।

अंकुरित आहारों, ताजे फल तथा सब्जियों में रिबोन्यूक्लिक अम्ल (आर.एन.ए.) तथा डी-आक्सी रिबोन्यूक्लिक अम्ल की सक्रियता एवं मात्रा बढ़ी हुई होती है। यीस्ट तथा किण्व आहारों से ऊतकों में आर.एन.ए. तथा डी.एन.ए. का स्तर बढ़ जाता है। आर.एन.ए. तथा डी.एन.ए. अति उपयोगी आहार तत्त्व हैं। इन्हीं पर हमारा स्वस्थ, दीर्घायु होना निर्भर है। आर.एन.ए. तथा डी.एन.ए. का केन्द्र बिन्दु है न्यूक्लिक अम्ल।

भोजन द्वारा न्यूक्लिक अम्ल की बराबर पर्याप्त मात्रा में पूर्ति होती रहे तो बुढ़ापे की डिजेनरेटिव प्रक्रिया से बचा जा सकता है। किसी भी प्राणी की आनुवांशिकता, स्वास्थ्य, दिमागी शक्ति उसकी कोशिकाओं के चार न्यूक्लियोटाइड रसायन ए (एडीनाइन), सी (साइटोसाइन), जी (ग्युवेनाइन) तथा टी (थायमिडाइन) पर निर्भर करता है। मानव शरीर का डी.एन.ए. का आधार क्रम (Base Sequence) करीब 3 अरब, 5 करोड़ जोड़े लम्बा होता है। 'मानव जीनोम परियोजना' के अन्तर्गत इस पर काफी शोध कार्य चल रहा है। न्यूक्लिक अम्ल का स्वास्थ्य एवं सक्रियता विटामिन 'बी' ग्रुप के सभी विटामिनों पर निर्भर करता है।

कुछ वैज्ञानिकों का मानना है रैनसिड वसा के कारण आर.एन.ए. तथा डी.एन.ए. की प्रक्रिया में बाधा पड़ती है तथा बुढ़ापा शीघ्र आता है। सामिष तथा संतृप्त वसा एवं अन्य संश्लिष्ट व कन्फेक्शनरी आहारों के प्रयोग से उसमें स्थित ऑक्सीजन तथा रेनसिड वसा के मध्य रासायनिक प्रतिक्रिया होती है फलत: रैनसिडिटी पैदा होता है।

इस प्रतिक्रिया के कारण मुक्त रेडिकल्स बनते हैं। इस प्रक्रिया को 'पेरोक्साइडेशन' कहते हैं। यह मुक्त रेडिकल्स ही रैनसिडिटी पैदा कर वृद्धता की स्थिति उत्पन्न करते हैं। इसमें कोशाओं की अपक्षय प्रक्रिया तेजी से प्रारम्भ हो जाती है। परन्तु हमारी सशक्त कोशिकाएँ इन मुक्त रेडिकलों से लोहा लेने हेतु सक्रिय हो जाती हैं। शरीर इन मुक्त रेडिकलों से मुक्ति पाने के लिए ग्लूथिओल तथा डिसम्यूटेज दो सबल व सशक्त एण्टीटाक्लिडेंटों का निर्माण करते हैं। एण्टीटाक्लिडेंटों के निर्माण में विटामिन 'इ', बी-1, बी-5, बी-6, 'सी' व 'ए' तथा खनिज सेलेनियम व जिंक और एन्जाइम अति आवश्यक हैं।

अत: रैनसिडिटी से बचने के लिए ऐसे आहार लें जिनमें उपर्युक्त आहार तत्त्व पर्याप्त मात्रा में हों। इस दृष्टि से सोयाबीन, मूँगफली, घाणी का तिल तेल, कॉन ऑयल, ताजे फल, ताजी हरी सब्जियाँ अंकुरित अनाज, गेहूँ की घास का रस तथा गेहूँ का एन्जाइमेटिक रेजुवलेक पानी अपने आहार में अत्रश्य लें। सभी प्रकार के डिब्बा बंद आहार, फल, सब्जियाँ, माँस, मछली, तला-भुना आहार, डिब्बा बंद तेल, डालडा, वनस्पति तेल, डिब्बा बन्द घी आदि रैनसिडिटी पैदा करते हैं। कोशिकाओं के डी एन ए को डैमेज करते हैं।

							अक्षास			
खाद्य	Mg	Na	K	Cu	S	Cl	अ.	क्षा.	ऑए	फॉ. P
फूलगोभी	20	53.0	138	0.05	231	34	99	-	19	10
केले का फूल	54	20.1	185	0.10	68	68	-	28	420	-
गाँठ गोभी	18	112.0	37	0.09	143	67	48	-	10	-
शुष्क कमलगट्टा	168	438.0	3007	1.22	258	444	-	931	422	-
कच्चा आम	21	43.0	83	0.24	15	-	-	40	6	5
प्याज डण्ठल	15	2.2	109	0.14	33	7	-	11	14	19
छोटी गोभी	26	7.9	477	0.07	212	22	23	-	4	5
सफेद कद्दू	13	27.3	94	0.22	11	9	-	23	56	-

प्रति सौ ग्राम फूल गोभी में 127 मि.ग्रा. व केले के फूल में 5 मि.ग्रा. कोलिन होता है।

♦♦♦

प्रख्यात प्राकृतिक चिकित्सक डॉ. नागेन्द्र कुमार नीरज, राष्ट्रीय और अंतर्राष्ट्रीय स्तर पर अनेक सम्मान व पुरस्कार प्राप्त कर चुके हैं। दुनिया भर के लोगों की व्यक्तिगत उपलब्धियों की समीक्षा के बाद दिए जाने वाले ''वर्ष के व्यक्तित्व'' पुरस्कार के लिए डॉ. नीरज का चयन प्राकृतिक चिकित्सा योग और त्रस्त मानवता के लिए किये गये उनके विशेष उल्लेखनीय योगदान के लिए किया गया है। वे लाखों रोगियों का उपचार एवं अनेक अनुसंधान कर चुके हैं। कई स्वास्थ्य पत्रिकाओं का सम्पादन करने और अनेक पत्रिकाओं में स्वास्थ्य सम्बन्धी स्तम्भ लिखने के अलावा डॉ. नीरज की दर्जनों पुस्तकें व 250 से ज्यादा शोध लेख प्रकाशित हो चुके हैं। डॉ. नीरज रेडियो, दूरदर्शन तथा आरोग्य चेतना व्याख्यान–माला के जरिए प्राकृतिक व योग चिकित्सा विज्ञान को सार्वभौम व सार्वजनिक बनाने और जनसाधारण को स्वस्थ नैतिक आध्यात्मिक व वैज्ञानिक जीवन जीने को प्रेरित करने में जुटे हैं।

—जनसत्ता, 01-07-98, कोलकाता; 02-08-98, दिल्ली; 10-08-98, मुम्बई

डॉ. नागेन्द्र कुमार नीरज, जोधपुर, नागपुर, श्री महावीरजी तथा त्रिवेन्द्रम में आयोजित अखिल भारतीय प्राकृतिक चिकित्सा सम्मेलनों के तकनीकी सत्रों का संचालन सफलतापूर्वक कर चुके हैं।

—राजस्थान पत्रिका, 20 दिसम्बर, 1991

प्रति सौ ग्राम फूल वाली तथा विविध सब्जियों में पोषक तत्वों का तुलनात्मक रासायनिक विश्लेषण

खाद्य	खायोभा	जल	प्रोटीन	वसा	खल.	सेलु.	कार्बो.	ऊर्जा	Ca	P	Fe	A	B_1	B_2	B_3	C
फूल गोभी	70	90.8	2.6	0.4	1.0	1.2	4.0	30	33	57	1.5	30	0.04	0.10	1.0	56
सैजन के फूल	-	85.9	3.6	0.8	1.3	1.3	7.1	50	51	90	-	-	-	-	-	-
केले का फूल	43	89.9	1.7	0.7	1.3	1.3	5.1	34	32	42	1.6	27	0.05	0.02	0.4	16
कद्दू का फूल	-	89.1	2.2	0.8	1.4	0.7	5.8	39	120	60	-	-	-	-	-	-
सेमल का फूल	-	86.4	1.5	0.3	0.7	1.6	9.5	47	22	45	-	-	-	-	-	-
सनई का फूल	-	78.9	4.8	0.6	1.4	3.9	10.4	66	200	100	-	-	-	-	-	-
अगस्त का फूल	-	92.9	1.0	0.5	0.4	0.8	4.4	26	9	5	-	-	-	-	-	-
चौलाई का फूल	-	92.5	0.9	0.1	1.8	1.2	3.5	19	260	30	1.8	255	0.01	0.18	-	10
अरबी की डण्डी	86	94.0	0.3	0.3	1.2	0.6	3.6	18	60	20	0.5	-	0.07	0.07	0.1	3
शिमला मिर्ची	97	92.4	1.3	0.3	0.7	1.0	4.3	24	10	30	1.2	427	0.55	0.05	0.1	137
नाड़ी की डण्डी	-	93.7	0.9	0.2	1.8	-	3.4	19	80	30	0.8	-	-	-	-	-
गांठ गोभी	74	92.7	1.1	0.2	0.7	1.5	3.8	21	20	35	0.4	21	0.05	0.09	0.5	85
लहसुन या विलायती प्याज	-	78.9	1.8	0.1	0.7	0.3	17.2	77	50	70	2.3	18	0.23	-	-	11

प्रति सौ ग्राम फूल वाली तथा विविध सब्जियों में पोषक तत्वों का तुलनात्मक रासायनिक विश्लेषण

खाद्य	खायोभा	जल	प्रोटीन	वसा	खल.	सेलु.	कार्बो.	ऊर्जा	Ca	P	Fe	A	B1	B2	B3	C
सुखा कमल गट्टा	100	9.5	4.1	1.3	8.7	25.0	51.4	234	405	128	60.6	-	0.82	1.21	1.9	3
कच्चा आम	72	87.5	0.7	0.1	0.4	0.2	10.1	44	10	19	5.4	90	0.04	0.01	0.2	3
लाल मोगरा	-	91.8	2.3	0.5	1.0	1.3	3.1	26	97	25	3.9	300	0.03	0.04	0.5	-
हरा मोगरा	-	91.8	1.6	0.4	0.6	1.2	4.4	28	98	34	2.5	654	0.04	0.03	0.4	74
लसोड़ा के फूल	-	79.6	4.7	0.5	2.6	3.3	9.3	61	1740	116	-	-	-	-	-	-
प्याज की डण्डी	100	87.6	0.09	0.2	0.8	1.6	8.9	41	50	50	7.5	595	-	0.03	0.3	17
केले का तना	-	88.3	0.5	0.1	0.6	0.8	9.7	42	10	10	1.1	-	0.02	0.01	0.2	7
सरसों की डण्डी	-	91.4	3.1	0.1	1.4	-	4.0	29	100	100	1.2	-	-	-	-	-
खेण्डीचिनी	-	92.7	1.1	0.5	1.1	0.3	4.3	26	120	10	2.2	-	-	-	-	-
पालक की डण्डी	-	93.4	0.9	0.1	1.8	-	3.8	20	90	20	1.6	-	-	-	-	-
सफेद कद्दू	94	94.8	0.5	0.1	0.3	0.8	3.5	17	10	30	0.06	-	0.02	-	0.4	18
भेंट का फूल	-	90.8	1.6	0.6	0.7	0.9	5.4	33	29	18	-	-	-	-	-	-
छोटी गोभी (Brusselsprouts)	100	85.5	4.7	0.5	1.0	1.2	7.1	52	43	82	1.8	126	0.05	0.16	0.4	72

6

मसाला शाक तथा मसाले

प्राय: दो प्रकार के निरापद मसाले काम में लिये जाते हैं— प्रदाहक उष्ण एवं उत्तेजक। प्रदाहक गर्म मसालों में लौंग, इलायची, काली मिर्च, जावित्री, तेजपात, दाल चीनी इत्यादि आते हैं। दूसरे प्रकार के उड़नशील तेल युक्त शीतल प्रभावक मसालों में धनिया, पोदीना, सौंफ, हल्दी, अजवायन आदि आते हैं। इनमें क्षणिक उड़नशील प्रदाहक तत्त्व होता है जिसका प्रभाव क्षणिक होता है। प्रथम श्रेणी के प्रदाहक मसाले आमाशय को उत्तेजित कर स्राव को तीव्र कर क्रमशः कम करते हैं। इनके लगातार प्रयोग से पाचक ग्रंथियाँ कमजोर हो जाती हैं। अत: इन्हें औषधि के रूप में कभी-कभी प्रयोग में लायें। द्वितीय श्रेणी के मसाले पाचक ग्रंथियों पर क्षणिक उत्तेजक प्रभाव डालते हैं। इनका भी प्रयोग कभी-कभी करने में हानि नहीं है।

मसाला शाक में पोदीना, अजमोदा या बड़ी अजवायन तथा अजवायन आदि के पत्ते काम में लिये जाते हैं। इन्हें सब्जी के रूप में ज्यादा मात्रा में नहीं खाना चाहिए। इन्हें न्यून मात्रा में सब्जी में ऊपर से डालने के लिए, चटनी तथा सलाद के रूप में खाते हैं। इन्हें ज्यादा खाने से वात, पित्त, कफ अर्थात् शरीर की जैव रासायनिक प्रक्रियाओं में असंतुलन पैदा होता है। वीर्यदोष सम्बन्धी बीमारी होती है। परन्तु इन्हें सम्यक् मात्रा में लेने से सभी शारीरिक संस्थान चैतन्य हो उठते हैं तथा उनकी कार्यक्षमता एवं सक्रियता बढ़ जाती है। शरीर में एकत्रित विषाक्त पदार्थों का निष्कासन बढ़ जाता है। रक्त तथा स्नायविक संचार व्यवस्था, पाचक ग्रंथियां जागरूक होकर अपना कार्य व्यवस्थित ढंग से करने लगती हैं। उनकी निष्क्रियता समाप्त हो जाती है। शरीर को स्वस्थ बनाने में मसाला शाक तथा मसाले चमत्कारिक प्रभाव डालते हैं। नीचे कुछ निरापद मसाला शाक तथा मसालों का वर्णन किया गया है।

मसाला शाक रस 25 से 75 सी.सी., चूर्ण 3 से 6 ग्राम, काढ़ा 100 सी.सी. एक समय प्रयोग करें। इससे अधिक नहीं। एक समय एक ही प्रकार का मसाला या मसाला शाक लें। एक साथ चूर्ण, रस या काढ़े को मिलाकर न लें, एक ही प्रकार लें। मसाले भोजन के स्वाद को बढ़ा देते हैं। जहाँ तक हो सके मसाले अपने शाक-वाटिका में ही उगायें। बाजारू मसालों में अनेक प्रकार की मिलावटें होती हैं। उनके वास्तविक गुण-धर्म समाप्त हो जाते हैं तथा मिलावट के कारण वे विषाक्त प्रभाव डालते हैं। कुछ निरापद उष्ण मसालों का प्रयोग कभी-

कभी करने से उनका औषधीय चमत्कार देखने को मिलता है, निरन्तर करने से संस्थान उसका आदी हो जाता है। फलतः उसका औषधीय प्रभाव नहीं दिखता है।

अज़मोदा

(वानस्पतिक नाम—Apium Graveolens Linn Vardulce अंग्रेजी नाम—Celery)

यह अंबेलीफेरी परिवार का प्रमुख सदस्य है। इसका जन्म स्थान यूरोप का उष्ण प्रदेश है। सिलरी या बड़ी अजवायन का फल, शाक तथा कन्द, डण्ठल तथा पत्तों की स्वादिष्ट सब्जी बनती है। फारस (ईरान), यूरोप तथा अमेरिका में इसका प्रचलन अधिक होने से वहाँ वृहद् स्तर पर इसकी खेती की जाती है। इसके कन्द को पकाने पर आलू जैसा ही स्वाद आता है। भारत में इसकी खेती पंजाब तथा उत्तरप्रदेश में होती है। इसके पौधे 2 से 3 फीट लम्बे, पत्ते अनेक भागों में विभक्त, फूल छत्र की तरह सफेद, फल पीले, भूरे, गोलाभ, अंडाकार, पाँच गहरी धारियों से युक्त होते हैं। इनके फलों में उड़नशील तेल, गंधक, ग्लूकोसाईड्स ऑपीईन अल्ब्यूमिन तथा क्षार होते हैं। इसमें एक विषैला पदार्थ अपोइल भी होता है। इसके बीज हृदय को शक्ति देने वाले तथा हृदयोत्तेजक होते हैं। इसके प्रयोग से यकृत एवं प्लीहा सम्बन्धी रोग दूर होते हैं। इससे लार रस (प्टाइलिन) का स्राव बढ़ जाता है। इसका मूल या कन्द पौष्टिक, मूत्रल, उदर रोग एवं उदरशूल में उपयोगी है। भावप्रकाश एवं राजनिघंटु आदि प्राचीन आयुर्वेद ग्रंथों के अनुसार सिलरी कटु रसयुक्त, तीक्ष्ण वीर्य, अग्निदीपक, कफ वातनाशक, हृद्यं, बलकारक तथा लघु होता है।

यह नेत्ररोग, कृमि, वमन, हिचकी (हिक्का) तथा बस्ती सम्बन्धी रोग दूर करता है। इसके प्रयोग से सभी प्रकार के शूल नष्ट होते हैं। यह सुगन्धित, उत्तेजक, वातशामक, मूत्रल, बल्य तथा गर्भाशय संकोचक है। इसका रस आमवात, उदरशूल, आध्यमान, वमन, हिचकी, अजीर्ण, कु-पाचन, वातरक्त, कृमि तथा मूत्राशय सम्बन्धी रोगों को दूर करता है। इसका कन्द (मूल) रसायन तथा मूत्रल होता है। सर्वांग शोथ तथा शूल में अजमोदा अति उपयोगी है। इसके मूल कन्द का क्वाथ या सूप मस्तिष्क तथा नस नाड़ियों अर्थात् स्नायु सम्बन्धी सभी प्रकार की विकृतियों तथा प्रारम्भिक माहवारी संबंधी कष्ट या बीमारी को दूर करता है। यह सभी प्रकार की वातज व्याधि के लिए श्रेष्ठ आहार औषधि है।

5 ग्राम कन्द को 250 मि.ली. छाछ में पाँच घंटे भीगने के बाद उसी छाछ में पीसकर पीने से अजीर्ण, पित्तज वमन, अम्ल-पित्त, पथरी, रक्तार्श, आँख की जलन, आलस्य व जनरल डेबिलिटी दूर होती है। मेथी तथा इसके बीज का काढ़ा लेने से श्वास कष्ट, मद्यदात्य, कुपोषण, कंठ व श्वास नलिका प्रदाह, वातज व्याधि, अनियमित मासिक धर्म, रिकेट्स, यकृत एवं प्लीहा के रोग ठीक होते हैं। इसका बाह्य लेप करने से दर्द दूर होता है।

इसके मूल कन्द में प्रचुर मात्रा में सोडियम, फॉस्फोरस, कैल्शियम हाइड्रोजन, सल्फर, क्लोरीन तथा लोहा होता है। इसके डण्ठल का रस गाजर के साथ मिलाकर लेने से अति पौष्टिक तथा स्वादिष्ट बन जाता है। यह गठिया, आर्थराइटिस, र्यूमेटिज्म आदि सभी प्रकार के शूल को ठीक करता है। शरीर की विभिन्न संस्थानों में संचित विजातीय विषैले पदार्थों तथा अम्लीय

टॉक्सिन को निकाल बाहर करता है तथा इनके विषैले प्रभाव को उदासीन बना देता है। स्नायु संबंधी बीमारी, स्नायविक शूल, न्यूराइटिस, पथरी, मधुमेह, नेफ्राइटिस, मोटापा तथा अन्य रोगों में इसके रस का सफल प्रयोग किया गया है। यह उत्तम प्रकार का नि:सारक (लक्जेटिव), बहुमूत्रल (डॉयूरेटिक) है। इसके पत्ते मधुमेह तथा कन्द शोथ की उत्तम औषधि है। सिलरी (अजमोदा) रक्त तथा आमाशयिक अम्लता, स्नायविक शूल तथा सभी प्रकार की वातज व्याधि को दूर करता है। यह रक्तशोधक तथा प्रबल क्षारीय आहार है।

एक कप अजमोदा की सब्जी में उपयोगी स्वास्थ्य संरक्षक एवं रोग निवारक तत्त्वों की मात्रा निम्नलिखित होती है—

विटामिन 'ए'- 1000 अ.ई., बी-1 30 मा.ग्रा., बी-2 10 मा.ग्रा., बी-3 0.40 मि.ग्रा. तथा 'सी' 7 मि.ग्रा., Ca-50-70 मि.ग्रा., P- 40-50 मि.ग्रा., Fe-0.6 मि.ग्रा., Na-110 मि.ग्रा., K-300 मि.ग्रा. होते हैं।

सिलरी को खरीदते समय ध्यान रखें कि इसके पत्ते तथा डण्ठल स्वच्छ तथा नाजुक हों। अजमोदा कृत्रिम ढंग से भी पैदा किया जाता है परन्तु इनमें कैरोटिन, क्लोरोफिल तथा विटामिन 'सी' बिलकुल कम हो जाते हैं। नाजुक सिलरी के प्रत्येक भाग को सलाद के रूप में खायें। इसके डण्ठल का सूप अतिस्वादिष्ट होता है।

पुदीना

(वानस्पतिक नाम—Mentha Spicata Linn अंग्रेजी नाम—Spearmint A Mint)

यह लेबियटी परिवार का प्रमुख सदस्य है। यह भारतवर्ष के समस्त प्रान्तों में आसानी से मिल जाता है। गर्मियों में यह सर्वत्र उपलब्ध होता है। गर्मियों का प्रमुख पेयजल जलजीरा का यह मुख्य घटक है। आयुर्वेद मतानुसार यह दीपन, पाचन, उद्वेष्ट निरोधी, आर्त्तवजनन तथा मूत्रल होता है। अजीर्ण, वमन, शूल, आध्यमान, कृमि तथा कफ ज्वर में इसका रस अति उपयोगी है।

यह वन्य तथा कृषित दोनों प्रकार के होते हैं। हिमालय तथा अन्य पहाड़ियों में खूब उगे हुए मिलते हैं। इनमें एक विशेष प्रकार का उड़नशील तेल होता है जिसके कारण पुदीने से विशेष प्रकार की गन्ध एवं चरपरा स्वाद आता है। यह विशेष गन्ध ही पुदीने की गुणवत्ता को बढ़ाती है। पुदीने के छने रस को दो चम्मच पिलाने अथवा सूखे पुदीने के चूर्ण को शहद के साथ लेने से पेटदर्द ठीक होता है। उल्टी, दस्त तथा हैजा की स्थिति में एक-एक घंटे के अंतराल पर 3-3 चम्मच पुदीना का ताजा रस दें। पुदीना का काढ़ा सुबह-शाम लेने से खाँसी ठीक होती है। शरीर प्रदाह एवं गर्मी को दूर करने के लिए इसका लेप करें। गर्मी में इसकी चटनी, शर्बत, ठंडाई, छाछ में डालकर रायता लेने से भूख बढ़ती है, मंदाग्नि दूर होती है, गर्मी शांत होती है तथा लू से रक्षा होती है। वायुफुल्लता की बीमारी ठीक होती है।

पुदीने के पत्ते को चूसने या इसके रस में शहद मिलाकर लेने से हिचकी बन्द हो जाती है। जीर्ण संग्रहणी में बेल के चूर्ण को पुदीने के काढ़े या रस के साथ लें। पुदीना अर्क लेने से

पेचिश में लाभ होता है। अर्क के अभाव में काढ़ा छानकर दें। पेट के कीड़ों को मारने के लिए पुदीना का रस शहद के साथ मिलाकर लें। 15 ग्राम पुदीना, 30 ग्राम गुड़ को 300 मि.ली. पानी में उबालें। आधा बचने पर दिन में 4 बार पियें। यह पित्ती में लाभ करता है। पुदीने की चटनी या रस लेने से अधिक पेशाब या पेशाब कम आना अर्थात् पेशाब संबंधी रोग ठीक होते हैं। पुदीना का रायता अथवा आँवले के साथ इसकी चटनी लेने से मानसिक तथा स्नायविक रोग में लाभ होता है। कफ बढ़ने, खाँसी तथा जुकाम में इसका काढ़ा पिलायें। इसकी ठंडाई या शर्बत के प्रयोग से हृदय रोग, निम्न रक्तचाप, सिरदर्द व लू लगना ठीक होता है। मुँह के छाले तथा मसूढ़े के दर्द में इसके गर्म काढ़े से कुल्ला करें। इसके पत्तों को चबाने से मुँह की दुर्गन्ध ठीक होती है, दाँत के कीड़े मरते हैं तथा दाँतों को क्लोरोफिल आदि पोषक तत्त्व मिलते हैं। इसकी सफाई भी अच्छी होती है। जी मिचलाना, अफारा, बवासीर तथा अतिसार में इसका अर्क अथवा रस दें। एक समय इसका रस 1 से 5 सी.सी. लें।

पुदीना में स्थित मेन्थलकैम्फर तथा स्टिरियोफिन प्रबल रोगाणुनाशक हैं। यह आँतों के संक्रमण से रक्षा कर हैजा, वमन आदि संक्रामक रोग दूर करता है। इसका वाष्प लेने से फेफड़े, गले व जुकाम का संक्रमण दूर होता है। चेहरे पर इसकी पत्तियाँ पीसकर लेप करने तथा इसका वाष्प लेने से झाइयाँ व दाग मिटते हैं। जलने, कटने व घाव में रुई के फोहे में डुबाकर इसका रस लगायें। इसके रस में नींबू का रस तथा शहद मिलाकर लेने से अपच, हैजा, संग्रहणी, वमन आदि में लाभ करता है।

धनिया

(वानस्पतिक नाम—Coriandrum Sativum Linn अंग्रेजी नाम—Coriander)

यह अम्बेलिफेरी (Umbeliifarae) परिवार का अतिप्रमुख औषधीय मसाला एवं शाकाहार है। धनिया के गुणों का विशद वर्णन वाग्भट्ट, शोढ़ल, बंगसेन, हरीत, धन्वन्तरि, भावप्रकाश व राज आदि निघंटुओं में किया गया है। इसका पौधा 1-2 फुट लम्बा, पत्ते विशमवर्ती, गोलाकार, 3-4 भाग में बँटे, फूल सफेद, कभी-कभी हल्के गुलाबी, फल छोटे, अण्डाकार गुच्छों में छत्राकार होते हैं। धनिया के पत्ते सब्जी, सलाद व रस के रूप में तथा फल मसाले तथा औषधि के रूप में प्रयुक्त होते हैं। इसके फल एवं पत्ते में स्वाद उभारने वाले नैसर्गिक रसायन उड़नशील तेल 0.5-1 प्रतिशत होता है जिसमें कॉरियन्ड्रॉल ($C_{10}H_{10}O$) 45-55 प्रतिशत, स्थिर तेल 13 प्रतिशत, वसीय पदार्थ 13 प्रतिशत, गोंद, टैनिन तथा मैलिक अम्ल पाया जाता है। महान आयुर्वेद ग्रंथों के अनुसार यह शरीर को धारण पोषण करने वाला, दुष्ट ज्वर आदि दुःखों को नष्ट करने वाला, कषाय रसयुक्त, स्निग्ध, मूत्रजनक, लघु, तिक्त, कटु रसयुक्त, उष्णवीर्य अग्निदीपक, पाचक, रोचक, ज्वरनाशक, ग्राही, परिपाक में मधुर रस युक्त, त्रिदोषघ्न, दाहशामक, वमन, प्यास, श्वास, कास, कृशता, कृमि आदि अनेक रोगों का नाश करने वाला है, कच्चा धनिया तथा इसका पत्ता मधुर रस युक्त, पित्त शान्त करने वाला होता है। वाग्भट्ट ने बताया कि सूखे धनिये को पानी के साथ पीसकर करीब दो घंटे तक छोड़ दें। फिर इसे छानकर इसमें शहद

मिलाकर पीने से तृषाधिक्य की स्थिति शांत हो जाती है। धनिया भूमध्यसागरीय प्रान्तों का आदिवासी पौधा है। बाजारों में बारहों महीने धनिया और हरा धनिया शाक उपलब्ध रहते हैं।

आयुर्वेद विशेषज्ञ बंगसेन ने पित्तातिसार आमाजीर्ण एवं शूल, बच्चों के कास, खाँसी तथा अन्य श्वास रोग, आयुर्वेद शास्त्री हारीत ने वात, रक्त तथा शोढ़ल ने ज्वरदाह तथा कफ, पित्त, ज्वर में धनिया के विभिन्न रूपों का सफल प्रयोग किया है। सुश्रुत ने हरे धनिया का रस तथा पुल्टिस आँखों के लिए उपयोगी बताया है। धनिया को रात्रि में भिगो दें। सुबह छने पानी से आँखों को धोने से नेत्र सम्बन्धी सभी रोगों से लाभ करता है। चेचक से खराब आँखों में पत्र स्वरस डालने से अति लाभ होता है।

कच्चा धनिया तथा इसके पत्ते का रस तथा चटनी या पुल्टिस का प्रयोग सिर दर्द, प्रदाह, पुराना घाव, सूजन, विषैले फोड़े, तिल्ली, मस्से, लू लगने, गंजापन, जलने तथा कटने पर करें, अवश्य लाभ होता है। धनिया को रात्रि में भिगोकर, सुबह उसके पानी या क्वाथ में शहद मिलाकर पीने से ज्वर, दाह, रक्तार्श, स्वप्नमेह, श्वेत प्रदर, रक्तातिसार, गर्भावस्था की उल्टी, मूत्रनली संक्रमण (U.T.I.) लू लगना, तीव्र गर्मी का प्रभाव, शरीर प्रदाह, मूत्र जलन, तीव्र हृदय की धड़कन, पागलपन, मिरगी, हिस्टीरिया, कामोन्माद, मलेरिया, मूत्रकृच्छ, अनिद्रा, अतिरज, स्नायविक कमजोरी, सिर चक्कर, अफरा, अरुचि, मंदाग्नि, भूख नहीं लगना, आँव, मरोड़, दस्त, अजीर्ण, उदरशूल, यकृत रोग, दृष्टि दोष, टायफायड आदि अनेक रोगों में लाभ होता है। गले के दर्द, दाँत दर्द की स्थिति में धनिये को चबाकर चूसें। छींकें, नकसीर एवं जुकाम में हरे धनिये का पत्र स्वरस नाक में डालें। रक्तार्श में ओस में पड़े धनिया का रस निकालकर 50 सी.सी. पियें। मोतियाबिन्द एवं दृष्टिदोष में इसका रस या क्वाथ आँखों में डालें।

धनिया के पत्ते में परम शक्तिशाली विषनाशक एण्टी ऑक्सीडेन्ट 'कोरियाण्ड्राल' होता है जो विषैले फंफूदी लगी मूंगफली तथा बार-बार गरम करके उपयोग में आने वाली फैट में मौजूद जहरीला तत्व "अफ्लाटॉक्सिन" को डी.एन.ए. से जुड़ने से रोकता है। डी.एन.ए. को डैमेज होने तथा म्यूटेजेनिक उत्परिवर्तन को रोककर कैंसर से रक्षा करता है।

मुँह के छाले में इसके गर्म काढ़े से कुल्ला करें। रात्रि को भीगे धनिये के पानी से आँखों को धोने से नेत्राभिष्यन्द नहीं होता है। धनिया सिद्ध तेल का प्रयोग जोड़ों के दर्द, संधियों की सूजन, संधिवात में करें। इसके तेल की एक-दो बूँद पीने से पेट दर्द ठीक होता है। धनिये के पत्ते का रस 50 मि.ली. तथा 15 ग्राम शहद मिलाकर सुबह-शाम लेने से उपर्युक्त सभी रोगों के अतिरिक्त रतौंधी, दाँत के रोग, पित्तज्वर, वमन, सूखी खाँसी, पेशाब रुक-रुक कर आना, कमजोरी, पेट की गर्मी, क्षुधाधिक्य तथा अन्य श्वास रोग में फायदा होता है। भोजन के बाद दस्त आने पर 5 ग्राम धनिये का चूर्ण सेंधा नमक मिलाकर लेने से अमिबायअसिस (भोजन के बाद दस्त), अजीर्ण, गैस बनने की बीमारी तथा मुँह की दुर्गन्ध आना दूर होता है। हरा धनिया के रस से कुल्ला करने से मुँह के छाले तथा गले के रोग ठीक होते हैं। 15 ग्राम धनिया का छिलका उतार कर उसके मज्जे को 300 सी.सी. दूध में उबाल कर पीने से मूर्च्छा, मतिभ्रम, स्नायविक तथा शारीरिक दुर्बलता ठीक होती है। इसके प्रयोग से प्यास, वमन, अजीर्ण,

उदरशूल, अग्निमंदता तथा अरुचि दूर होती है। इस प्रकार से धनिया एक बहुआयामी औषधि सब्जी है। धनिया का चूर्ण शहद के साथ रोज रात्रि को लेने से स्वप्नदोष व अनिद्रा की परेशानी अवश्य दूर होती है।

जीरा

(वानस्पतिक नाम—Cuminum Cyminum अंग्रेजी नाम—Cuminseed)

यह अंबेलीफेरी (Umbellifarae) परिवार का प्रमुख सदस्य है। मुख्यत: जीरा के तीन प्रकार होते हैं—सफेद जीरा, कृष्ण जीरा तथा कलौंजी। तीनों प्रकार के जीरों के गुण प्राय: आपस में मिलते हैं। निघण्टु रत्नाकर, चरक, सुश्रुत तथा भावप्रकाश निघण्टु आदि आयुर्वेदिक ग्रंथों के अनुसार जीरा रुक्ष, कटु रसयुक्त, उष्णवीर्य, कफ, वात दोषघ्न, अग्निदीपक, परिपाक में लघु, संग्राही, मेधा तथा हृदय के लिए हितकारी, गर्भाशय को शुद्ध करने वाला, स्तन्यवर्द्धक, ज्वरनाशक, पाचक, वीर्यवर्द्धक, पित्तकारक, बलकारक, कफनाशक, नेत्रों के लिए उपयोगी, कृमिनाशक, वायु, आध्मान, गुल्म, वमन तथा अतिसार को दूर करने वाला, पित्त एवं जठराग्नि वर्द्धक तथा सुगन्धित होता है। राजस्थान तथा उत्तरभारत में इसकी खेती खूब होती है। पौधे 2-3 फुट ऊँचे तथा शाखाएँ पतली होती हैं। इसमें सफेद फूल के छत्ते लगते हैं। पत्ते तथा फल सौंफ की तरह होते हैं। इसमें 2.5 से 4 प्रतिशत उड़नशील सुगन्धित पीले रंग का तेल होता है।

इसका मुख्य भाग क्यूमिक एल्डिहाइड होता है तथा अन्य अनेक जैव सक्रिय रसायन हैं। इससे थायमॉल या कृत्रिम अजावयन सत बनाते हैं। यह प्रबल कीटाणुनाशक होता है। जीरे में 10 प्रतिशत स्थिर तेल तथा 6.7 प्रतिशत पेन्टोसन भी होता है। आयुर्वेद शास्त्री चक्रदत्त ने विषम ज्वर, मंदाग्नि, वायुविकार में जीरे के चूर्ण को गुड़ के साथ खाने के लिए परामर्श दिया है। श्रीमान् वृन्द ने जीरा तथा धनिया कल्क से सिद्ध एकप्रस्थ घी को अम्लपित्त, मंदाग्नि, अरुचि, वमन व कफपित्त के लिए उपयोगी बताया है। आयुर्वेद विज्ञानी शोढ़ल ने वातकफ ज्वर में जीरे का चूर्ण गुड़ या शहद से लेने के बाद छाछ पिलाकर बैठाने की सलाह दी है।

प्रसव के बाद जीरा सेवन करने से गर्भाशय का कचरा साफ हो जाता है तथा दूध की मात्रा बढ़ जाती है। दूध पिलाने वाली माताओं पर जीरे का प्रभाव ग्लेक्टोगॉग (स्तन्यवर्द्धक) होता है। जीरे को पोटली में बाँधकर तवे पर गर्म करें, फिर सूँघें। जुकाम व छींकें ठीक होती हैं। मंदाग्नि के रोगी भोजन के पूर्व तथा बाद में डेढ़ ग्राम जीरा खूब चबा-चबा कर खायें। इससे पाचक स्राव में तेजी आती है व पाचन क्रिया बढ़ती है। अजीर्ण की स्थिति दूर होती है। अधिक जीरे के उपयोग से वमन तथा कोष्ठबद्धता हो सकती है। जीरे को उबालकर उसके पानी से स्नान करने से खुजली दूर होती है। जीरे को शहद के साथ खायें तथा इसे पीसकर मस्सों पर लगाने से बादी बवासीर ठीक होता है। जीरा को शहद या गुड़ के साथ खाने से ज्वर की स्थिति में तथा ज्वर के बाद पाचन क्रिया ठीक होती है। भूख बढ़ती है तथा पेशाब साफ होता है। पथरी तथा मूत्रावरोध ठीक होता है। अतिसार में इसके चूर्ण को दही के साथ, गर्भावस्था पित्तजन्य बीमारी में नींबू रस के साथ दें, अवश्य लाभ होता है। बच्चों के अतिसार तथा दस्त में इसके

उबले पानी में शहद एवं नींबू मिलाकर पिलायें। जीरे के उष्ण क्वाथ (काढ़ा) में शहद मिलाकर पीने से शरीर का दर्द, पागलपन, जुकाम, कामोन्माद ठीक होता है। भुना जीरा खाने से मुँह की बदबू ठीक होती है। इसके क्वाथ से मुँह को धोने से झाँई, मुँहासे, साँवलापन आदि दूर होकर सौन्दर्य निखरता है। सेंधा नमक के साथ इसके पिसे चूर्ण को मिलाकर मसूढ़े की हल्की मालिश करें, फिर मुँह खोलकर लार टपकायें। मसूढ़े की सूजन तथा दाँत दर्द ठीक होता है। इसे पीसकर बाह्य लेप करने से अर्श, स्तन, अण्डकोश तथा पेट दर्द ठीक होता है। जीरा डालकर गर्म किया हुआ सिद्ध तिल का तेल खुजली तथा वातज व्याधि को दूर करता है। इसे घी, शहद तथा नमक के साथ पीस कर लगाने से बिच्छू दंश तथा अन्य विषैले दंश में लाभ करता है। जीरा से बनाया गया जलजीरा गर्मी में प्यास को तृप्त करता है। एक समय इसका चूर्ण डेढ़ से चार ग्राम तक लें। अधिक लेने से काम ऊर्जा कमजोर होती है। बन्ध्यत्व तथा नपुंसकत्व की स्थिति उत्पन्न हो सकती है। मसालों को लगातार प्रयोग न करके औषधि के रूप में कभी-कभी करें।

सौंफ

(वानस्पतिक नाम—Foeniculum Vulgare Mill or Anethum Feiculum
अंग्रेजी नाम—Fennel Fruit)

यह अंबेलिफेरी परिवार का प्रमुख सदस्य है। प्रायः इसकी खेती सभी जगह होती है। भावप्रकाश निघण्टु, गदविग्रह आदि आयुर्वेदिक ग्रंथों में सौंफ को लघु, तीक्ष्ण, पित्तकारक, अग्निदीपक, मधुर, कटु रसयुक्त, शीत वीर्य, ज्वर, वातश्लेष्म, प्रदाह, व्रण, शूल तथा नेत्र सम्बन्धी रोग को नाश करने वाली बताया गया है। सौंफ तथा सोआ (Peucedanum Graveolens) के गुण आपस में काफी मिलते हैं। सौंफ योनि सम्बन्धी शूल तथा अग्निमंदता को दूर करता है। हृदय के लिए हितकारी, मल विबद्धता नाशक, कृमि तथा शुक्रनाशक व रुक्ष होता है। यह कास, ज्वर, वमन, कफ, वायु तथा प्लीहा रोगनाशक तथा कृमिघ्न होता है। इसके पौधे एक से तीन फुट लम्बे, कोमल, बारीक तथा कई भागों में विभक्त होते हैं। फूल किंचित पीले रंग के छत्ते की तरह होते हैं। नया सौंफ बीज हरा, पुराना होने पर पीला तथा तेल निकले सौंफ का रंग गहरा हो जाता है। इसमें उड़नशील सुगन्धित तेल 2.9 प्रतिशत, स्थिर तेल 15 प्रतिशत तक होता है। उड़नशील तेल में 60 प्रतिशत एनीथॉल एवं फेनरॉन आदि तत्त्व होते हैं।

विदेशी सौंफ में एनीथॉल अधिक होता है। यह प्रबल कीटाणुनाशक तत्त्व है। तेल निकालने पर सौंफ की गंध कम हो जाती है। सौंफ का उपयोग औषधि के रूप में अतिव्यापक है। सौंफ को चबाकर, चूसकर चटनी की तरह पीसकर, शर्बत बनाकर शहद मिलाकर काढ़े तथा सत के रूप में प्रयुक्त किया जाता है। इसे पीसकर शहद मिलाकर पीने से पेशाब की जलन, मूत्रावरोध, गर्भपात, मरोड़, ऐंठन तथा बच्चों के दाँत निकलते समय के उपद्रव को शांत करता है। इसका चौथाई कप काढ़ा या क्वाथ में शहद मिलाकर पीने से अनिद्रा, उदरशूल, दस्त, कब्ज, तीव्र ज्वर, जुकाम, अरुचि, अतिनिद्रा तथा खाँसी दूर होते हैं।

इसके क्वाथ में नींबू डालकर एनीमा लेने से वायुफुल्लता तथा आध्मान ठीक होता है।

इसे चबाकर खाने से दृष्टिमंदता, मुंह की बदबू, छाले तथा मंदाग्नि दूर होती है। सौंफ के शर्बत में नींबू रस मिलाकर पीने से पेट की जलन, वायुफुल्लता, पेट का भारीपन दूर होता है। सौंफ को कूट-छानकर शहद के साथ खाने से स्मरण व मेधाशक्ति बढ़ती है। स्नायुशक्ति को बल मिलता है। सौंफ के उपयोग से अजीर्ण, ज्वर, खाँसी, श्वास, वृक्क रोग, प्लीहा वृद्धि, गर्भाशय के रोग, तृषा, शूल, कफ, अनार्तव, आमातिसार आदि रोग ठीक होते हैं।

सोंफ को पानी में आधा घंटा भिगोकर, पीसकर मिश्री डालकर शर्बत बनाकर पीयें। गैस, जलन, एसिडिटी, एक्यूट, गैस्ट्राइटिस में करिश्माई लाभ करता है। छत्राकार (अम्बेली) परिवार की सब्जियाँ तथा मसाले गाजर, मूली, अजमोदा, सौंफ, सेलेरी, अजवाइन, जीरा, चेरविल, सोआ, कलौंजी (काला जीरा) तथा धनिया में छाते जैसे फूल होते हैं। ये अकेले तथा सामुदायिक रूप से गर्भाशय, मूत्राशय, मलाशय फेफड़े तथा अन्य कैंसर से लोहा लेते हैं। इनमें बीटा कैरोटिन (स्तन कैंसर रोधक) तथा अन्य कैरिटिनॉइड्स, लुटिन प्रचुरता से मिलता है। ये इम्यून सिस्टम को शक्तिशाली बनाते हैं। फ्री रेडिकल्स को चट कर जाते हैं। कोशिकाओं के डी.एन.ए. की रिपेयरिंग करते हैं, उन्हें डैमेज होने से बचाते हैं। डी.एन.ए. एम. एम. आर. (Mismatch Repair) सिस्टम को ठीक कर देते हैं। इसका पत्ता भी मूत्रल तथा स्वेदजनक होता है। पत्ते का भाप लेने से जुकाम, खाँसी, वातरोग तथा गुर्दे के रोग ठीक होते हैं। सौंफ को पीसकर सिर पर लेप करें। ग्रीष्म ऋतुजन्य चक्कर तथा शिर शूल ठीक होता है। इसके क्वाथ का डूस गर्भाशय संबंधी रोग में लाभ करता है। इसके अत्यधिक प्रयोग से शुक्रनाश होता है। अधिक मात्रा में सभी मसाले शुक्रनाशक होते हैं।

अजवाइन

(वानस्पतिक नाम—Trachyspermum Ammi Ptychotis Ajwan or Carum Coptcum अंग्रेजी नाम—Omum Ajova Seeds)

यह भी अम्बेलीफेरी कुल का पौधा है। सभी जगह इसकी खेती की जाती है। इसका क्षुप 1 से 2 फुट ऊँचा, पत्ते धनिया की तरह अनेक भागों में बँटे, कँटीले होते हैं। इस पर सफेद रंग के छत्र समान फूल आते हैं। फल नन्हे, गोल, अंडाकार, लम्बे हरे, भूरे रंग के होते हैं। इसमें विशिष्ठ प्रकार का उड़नशील तेल 3 प्रतिशत तक होता है जिसमें 50 प्रतिशत तक प्रबल रोगाणुनाशक तत्त्व थाइमाल होता है। इसी के कारण इसमें विशिष्ट गंध आती है। इसमें स्टिअरोप्टिन (सत्) साइमोन तथा टरपेन आदि रसायन होते हैं। धन्वन्तरि निघंटु, भाव प्रकाश निघण्टु तथा राज निघण्टु आदि आयुर्वेद शास्त्रों के अनुसार अजवायन पाचक, कटु तिक्त रस, उष्णवीर्य, परिपाक में लघु, अग्निदीपक, वात कफ नाशक, गुल्म, उदरशूल, हिका, आध्मान, वीर्य, प्लीहा रोग, शूल तथा कृमिनाशक होता है। अजवायन में हींग का उद्वेष्ठन निरोधी, मिर्ची तिक्तपन तथा चिरायता का कडुवापन अर्थात् तीनों गुण हैं।

अजवायन के चूर्ण को सेंधा नमक या शहद के साथ लेने से उदरशूल, आध्मान, पुरानी खाँसी, अजीर्ण, पथरी, दमा, हृदय शूल, आंत्रिक कृमि विशेष रूप से हुकवर्म जैसे हठीले कृमि,

दंतशूल, कमर दर्द, मासिक धर्म का रुकना तथा जुकाम रोग को ठीक करता है। इसके पत्तों को कृमियों को मारने व इसकी बारीक पुल्टिस जहरीले कीड़े के काटे स्थान पर लगाने से आराम होता है। इसकी पुल्टिस को तवे पर गर्म कर सूँघने से जुकाम तथा इससे सेंकने से उदरशूल, संधिशूल, विशूचिका में हाथ, पैर तथा श्वास कष्ट में छाती पर सेंकने से लाभ मिलता है। हैजे में इसका काढ़ा या अर्क लाभकारी होता है।

चरक के अनुसार ईख के पके रस के साथ जीरा तथा अजवायन लेने से अर्श, चक्रदत्त के अनुसार पुराने गुड़ के साथ इसे लेने से शीतपित्त, हारीत के अनुसार सुबह-शाम इसे मुंह में रखने से गलशुण्डिका रोग व दंतशूल ठीक होता है। अजवायन प्रबल कीटाणुनाशक है। प्रसवोपरान्त देने से गर्भशोधन होता है तथा प्रसूति ज्वर दूर होता है। इसका काढ़ा लेने से शीत ज्वर, वातरक्त बुखार, गर्भाशय व अन्य प्रजनन संस्थान सम्बन्धी रोग, उदरशूल, पीलिया, गैस, खाँसी की बीमारी ठीक होती है। गर्भाशय सम्बन्धी रोग में इसके काढ़े का डूस भी दें। अजवायन तेल से तिगुना सरसों का तेल मिलाकर गर्म कर पुनः ठण्डा कर कान में डालें, कर्णशूल ठीक होता है। किसी प्रकार के दर्द में बालू तथा अजवायन की पोटली बनाकर संकें। आराम होता है। अजवायन को भून-पीसकर छाछ में मिलाकर एनिमा लेने से आध्मान, जीर्ण उदर शूल, उदर कृमि तथा पाचन संस्थान के विभिन्न रोगों में अति लाभ करता है। अजवायन के तेल में रुई को मिलाकर दाँत से दबायें। दाँत दर्द ठीक होता है।

अजीर्णजन्य शूल, उदर शूल में सेंधा नमक मिलाकर खिलायें। इससे उदरशूल एवं प्लीहा वृद्धि ठीक होती है। अजवायन के गर्म काढ़े में सेंधा नमक डालकर गरारा करें। गले सम्बन्धी रोग ठीक होते हैं। अजवायन को सरसों के तेल में डालकर गर्म करें। इसकी मालिश करने से प्रसवोपरान्त के दर्द, जुकाम, खाँसी, सूजन, संधिवात तथा अन्य शूल ठीक होते हैं। गर्म दूध के साथ अजवायन खाने से मासिक धर्म खुलकर आता है। तीन ग्राम अजवायन के चूर्ण को गुड़ के साथ बच्चों को खिलायें। सभी प्रकार के कीड़े मारे जाते हैं। अजवायन के फल तथा फल के काढ़े से फोड़े-फुंसियाँ तथा सभी प्रकार के त्वचा रोगों को धोयें। शीघ्र लाभ मिलता है।

मेथी

(वानस्पतिक नाम—Trigonella Foenum Graecum Linn
अंग्रेजी नाम—Fenugreek Seeds)

मेथी अति उपयोगी आहार है। यह पापिलिओनेसी (Papilionaceae) परिवार का प्रमुख सदस्य है। आयुर्वेद के अनुसार यह कफ तथा वायुविकार की अति उत्तम औषधि होने के कारण ही इसका नाम मेथिका है। इसके बहु आयामी गुणों का वर्णन भाव प्रकाश निघंटु, राज निघंटु तथा क्षेम कुतूहलम आदि आयुर्वेद ग्रंथों में किया गया है। इसके अनुसार मेथी गरम, दीपन, रुक्ष, रस तिक्त, कटु वायु का शमन करने वाला, कफघ्न, वातघ्न तथा ज्वर नाशक होती है। वन मेथी कृष्ण मेथी की अपेक्षा कम गुणकारी परन्तु अश्वों के लिए अत्यन्त हितकारी है। मेथी की पत्तियों का शाक सारक तथा पित्तहर होता है। इसके बीज शोथघ्न, रक्त संग्राहक, हृद्यं, कास, श्वास

नाशक तथा प्रसूति काल में अत्यन्त उपयोगी है। यह कृमि तथा शुक्र को नाश करने वाला होता है। यह रक्त संग्राहक तथा गर्भाशय संकोचक है। इसके पौधे एक-डेढ़ फुट ऊँचे होते हैं। प्रत्येक सिंक पर तीन पत्ते संयुक्त रूप में होते हैं। इसकी फलियाँ आती हैं जो 2-3 इंच लम्नी, टेढ़ी तथा नोक वाली होती हैं। प्रत्येक फली में पीले रंग के 15-20 दाने निकलते हैं।

हाल ही में बेथ विश्वविद्यालय टेक्नोलॉग ब्रिटेन के डॉ. रोलैण्ड हार्डमैन तथा डूफंट इन्टरफ्राम लि. बाम्बे के डॉ. आप्टे ने मेथी का केमिकल स्क्रीनिंग तथा इस पर बरसों तक शोध करके इस निष्कर्ष पर पहुँचे हैं कि मेथी में एक विशेष प्रकार का रसायन 'कॉर्टिस्टरॉयड' पाया जाता है जो वात संक्रमण को रोकता है। वातज व्याधि तथा माँसपेशियों की पीड़ा को दूर करने वाली कॉर्टिस्टरॉयड प्रयोगशाला में संश्लिष्ट भी किया जाता है परन्तु इसका पार्श्व दुष्प्रभाव खतरनाक होता है। यह हृदय तथा गुर्दे को क्षतिग्रस्त कर सकता है।

मेथी में स्थित नैसर्गिक कॉर्टिस्टरॉयड का दुष्प्रभाव नहीं होता है क्योंकि इसके दुष्प्रभाव को उदासीन करने वाले मेथी में अन्य तत्त्व भी होते हैं। नैसर्गिक जैव रसायन का दुष्प्रभाव संश्लिष्ट रसायन की अपेक्षा नहीं के बराबर होता है। स्टेरॉयड के अतिरिक्त मेथी में अन्य औषधीय तत्त्व होते हैं जिनमें अल्कालायड, ट्रिगोनेल्लिन ($C_7H_7O_2N$), कोलीन, सेपोनिन्स, अल्कालायड, एक पित्त रंजक द्रव्य, स्थिर तेल 6 प्रतिशत, गोंद 22 प्रतिशत, प्रोटीन 22 प्रतिशत, फॉस्फेट्स, लेसिथिन, न्यूक्लिओ अल्ब्यूमिन होता है। इन सारे तत्त्वों के कारण कुछ आयुर्विज्ञानी इसे कॉड लीवर ऑयल से भी बेहतर मानते हैं। इसमें ग्लोब्यूमिन, हिस्टडिन तथा अल्ब्यूमिन से संयुक्त फॉस्फोरस तथा गंधक पाया जाता है।

भारत में प्राचीन काल से इसे लड्डू बनाये जाते हैं। इस लडडू का प्रयोग विभिन्न प्रकार की वातज व्याधि, गठिया, संधिवात में किया जाता है। प्रसूता की भूख बढ़ाने, हार्मोन स्राव का नियंत्रण, मल तथा आर्त्तवशुद्धि, गर्भाशय तथा योनि को संकुचित कर पूर्व स्वाभाविक स्थिति में लाने के लिए इसका लड्डू दिया जाता है। इसके उपयोग से अजीर्ण, अग्निमाद्य, आमवात तथा काम ऊर्जा की कमजोरी दूर होती है।

मिस्र में मेथी को अंकुरित करके ज्वर पीड़ित रोगी को खिलाते हैं। यह अधिक बलदायक तथा पोषक आहार होने के कारण इसे जानवरों को भी खिलाया जाता है। मेथी बीज स्निग्ध, वातनुलोमक, अग्निदीपक, आध्मानहर, गर्भाशय संकोचक, स्तन्यदुग्धवृद्धिकर, वृष्य, वल्य तथा शोथघ्न होता है। इसके पत्ते की सब्जी अति उपयोगी है। यह भी वातहर, शीतल, दाहशामक, मृदुविरेचक, सारक, पित्तनाशक तथा शोथघ्न होता है। 24 घंटे पूर्व भीगे मेथी के पानी को गर्म करके पीने तथा बचे भीगे मेथी को अंकुरित करके खाने से, मधुमेह, गंडगला, फक्क रोग, संधिवात, गठिया, पाण्डु, वातरक्त, ओपसैर्गिक रोगजन्य कृशता, दुर्बलता, पेशीवात, तरुणवात तथा वातज्वर, लकवा, वायुफुल्लता, अग्निमंदता, यकृत व प्लीहा की सूजन व वृद्धि, अजीर्ण रोग ठीक होते हैं। इसके अंकुरण को खाने तथा पीसकर उबटन लगाने से त्वचा मुलायम, सतेज होती है तथा उसका सौन्दर्य खिलता है। बालों को झड़ने, गंजापन तथा किसी प्रकार घाव व सूजन पर इसे पीसकर स्थानीय लेप करें। अवश्य लाभ होता है।

प्रदर की स्थिति में इसके दाने तथा पंचांग के काढ़े का डूस देने से लाभ होता है। दाना मेथी के चूर्ण प्रतिदिन 8 ग्राम सुबह लेने से मधुमेह, उच्च रक्तचाप, भूख की कमी, कमर दर्द, समस्त शरीर का दर्द व सूजन तथा वायुविकार दूर होता है। इसमें सममात्रा में कैर का चूर्ण भी मिला सकते हैं। शरीर जलन, फोड़े-फुंसी, घाव इत्यादि में इसके पत्ते को पीसकर ठण्डाई पियें। स्थानीय तथा सर्वांग लेप करें। भीगे मेथी के दाने तथा पत्तियों की पुल्टिस बाँधने या लेप करने से चोट की सूजन, दर्द जलने की पीड़ा तथा गंजापन दूर होता है। मेथी को तवे पर भून, पीसकर प्रतिदिन 5 ग्राम शहद के साथ लेने से दर्द, पीड़ा, कब्ज, गठिया, मंदाग्नि, कम मासिक स्राव, दमा, खाँसी, श्वास के अन्य रोग तथा शरीर की सूजन दूर होती है। मेथी या मेथी सिद्ध तेल की मालिश से कटिशूल आदि सभी प्रकार के दर्द ठीक होते हैं। प्रदर में मेथी की पोटली (पसेरी) धारण करें। Demondium Triflorum तथा Melilotus Indica Linn ये दो प्रकार की जंगली मेथी होती हैं। सब्जी तथा दाल को स्वादिष्ट तथा सुपाच्य बनाने के लिए मेथी का छौंक लगायें। कुछ आयुर्विज्ञानियों ने मधुमेह में मेथी का सफलतम प्रयोग किया है।

काली मरिच तथा हरी या लाल मिर्च

(वानस्पतिक नाम—Piper Nigrum Linn

अंग्रेजी नाम—Black, Green & Red Chillies Pepper)

भारतवर्ष में काली मिर्च की खेती दक्षिण भारत तथा असम में की जाती है। बरसात के समय इसकी लता को छोटे-छोटे टुकड़े करके पेड़ की जड़ में गाड़ कर बोते हैं। ये लतायें पान की तरह वृद्धि कर पेड़ के सहारे बढ़ती जाती हैं। इनके पत्ते 5-6 इंच लम्बे पान के पत्ते की तरह तथा फल गुच्छों में आते हैं। अपक्व फल हरे तथा कम चरपराहट के होते हैं। वयस्क फल नारंगी रंग के होते हैं। इन्हें सुखाने पर काले हो जाते हैं। यही काली मिर्च होती है। अधिक पक्व फल पीले रंग के होते हैं तथा इनकी चरपराहट भी कम होती है। पूर्ण पक्व फल पानी में फुलाकर उसका छिलका हटाकर सुखाते हैं। यह सफेद मरिच कहलाती है। केरल आदि की दक्षिणी मरिच अधिक चरपरी, तीक्ष्ण, भूरे रंग की तथा अन्दर हरिताभ सफेद रंग की होती है। असम आदि की पूर्वी मरिच काली परन्तु अन्दर से सफेद तथा कम चरपरी होती है। मरिच पाइपरेसी परिवार का प्रमुख सदस्य है।

आयुर्वेद मतानुसार मरिच सुगन्धित, उत्तेजक, पाचक, स्वेदकर, कटुरस युक्त, तीक्ष्ण, अग्निदीपक, उष्णवीर्य, रुक्ष, कफ, वायु, श्वास, शूल, कृमि रोगनाशक तथा पित्तकारक होती है। कच्चा फल पाक में मधुर रस युक्त गुरु, किंचित तीक्ष्ण, उष्णवीर्य व पित्तकारक कटु रसयुक्त तथा कफ गिराने वाला होता है। मरिच में जल में अघुलनशील उड़नशील प्रमुख तत्त्व पाइपरीन रवेदार, अल्का लॉयड्स- 5-9 प्रतिशत, पाइपरीडिन-5 प्रतिशत तथा चविसीन नामक कटुराल, हरे रंग का अन्य कटुराल- 6 प्रतिशत, उड़नशील तेल- 2.5 प्रतिशत, स्टार्च- 30 प्रतिशत, ईथर में घुलनशील द्रव्य- 6 प्रतिशत, प्रोटोड- 7 प्रतिशत तथा लिगनिन, गोंद आदे औषधीय द्रव्य पाये जाते हैं। इन औषधीय रसायनों का उद्दीपक प्रभाव आमाशय, आन्त्र तथा गुर्दे की

श्लेष्मा पर होता है। फलतः पाचक रस, जठर रस स्राव तथा मूत्र की मात्रा बढ़ जाती है। घी के पचाने में काली मिर्च अति सहायक है। काली मिर्च का काढ़ा या उकाली में शहद डालकर लेने से प्रवाहिका, अर्श, मलेरिया तथा अन्य ज्वर, खाँसी, जुकाम ठीक होते हैं। इसमें पाइपरीन कीटाणुनाशक तत्त्व होने के कारण यह मलेरिया तथा अन्य वायरस ज्वरों के विषाणुओं को समाप्त करता है।

10 काली मिर्च, 15 तुलसी के पत्ते, 5 ग्रा. अदरक, एक इलायची, दो लौंग मिलाकर काढ़ा बनायें। इसमें शहद मिलाकर पीने से खाँसी, जुकाम, वायरल बुखार, वातज व्याधि, उदरकृमि तथा पेचिश रोग ठीक होते हैं। 8 काली मिर्च चबाकर दूध पीने से जुकाम, 3 काली मिर्च के चूर्ण को प्रतिदिन एक गिलास छाछ के साथ लेने से पेट के कीड़े बाहर निकलते हैं। काली मिर्च 3 ग्राम, हल्दी 3 ग्राम को शहद या शुद्ध सरसों के तेल में मिलाकर चाटने से दमा दूर होता है। काली मिर्च तथा घी मिलाकर खाने तथा लगाने से पित्ती अथवा काली मिर्च तथा मक्खन व शहद मिलाकर चाटने से दृष्टि दोष, नेत्र सम्बन्धी रोग, सूजन, शुक्रप्रमेह, स्मरणशक्ति ह्रास, चक्कर आना, सफेद बाल आना आदि बीमारी ठीक होती है। अंगघात, आमवात, कर्णशूल, कटिशूल आदि ठीक होते हैं। अर्श के मस्से पर घी के साथ इसका लेप करें, वातार्श शूल एवं शिथिलता दूर होती है।

काली मिर्च को घी में पीसकर फोड़े-फुंसी पर लगायें। प्याज तथा नमक के साथ पीसकर सिर पर लगाने से दद्रुजन्य गंजापन, विषैले कीड़ों के काटने पर इसका लेप तथा दही के साथ घीस कर फोड़े-फुंसी पर लगायें। आँखों में अंजने से नेत्र रोग ठीक होते हैं। काली मिर्च तथा सीताफल के बीज पीसकर सिर में लगाने से जुएँ मरती हैं। काली मिर्च के धुएँ का नस्य हिचकी को दूर करता है। काली मिर्च को कच्चे गो-दुग्ध में पीसकर फोड़े-फुंसी तथा मुँहासे पर लगायें। शीघ्र आराम होता है। इसके क्वाथ का गरारा करने से दंतशूल तथा टाँसिलाइटिस ठीक होता है। काली मिर्च तथा काले जीरे को पानी में पीसकर गर्म-गर्म लेप कर ताजे पीपल या बड़ के पत्ते को ऊपर से बाँध दें। कर्ण मूल शूल तथा संधिशूल ठीक होता है। 5 ग्राम काली मिर्च, 10 ग्राम जीरा, आधा लीटर पानी में गर्म कर अण्डकोश को लगातार धोने एवं मृदु मर्दन करने से अण्डकोश वृद्धि को दूर करने में लाभ होता है। मूत्रावरोध में काली मिर्च के चूर्ण को घी में मिलाकर शिश्न को ऊपर कर 2-3 बूँद दिन में 2-3 बार टपकायें, लाभ होता है। सफेद मिर्च मृदु गुण धर्म की होती है।

ताइवान में हुए एक शोध अध्ययन के अनुसार कालीमिर्च में मौजूद पाइपेरिन एवं पाइपरीडिन तथा कैप्सेसिन कम्पाउण्ड जो उसके तीखेपन के स्वाद को निर्धारित करता है। यह फैटीसेल्स को अपने आप जलने के लिए मजबूर कर देता है। यह बी.एम.आर को बढ़ा देता है। ब्रोंकाइटिस तथा हैजा को ठीक करता है। कालीमिर्च में एण्टी इन्फ्लामेटरी गुण होने के कारण गठिया, गले, फेफड़े, टॉन्सिल, स्वरयंत्र के सूजन को ठीक करता है। जहाँ काली मिर्च ज्यादा होता है। वहाँ अल्सर एवं उदर सम्बन्धित रोग ठीक होते हैं। जम्मू स्थित रिजनल रिसर्च इन्स्टीट्यूट के वैज्ञानिकों

ने काली मिर्च में मौजूद सक्रिय फाइटो केमिकल 'पाइपरीन' को एक शक्तिशाली बायो एन. हान्सर प्रमाणित किया है। बायो एनहान्सर वे रसायन होते हैं जिनकी उपस्थिति में किसी भी औषधि का प्रभाव अत्यधिक सक्रिय एवं शक्तिशाली हो जाता है जिससे दवा कम लेने के बावजूद भी जल्दी एवं बेहतर परिणाम आता है। इससे कई फायदे हैं। सस्ते में उपचार हो जाता है। शरीर में दवा कम मात्रा में जाती है। साथ ही एनहान्सर दवाओं के दुष्प्रभाव को उदासीन एवं कम करता है। एण्टी बायोटिक दवाओं के प्रतिरोध शक्ति प्रवृति पर रोक लगती है। पाइपरीन को टी.बी. एवं कुष्ठ रोगों के दवाओं के साथ मिलाकर देने से उसका प्रभाव कई गुना बढ़ जाता है। दवाओं की खुराक आधी तक की जा सकती है। इसके इस गुण को पेटेन्ट करा लिया गया है, लंदन के किंग्स कॉलेज के वैज्ञानिकों ने खोज किया है पाइपरीन जो तीखापन स्वाद प्रदान करता है सफेद दाग के रोगियों के लिए उपयोगी है। खाने तथा लगाने दोनों तरीके से उपयोग करें।

सूखी सुर्ख लाल मिर्ची (Capsicum Annum) में भी कैप्साइसिन नामक एण्टी ऑक्सीडेन्ट प्रचुर मात्रा में होता है। तीखापन एवं जलन पैदा करता है परन्तु इसका औषधीय गुण चमत्कारिक है। यह कफ निस्सारक तथा बन्द नाक खोलने वाला (Expectorant and Decongestant) होता है। यह खून को पतला बनाये रखता है। कॉलेस्टरॉल को कम करता है। ब्रेनस्ट्रोक से बचाता है। फीलगुड ब्रेन केमिकल बीटा एंडोर्फिन के स्राव को तेज करता है जिससे दर्द में राहत मिलती है। टफ्ट, यूनिवर्सिटी ऑफ एथेंस, यू.एस. डिपार्टमेन्ट ऑफ एग्रीकल्चर तथा हावर्ड के अनुसंधानवेत्ताओं ने ग्रीस में स्तन कैंसर से ग्रस्त दो हजार महिलाओं पर उनकी आदतों, भोजन तथा ब्रेस्ट कैंसर के मध्य सम्बन्धों का अध्ययन कर इस नतीजे पर पहुँचे हैं कि जिन महिलाओं के खून में फ्लेवॉन्स का स्तर ज्यादा था उनमें ब्रेस्ट कैन्सर का खतरा कम से कम था। फ्लेवॉन्स का मुख्य स्रोत लाल मिर्च, हरी मिर्च, शिमला मिर्च, केसर, नीबू, सेलरी तथा अन्य हरी सब्जियाँ होती है। कैप्सिकम परिवार के सभी मिर्चों में परम शक्तिशाली फाइटो केमिकल कैप्साइसिन होता है। कैप्साइसिन शरीर में सेंसरी नर्व्स की उन्हीं रिसेप्टरसाइट्स (वी.आर.वन. जीन्स) को उत्तेजित करता है जिनके द्वारा शरीर को गर्मी तथा जलन की अनुभूति होती है। कुछ खास चूहों में वी आर वन जीन्स नहीं होते हैं वे जलन एवं गरमी महसूस नहीं करते हैं। उन्हें तीखी मिर्च खिलाने या गर्म चीजें खिलाने से उन्हें पता ही नहीं चलता है। वैज्ञानिकों ने कैप्साइसिन के आधार पर दर्द महसूस करने वाले रिसेप्टर साइट्स पर असर करने वाले दर्दनाशक दवा की खोज में संलग्न है।

हॉटसॉस बनाने वाली कम्पनी अमेरिकी ब्लेयर लेजर ने 16 मिलियन रिजर्व मिर्च पावडर बनाया है, इसे एक छोटी सी शीशी में सील बन्द करके रखा गया है। इसका एक सूक्ष्म कण जीभ पर रखने पर ऐसा अनुभव होता है। जैसे किसी ने जीभ पर सुलगता हुआ हथौडा मार दिया हो। जीभ पर स्पर्श करते ही मुंह में आग लग जाती है जो ढाई लाख गैलन पानी से शांत हो सकती है। इसमें 16 मिलियन रिजर्व शुद्ध कैपसाइसिन है। इसे तैयार करने में कई टन मिर्ची से नमी को अलग कर गाढ़ा टार बनाया गया। अशुद्धियों को हटाकर परम शुद्ध कैपसाइसिन

पावडर एकत्रित करके यह मिर्च पावडर बना है। 6 मिलियन रिजर्व का तीखापन एक करोड 60 लाख स्केविल है। इसका तीखापन मैक्सिको की खतरनाक तिखी रैडसेविना से 30 गुना तथा दुनिया भर में प्रसिद्ध तीखी टैबैस्को सॉस से आठ हजार गुना अधिक है। एक स्कैबिल यूनिट एक भाग मिर्च 10 लाख बूंद पानी मिलाये जाने के बराबर है। 1912 ई. रसायन डॉ. बिलबर स्कोविले ने इस सर्व स्वीकृत यूनिट को तैयार किया था। रेड सेविना का तीखापन 5 लाख 70 हजार स्कैबिल यूनिट है जो गिनीज बुक ऑफ वर्ल्ड में रिकार्ड है। लाल मिर्ची से शरीर का बी एम आर बढ़ता है, वसा कोशिकाओं तथा कैलोरी भस्म होने का दर बढ़ जाता है। दक्षिण कोरिया के देग विश्वविद्यालय के वैज्ञानिकों ने प्रमाणित किया है कि लाल मिर्च में मौजूद कैप्साइसिन 8 फीसदी तक वजन कम कर देता है।

मिर्च शरीर की वसा में पाये जाने वाले 20 प्रमुख प्रोटीनों के लेवल में परिवर्तन करता है जिससे वसीय ऊतकों का ऊर्जा में रूपान्तरण प्रारम्भ हो जाता है। वे जल कर ऊर्जा देती है जिससे वजन कम होता है। केप्साइसिन वसा के निर्माण को रोक देती है तथा पूर्व में मौजूद तथा आहार द्वारा ली गयी वसीय ऊर्जा को त्वरित ऊर्जा में बदल देती है। कैलोरी भस्म करती है। कैलोरी को जमा नहीं होने देती है। वजन कम करती है। कैप्साइसिन कैलोरी इनटेक की मात्रा को कम कर देता है, वसीय ऊतकों को जलाता है तथा खून में बढ़े हुए वसा को कम करता है। परिणामतः वजन वसा तथा कॉलेस्टरॉल कम होने लगता है।

वैज्ञानिकों ने पहाड़ी मिर्च कैप्सीकम तथा तीखी मिर्च का सक्रिय रसायन कैप्साइसिन का इस्तेमाल करके स्लिमिंग पिल्स कैप्सीप्लेक्स का निर्माण किया है। कैप्सीप्लेक्स खाने वाले बिना हिलेडुले 80 मिनट पैदल चलने या 25 मिनट जॉगिंग करने जितनी कैलोरी जला लेते हैं। इसे लेने से मेटाबॉलिज्म बी.एम.आर. तेज हो जाता है, कैलोरी भस्म होने लगती है। भूख नियंत्रित होती है। बॉडी मास, बॉडी वेट तथा बॉडी फैट घटने लग जाता है। अमेरिका की यूनिवर्सिटी ऑफ ऑक्ला होम के वैज्ञानिकों ने वयस्कों को यह गोली खिलाने पर पाया कि कसरत के पहले, दौरान एवं बाद में 278 कैलोरी अपेक्षाकृत ज्यादा खर्च हुआ। इसका उपयोग धड़ले से हो रहा है क्योंकि इसको लेने से मिर्च वाला दुष्प्रभाव जलन तथा गैस्ट्रिक इरिटेशन हाइपर एसिडिटी आदि नहीं होते हैं।

मिर्च कमर के घेरे को कम करता हैं मास इन्डेक्स कम हो जाता है। यूनिवर्सिटी ऑफ कैलिफोर्निया लॉस एंजल्स के वैज्ञानिकों ने मिर्च खाने वाले एक दल के स्वयं सेवकों का अध्ययन कर इस नतीजे पर पहुँचे है कि उनका शरीर मिर्च खाने के बाद कैलोरी भस्म करने के दर को बढ़ा दिया ऊर्जा खर्च होने की क्षमता भी बढ़ी हुई थी, प्लेसबो लेने वालों के अपेक्षा मिर्च खाने वालों में ऊर्जा खपत की दर दुगुना था। परिणामस्वरूप वजन तथा पेट तथा कमर का घेरा एवं मास इन्डेक्स कम हो जता है। सारा कमाल का धमाल मिर्च में मौजूद कैप्साइसिन (Capsaicin) जिसे डाइहाइड्रोकैपसिएट (Dihydrocapsiate-DCT) कहते हैं, का होता है। जब हरी मिर्च खाते हैं, तो सी.सी. की आवाज साबित करता है तथा वैज्ञानिक सत्य भी है कि

हरी मिर्च में विटामिन 'सी' के अतिरिक्त अन्य कई माइक्रो न्यूट्रिएन्टस होते हैं जो सेहत के लिए उपयोगी हैं। लाल हरी, काली या सफेद मिर्ची का उपयोग करने में सावधान रहें, क्योंकि इनका उत्तेजक प्रभाव पेट के विभिन्न रोग पैदा कर सकते हैं। यहाँ तक कि मिनेसोटा यूनिवर्सिटी के वैज्ञानिकों की 'कैंसर रिसर्च' जर्नल में प्रकाशित शोध पत्र अनुसार कैप्सेसिन युक्त दर्द नाशक क्रीम स्किन कैंसर पैदा कर सकता है।

लौंग

(वानस्पतिक नाम—Carophyllus Aromaticus or Eugonia Aromatica or Syzygium Aromaticum अंग्रेजी नाम—Cloves)

यह मिटेसी परिवार का प्रमुख सदस्य है। इसके वृक्ष 15-20 फुट लम्बे, देखने में अति लुभावने, आकर्षक लगते हैं। ये भी वन्य तथा कृषित दो प्रकार के होते हैं। यह मोलक्का द्वीप में नैसर्गिक रूप से उत्पन्न होते हैं। पेनांग, मेडागास्कर, जंजिबार, मॉरिशस, सिलोन तथा दक्षिण भारत में इसकी खेती की जाती है। इसके वृक्ष तथा डालियाँ मजबूत होते हैं, पत्ते चमकीले, हरे तथा मलने पर सुगन्धित होते हैं। इनके फूल हल्के नीलारुण (Purple) 6 मि.मी. लम्बे होते हैं। इनकी कलियाँ पहले हरे रंग की बाद में किरमिजी रंग की होने पर तोड़ कर सुखा लिया जाता है।

सूखे लौंग रक्ताभ बादामी रंग के होते हैं। एक वृक्ष 60 वर्ष तक लौंग देता है। नीचे के हाइपन्यिम भाग में तेल रहता है। इसमें आह्लादकारक प्रीतिकर सुगन्ध होती है। आयुर्वेद के मतानुसार लौंग कटु तथा तिक्त रस युक्त, लघु, नेत्र के लिए हितकारी, सुगन्धित, शीतवीर्य, दीपन, वातानुलोमक, पाचक उत्तेजक, उद्वेष्ठन-निरोधी, मूत्रजनन, दुर्गन्धनाशक, कफ, पित्त, वात, रक्तविकार, तृषा, वमन, वेदना, आध्मान, शूल, कास, श्वास, हिचकी एवं क्षय का निश्चित रूप से नाश करने वाली, स्नायविक, वेदनाहार, व्रणरोपक तथा व्रणशोधक है। धन्वन्तरि, राज, भावप्रकाश आदि निघंटुओं, राजवल्लभ तथा आत्रेय संहिता में लौंग के खूब यशोगान गाये गये हैं। बाजार में मिलने वाली लौंग प्रायः तेलविहीन होती है। तेलविहीन लौंग का रंग हल्का तथा गरम पानी में डालने से तैरते हैं। नख से दबाने पर तेल नहीं निकलता है। लौंग के फल मदर क्लोव्स के नाम से बेचे जाते हैं। लौंग में अनेक प्रकार के जैव सक्रिय औषधीय रसायन होते हैं।

इसमें 15-20 प्रतिशत उड़नशील तेल होता है जिसके मुख्य घटक यूजेनॉल ($C_{10}H_{12}O_2$-85 से 92%) है। इसमें ग्लोटॅनिक अम्ल, फाइटोस्टरॉल की तरह कैरियोफाइलिन होता है। यह स्वाद, गंध एवं रंगहीन रवेदार पदार्थ है। लौंग के तेल में यूजेनॉल, एसिटाइल यूजेनॉल, मेथिल सॅलिसिलेट, मिथाइल एमाइल किटोन ($C_5H_{12}COCH_2$), वैनिलिन, कॅरियोफालिन तथा फुरफरॉल ($C_5H_4O_2$) आदि कार्बनिक औषधीय तत्त्व पाये जाते हैं। लौंग का ताजा तेल पीले रंग का लेकिन पुराना गहरा रक्ताभ बादामी रंग का हो जाता है। लौंग श्वेत रक्तकणों को पोषण देकर शक्तिशाली बनाता है। क्षय रोग एवं ज्वर में यह रोगाणुहन्ता का कार्य करता है। यह श्वास

वाहिकाओं के स्पास्म अवरोध को दूर करता है। इसमें एकत्रित कफ को निकाल बाहर करता है। दमा रोग भी इससे ठीक होते हैं। यह रक्त की अच्छी तरह सफाई करता तथा पेशाब खूब लाता है। लौंग को चन्दन के साथ पीसकर सिर पर लगाने से तनावजन्य एवं स्नायविक सिर दर्द मिटता है। इस योग को फोड़े, फुंसी, जलन व कटने पर लगाने से दर्द ठीक होता है। घाव शीघ्रता से भरता है।

5 लौंग को पीसकर गरम पानी से गरारा करने से दाँत का दर्द, कफजन्य सिर दर्द तथा गले की बीमारी ठीक होती है। लौंग को गरम पानी में पीसकर सिर पर लगाने से जीर्ण जुकाम एवं सिर दर्द, आँख की स्टाई या गुहेरी, कील, मुँहासों एवं फोड़े-फुंसी पर लगाने से आराम होता है। दो-तीन लौंग को चूसने अथवा पीसकर शहद के साथ चाटने से श्वास, खाँसी, दमा, गर्भावस्था का वमन, गले की सूजन, मुंह एवं श्वास की दुर्गन्ध, जी मिचलाना, प्यास की तीव्रता, खसरा, कुकरखाँसी, उल्टी, पित्त ज्वर, आन्त्रज्वर, आन्त्रिक कृमि, वायरल ज्वर, अनिद्रा, मंदाग्नि, अजीर्ण, क्षय, दमा, नेत्र रोग तथा गैस रोग में लाभ होता है। नेत्र रोग में लौंग को घिसकर शहद मिलाकर अंजन करें। समागम के पूर्व लौंग को चबाकर लार सहित जननेन्द्रिय पर लगायें, स्तम्भन शक्ति बढ़ती है। लौंग का प्रयोग थोड़ी मात्रा में 1 से 3 तथा तेल 3 बून्द काम में लें। तेल का फाहा, दंतशूल के गड्ढे में रखने से दर्द का शमन होता है तथा कीड़े मरते हैं। संधिशूल, कटिशूल, वात नाड़ी शूल एवं गृध्रंशी में लगायें। क्षयज कास की तीव्रता को कम करने के लिए 2-3 बूँद लौंग का तेल लें।

इलायची

(वानस्पतिक नाम—Elettaria Caradamomum Maton
अंग्रेजी नाम—Cardamom)

इलायची झिंजिबेरॅसी परिवार का आदरणीय एवं लोकप्रिय सदस्य है। यह दो प्रकार की होती है—बड़ी इलायची (Amomum Subulatum Roxb) तथा छोटी इलायची (E.C.M.)। बड़ी इलायची की एक और जाति होती है— अमोमम अरोमटिकम रॉक्स जिसे बंगाली इलायची (कार्डेमाम) भी कहते हैं। बड़ी इलायची के पौधे हल्दी की तरह तथा छोटी इलायची के पौधे अदरक की तरह होते हैं। पत्ते एक-दो फुट लम्बे, 3-4 इंच चौड़े, आयताकार, भालाकार, हरे एवं चिकने होते हैं। सिलोन, नेपाल, दक्षिण भारत, असम आदि जगहों पर इसकी खेती की जाती है। इलायची के पौधे पर धूप सीधी नहीं पड़नी चाहिए। पुरानी मान्यता है कि इलायची का पौधा अति नाजुक होता है। इसके पूर्ण विकास में औरतों का 'स्पर्श आहार' आवश्यक है। इसके लिए हर दूसरे सप्ताह औरतें झुंड के झुंड जाकर 1-1 पौधे को स्पर्श करती हैं। बड़ी इलायची में फूल नलिकाकार सफेद रंग के तथा छोटी इलायची में नील लोहिताभ वर्णयुक्त छोटे-छोटे आते हैं। बड़ी इलायची के फल एक-डेढ़ इंच के लम्बे, गोल, भूरे रंग के बहुत से बीज आपस में चिपके हुए प्रत्येक खंड में होते हैं। छोटी इलायची के हरिताभ पीले 1-2 से. मी. लम्बे अंडाकार, अन्दर के खंड में अनेक बीज होते हैं। बीजों का स्वाद कटु तथा मनोहर होता है।

ऐसी पौराणिक मान्यता है कि कोई पुरुष इलायची के पौधे के पास बैठ जाता है वह नई नवेली शर्मिली दुल्हन की तरह घूँघट डाल लेती है। फूल व फल मुरझाने लगते हैं।

आयुर्वेद के विभिन्न ग्रंथों के अनुसार इलायची पाक तथा रस में कटु, अग्निजनक, लघु व रुक्ष होती है। यह कफ, पित्त, रक्तविकार, खुजली, श्वास, तृषा, जी मिचलाना, वस्ति, मुख, सिर सम्बन्धी रोग, वमन, खाँसी, विषजन्य रोग, अर्श, मूत्र कृच्छ तथा वात सम्बन्धी रोग को दूर करने वाली है। बड़ी इलायची उष्ण वीर्य होती है। छोटी इलायची शीतल वीर्य होने से अर्श तथा मूत्र कृच्छ में अति उपयोगी है। बड़ी इलायची में हल्के पीले रंग का उड़नशील तेल होता है, जिसमें सिनिओल रसायन प्रचुरता से पाया जाता है। इसे खरबूजे के बीज के साथ खाने से पथरी तथा गुर्दे सम्बन्धी रोग, इसके पंचांग क्वाथ से कुल्ला करने से दांत, मसूढ़े तथा गले के रोग, शहद के साथ इसका चूर्ण लेने से यकृत शोथ, पीलिया, मंदाग्नि, आध्मान, अतिसार, मूत्रकृच्छ, नाड़ी शोथ तथा शूल ठीक होते हैं।

छोटी इलायची के बीज में 3 से 8 प्रतिशत उड़नशील तेल होता है, जिससे अनेक प्रकार के औषधीय जैव सक्रिय रसायन टर्पीनेन, टर्पिनिल एसिटेट, सिनिओल, टर्पिनिओल आदि पाये जाते हैं। इसके अतिरिक्त 3-4 प्रतिशत स्टार्च, पीला पिगमेंट तथा नाइट्रोजन युक्त गोंद होता है। इन सारे तत्त्वों के कारण छोटी इलायची का प्रभाव मूत्रल, उत्तेजक, सुगन्धि प्रसारक, पाचक, रोचक तथा दीपन होता है। इसके प्रयोग से अजीर्ण, आध्मान, अर्श क्षय, श्वास, कास तथा उदरशूल रोग ठीक होते हैं। इलायची का ऐतिहासिक महत्त्व भी कम नहीं है। इलायची की मोहक सुगन्ध ने कितनों को दीवाना बनाया है। प्रेमी-प्रेमिका, पति-पत्नी का प्रथम परिचय परिणय निवेदन का संवाहक है—इलायची। एक तरफ इलायची काम (Sex) से जुड़ी है तो दूसरी तरफ राम (अध्यात्म) से।

प्राचीन काल से शाही दरबारों, राज-रजवाड़ों में श्रेष्ठ मेहमानवाजी का प्रतीक था इलायची। सम्भवत: इलायची का प्रारम्भिक प्रयोग आज से साढ़े तीन हजार वर्ष पूर्व मिस्र के लोगों ने किया था। यूनान तथा रोमन साहित्य इलायची के गुणों से भरपूर है। इसे अभी भी श्रेष्ठ सौन्दर्य प्रसाधन माना जाता है। वहाँ की धनी रूपवती कन्यायें एवं औरतें अपने सौन्दर्य को निखारने के लिए बन्द कमरे में इलायची को जलाकर उसकी तीव्र गंध में लेट कर इलायची का धूम्र स्नान लेती थीं। इलायची को कामोत्तेजक भी माना जाता है।

इसके चूर्ण को शहद के साथ मिलाकर मुंह के छाले पर लगायें। प्रसवोपरान्त उदर वृद्धि तथा स्तन्य दूध की सफाई करने तथा शिशु एवं माँ के स्वास्थ्य को ठीक रखने के लिए छिलका सहित इलायची का काढ़ा शहद के साथ दें। इसका काढ़ा पेट दर्द, मितली, संधिशूल तथा सिर दर्द को ठीक करता है। बड़ी या छोटी इलायची 15 ग्राम लेकर डेढ़ किलो ग्राम पानी में काढ़ा बनायें। आधा कप 2 घंटे के अंतराल पर लेने से हैजा, ज्वर, क्षुधाधिक्य ठीक होता है। इलायची के संबंध में कुछ पारम्परिक मान्यतायें भी हैं जैसे गर्भवती स्त्रियों की कमर में इसकी मेखला होने से भावी संतान स्वस्थ एवं बुद्धिमान होती है। उसके शरीर से खुशबू आती रहती है।

दुल्हा-दुल्हन के मध्य प्रेम को स्थायी बनाने के लिए कुछ जातियों में तोरण तथा वंदनवारों में इलायची के गुच्छे लटकाते हैं। इलायची युक्त भोग 'वासोंधी' विष्णु भगवान को प्रिय है। इष्टदेव की सेवा के लिए इलायची छिलने से वे प्रसन्न होकर पति के प्यार को स्थायित्व प्रदान करते हैं। इसके छिलके को तकिये में भरकर संधि दर्द व सूजन के नीचे दबाने से संधिवात में लाभ होता है।

दालचीनी

(वानस्पतिक नाम—Cinnamomum Zelyancium अंग्रेजी नाम—Cinnamon Bark)

लॉरेसी परिवार का यह सदाबहार वृक्ष है। श्री लंका, मार्टिनक्यू, ब्राजील, सेचिलीस जमैका, केन्या तथा दक्षिण भारत में इसकी खेती होती है। इसके पत्ते कड़े तथा चमड़ी की तरह होते हैं। इसके फल भी छोटे-छोटे गूदेदार बैंगनी रंग के होते हैं। इसकी छाल ही काम में ली जाती है। छाल मोटी, चिकनी तथा हल्के भूरे रंग की होती है। नई डालों की सूखी हुई अन्दर की छाल को काम में लेते हैं।

इसकी छाल मनोहर सुगन्ध से युक्त, मधुर स्वाद, तिक्त रस युक्त, वातपित्त नाशक, शोणित स्थापक, स्तम्भन, गर्भाशय उत्तेजक, किंचित ग्राही, वातानुलोमक, दीपन, कृमिघ्न, शरीर के रंग को आकर्षक, सुन्दर, गोरा बनाने वाली, मुखशोथ तथा तृषानाशक होती है। दालचीनी में अनेक प्रकार के जैव सक्रिय औषधीय रसायन होते हैं। इसमें स्थित 0.5-1 प्रतिशत उड़नशील तेल में 60-75 प्रतिशत सिनमल्डिहाइड, 10 प्रतिशत यूजेनॉल होता है। इसके पत्तों में लौंग के समान तेल यूजेनॉल 70-95 प्रतिशत होता है। इसका तेल गाढ़ा व सुगन्धित होता है। सिर दर्द व सायनोसाइटिस में अन्य तेलों के साथ मिलाकर ललाट व कनपट्टी पर लगाते हैं। यह मंदाग्नि, तनाव, आमवात, आक्षेप, दंत पीड़ा, रुका हुआ मासिक स्राव तथा तनाव को कम करता है। पानी में डालने से यह नीचे चला जाता है। दालचीनी में स्वल्प मात्रा में मेथिल एन अमिल किटोन, पी साइमिन, एन-फेलन्ड्रिन, क्यूमिक अल्डिहाइड, नोनिल अल्डहाइड, कर्योफाइलिन, ब्यूट्रिक एसिड के इस्तर एल-लिनालूल तथा एल अल्फा पिनिन पाये जाते हैं।

यू. एस. डिपार्टमेन्ट ऑफ एग्रीकल्चर के वैज्ञानिकों ने टाइप-2 डाइबिटीज से ग्रस्त 90 पुरुष तथा महिलाओं को आधा चम्मच दालचीनी के चूर्ण पावडर का सेवन कराया। कुछ दिनों के पश्चात् उनके ब्लड शुगर 20 से 30 फीसदी तक कम हो गया। इन्सुलिन रेजिस्टेन्स वाले रोगियों ने जब दाल चीनी का पावडर खाया तो उनके इन्सुलिन की खोयी हुई ताकत पुनः लौटकर आ गयी। दालचीनी टोटल कॉलेस्टरॉल को भी कम करता है। दिल के दुश्मन तथा धमनियों को क्षतिग्रस्त करने वाला एल.डी.एल. कॉलेस्टरॉल को 30 फीसदी तक कम कर देता है। नसों तथा धमनियों में होने वाले नुकसान की भरपाई करता है। स्वाद एवं सुगन्ध से भरपूर दालचीनी सांसों की बदबू को भी दूर करता है। दालचीनी में मौजूद पॉली फिनॉल्स इन्सुलिन का काम करता है। रक्तशर्करा को उत्तकों के लिए उपयोगी बनाता है।

यूनिवर्सिटी ऑफ कैलिफोर्निया सैन्ट बारबरा, आयोवा स्टेट यूनिवर्सिटी और यू.एस. डिपार्टमेन्ट ऑफ एग्रीकल्चर के संयुक्त अनुसंधान से भी ज्ञात हुआ है कि दाल चीनी इन्सुलिन को सक्रिय कर मधुमेह से मुक्त करता है। अमेरिका स्थित कॉनेल यूनिवर्सिटी के वैज्ञानिकों ने खोज के बाद इस नतीजे पर पहुँचे हैं कि दालचीनी मिली डबल रोटी खाने से इसकी भीनी-भीनी खुशबू दिमाग के उस क्षेत्र को सक्रिय कर देता है जहाँ पॉजिटिव विचारों की श्रृंखला पैदा होने लगती है। मूड रचनात्मक हो जाता है। सोच सृजनात्मक हो जाता है। दालचीनी को रात्रि में पानी में भिगो दें, सुबह उस पानी से डिप्रेशन के रोगी का स्नान करायें तथा नाश्ते में दालचीनी युक्त व्यंजन खिलायें। चमत्कारिक लाभ होता है। 5 ग्राम दालचीनी के पावडर को 10 लीटर पानी में डाल दें। सादे पानी से स्नान करने के बाद दालचीनी वाले पानी से स्नान करें। मूड रचनात्मक हो जाता है। मानसिक तनाव दबाव अवसाद सक्रियता, मनोग्रस्ति बाध्यता (OCD) तथा भय की स्थिति दूर होती है। दालचीनी का पावडर फांकने तथा सूंघने से रोग से लड़ने की ताकत बढ़ जाती है। पाचन प्रणाली शक्तिशाली होता है। मधुमेह तथा कोलन कैंसर के उपचार एवं बचाव में सहायता मिलती है।

दालचीनी का तेल प्रतिदूषक, वेदनाहर, व्रणशोधक, उत्तेजक, वातहर, आर्तव प्रवर्तक तथा व्रणरोपक होता है। जलने, कटने या फोड़ा-फुंसी में घाव शीघ्र भरता है। दालचीनी के बारीक चूर्ण में शहद मिलाकर चाटने से तालु रोग, मुख के छाले, तीव्र प्यास, वायुफुल्लता, वमन, खाँसी, जुकाम, मंदाग्नि, आध्मान, हिचकी, उदरकृमि, शीघ्रपतन व वीर्य का पतलापन, वातपित्त रोग व त्वचा की कुरूपता ठीक होती है। इसके तेल में विष का तथा रोगाणुनाशक तत्त्व सिनेमिक एसिड इत्यादि होते हैं जिसके कारण इसका उपयोग यक्ष्मा रोग, वक्षज व्रण, आन्त्रिक ज्वर, आध्मान, आमाशयिक शूल, प्रतिश्याय, गैस बनना, इन्फ्ल्यून्जा आदि रोगों में मिश्री या शहद के साथ करें। इसके तेल को कान में नियमित डालने से बहरापन ठीक होता है। दाँत के कीड़े में इसके तेल का फाहा रखें। वमन, तुतलाना तथा हिचकी में चूसें। इसके तेल में दोगुना जैतून का तेल मिलाकर मूत्रेन्द्रिय एवं रीढ़ की वैज्ञानिक मालिश करने से पौरुष की वृद्धि होती है तथा शीघ्र पतन व स्नायविक वात ठीक होता है। नाड़ी शूल तथा जिह्वा के लकवा में इसकी मालिश करें, चूसें तथा तेल को मिश्री के साथ लें। इसका क्वाथ शहद के साथ लेने से सभी प्रकार के रक्तस्राव ठीक होते हैं। इसकी चाय शरीर एवं मन के सभी रोग में फायदा करती है।

रक्त प्रदर में इसके क्वाथ का डूस दें। इसका क्वाथ (काढ़ा) लेने से पुराना आँव, संग्रहणी, अतिसार रोग ठीक होते हैं। इससे आँतें सबल होती हैं। वायु कम बनता है। पाचन संस्थान शक्तिशाली होता है। जुकाम तथा इनफ्ल्युंजा में इसका वाष्प दें, सुँघायें तथा इसके तेल को नाक में टपकायें। इसे चूसने तथा चूर्ण को दूध के साथ लेने से वीर्य की वृद्धि होती है।

तेजपात

(वानस्पतिक नाम—Cinnamomum Tamala)

यह भी लॉरेसी परिवार का सदस्य है। भारत में मिलने वाली दालचीनी प्रायः तेजपात की

ही छाल होती है जो सिलोनी दालचीनी की अपेक्षा ज्यादा मोटी तथा कम सुगन्धित होती है। इसका पेड़ प्राय: 25 फुट ऊँचा सदाबहार होता है। पत्ते 5 से 8'' लम्बे नोकदार, आयताकार, चिकने व भालाकार होते हैं। इसके नये पत्ते गुलाबी रंग के होते हैं। यह मधुर रस युक्त, किंचित तीक्ष्ण, लघु, कफ, वात, अर्श, हिचकी, उबकाई तथा अरुचिनाशक है। यह दीपन, स्वेदजनन, वातहर, मूत्रजनल व उत्तेजक है। इसके गुण दाल चीनी से मिलते हैं। दालचीनी के सभी औषधीय रसायन तेजपात में हैं। तेजपात को 6 घण्टे पूर्व भिगो कर डंठल समेत पीसकर ललाट पर लगाने से सिरदर्द ठीक होता है। एक ग्लास पानी के साथ 4 ग्राम तेजपात का चूर्ण मिलाकर पीने से मुंह, नाक, मल, मूत्र व अन्य संस्थानों का रक्तस्राव ठीक होता है।

इसके चूर्ण (पाउडर) से मंजन करें, दन्त रोग ठीक होते हैं। इसके चूर्ण को शहद या पानी के साथ लेने से कफ, वात, खाँसी, अर्श, जुकाम, उबकाई, ज्वर, मधुमेह, अरुचि, कुपचन, उदरस्थवायु, पाचन संस्थान के विभिन्न रोग, गर्भाशय की शिथिलता, अतिसार, गर्भस्राव, उदर शूल में आराम मिलता है। गर्भाशय की शिथिलता को दूर करने तथा गर्भाधान के लिए संभोग के पूर्व इसके क्वाथ का डूस लें। कपड़ों को कीड़ों से बचाने के लिए इसके पत्तों को कपड़ों के बीच में रखते हैं।

हींग

(वानस्पतिक नाम—Ferula Foetida अंग्रेजी नाम—Asafoetida)

यह अंबेलिफेरी परिवार का प्रमुख सदस्य है। इसकी कई जातियाँ होती हैं, जिसमें फेरूला नाथैक्स, फेरुला फीटिडा, फेरुला एलिएसिआ प्रसिद्ध हैं। हींग अतिप्रसिद्ध बहु उपयोगी मसाला-औषध है। यह एक प्रकार के विदेशी वृक्ष का सूखा रस होता है। हींगों में हीरा हींग, चोखी हींग तथा तलाब हींग अति प्रसिद्ध हैं। शुद्ध हींग गर्म घी में डालने से लावा की तरह खिलकर भूरे बादामी रंग की हो जाती है, जल के साथ घोटने से दूधिया हो जाती है।

हींग में लहसुन की तरह 6 से 17 प्रतिशत उड़नशील तेल होता है, जिसमें टरपेन्स डाइसल्फाइड ($C_7H_{14}S_2C_{11}H_{20}S_2$) तथा निलाभ तरल ($(C_{10}H_{16}O)n$ असारेसिनॉल फेलिक एसिड इस्टर तथा फ्री फेलिक एसिड पाया जाता है। इसके रॉल का ड्राईडिस्टीलेशन करने से अंबेलिफेरन पाया जाता है। यह जैव एण्टीबायोटिक्स है। यह कुछ ही जातियों में मिलता है।

हींग 5 से 8 फीट ऊँचा, पत्ते सिलरी की तरह एक-दो फुट लम्बे, फूल गुच्छेदार टहनियों के अन्त में तथा फल नन्हें-नन्हें अण्डाकार होते हैं। इसकी खेती काबुल, फारस, अफगानिस्तान आदि देशों में होती है। पंजाब तथा कश्मीर में इसके पेड़ होते हैं। 4-5 वर्षीय वृक्ष को नीचे से तिरछे काटने से जो रस निकलकर सूख जाता है उसे 2-3 दिन बाद खुरचकर संग्रहीत करते हैं। फिर उसे उसी प्रकार तिरछे तराश कर छोड़ देते हैं। एक पेड़ से मात्र 150 से 500 ग्राम हींग मिलता है। काबुल का हींग प्रसिद्ध है।

आयुर्वेद मतानुसार हींग दीपन, पाचन, उत्तेजक, कफ दुर्गन्धिहर, कफ निस्सारक, कृमिघ्न, गर्भाशय संकोचक, वातनाड़ियों के लिए बलदायक, उष्ण वीर्य, उद्वेष्ठन निरोधी, रुचिकर वातश्लेष्म

नाशक, शूल, गुल्म, उदर सम्बन्धी रोग, आफरा को नाश करने वाला तथा पित्तवर्द्धक है। अजीर्ण की स्थिति में न्यून मात्रा में हींग, जीरा तथा नमक मिलाकर खाने से लाभ होता है। वायुजन्य पेट दर्द में पानी में घोलकर नाभि पर लेप करने तथा भुना हींग काला नमक के साथ मिलाकर खाने से लाभ होता है। हींग को गर्म पानी में घोलकर हथेली एवं तलुओं पर रगड़ने से तेज बुखार, सन्निपात, हाथ-पैर ठण्डा पड़ने की स्थिति दूर होती है। पसलियों पर मसलने से पसली का दर्द, सिर पर लगाने से सर्दी जन्य सर दर्द, सारे शरीर पर मालिश करने से शीत पित्त (आर्टिकेरिया) ठीक होता है। इसे घिसकर लगाने से बिच्छू, ततैया का जहरीला प्रभाव व जलन ठीक होता है। 1/4 ग्राम हींग को गुड़ या शहद के साथ खाने से आध्मान, विबन्ध, कृमि, निम्नरक्तचाप, न्यूमोनिया, कष्टरज, अल्प रजस्राव, हृदय रोग आदि रोग ठीक होते हैं। बिना कष्ट प्रसव होता है।

छोटे बच्चों के कीड़े काटने पर हींग को पानी में घोलकर रुई का फोहा डुबाकर गुदा पर रखें। दाँत दर्द, जुकाम, गला बैठना तथा खाँसी में हींग को पानी में डालकर वाष्प ले तथा हींग को दाँतों से दबाकर रखें। इसे गर्म पानी में घोलकर गरारा भी करें। अफीम या अन्य विष का नशा दूर करने के लिए हींग को पानी में घोलकर पिलाएँ, उल्टी के साथ सारा विष निकल जाता है। तत्पश्चात हींग को छाछ में डालकर पिलाएँ। सड़े घाव, काँटा, काँच आदि चुभने पर इसे नीम के पत्ते के साथ पीसकर अन्दर भर दें। जल के साथ हींग को पीसकर लेने से जीर्ण श्वास वाहिकाओं की सूजन, दमा, कुकर खाँसी, शुष्क खाँसी आदि फेफड़े के विभिन्न रोग ठीक होते हैं। प्रसवोपरांन्त आर्तवशुद्धि के लिए हींग को गुड़ के साथ गोली बनाकर खाएँ। नारू, दाद आदि संक्रमण जन्य चर्मरोगों में हींग में नीम तथा भीगा मोठ पीसकर लगाएँ।

हींग को पानी में घोलकर सूँघने या भाप लेने से हिस्टीरिया, बेहोशी, मूर्च्छा तथा सिरदर्द में लाभ करता है। नारियल के दूध में हींग को उबाल कर लगाने तथा इसे पानी में घोलकर नाक में टपकाने से भी उपर्युक्त रोग में लाभ करता है।

जायफल तथा जावित्री

(वानस्पतिक नाम—Myristica Fragrans अंग्रेजी नाम—Nutmeg or Mace)

इसका वानस्पतिक नाम मायरिस्टका फ्रॅग्रेन्स हॉट (Myristica Fragrans Houtt) है। यह मायरिसटिकैसी परिवार का सदस्य है। इसके पेड़ सेब की तरह देखने में सुहावने तथा मनभावन होते हैं। पत्ते 2 से 5 इंच लम्बे, अण्डा या आयताकार होते हैं। फूल सफेद एवं गोलाकार होते हैं। इसके फल गोल, लाल या पीत्ताभ तथा पकने पर फट जाते हैं। इसके अन्दर कड़े आवरण वाला भाग जायफल तथा इससे लिपटा हुआ लाल रंग का जालीदार वेष्टन जावित्री कहलाता है। जायफल का स्वाद कड़वा तथा विशिष्ट सुगन्ध वाला होता है। जायफल में एक जैव सक्रिय तत्त्व 5 से 15 प्रतिशत तथा गाढ़ा स्थिर स्नेहिल पदार्थ (नटमेग बटर) 24 से 40 प्रतिशत होते हैं। इस बटर की बट्टियाँ बिकती हैं। इसमें सुगन्धित वाल्सम, स्टार्च, रेशेदार पदार्थ, यूजोनॉल तथा आइसो यूजेनॉल होते हैं। सुमात्रा, जावा, लंका, मोरक्का का जायफल प्रसिद्ध है। आयुर्वेद

मतानुसार जायफल सुगंधित, उष्णवीर्य, दीपन, ग्राही, वातानुलोमक, गले के लिए उपयोगी, कफ, वात, मुख की विरसता, मल की दुर्गन्ध, कालापन, कृमि, खाँसी, वमन, श्वास, पीनस, हृद्रोग को नाश करने वाला होता है। इसके सेवन से पाचक रसों की वृद्धि होती है। इससे खूब भूख लगती है। इसका अधिक उपयोग विषैला होता है। यह तीव्र नारकोटिक (संज्ञाहर) है। इसे उदरशूल, अतिसार, बच्चों के अतिसार, बच्चों के आमातिसार में घिसकर थोड़ी मात्रा में दें।

शिरोशूल, नाड़ीशूल, लकवा, प्रसवजन्य कटिशूल तथा रक्तसंचार अवरोध सम्बन्धी रोग में इसे जल में पीसकर लगायें। इसका तेल दंतशूल में उपयोगी है। इसका गाढ़ा तेल जीर्ण संधिशोथ, मरोड़ तथा किसी भी प्रकार के दर्द का शमन करता है। जावित्री तथा जायफल के गुण धर्म तथा संघटक एक सदृश्य हैं। जावित्री में वसा, डेक्स्ट्रोन, शर्करा, गोंद, राल, स्थिर तेल तथा उड़नशील तत्त्व होते हैं। आयुर्वेद के अनुसार जावित्री लघु, स्वादिष्ट, उष्णवीर्य, वर्णकारक, रुचिकर, कटु रस युक्त, कफ, खाँसी, वमन, श्वास, तृष्णा, कृमि, जीर्ण आंत्ररोग तथा विष विकार नाशक है। जायफल को कच्चे दूध में घिस कर चेहरे पर लगाने से दाग एवं धब्बे मिटते हैं तथा चेहरे के सौन्दर्य में चार चाँद लग जाते हैं। जायफल को नींबू रस में घिसकर चाटने से वायुफुल्लता, गैस, अजीर्ण, मंदाग्नि, दस्त तथा कब्ज दूर होता है। इसका लेप सिर पर लगाने से कफजन्य सिर दर्द दूर होता है। इसे पानी में घिसकर पलकों पर लगायें, नींद आयेगी। घिसे जायफल को तेल में गर्म कर कटिशूल या अन्य दर्द पर लगायें, आराम होगा।

जलकुंभी

एक अमेरिका अनुसंधान अध्ययन के अनुसार सर्व उपलब्ध जलकुंभी में ग्लूकोसिनोलेट्स नामक फाइटो केमिकल प्रचुर मात्रा में पाया जाता है जो वायु प्रदूषण तथा सिगरेट के धुएं से होने वाले फेफड़े के कैंसर को पनपने नहीं देता है। ग्लूकोसिनोलेटस ब्रोकोली तथा सरसों में भी पाया जाता है। सलाद तथा अन्य व्यंजनों में जलकुंभी का नया प्रयोग फेफड़े के कैन्सर से 27 प्रतिशत बचाव करता है। साउथ हेम्पटन विश्वविद्यालय के वैज्ञानिकों ने प्रमाणित किया है कि जलकुंभी खाने से ब्रेस्ट कैन्सर का उपचार एवं रोकथाम दोनों होता है। जलकुंभी के सलाद में परमशक्तिशाली एण्टी ब्रेस्ट कैन्सर फाइटो केमिकल होता है।

जिनसेंग

इम्यून सिस्टम को शक्तिशाली बनाता है। तनाव एवं थकान से मुक्त करता है। एथलेटिक पावर एवं यौन ऊर्जा को बढ़ाता है, शोध अध्ययन से इसकी पुष्टि नहीं हो सकी है। जिनसेंग के गलत प्रयोग से हाइब्लड प्रेशर, अनिद्रा, एडिक्शन, हृदय की धड़कन का बढ़ जाना आदि रोग लक्षण पैदा होते हैं, जिनसेंग कई प्रकार के होते हैं, जिसमें लाल, सफेद, कोरियन, साइबेरियन आदि प्रसिद्ध हैं। कुछ विशेषज्ञों के अनुसार लाल जिनसेंग तो सेक्स शक्ति की वृद्धि की दृष्टि से वियोग्रा से भी उम्दा होता है। सफेद जिनसेंग (Ginseng) आँत के कैंसर तथा लाल जिनसेंग पेट के कैन्सर से रक्षा करता है। फ्लोरिडा की एक कम्पनी ने जिनसेंग विटामिन 'ई' तथा अफ्रीका में शताब्दियों से यौनेच्छा बढ़ाने वाला (Aphordisiac) योहिम्बे का छाल

(Yohimbe Bark) मिलाकर कामोत्तेजक चुईंगम (Libido Enhancing Gum) बनाया है। इसे दिन में तीन बार चबाने से कमाल का असर होता है।

सेंट जॉन्सवार्ट

सेन्ट जॉन्सवार्ट डिप्रेशन की जड़ी बूटी हैं। मेजर डिप्रेशन में उतना कारगर नहीं है। यह लाइफ सेविंग दवाइयों जैसे कैंसर की कीमो थैरिपि ड्रग्स तथा एच. आई.वी. की इन्फेक्शन से लड़ने वाली दवा के प्रभाव को बेअसर कर देती है। अंग प्रत्यारोपण के बाद आर्गन रिजेक्शन (इम्यून सिस्टम को दबाने वाली दवा) मेडिसिन सायक्लोस्पोरिन को निष्प्रभावी बना देती है। बहुत सी दवाओं के साथ सेंट जॉन्सवार्ट खतरनाक इन्टर एक्शन करती है।

स्पाइरूलिना (Spirulina)

मैक्सिको एवं अफ्रीका के झीलों की सतह पर प्राकृतिक रूप से पैदा होने वाली स्पाइरूलिना एक खास प्रकार की काई एलगी है। इसका वानस्पतिक नाम स्पाइरुलिना प्लान्टेसिस है। अफ्रीकन तथा मैक्सिकन आदिवासियों के स्वास्थ्य एवं दीर्घजीवन का राज स्पाइरुलिना में ही छिपा हुआ है। शताब्दियों से वहाँ के आदिवासी इसका उपयोग करते आ रहे हैं। इसके चमत्कारी प्रभाव के चलते विश्व के अनेक देशों में इस विशेष काई पर खोज कार्य हुए हैं और हो रहे हैं। इसके करिश्माई बहुआयामी प्रभाव को देखते हुए जापान के वैज्ञानिकों ने इसे वंडर ड्रग से विभूषित किया है। इसमें सभी प्रकार के विटामिन 'ए', बी कॉम्पलेक्स, सी.डी.ई., के.एफ.एच., उम्र को बढ़ाने वाले एन्जाइम सुपर ऑक्साइड डिस्म्युटेज यहाँ तक कि दूध में मिलने वाला गामा लिनोलेनिक एसिड भी पर्याप्त मात्रा में पाया जाता है। वैज्ञानिकों के अनुसार स्पाइरुलिना चमत्कारिक नेचुरल टॉनिक है। जिसमें इतने सारे पोषक तत्व तथा एण्टी ऑक्सीडेन्ट भरे हुए हैं। डच मेडिकल जर्नल में डेनमार्क में 40 से 45 के 12 स्वस्थ पुरुषों को प्रतिदिन 12 औंस स्पाईरुलिना चार सप्ताह तक लगातार दिया गया। चमत्कार हो गया। सभी पुरुषों के शरीर में कैंसर कोशिकाओं को लड़ने एवं मारने वाली किलर कोशिकाओं में अत्यधिक वृद्धि पाई गयी।

जर्नल ऑफ न्यूरोसाइन्स में स्पाइरुलिना का दिमाग पर क्या असर होता है इसका शोध अध्ययन प्रकाशित हुआ है। इस अध्ययन के अन्तर्गत कुछ बूढे चूहों को रूपाइरुलिना युक्त तथा कुछ चूहों को सामान्य आहार दिया गया। मात्र दो सप्ताह के बाद स्पाइरूलिना लेने वाले बूढ़े चूहों में सूझबूझ, यादाश्त, बुद्धिमता एवं तुरन्त निर्णय लेने की क्षमता का अद्‌भुत विकास हुआ। इतना ही नहीं फ्री रेडिकल के कारण जो दिमाग की कोशिकाआएं क्षतिग्रस्त हो गयी थी, वे पुनः नयी हो गयी। उनका दिमाग युवा चूहों के दिमाग जैसा सक्रिय एवं सतेज हो गया।

एक अन्य अध्ययन की रिपोर्ट 'जर्नल ऑफ मेडिकल फूड'' में प्रकाशित हुआ है जिसके अनुसार 12 स्वस्थ पुरुषों को स्पाइरूलिना से बना सोल्यूशन की इन्जेक्शन दिया गया। 72 घंटे के बाद उनके खून जाँच से ज्ञात हुआ कि उनमें कैन्सर से लड़ने वाली इम्यून कोशिका प्रोटीन 13 गुना बढ़ गये। शोध वैज्ञानिकों का मानना है कि स्पाइरूलिना में 'कैल्शियम स्पिरूलैन नामक कार्बोहाइड्रेट कैन्सर ट्यूमर कोशिकाओं को स्वस्थ कोशिकाओं से जुड़ने नहीं देता है। स्पाइरूलिना

में मौजूद शक्तिशाली एण्टी ऑक्सीडेन्ट 'फिकोसियानिन' ऑक्सोडेशन किया के दौरान पैदा होने वाले फ्री रेडिकल, जो कैन्सर तथा दिमागी प्रदाह उत्पन्न करते हैं, उन्हीं को नष्ट कर देते हैं। प्रतिदिन स्पाईरूलिना 1 से 3 ग्राम लें। स्पाइरूलिना के नियमित सेवन से तनाव, अवसाद, एथिरोस्क्लेरोसिस, बुढ़ापा, यादाश्त लोप, मति विभ्रम, दवाओं के दुष्प्रभाव, कुपोषण, खून की कमी, मोटापा आदि अनेक रोगों से छुटकारा मिलता है।

राजस्थान विश्वविद्यालय के प्राणीशास्त्र विज्ञानी डॉ. अशोक कुमार ने सरसों, तुलसी तथा स्पाईरूलिना वनस्पतियों से कैंसर से बचाव सम्बन्धित प्रयोग किये हैं। हमारा शरीर में जैविक (वायरस) भौतिक तथा रासायनिक कारणों से शरीर में फ्री रेडिकल्स बनते हैं, जिसके ऑक्सीडेटिव स्ट्रेस से डी.एन.ए. में म्यूटेजेनिक परिवर्तन होता है, इनके विभाजन का गुण असीमित हो जाते हैं। जिससे कैंसर की गांठ बनने की संभावना बढ़ जाती है, स्पाइरूलिना में प्रचुरता से प्रोटीन मिलता है। इसमें विटामिन 'ई', जिंक, सेलेनियम, बीटा कैरोटिन, विटामिन बी-12 पर्याप्त मात्रा में होता है जो कैंसर से 70 प्रतिशत तक बचाव करता है।

केशर

इटली की यूनिवर्सिटी ऑफ एल- एक्वीला (University of L' Aquila) तथा आस्ट्रेलिया की सिडनी यूनिवर्सिटी के वैज्ञानिकों के शोध अध्ययन के अनुसार प्रतिदिन केशर खाने से आँख की भयंकर बीमारी मैक्युलर डिजेनरेशन जो अंधता का कारण बनती है से बचाव होता है। केशर में मौजदू शक्तिशाली एण्टीऑक्सीडेन्ट आँखों के नाजुक कोशिकाओं को भरपूर सहयोग कर दृष्टि को सतत बनाये रखती है। केशर सूर्य के खतरनाक रेडियेशन से बचाता है तथा रेटीनाइटिस पिगमेन्टोसा जैसे जेनेटिक बीमारियों तथा मैक्युलर डिजेनरेशन से भी रक्षा करता है। वैज्ञानिकों का कहना है कि केसर में किस प्रकार दृष्टिदोष को दूर कर रोशनी बढ़ाता है, यह जानने योग्य है। वास्तव में यह यह उस जीन को प्रभावित करता है जो सेल मेम्ब्रेन के फैटी एसिड को नियंत्रित कर विजन सेल्स को पूर्व के अवस्था (Resilient) में लाता है।

प्रति सौ ग्राम खाद्य मसालों में पोषक तत्वों का तुलनात्मक अध्ययन

					अक्षास						
खाद्य	Mg	Na	K	Cu	S	Cl	अ.	क्षा.	ऑए	फॉ.	P
अजमोदा	52	55.5	210	0.30	102	19	-	67	19		10
पुदीना	-	-	-	-	84	34	-	41	33		4
धनिया पत्ते	64	58.3	256	0.53	49	43	-	147	47		-
धनिया बीज	-	32.0	990	-	-	-	-	-	-		320
जीरा	-	126.0	980	-	-	-	-	-	-		153
मेथी	-	19.0	530	-	-	-	-	-	-		151
अजवायन	-	56.0	1390	-	-	-	-	-	-		296
हरी मिर्च	24	6.5	217	1.55	34	15	-	16	67		7

100 ग्राम काली मिर्च में फाइटिन P 115 मि.ग्रा. तथा कुल P का फा. P 58 प्रतिशत होता है। प्रति 100 ग्राम पुदीना में मुक्त फॉलिक एसिड 9.7 तथा कुल फॉलिक एसिड 114.0, हरी मिर्च में मु. फॉ. ए. 6.0, कुल फॉ. ए. 29.0, धनिया बीज में मु.फॉ.ए. 27.4, कुल फॉ.ए. 32.0, दाना मेथी में मु.फॉ.ए. 14.5 तथा कुल फॉ.ए. 84.0, कोलिन की मात्रा प्रति सौ ग्रा. इलायची में 1550, धनिया बीज में 1077, जीरा में 1065 तथा दाना मेथी में 1161 मि.ग्रा. होता है।

आहार कैलोरीज तथा मोटापा

प्रतिदिन दस कैलोरीज अतिरिक्त लेने से दस साल में 5 किलो ग्राम वजन बढ़ जाता है। शरीर में वजन का 12 से 18 प्रतिशत चर्बी का होना सामान्य है। परन्तु पुरुषों में 20 प्रतिशत तथा महिलाओं में 30 प्रतिशत से अधिक चर्बी जमा होने से आदमी मधुमेह, हृदय रोग, उच्च रक्तचाप, यौन शक्ति ह्रास, लकवा, आमाशय त्वचा, फेफड़े, गुर्दे तथा रक्तवाहिनियों के रोग से ग्रस्त हो सकता है। पुरुषों में चर्बी का जमाव सर्वप्रथम पेट पर होता है और तोंद बढ़ने लगती है। फिर क्रमश: कमर, नितम्ब, सीने, पीठ, ग्रीवा के पिछले भाग, जंघा तथा हाथों में फैलती जाती है। महिलाओं में सर्वप्रथम कूल्हों से प्रारम्भ होकर, पेट, जंघा तथा हाथ पर चर्बी जमती है। आहार द्वारा कैलोरी संतुलन करने पर जिस प्रकार से जमाव होता है उसी प्रकार से समानुपात में कम भी होता जाता है।

आहार सम्राट शहद
(Honey)

मानव जाति के प्रादुर्भाव काल से ही शहद आहार एवं औषधि के रूप में अपना महान अस्तित्त्व बनाये हुए है। पन्द्रह हजार वर्ष पूर्व के न्योलिथिक काल के भित्ति प्रस्तर चित्रों में शहद चित्रित किया गया है। प्राचीन यूनान तथा रोमन सभ्यताओं में भी शहद को आहार, औषधि एवं प्रतिरक्षात्मक तत्त्व के रूप में प्रयोग किया जाता रहा है। यूनान में शहद बेहद लोकप्रिय था। हजारों वर्ष पूर्व खेले जाने वाले ओलम्पिक खेलों के लिए कठिनतम अभ्यास के बाद खिलाड़ियों को गरम पानी में शहद डालकर पिलाया जाता था। यूनानियों का प्रबल आत्मविश्वास था कि खोई ऊर्जा की पुन: प्राप्ति शहद से होती है।

औषधि के रूप में शहद का प्राचीनतम उपयोग भारतवर्ष में किया गया। सभी प्रकार की आयुर्वेदिक औषधियों को शीघ्रता से घुलाकर रक्त में मिलाने वाले तत्त्व श्रेष्ठ योगवाही व अनुपान के रूप में इसका प्रयोग सहस्त्र शताब्दियों से होता आ रहा है। एलोपैथी, होम्योपैथी तथा अन्य विदेशी चिकित्सा विज्ञान में औषधियों में न्यूनाधिक अल्कोहल की मात्रा होती ही है। शहद एवं अल्कोहल ऐसे द्रव हैं जो जिह्वा पर रखते ही अवचूषित होने लगते हैं व अपना प्रभाव दिखाने लगते हैं। इन्हें पचाने के लिए शरीर को श्रम नहीं करना पड़ता है। अल्कोहल की अधिक मात्रा का प्रभाव विध्वंसकारी एवं उत्तेजक होता है परन्तु शहद का प्रभाव सृजनकारी, शान्तिदायक, मृदु होता है। शहद प्रबल सुरक्षाकारक है। यह न कभी खराब होता है न सड़ता है। शरीर के

प्रति सौ ग्राम विभिन्न खाद्य मसालों एवं मसाला सब्जियों में पोषक तत्वों का तुलनात्मक अध्ययन

खाद्य	खायोभा	जल	प्रोटीन	वसा	खल.	सेलु.	कार्बो.	ऊर्जा	Ca	P	Fe	A	B1	B2	B3	C
अजमोदा	71	88.0	6.3	0.6	2.1	1.4	1.6	37	230	140	6.3	3990	-	0.11	1.2	62
अजवायन की डण्डी	-	93.5	0.8	0.1	0.9	1.2	3.5	18	30	38	4.8	520	0.12	0.05	0.03	6
पुदीना के पत्ते	45	84.9	4.8	0.6	1.9	2.0	5.8	48	200	62	15.6	1620	0.05	0.26	1.0	27
धनिया के पत्ते	70	86.3	3.3	0.6	2.3	1.2	6.3	44	184	71	18.5	6918	0.05	0.06	0.8	135
धनिया के बीज	-	11.2	14.1	16.1	4.4	32.6	21.6	288	630	393	17.9	942	0.22	0.35	1.1	-
जीरा	-	11.9	18.7	15.0	5.8	12.0	36.6	356	1080	511	31.0	522	0.55	0.36	2.6	3
हरी मिर्च	90	85.7	2.9	0.6	1.0	6.8	3.0	29	30	80	1.2	175	0.19	0.39	0.9	111
अजवायन	-	7.4	17.1	21.8	7.9	21.2	24.6	363	1525	443	27.7	71	0.21	0.28	2.1	-
मेथी	-	13.7	26.2	5.8	3.0	7.2	44.1	333	107	370	14.1	96	0.34	0.29	1.1	-
काली मिर्च	95	13.2	11.5	6.8	4.4	14.9	49.2	304	460	198	16.8	1080	0.09	0.01	0.14	10
लौंग	100	25.2	5.2	8.9	5.2	9.5	46.0	286	746	100	4.9	253	0.08	0.13	-	-
इलायची	-	20.0	10.2	2.2	5.4	20.1	42.1	229	130	160	5.0	-	0.22	0.17	0.8	-
हरा लवंग (कच्चा)	-	65.5	2.3	5.9	2.2	-	24.1	159	310	40	2.1	72	-	-	-	-
कच्ची काली मिर्च	81	70.6	4.8	2.7	1.8	6.4	13.7	98	270	70	2.4	540	0.05	0.04	0.2	1
हींग	-	16.0	4.0	1.1	7.0	4.1	67.8	297	690	50	22.2	4	-	0.04	0.3	-
जायफल	-	14.3	7.5	36.4	1.7	11.6	28.5	472	120	240	4.6	-	0.33	0.01	1.4	-
जावित्री	-	15.9	6.5	24.4	1.6	3.8	47.8	437	180	100	12.6	3027	0.25	0.42	1.4	-

अन्दर तथा बाहर किसी भी पदार्थ के सम्पर्क में आने से उसे सड़ने से रोकता है। 1923 ई. में रूसी वैज्ञानिकों को मिश्र के फराओ तूतन खामन के पिरामिड खोज उत्खनन में शहद से भरा हुआ एक पात्र मिला जो 3300 वर्ष पुराना था। उसके औषधीय गुण एवं स्वाद में कोई परिवर्तन नहीं हुआ था। आधुनिक आयुर्विज्ञान के पितामह हिप्पोक्रेट्स का प्रबल आत्मविश्वास था कि शहद जीवन को सुखी, स्वस्थ व दीर्घ जीवी बनाता है। वे स्वयं तथा अपने रोगियों पर शहद का बाह्य तथा आन्तरिक उपयोग खूब करते थे। आदिकाल से अत्याधुनिक काल तक विश्व के प्रत्येक धार्मिक अनुष्ठानों में शहद को पवित्रतम माना गया है। संत सुलेमान शहद को दुनिया का श्रेष्ठतम भेषज मानते थे। वे बराबर अपने उपदेश में मधु भक्षण का आदेश दिया करते थे। महात्मा मुहम्मद ने भी एक बार एक व्यक्ति को भयंकर उदरशूल से मुक्ति शहद खिलाकर दिलाई थी। एरिस्टोन के अनुसार ओलम्पियन खिलाड़ियों को मधु मिश्रित ऊर्जस्वी अमृत आहार दिया जाता था, ताकि उसका ओज, बल अक्षुण्ण बना रहे।

विभिन्न प्राचीन आयुर्वेद ग्रंथों चरक, सुश्रूत, अष्टाङ्ग हृदय, भाव प्रकाश निघंटु आदि के अनुसार शहद शीतल, लघु स्वादिष्ट, रुक्ष, ग्राही, बिलेखन, वातकारक, नेत्रों के लिए अति हितकर, अग्निदीपक, स्वर को श्रेष्ठ बनाने वाला, वाणी को ओज प्रदान करने वाला, व्रण शोध तथा रोपण करने वाला, सुकुमार बनाने वाला, सुक्ष्मस्रोतोगामी, स्रोतोमार्ग का प्रबल शोधक, प्रारम्भ में मधुर अन्त में कषाय रस युक्त आह्लादकारी, सन्धानकर, छेदक, अत्यन्त प्रसादजनक, शरीर के वर्ण को आकर्षक बनाने वाला, मेधाशक्ति वर्द्धक, वीर्य वर्द्धक, विशद गुणयुक्त, रोचक, किंचित वातजनक तथा कुष्ठ, अर्श, कास, पित्त, रक्त विकार, रक्तपित्त, कफ, प्रमेह, क्लान्ति, कृमि, भेद, तृषा, वमन, श्वास, हिचकी, अतिसार, मलबन्ध, दाह, क्षत तथा क्षय को नाश करने वाला और जिसके साथ संयोग हो उसी का गुण धर्म अपनाकर उसी का प्रभाव डालने वाला श्रेष्ठ योगवाही है। भाव प्रकाश तथा अन्य आयुर्वेदिक ग्रंथों में माक्षिक, भ्रामर, क्षोद्र, पीताभ , छात्र, आर्ष्य, औद्यालक तथा दाल आठ प्रकार के मधु की जातियाँ बताई गयी हैं।

पिण्डाल वर्ण की बड़ी मधुमक्खियों से उत्पन्न तेल के समान मधु को माक्षिक कहते हैं। यह सर्वश्रेष्ठ शहद होता है। यह लघु एवं आँख के सभी रोगों में, कामला, अर्श, क्षत, श्वास, कास तथा क्षय रोग नाशक है। छोटे भ्रमरों से प्राप्त भ्रामर शहद स्फटिक के सदृश्य निर्मल, संगृहीत, गुण विपाक में मधुर रस युक्त, अभिष्यन्दी, पिच्छिल, तथा शीतवीर्य होता है। रक्त पित्तनाशक तथा मूत्र में जड़ता उत्पन्न करने वाला होता है। कपिल वर्ण की सूक्ष्म 'क्षुद्रा' मधुमक्खी से प्राप्त क्षोद्र शहद का गुण धर्म माक्षिक मधु की तरह विशेष रूप से प्रमेहनाशक होता है। मच्छरों के सदृश्य छोटे काले रंग की, काटने पर अत्यन्त पीड़ा पहुँचाने वाली, कोटरों में रहने वाली पुत्तिका मधुमक्खियों से प्राप्त शहद को 'पोत्तिक' कहते हैं। यह रुक्ष, उष्ण, पित्त-दाह-रक्त विकार, प्रमेह तथा मूत्रकृच्छ नाशक, गाँठ, घाव व क्षत को सुखाने वाला वातकारक एवं विदाही होता है। हिमालय की पहाड़ियों एवं जंगलों में पीले रंग की मधुमक्खियों के छते से प्राप्त 'छत्र' शहद कपिल पित्त वर्ण युक्त, पिच्छिल, शीतल, गुरु विपाक में मधुर रसयुक्त,

तृप्तिदायक, गुणकारी, कृमि, श्वेत कुष्ठ, रक्तपित्त प्रमेह, भ्रम, तृषा, मोह तथा विषनाशक होता है। भौरों के आकार की पीले रंग की तीक्ष्ण मुख वाली 'अर्घ्या' मधुमक्खी से प्राप्त शहद 'आर्घ्य' नेत्रों के लिए हितकारी, कफ पित्तनाशक, बल तथा पुष्टिकारक, कषाय तथा तिक्त रस युक्त तथा विपाक में कटु रस युक्त होता है। वल्मिक के अन्दर रहने वाले कपिल वर्ण के छोटे कीड़ों से उत्पन्न लघु मात्रा में 'ओद्यालक' शहद रुचिकारक, स्वर को उत्तम बनाने वाला, कषाय तथा अम्ल रस युक्त, विपाक में कटु रस युक्त एवं पित्तकारक होता है। फूलों से टपक कर पतों ग्र गिरने वाला पुष्प रस मधुर, अम्ल तथा कषाय रस युक्त मधु 'दाल' कहलाता है। यह पाक में लघु, अग्निदीपक, कफनाशक, रुक्ष, रुचिकर, स्निग्ध रस रक्तादि वर्द्धक, वजन में भारी, वमन, तथा प्रमेहनाशक होता है।

एक वर्ष से पुराना शहद पुराना तथा एक वर्ष पहले का शहद नया कहलाता है। नया शहद पुष्टिकारक, कफनाशक तथा सारक होता है। पुराना शहद पुष्टिकारक, कफनाशक, ग्राही, रुक्ष, अत्यन्त लेखन गुण विशिष्ट, मेदनाशक होता है। विषैले फूलों से प्राप्त शहद उष्ण होता है। उष्ण शहद का प्रयोग गर्मियों में अति हानिकारक है। अतः निरापद फल-फूलों से प्राप्त शहद ही काम में लेना चाहिए।

विश्व के अनेक देशों में शहद का व्यापारिक उत्पादन काफी तेजी से हो रहा है। मधुमक्खियाँ विभिन्न पौधों के पुष्प परागों से शहद निर्माण करती हैं। 3-4 किलोमीटर तक की यात्रा कर करीब दस हजार फूलों से अपना भोजन पराग (प्रोटीन) तथा सुधा सदृश्य पेय नेकटार (कार्बोज) लेकर शहद बनाती हैं। एक पौंड शहद के लिए मधुमक्खियों का 37,000 ट्रीप पुष्पों का लगता है। एक छत्ते की मक्खियाँ एक वर्ष में करीब 17 मिलियन यात्रा पूर्ण कर 40 से 100 पौंड पुष्प पराग जुटा पाती हैं। लंदन यूनिवर्सिटी के बायोलॉजिकल साइंस स्कूल के डॉ. नाइजेलरेन के शोध के अनुसार मधुमक्खी का दिमाग घास के बीज के जितना छोटा होता है, लेकिन मधुमक्खी 'ट्रेवलिंग सेल्समैन प्राब्लम' नाम से विख्यात दूरी सम्बन्धी जटिल गणना को हल करने में कम्प्यूटर तथा इंसान को भी मात दे देती है। कई प्रकार के फूलों से पराग को इकट्ठा करने में ज्यादा ऊर्जा की आवश्यकता होती है, इसलिए वह सबसे छोटे रास्ते का चुनाव करती है, जिससे कम से कम उड़ना पड़े एवं कम ऊर्जा खर्च हो। छत्तों में एकत्रित शहद का वाष्पीकरण होने से 75 से 80 प्रतिशत जलांश उड़ जाता है। फलतः शहद गाढ़ा हो जाता है। चीनी तथा अनाज के सिरपों से उत्पादित शहद की गुणवत्ता न्यून होती है। जंगल, बाग बगीचे तथा कृष्य पुष्पों से निर्मित शहद की गुणवत्ता ही बेजोड़ होती है। सामान्य शहद का रंग कपिल पीताभ (Amber) रंग का होता है परन्तु भूरे, हरे, हल्का पीताभ, लाल कभी-कभी बर्फ की तरह सफेद तथा काले भी होते हैं।

भारत की सुप्रसिद्ध संस्थान सेन्टर फॉर साइन्स एण्ड एनवायरमेन्ट की निदेशक सुनीता नारायण एवं अध्ययन प्रमुख चन्द्र भूषण ने देश के 9 तथा विदेश की दो "कैपिलानो नेचुरल हनी तथा "नेक्टाफ्लोर नेचुरल हनी" के नमूने लेकर अपने प्रयोगशाला में जाँच की है। इन

कंपनियों के शहद में छः एण्टीबायोटिक ऑक्सीटेट्रासाइक्लिन, क्लोरामफेनिकाल, एम्पीसिलीन, एनरोफ्ल्क्सासिन सिप्रोफ्लोक्सेसिन तथा एरिथ्रोमाइसिन पायी गयी है। वैज्ञानिकों के अनुसार ऐसे एण्टीबायोटिक वाले शहद के लम्बे इस्तेमाल से बच्चों के शरीर में सुपरबग भी पैदा हो सकते हैं। ये सभी एण्टीबायोटिक खतरनाक किस्म के होते हैं। इनमें से कुछ तो प्रतिबंधित एण्टीबायोटिक हैं जो देश के प्रमुख ब्राण्ड के शहदों में मिले हैं।

विदेशों में एण्टीबायोटिक की सीमा मानक तय की गयी है, ये कम्पनियां जो शहद को विदेशों में भेज रही हैं उनमें मानकों का पालन हो रहा है, लेकिन भारत की सरकारी महकमा हर क्षेत्र में भ्रष्टाचार के चलते सोती रहती है। संभवतः कोई मानक तय भी नहीं है। जंगलों से प्राप्त शहद में इस प्रकार की मिलावट नहीं होती है। मधुमक्खी पालक किसान मधुमक्खियों को रोगों से बचाने तथा ज्यादा शहद एवं अण्डा प्राप्त करने के लिए मधुमक्खियों को शुगर तथा अनाज के सिरपों में एण्टीबायोटिक मिलाकर दिया जाता है, उनसे प्राप्त शहदों में एण्टीबायोटिक्स होते हैं। विश्व में वृहद स्तर पर रानी मक्खी से ज्यादा से ज्यादा अंडा प्राप्त करने के लिए ऑक्सीटेंट्रासाइक्लिन का प्रयोग किया जाता है। वैसे सभी प्रकार के शहदों में प्राकृतिक रूप से रोगाणुहन्ता एण्टीबायोटिक्स पाये जाते हैं, परन्तु डॉ. सुनीता नारायण ने शहदों में सिंथेटिक एण्टीबायोटिक की खोज की है जो सेहत के लिए खतरनाक है। डॉ. सुनीता नारायण ने ही कोका कोला पेप्सी कोलादि कार्बोनेटेड पेयों में भांति-भांति के कीटनाशी दवाओं की मौजूदगी की खोज की थी। राष्ट्रीय स्वास्थ्य संरक्षण की दृष्टि से इनका कार्य स्तुत्य है। किसानों द्वारा फूलों आदि पर फुहारा जाने वाले कीटनाशी रसायनों के कारण भी शहद संक्रमित होकर स्वास्थ्य के लिए हानिकारक बन जाते हैं।

छत्तों में मधुमक्खियाँ एक प्रकार की एन्जाइम पैदा करती हैं जिसके रासायनिक प्रभाव से चीनी शर्करा सुक्रोज सरलीकृत होकर डेक्स्ट्रोज तथा लेवुलोज में परिवर्तित हो जाती है। यह शरीर में अतिशीघ्रता से अवचूषित होकर ऊर्जा एवं शक्ति में रूपान्तरित हो जाती है।

प्राचीन पाश्चात्य आयुर्विज्ञानी पाइथोगोरस ने शहद को दीर्घ स्वास्थ्य एवं आनन्दपूर्ण दीर्घ जीवन के लिए अति उपयोगी बताया है। सैकड़ों वर्ष पूर्व लिखित चार्ल्स बटलर की पुस्तक 'हिस्ट्री ऑफ द बीज' में बताया गया है कि ''शहद पेट के मोटापे को कम करता है, शरीर के समस्त प्रवाही रुकावटों को दूर करता है, कफ को बाहर निकालता है, गुर्दे को उत्तेजित कर खूब पेशाब लाता है, आमाशय को उद्दीप्त कर भूख बढ़ाता है, नेत्रों को शक्ति प्रदान कर ज्योति बढ़ाता है। क्षीणकाय बूढ़े शरीर में शक्ति, ऊर्जा एवं ताप बढ़ाकर जीवन को स्वस्थ एवं दीर्घ बनाता है।''

आदिकाल में ही एशिया, यूरोप, अरब, अफ्रीका आदि महादेशों में संक्रामक रोगों को रोकने, गुर्दे, यकृत, फेफड़े, पाचन संस्थान तथा रक्तसंचार सम्बन्धी सभी संस्थानों के रोगों को दूर करने के लिए शहद का व्यापक प्रयोग किया गया है। फोड़े-फुंसियों में शहद तथा इसके मोम का मलहम बनाकर प्रयोग किया जाता रहा है।

यूनिवर्सिटी ऑफ विसकॉनसिन की एक वैज्ञानिक चिकित्सक ने शहद का प्रयोग करके आधा दर्जन मधुमेह के रोगियों के पैर काटने से बचा लिया है। 'हनी थैरिपि के अन्तर्गत घाव की भरी हुई त्वचा तथा बैक्टीरिया की खूब धुलाई सफाई करके उस पर शहद की मोटी परत चढ़ाई जाती है।

शहद अपने एण्टी बायोटिक गुण के कारण बैक्टीरियाओं को तो मारती ही है। साथ ही यह अपने एसीडिक गुण के कारण मरीजों में स्टैंडर्ड एण्टीबायोटिक के रेजिस्टेन्स विकसित कर चुकी बैक्टीरियल जटिलताओं से भी शहद बचाता है। वास्तव में मधुमेही रोगियों में रक्त संचार क्षमता तथा इन्फेक्शन से लड़ने की शक्ति कम हो जाती है, जिसके कारण घाव जल्दी नहीं भरता है। आधे मिनट में कहीं न कहीं मधुमेह के कारण किसी न किसी को अपना कोई न कोई अंग खोना पड़ता है। न्यूजीलैंड में विरासत में शताब्दियों से बेड शोर का इलाज शहद से होता आ रहा है। यूनाइटेड अरब अमीरात में हुए शोध के अनुसार तीन बड़े चम्मच रोज शहद खाने से तन मन दिल एवं दिमाग एनर्जी से लबालब भर जाता है। शहद दिल के रोगों से मुकाबला करता है, खाते रहने से मधुमेह की रोकथाम होती है, मधुमेह होने पर खाने से खतरा पैदा होता है, शहद खाने से किडनी रोग का खतरा 18 फीसदी कम हो जाता है।

मिनोसोटा विश्वविद्यालय के एम.एच. हेडक, एल.एस. पामर तथा एम.सी. टेक्यारी ने चूहों पर प्रयोग करके यह सिद्ध किया कि दूध तथा शहद के प्रयोग से हीमोग्लोबिन की मात्रा बढ़ती है तथा दूध और चीनी के प्रयोग से हीमोग्लोबिन की मात्रा कम हो जाती है। हल्के रंग के शहद में लोहा 2.4 मि.ग्रा. तथा ताँबे की मात्रा 0.29 मि.ग्रा. तथा गहरे रंग के शहद में लोहा 19.5 मि.ग्रा. तथा ताँबा 1.4 मि.ग्रा. प्रति सौ ग्राम होता है। यह सामान्य रक्तहीनता को दूर करता है।

शिकागों के डॉ. ई. एम. नॉट, डॉ. सी.एफ. शुकर्स तथा डॉ. डब्ल्यू. शुल्ज ने अपने विभिन्न प्रयोगों से सिद्ध किया है कि शहद ही एक ऐसा घनीभूत कार्बोज आहार है जो कैल्शियम को शरीर में अवचूषित करता है। शहद शरीर के क्षारीय तथा अम्लीय संतुलन को बनाये रखता है। शहद पेट एवं पाचन संस्थान के सभी रोगों के लिए उत्तम आहार है। यह आमाशय एवं आँतों की श्लेष्मा कला पर शीघ्र प्रभावी होकर सड़ाँध व गैस बनने की क्रिया को तुरन्त रोकता है। शहद मंदाग्नि, हाइपर एसीडिटी, गैस्ट्राइटिस, कोलाइटिस के लिए उत्तम औषधि है। 125 ग्राम शहद, 10 ग्राम नमक, एक नींबू का रस तथा 500 मि.ली. पानी मिलाने से ग्लूकोज सैलाइन वाटर बन जाता है। इसे धीरे-धीरे चम्मच से पिलाएँ तथा कुछ को एनिमा से गुदा द्वार में चढ़ाकर रोकें। इसका 96 प्रतिशत भाग गुदा द्वारा अवचूषित हो जाता है। यह श्रेष्ठ किस्म का गुदा आहार है। निर्जलीकरण की यह श्रेष्ठ औषधि है। यह लेखक की स्वयं की खोज है, इसके प्रयोग से लेखक ने निर्जलीकरण के सैकड़ों रोगियों के प्राण बचाए हैं। इसके प्रयोग से शीघ्र राहत मिलती है। ताजगी एवं स्फूर्ति महसूस होती है। मौत के मुँह से आदमी लौट आता है। शहद से प्राप्त शक्ति, इलेक्ट्रोलाइट्स ऊर्जा एवं ताप शरीर में काफी देर तक स्थायी बने रहने के कारण कमजोरी

महसूस नहीं होती है। जब रोगी को यह आहार पचने लगे फिर गाजर, लौकी आदि सब्जियों का सूप तथा बाद में रस देना चाहिए। इससे क्षति हुए सभी प्रकार के इलेक्ट्रोलाइट्स की पूर्ति हो जाती है।

डॉ. जै.एच. केल्लाग एवं स्वयं लेखक का अनुभव है कि हृदय रोग के दौरे को शहद-नींबू का पेय शीघ्रता से नियंत्रित करता है। लेखक ने अनेक घातक एवं भयंकर रोग उन्मूलक झंझावातों जैसे—हृदय रोग का दौरा, रक्तचाप जन्य बेहोशी, अर्द्धांग, सुन्नपन, मूर्च्छा, निम्न रक्तचाप जन्य बेहोशी, कमजोरी, रक्तहीनता, दमा का दोरा, क्षीण मद अंतरालक नाड़ी गति, उष्ण उपचार जन्य रक्त हीनता व बेहोशी आदि अनेक विकट स्थितियों को शहद द्वारा ही पार पाया है। हृदय एवं मस्तिष्क जन्य रोग के लिए शहद अतिश्रेष्ठ टॉनिक है। बच्चों का मनपसन्द होने के कारण वे बड़े उत्साह के साथ प्रसन्न होकर शहद खाते हैं। एक साल उम्र के बाद बच्चों को दें। इसमें सर्वश्रेष्ठ किस्म का पूर्व पचित ग्लूकोप्रोटीन, विटामिन 'ए'वं खनिज लवण तथा अन्य एन्जाइम होने के कारण बच्चों के लिए अति उत्तम टॉनिक है। यह बच्चों के लिए मृदुरेचक का काम करता है।

शहद बच्चों तथा वयस्कों की कफ, खाँसी, जुकाम तथा गले के विभिन्न रोगों से रक्षा करता है। विस्बिडिन के डॉ. स्कॉच ने अनेक प्रकार के गेस्ट्रिक तथा ड्यूडिनल अल्सर में शहद मिश्रित दूध, कॉड लीवर ऑयल तथा अन्य आहार के साथ शहद को खिलाकर ठीक किया है। शहद ही एक ऐसा आहार है जिसे सलाद, फल, रस, दूध, दही, छाछ, पानी अर्थात् सभी प्रकार के आहार के साथ मिलाकर लिया जा सकता है। जिस आहार के साथ यह मिलता है उसकी गुणवत्ता बढ़ जाती है तथा वह शीघ्र अवचूषित एवं सात्मीकृत होता है।

इसमें कुल शर्करा 76.4 प्रतिशत होती है जिसमें अंगूरी शर्करा (लेवुलोज) 40.5 प्रतिशत तथा फल शर्करा (डेक्स्ट्रोज) 34.0 प्रतिशत, माँड 1.8 प्रतिशत, डेक्सट्रिन 1.5 प्रतिशत तथा इक्षु शर्करा नाममात्र की 0.85 प्रतिशत होती है। विस्कॉन्सिन विश्वविद्यालय के रसायनज्ञ एच.ए. स्कूट्टे तथा अन्य आहार रसायनज्ञ डॉ. जार्ज किच्स एवं डॉ. सी.ए. एलेबेनम ने विभिन्न स्थानों से प्राप्त शहद में विटामिन 'बी' ग्रुप की मात्रा का निर्धारण इस प्रकार किया है—प्रति सौ ग्राम शहद में रिबोफ्लेविन 7 से 60 मा.ग्रा., पेन्टोथेनिक अम्ल 9 से 110 मा.ग्रा., नायसिन 75 से 590 मा.ग्रा., थायमिन 1.4 से 12 मा.ग्रा., पायरिडॉक्सिन 0 से 77 मा.ग्रा. तथा विटामिन 'सी' 0 से 311.2 मि.ग्रा. होता है। अलग-अलग पौधों के परागों से निर्मित शहद में पोषक तत्त्वों की मात्रा घटती-बढ़ती रहती है।

शहद पुराना होने पर कुछ तत्त्व नष्ट होने लगते हैं। डॉ. एच.ए. स्कूट्टे, डॉ. जे. ह्यूनिंग तथा डॉ. वारेन डब्ल्यू बुसेनर के शोधों के अनुसार एक किलो शहद में सिलिका 14 से 36, फॉस्फोरस 23 से 50, कैल्शियम 23 से 68, मैग्नेशियम 11 से 56, सोडियम 8, पोटाशियम 205 मिली ग्राम तथा गहरे रंग के शहद में Si- 13 से 72, P-58, Ca- 5 से 226, Mg- 7 से 126, Na- 76, K- 676 मि.ग्रा. होता है। गहरे रंग के शहद में हल्के रंग के पारदर्शी

शहद की अपेक्षा उच्च किस्म के न्यून मात्रा में सभी प्रकार के एमिनो अम्ल तथा पर्याप्त व प्रचुर मात्रा में विटामिन 'ए'वं खनिज लवण होते हैं। शहद को खरीदते समय गाढ़े रंग का ही शहद खरीदें। शहद में गुड़ या चीनी की चाशनी सैक्रिन तथा सिंथेटिक एसेन्स मिलाने से शहद की गुणवत्ता समाप्त हो जाती है।

जैव रासायनिक प्रक्रिया से गुजर कर ही स्टार्च, इक्षु शर्करा तथा फल शर्करा पच कर ग्लाइकोजिन में परिवर्तित होकर यकृत एवं माँसपेशियों में इकट्ठा होती है। फिर आवश्यकता अनुसार यह एकत्रित ग्लाइकोजिन अंगूरी शर्करा तथा ग्लूकोज में परिवर्तित होकर शक्ति एवं ऊर्जा प्रदान करता है। परन्तु शहद में स्थित अंगूरी शर्करा सीधे रक्त में घुल मिलकर उष्मा तथा ऊर्जा प्रदान करती है। शहद प्रकृति का अद्भुत चमत्कार है क्योंकि यह पूर्ण पूर्व पचित आहार है। इसे शरीर को पचाने में अधिक श्रम नहीं करना पड़ता है। यही कारण है कि शारीरिक एवं मानसिक थकान एवं श्रम के बाद शहद लेने से शीघ्र शक्ति मिलती है। यह कमजोर मरीज, बाल, वृद्ध सभी के लिए श्रेष्ठ टॉनिक है।

शहद का पी एच 3 से 4.8 होता है इसलिए यह जबरदस्त रोगाणुरोधी एण्टी बैक्टीरियल होता है तथा घाव को शीघ्र भर देता है।

अमेरिका के आयुर्वैज्ञानिक डॉ. एवी स्टुअर्टमेंट ने बरसों तक शहद की रोग प्रतिरोधक एवं रोगाणुहन्ता क्षमता पर अद्भुत प्रयोग किये हैं। उन्होंने सिद्ध किया है, पुरानी खाँसी, फेफड़े के रोग तथा पेचिश के रोगाणु शहद में रखने से 48 घंटे के अंदर मर गये। टायफायड के कीटाणुओं को समाप्त होने में 120 घंटे लगे। अमेरिकी कृषि विभाग द्वारा प्रकाशित 'क्रॉप्स इन वार एण्ड पीस' के अनुसार—शहद में किसी प्रकार के रोगाणु कुछ ही घंटों में खत्म हो जाते हैं। उनके अनुसार पेचिश के कीटाणु 10 घंटे में समाप्त हो जाते हैं। हाल ही में मेरे एक मित्र चिकित्सक ने अपनी खोज से यह सिद्ध किया है कि आँखों के लिए श्रेष्ठ सुरक्षाकारक रसायन शहद ही है। मृत्यु के बाद दान की गई आँखों को शहद में बिना संक्रमण के काफी देर तक रखा जा सकता है। कोलोरेडो विश्वविद्यालय जीवाणु विभाग के अध्यक्ष डॉ. सेंकर ने खोज की है कि शहद अनेक प्रकार के रोगाणु एव विषाणुओं को समाप्त करता है। इसमें रोग एवं रोगाणुओं से लड़ने की अद्भुत क्षमता है। शहद नमी के साथ रोगाणुओं को अवचूषित कर मार देता है। डॉ. डब्ल्यू जे.के अनुसार मधु आँतों की बीमारियों, हृदय रोग, त्वचा रोग, दाद, उकवत, मुँहासे में शहद अति उपयोगी है। त्वचा रोग में इसका बाह्य उपयोग भी करें। घाव के अन्दर इसे भर देने से कीटाणु समाप्त हो जाते हैं। मवाद बनना रुक जाता है। इसकी पट्टी भी करें। जीर्ण घाव भी शहद से ठीक हो जाता है। शहद में सोडियम तथा अल्ब्यूमिन कम होता है अत: यह गुर्दे के सभी रोगों में लाभदायक है। डॉ. प्लीनी के अनुसार शहद के प्रयोग से कामला, गले तथा हृदय के रोग ठीक होते हैं। यह पित्तस्राव को बढ़ाता है। डॉ. ई. पी. एन्सूज ने भी शहद को विभिन्न रोगों के लिए उपयोगी बताया है। जीर्ण खाँसी, दमा, यक्ष्मा आदि में शहद स्वास्थ्यदायक है।

बोवाडिन के डॉ. स्कॉच ने अल्सर के सैकड़ों रोगियों में शहद का सफल प्रयोग किया है।

उनका मानना है कि शहद से पेट के छोटे-मोटे घाव और अल्सर स्वत: ठीक हो जाते हैं। जीर्ण अल्सर की स्थिति में दूध के साथ शहद लें। डॉ. आर्नल्ड लॉरेड ने हृदय के लिए शहद को श्रेष्ठ औषधि बताया है। उनका मानना है कि हृदय रोगियों को प्रतिदिन नींबू तथा शहद अवश्य पीना चाहिए। मिशिगन के सुप्रसिद्ध प्राकृतिक चिकित्सक डॉ. जे.एच. केल्लाग रुग्ण बच्चों पर शहद का प्रयोग कर इस निष्कर्ष पर पहुँचे हैं कि जिन बच्चों को शहद दिया गया वे अपेक्षाकृत हृष्ट-पुष्ट एवं शक्तिशाली बने। प्रथम नौ महीने के बाद बच्चों को लगातार 20-25 ग्राम शहद पानी में देने से उन्हें छाती तथा अन्य रोग नहीं होते हैं। उनकी रोग-प्रतिरोधक क्षमता तीव्रता से बढ़ती है।

शहद, अल्पोष्ण पानी तथा नींबू रस मिलाकर ढाई घंटे के अंतराल पर पाँच दिन तक लगातार पीने से जीर्ण जुकाम, खाँसी, दमा, मोटापा, कब्ज, लकवा, अनिद्रा, उच्च रक्तचाप, गठिया आदि रोग ठीक हो जाते हैं। उपर्युक्त रोगों में प्रात: नींबू, पानी, शहद अवश्य लेना चाहिए तथा भोजन में जैविक आहार लें। उपवास के दौरान शहद लेने से रक्त में ग्लूकोज की मात्रा सामान्य रहती है, आवश्यकता के अनुसार ऊर्जा प्राप्त होती है, क्षुधा केन्द्र तृप्त रहता है, माँसपेशियाँ, यकृत, फेफड़े, रक्तवाहिनियाँ, मस्तिष्क, हृदय एवं गुर्दे क्रियाशील बने रहते हैं। फलत: भूख नहीं लगती है। कमजोरी व थकान नहीं आती है। नस, नाड़ियों एवं वाहिनियों की सफाई हो जाती है। अभीष्ट लाभ मिलता है। 20 ग्राम शहद, 40 ग्राम मक्खन अथवा 40 ग्राम शहद, 250 सी.सी. दूध में मिलाकर लेने से यक्ष्मा, कमजोरी तथा दृष्टिमंदता दूर हो जाती है। वजन बढ़ता है। शारीरिक, स्नायविक एवं मानसिक कमजोरी दूर होती है। विषैले जन्तुओं के काटने पर शहद लगाएँ तथा नींबू के साथ पिएँ। उठते फोड़े, गले की सूजन, मसूढ़े की बीमारी, आग से जलने, दाँत का दर्द, गठिया का दर्द, पसली का दर्द, उकवत, सूजाक, गर्भाशय की शुद्धि, रक्तस्राव, हड्डी टूटने, खुजली आदि बाह्य रोगों के संक्रमण व सूजन की स्थिति में शहद बाह्य अंग के अनुसार अँगुलियों, रुई के फोये, पुल्टिस बैण्डेज आदि के सहारे दिन में 3 बार प्रयोग करें। अवश्य लाभ होता है। दिन में दो-तीन बार शहद चाटने या खाने से खाँसी, हिचकी, जुकाम, गठिया, संधिवात, थकान, कमजोरी, अनिद्रा, यक्ष्मा, मुंह आना, गला, बैठना, बेरी बेरी, क्रैम्प्स ऐंठन, एवं कमजोरी दूर होती है। मोतियाबिंद की प्रारम्भिक स्थिति में शहद आँजने से कटने लगता है। नाक में शहद डालने से जुकाम तथा माइग्रेन ठीक होता है। आवाज बैठने या गले की सूजन में गर्म पानी नमक तथा शहद मिलाकर गरारा करें। नींबू, शहद, बेसन तथा सरसों के तेल का उबटन लगाने से सौन्दर्य में चार चाँद लग जाते हैं। हाल ही में कारनेल विश्वविद्यालय द्वारा की गई खोजों से यह बात स्पष्ट हो गयी है कि शहद में अत्यधिक मात्रा में हाइड्रोजन होने से यह कैंसर के ट्यूमर को बनने से रोकता है। एक शोधपूर्ण सर्वेक्षण से यह ज्ञात हुआ है कि मधुमक्खी पालक प्रति एक लाख व्यक्तियों में मात्र 0.3 प्रतिशत ही कैंसर रोगी पाये गये।

शहद में कैंसर प्रतिरोधी तत्त्व पाए जाते हैं। शहद कैंसर कोशिकाओं की अराजक वृद्धि

विभाजन को बाधित करता है। शुद्ध शहद की पहचान निरन्तर प्रयोग करने वाला व्यक्ति ही कर सकता है। शहद की विस्कोसिटी अधिक होने से उसकी बूँदें पानी में शीघ्रता से घुलती नहीं हैं। गुड़ या चीनी की चाशनी कुछ देर के बाद घुलने लगती है। मधुमक्खी का विष भी औषध्यार्थ अति उपयोगी है। इसे गठिया एवं अन्य असाध्य रोगों में उपयोगी पाया गया है।

नमक (सोडियम क्लोराइड) तथा
नमक से बने पदार्थ

नमक के बिना सारा कुछ फीका-फीका लगता है। मानव जीवन में नमक का इतना अत्यधिक हस्तक्षेप है कि वह मरने तक के लिए तैयार हो जाता है, परन्तु छोड़ने के लिए नहीं। अत्यधिक नमक खाना स्वास्थ्य के लिए घातक है, इसका प्रबल प्रमाण हाल ही में हुए अनेक शोधों से मिला है। स्वास्थ्य को अक्षुण्ण बनाये रखने के लिए नमक का त्याग श्रेयस्कर है। विकृत स्वाद के रसाकर्षण में नमक खाना घातक बीमारियों को न्योतना है। नमक का रासायनिक नाम सोडियम क्लोराइड है। अत्यधिक मात्रा में नमक खाने से इसका क्लोरीन आमाशयिक रस हाइड्रोक्लोरिक अम्ल का उत्पादन तथा स्राव को बढ़ा देता है। फलस्वरूप प्रारम्भ में हाइपरएसीडिटी, तत्पश्चात् अल्सर पैदा करता है।

डॉ. हेनरी सी. शेरमन के अनुसार नमक के प्रभाव से पाचन प्रणाली अति तीव्र गति से विक्षुब्ध हो जाती है। यह भोजन के पाचन, अवशोषण तथा सात्मीकरण को प्रभावित करती है। शरीर के समस्त भाग के ऊतकों में ऑस्मेटिक दाब अस्त-व्यस्त होता है। ऊतकों की अर्द्धप्रवेश्य झिल्लियों को पार कर बाह्य एवं आन्तरिक घोलों के मध्य लवणीय जल एक समान होने की क्रिया ऑस्मेटिक क्रिया, रक्त के बराबर लवण घोल होने को आइसोटॉनिक, रक्त से अधिक बल वाले लवणीय घोल हाइपरटॉनिक, कम बल वाले हाइपोटॉनिक सैलाइन कहलाता है। हाइपरटॉनिक के प्रयोग से ऑस्मेटिक दाब बढ़ता है, समीपस्थ लसिका का जलहरण होकर रक्त बढ़ता है। लाल रक्त कोशिका द्रवापकर्षण होने से सिकुड़ेंगे, हाइपोटॉनिक के प्रयोग से लाल रक्तकण जल आकर्षित होकर फूल जायेंगे। अधिक मात्रा में नमक के प्रयोग से आमाशय उत्तेजित होता है। वमन तथा जलापकर्षण के कारण दस्त लग जाते हैं। अल्पबल जल का अवशोषण शीघ्रता से होता है। अतिबल लवण के अवचूषण से रक्त दाब बढ़ता है। न्यून मात्रा में नमक उपयोगी है। और इतना नमक दैनिक संतुलित जैव आहार से हमें मिल जाता है। यह न्यून नमक जीव द्रव को तनाव से बचाकर सामान्य बनाए रखता है।

डॉ. उल्लामन के अनुसार ऊतकों द्वारा नमक ज्यादा अवचूषित होने पर शरीर में कैल्शियम के कार्य में बाधा उत्पन्न होती है। हड्डियों के निर्माण, हृदय के सुव्यवस्थित कार्य सम्पादन आदि अनेक कार्यों में व्यवधान पड़ता है। फलस्वरूप अस्थियाँ कमजोर होती हैं तथा शरीर अनेक संक्रमणों का शिकार हो जाता है। एक ग्राम नमक अपने में 70 ग्राम जल को बाँध कर रोक लेता है। अधिक दिन तक इस प्रकार से ऊतकों में जल की मात्रा रुकने से गुर्दे, हृदय, रक्तवाहिनियाँ व यकृत क्षतिग्रस्त होने लगते हैं। अमेरिकन एसोसिएशन ऑफ कैंसर रिसर्च के

पूर्व सदस्य डॉ. एल हाफमैन एम.डी. इस निष्कर्ष पर पहुँचे हैं कि नमक का सीधा प्रभाव कैंसर ट्यूमर की वृद्धि में होता है।

कैंसर के रोगियों को नमक का सर्वथा परित्याग कर देना चाहिए। एक अध्ययन के अनुसार परिशोधित नमक में 8,300 कीटाणु तथा 400 स्पोर्स होते हैं। डॉ. जेम्स ब्रेथवाइट (इंग्लैण्ड), फ्रेडरिक टी. मारवुड (डेनमार्क), डॉ. एल. डम्कन वुल्कले (मैक्सिको) आदि आयुर्वैज्ञानिकों ने नमक का सीधा सम्बन्ध कैंसर से माना है। उन्होंने खोज की है कि नमक से कैंसर ट्यूमर असाधारण रूप से बढ़ता है। नमक बन्द करने पर ट्यूमर कम होने लगता है। नमक एक अकार्बनिक रसायन है। यह ऊतकों पर हानिकारक प्रभाव डालता है। कोशिकाओं के अन्तर्गत चयापचय क्रिया को उत्तेजित करता है। यह रक्त के इलेक्ट्रोलाइट्स खनिज लवणों को असंतुलित करता है, शरीर से विष चयापचय क्रिया से उत्पन्न टूटी-फूटी कोशिकाओं के निष्कासन में बाधा डालता है। पोटाशियम के कार्य को प्रभावित करता है। यह कोशिकाओं के अन्दर विक्षोभक मैलिग्नेन्ट विद्वेषक प्रभाव डालकर उन्हें विक्षिप्त एवं उत्तेजित कर कैंसर कोशिकाओं में बदल देता है। प्रयोगों से देखा गया है कि सामान्य कोशिकाओं की अपेक्षा ट्यूमर कोशिकाओं में नमक ज्यादा होता है।

न्यूयार्क के डॉ. लेविस के. दाल ने बरसों तक नमक तथा रक्तचाप के सम्बन्धों पर खोज कार्य किया है। नमक का सोडियम रक्तचाप को बढ़ाता है। जिनके परिवार में उच्च रक्तचाप का इतिहास है उन्हें मात्र 1/2 से 1 ग्राम नमक दिन भर में लेना चाहिए। शरीर के आवश्यक कार्यों के लिए मात्र 100 से 500 मि. ग्रा. नमक जरूरी है और इतना नमक प्रतिदिन खायी जाने वाली शाक सब्जियों, अनाज एवं फलों में मिल जाता है। डॉ. दाल ने अपने शोध पत्र में अनेक उद्धरण पेश किये हैं। मात्र नमक छोड़ते ही अनेक लोगों का उच्च रक्तचाप सामान्य हो गया। एक अन्य डॉ. फ्रेडरिक एलने ने अपने प्रयोगों से यह सिद्ध किया है कि नमक छोड़ते ही दो से चार सप्ताह में 30 से 75 एम.एम. रक्तचाप कम होता है। नव्य मतानुसार ड्रॉप्सी की बीमारी में ऊतकों में पानी नहीं बल्कि सोडियम की मात्रा बढ़ जाती है।

सोडियम के दुष्प्रभाव को उदासीन करने के लिए ऊतकों में असाधारण रूप से पानी जमा हो जाता है। इस बीमारी का सम्बन्ध हृदय एवं गुर्दे के रोग से होता है। डॉ. फ्रेडीन रिप्ले ने ड्रॉप्सी के रोगियों का नमक बन्द करके देखा तो ऊतकों में संचित विष सोडियम का निष्कासन पेशाब द्वारा हो गया तथा ड्रॉप्सी के लक्षण भी धीरे-धीरे समाप्त होने लगे।

नमक के अत्यधिक उपयोग से मोटापा बढ़ता है। भोजन में नमक ज्यादा होने से लार रस का एन्जाइम सलाइवा प्रचुर मात्रा में निकलता है, फलत: भूख ज्यादा लगती है। नमक भूख और भोजन को बढ़ा देता है, साथ ही ऊतकों में नमक की मात्रा बढ़ने से पानी का जमाव ज्यादा हो जाता है। फलस्वरूप मोटापा तथा गुर्दे का रोग स्थायी हो जाता है। लेखक ने सैकड़ों मोटापे तथा गुर्दे के रोगियों का नमक बन्द कर उन्हें रोगों से मुक्ति दिलाई है। अमेरिकन पत्रिका 'गुड हेल्थ' के अनुसार स्नायविक तनाव, अनिद्रा, मिरगी, र्‌यूमेटिक शोथ तथा Hives रोग नमक

के अधिक प्रयोग से होते हैं। कुछ प्रयोगों द्वारा देखा गया है कि गर्भावस्था में नमक बन्द कर देने से गर्भवती महिलाओं में होने वाले रोग उच्च रक्तचाप, शरीर की सूजन, एक्लेम्पसिया, टॉक्सिमिया रक्तहीनता आदि नहीं होते हैं। सोडियम क्लोराइड कम लेने से गर्भस्थ ऊतकों से अनावश्यक जल निकल जाता है। स्नायविक उत्तेजना कम हो जाती है। इस प्रकार मृदु अवसादक प्रभाव के कारण प्रसव वेदना तथा प्रसव काल कम हो जाता है। किसी-किसी को वेदना होती ही नहीं है।

मेसन सिटी आइओआ के डॉ. ग्राहम मरफी ने अधिक नमक खाने वाली एक बहरी महिला का नमक बिल्कुल बन्द करके उसका बहरापन दूर किया है। डॉ. मरफी ने अपने प्रयोगों से सिद्ध किया कि ऊतकों में सोडियम की मात्रा बढ़ जाने से वह ज्यादा मात्रा में जल को रोक कर सायनस तथा कान के प्रवाह में बाधा उत्पन्न करते हैं। यही स्थिति ज्यादा कन्सेन्ट्रेट शर्करा चीनी, परिशोधित आहार तथा संतृप्त वसा डालडा आदि खाने से होती है। नमक का सबसे खतरनाक प्रभाव गुर्दे पर होता है। गुर्दे को बार-बार इस जहर को निकालना पड़ता है, अंत में इनकी कार्यक्षमता कम हो जाती है और टॉक्सिमिया, गुर्दे अक्षमता (Failure) की स्थिति उत्पन्न होती है। डॉ. हैन्स काउनिट्ज तथा सी.जी. लेहमन आदि अनेक आयुर्विज्ञानियों का मानना है कि शरीर को अतिरिक्त नमक की कोई आवश्यकता नहीं है।

डब्लू.एच.ओ. (विश्व स्वास्थ्य संगठन) के एक रिपोर्ट के अनुसार हार्ट अटैक ब्लड प्रेशर तथा मोटापा तथा अन्य अनेक बीमारियां नमक ज्यादा खाने से होता है। रिपोर्ट के अनुसार प्रतिदिन दो ग्राम से कम सोडियम की आवश्यकता होती है। नमक को सोडियम क्लोराइड कहते हैं। 2.5 ग्राम नमक में एक ग्राम सोडियम होता है। प्रतिदिन 5 ग्राम से ज्यादा नमक नहीं खायें।

हावार्ड मेडिकल स्कूल के शोधकर्ताओं ने 30 से 54 वर्ष आयु वर्ग के मध्य अत्यन्त बारीकी से 15 बरसों तक नमक के प्रभाव का अध्ययन किया है। पहले अध्ययन में 774 लोगों पर हाइ ब्लड प्रेशर के रोकथाम की दृष्टि से तथा दूसरे अध्ययन 2,382 लोगों पर नमक तथा हाईब्लड प्रेशर के सम्बन्धों को जानने के लिए किया गया। प्रथम अध्ययन 1990 तथा दूसरा 1995 में खत्म हुआ। इस अध्ययन से इस नतीजे पर पहुँचा गया है कि कम नमक खाते रहने से कार्डियक अरेस्ट तथा स्ट्रोक का खतरा 25 फीसदी तथा प्रीमेच्योर डेथ 20 फीसदी घट जाता है। स्वीडन के वैज्ञानिकों ने एसीडिटी से ग्रस्त 3153 मरीजों तथा 40 हजार स्वस्थ लोगों के खान-पान की आदतों की बारीकी से अध्ययन कर इस निष्कर्ष पर पहुँचे हैं कि जो लोग ज्यादा नमक खाते हैं। साथ ही लम्बे समय से स्मोकिंग करते आ रहे हैं उनमें हाइपर एसीडिटी, सीने में जलन, गैस्ट्रो इसोफेजियल रिफ्लेक्स डिजीस (GERD) होने की संभावना 70 फीसदी बढ़ जाता है। सप्ताह में जो लोग कम से कम 30 मिनट कशरत करते हैं, फल सब्जियाँ तथा साबुत अनाज वाले रेशेदार आहार लेते हैं उन्हें जी इ आर डी होने की संभावना आधी रह जाती है।

लोवा विश्वविद्यालय अमेरिका के वैज्ञानिकों ने नमक को लेकर अनोखा खोज किया है। नमक एण्टी डिप्रेसेन्ट दवा है। मानव मूड को खुशहाल बनाता है। तनाव के क्षणों में लोग तनाव

एवं अवसाद से बचने के लिए स्वाभाविक रूप से नमक ज्यादा खाने लगते हैं। चूहों को नमक रहित आहार देने से वे तनाव तथा अवसाद ग्रस्त हो गये, वे काम में जी चुड़ाने लगे। उनकी क्रियाशीलता एवं कार्य क्षमता कम हो जाती है। फिजियोलॉजी एण्ड बेहैवियर जर्नल में प्रकाशित इस शोध लेख में बताया गया है कि जब नमक खाया जाता है। आनन्द देने वाला परिपथ सक्रिय हो जाता है। प्रसन्नता एवं मुदिता प्रदान करने वाला प्रक्रिया एवं परिपथ सक्रिय हो जाता है। (A pleasure mechanism in the brain is activated when salt is consumed) द साइन्स डेली ने लिखा है कि जब एण्टीडिप्रेशेन्ट दवा या नमक की कमी की गयी दोनों अवस्थाओं में एक ही प्रकार के परिणाम आये। नमक शरीर की आवश्यकता है या लत या व्यसन है। प्रयोगों से साबित हो गया कि नमक शरीर की आवश्यकता कम लत और व्यसन ज्यादा है। इसका प्रभाव दिमाग पर नशीली दवाओं की तरह होता है। नमक हमारे अन्दर झूठी मांग पैदा करता है। व्यसनी एवं लती बना देता है। द वर्ल्ड कैंसर रिसर्च फंड के अनुसार जो लोग सॉस, अचार, नमकीन, फास्ट फूड ज्यादा खाते हैं, उससे हमारे शरीर में ज्यादा नमक जाता है। हाइब्लडप्रेशर वाले रोगी अचानक नमक बन्द नहीं करें। डेढ ग्राम प्रतिदिन लें। इससे कम लेने पर हार्ट अटैक, मांसपेशियों में थकान एवं अकड़न, हाइपोनैट्रिमिया तथा अधिक मात्रा में लेने से ब्लडप्रेशर बढ़ने, स्ट्रोक आदि का खतरा बढ़ जाता है। अधिक नमक आमाशय की झिल्लियों को क्षतिग्रस्त करके ट्यूमर पैदा कर सकता है।

ब्रिटिश जर्नल ऑफ कैन्सर में जापान में 11 वर्षों तक खानपान पर हुए अनुसंधान की रिपोर्ट प्रकाशित हुई है, जिसके अनुसार विभिन्न फास्ट फूड या अन्य आहारों से 10 से 15 ग्राम नमक रोज खाते हैं। उनमें कैंसर तथा दिल की बीमारी होने की संभावना तीगुनी बढ़ जाती है। इन वैज्ञानिकों के अनुसार जो लोग नमकीन खाद्य पदार्थों का सेवन अधिक करते हैं। उनमें पेट का कैन्सर होने की संभावना बढ़ जाती है। द साइंटिफिक एडवायजरी कमिटी ऑफ न्यूट्रिशन, फूड स्टैंडर्ड एजेंसी तथा यू.के. हेल्थ डिपार्टमेन्ट के अनुसार प्रतिदिन अधिकतम 3 से 5 ग्राम नमक शरीर की समस्त आवश्कताओं की आपूर्ति करता है। एक से छ वर्ष की शिशुओं को 2 ग्राम 7 से 14 वर्ष के आयु वालों को 5 ग्राम नमक की आवश्यकता होती है। एक चुटकी नमक 0.25 ग्राम एवं एक चाय के चम्मच में 5 से 7 ग्राम नमक होता है। एक सामान्य पिज्जा में 5-6 मटर विरयानी में 5-6 भूने हुए मटर एक प्लेट-2, ब्रेड दो स्लाइस 1.30 प्रोसेस्ड चीज 0.9 डिब्बा बन्द सामन मछली 2-6, इन्स्टेन्ट सूप-2.5-3.5 आलू चिप्स पापड़ आदि में एक ग्राम नमक होता है।

कैंसर विशेषज्ञ डॉ. फ्रेडरिक एल हाफमैन के अनुसार नमक कैंसर की ग्रंथियों को बढ़ाने में सीधे जिम्मेदार है। अखिल भारतीय चिकित्सा संस्थान के प्राध्यापक डॉ. सुरेश डी. दास तथा उनके सहयोगी उड़ीसा के औराव जनजाति के साढ़े चार हजार लोगों पर नमक के प्रभाव का अध्ययन कर इस निष्कर्ष पर पहुँचे हैं कि इनमें प्रति एक हजार लोगों में केवल चार लोग उच्च रक्तचाप के शिकार होते हैं क्योंकि ये लोग दिन भर में बहुत कम मात्रा 4-5 ग्राम नमक खाते हैं। बहुत सी ऐसी आदिम जातियाँ हैं जिनमें उच्च रक्तचाप तथा अन्य रोग होते ही नहीं हैं क्योंकि

उनके आहार में नमक का सर्वथा अभाव होता है। लन्दन के एक अस्पताल में निम्न रक्तचाप वाले रोगियों को 6 ग्राम नमक प्रतिदिन 12 सप्ताह तक देने से रक्तचाप खतरनाक स्थिति तक बढ़ गया। नमक शरीर के एक्स्ट्रा सेलूलर तरल की मात्रा में असंतुलन पैदा कर बढ़ाता है। प्रतिदिन एक से चार ग्राम नमक से रक्तचाप नहीं बढ़ता है। 4 से 25 ग्राम तक नमक लेने से 25 प्रतिशत, 25 ग्राम से अधिक नमक लेने से 98 प्रतिशत उच्च रक्तचाप से पीड़ित रहते हैं। जुकाम ज्यादा नमक खाने से होता है। नमक से मुक्ति दिलाने के लिए ही जुकाम होता है। यही कारण है नाक से बहते पानी में नमक ज्यादा होता है। क्रेमर ने अपने प्रयोगों से यह सिद्ध किया है कि आहार में नमक कम होने से आमाशय के रोग नहीं होते हैं, वहीं स्ट्रास का मानना है कि किसी प्रकार के घाव या संक्रमण की स्थिति में नमक का प्रयोग कम करें।

डॉ. मेयर, डॉ. मारवुड आदि अनेक आयुर्विज्ञानियों ने कैंसर में नमक सर्वथा बन्द करने की सलाह दी है। विभिन्न प्रयोगों से देखा गया है कि अधिक नमक के प्रयोग से मधुमेह, कैंसर, यक्ष्मा, जुकाम, अनिद्रा, चर्मरोग, मानसिक तनाव तथा हृदय रोग होते हैं। नमक के अधिक सेवन से सबसे खतरनाक बीमारी 'ब्राइट' होती है। इसमें पेशाब से अल्ब्यूमिन काफी मात्रा में निकलने लगता है। रोग बढ़ने पर मृत्यु तक हो जाती है। अधिक नमक का प्रभाव गुर्दे पर अति खतरनाक होता है, नमकरहित आहार लेने से गुर्दा स्वतः तेजी से नमक निकालकर स्वस्थ होने लगता है। गुर्दा प्रतिदिन 1.5 से 5 ग्रा. तक नमक निकालता है। नमक स्नायुओं तथा पाचन संस्थान की क्रिया को भी अस्त-व्यस्त करता है।

जंगल के प्राणियों को कौन नमक खिलाता है फिर भी हमसे तथा हमारे सम्पर्क में रहने वाले जानवरों से वे पूर्ण स्वस्थमय जीवन जीते हैं। शोधकर्ता सिनवली बेशियर आदि का मानना है कि नमक खाने की इच्छा शरीर की माँग को प्रदर्शित नहीं करती है। यह इच्छा बचपन से ही संस्कृति, रीति एवं प्रथा के अनुसार विकृत वासनाओं के आधार पर बनाई हुई है। इसकी जड़ काफी गहरी, अचेतन तक है। अनेक लोग नमक छोड़कर आजीवन स्वस्थ जीये। जो आदिवासी कबीले नमक नहीं खाते हैं, उनके यहाँ उच्च रक्तचाप, गुर्दे व हृदय के अन्य रोग देखने को नहीं मिलते। डॉ. यूजिन फोल्ड्स ने अपने विभिन्न प्रयोगों से सिद्ध किया है कि नमक खाने से बाल झड़ने लगते हैं तथा स्नायविक उत्तेजना बढ़ जाती है। रात में टहलने तथा अनिद्रा की शिकायत नमक खाने से होती है। नमक के प्रयोग से अनेक प्रकार के चर्म रोग होते हैं।

नमक में पोटाशियम आयोडाइड मिलाकर आयोडाइज्ड नमक बनाया जाता है। अपने देश में भी आयोडाइज्ड नमक का प्रचलन बढ़ रहा है। लेकिन यह भी निरापद नहीं है। इसके अलर्जिक दुष्प्रभाव से अल्सर युक्त चर्म रोग, आँखों की सूजन इत्यादि होते हैं। नमक के अधिक प्रयोग से जलोदर, सिरोसिस व एसाइटिस होते हैं। उपर्युक्त सभी रोगों में नमक का प्रयोग पूर्ण बन्द कर दें।

ड्यूक यूनिवर्सिटी मेडिकल सेन्टर के शोध कर्मियों के अनुसार ज्यादा सोडियम (नमक) खाने से शरीर का कैल्शियम बाहर निकल जाता है, कैल्शियम अभावजन्य बीमारियां होती है। इटली के वैज्ञानिकों के अध्ययन के अनुसार प्रोटीन तथा नमक ज्यादा खाने से किडनी स्टोन

बनता है। नेशनल हार्ट लंग एण्ड ब्लड इन्स्टीट्यूट के वैज्ञानिकों ने प्रमाणित किया है कि कोशिकाओं में नमक का लेवल बढ़ने से सेल्स की डी.एन.ए. की लड़ी क्षतिग्रस्त होकर टूटने लगती है, साथ ही कोशिका के मरम्मत होने की प्रक्रिया भी मन्द एवं बन्द हो जाती है। कोशिकाओं में नमक का लेवल सामान्य होते हैं, डी.एन.ए. की रिपेयरिंग का काम पुनः शुरू हो जाता है। डी.एन.ए. डैमेज होने की प्रक्रिया भी रुक जाती है।

कभी-कभी नमक दवा का भी काम करता है। लम्बी दूरी के उड़ानों में, इकॉनॉमी क्लास में पैर सिकोडे बैठे यात्रियों के दिल की धड़कन कम हो जाती है, पैरों में ब्लड क्लॉट हो सकता है जो रक्त संचार द्वारा दिल दिमाग तथा फेफड़े में पहुँच कर जान भी ले सकता है। इसे इकॉनामी क्लास सिण्ड्रोम कहते हैं। इससे बचने के लिए पैरों में हरकत करते रहे, आधे घंटे के अन्तर से चहल कदमी करें। जापान एयर लाइन्स मेडिकल सर्विसेस के अनुसार सोडियम (नमक) पोटाशियम (नीबू) तथा गुड़ चीनी या शहद का शर्बत लें। नहीं उपलब्ध होने पर पानी पियें ताकि खून में गाढापन नहीं आये। गाढ़ापन आने से खून का थक्का बनता है। पैर तथा अंगुलियों में हरकत नहीं होगी तो भी खून जमेगा। अमेरिका स्थित अल्बर्ट आईंस्टीन कॉलेज ऑफ मेडिसिन के वैज्ञानिकों के अनुसार क्लीनिकल ट्रायल से इस नतीजे पर पहुँचा गया है कि जो लोग दो ग्राम से कम नमक खाते हैं उनमें कार्डियो वस्कुलर डिजीस से मरने का खतरा 37 फीसदी से ज्यादा होती है।

वैज्ञानिकों के अनुसार कम नमक खाने से किडनी में रैनिन की मात्रा बढ़ जाती है। रेनिन एक ऐसा प्रोटीन है जो शरीर में सोडियम का लेवल कम तथा ज्यादा होने पर रक्तचाप को बढ़ा देता है। रेनिन-एन्जियोटेन्सिन-एल्डोस्टरॉन सिस्टम अस्तव्यस्त हो जाता है। सामान्य मात्रा में नमक 2 से 5 ग्राम प्रतिदिन लें। हाइपरटेन्सन जर्नल में नमक से सम्बन्धित एक अध्ययन के अनुसार एक ऐसा साल्ट जीन का पता लगा है जिसके द्वारा कम नमक खाकर ब्लड प्रेशर को नियंत्रित किया जाता है। साल्ट जीन को एन्जियोटेन्सिन जीन भी कहते हैं। यह जीन तीन प्रकार का होता है। एक जीन की भी मौजूदगी होने पर रक्तचाप बढ़ जाता है। जीन संबंधित रोगियों में नमक को नियंत्रित करते ही रक्तचाप स्वतः नियंत्रित हो जाता है।

सोडियम रक्तवाहिनियों के स्वाभाविक लचीलेपन को कम करता है। एथरोस्क्लेरोसिस पैदा करता है। सोडियम सेंसिटिव लोग सोडियम का सेवन ज्यादा करते हैं, उन्हें इन्सुलिन रेजिस्टेन्ट डाइबिटीज तथा उच्च रक्तचाप हो जाता है। सोडियम का उपयोग नमक फूड फ्लेवर एवं प्रिजरवेटिव के रूप में किया जाता है। सोडियम क्लोराइड, मोनोसोडियम ग्लूटोमेटर चाइनीज फूड, फ्रोजन फूड एवं डिब्बा बन्द आहार है। खमीर उठाने के लिए बेकिंग सोडा, केक, ब्रेड आदि बनाने में बेकिंग पावडर, प्रोसेस्ड फूड तथा जल्दी पकने वाली दालों में सोडियम फॉस्फेट, आइसक्रीम एवं चॉकलेट दूध में सोडियम अल्गिनेट, सॉस, सलाद ड्रेसिंग, अचार, मसाले में सोडियम बेन्जोएट, सॉस को सुरक्षित रखने में सोडियम नाइट्रेट, फलों को चमकाने, ग्लेज्ड, क्रिस्टलाइज्ड सूखे मेवों की प्रिजर्व करने में सोडियम सल्फेट, फलों तथा सब्जियों को प्रोसेसिंग करने में सोडियम हाइड्रोक्साइड के रूप में सोडियम हमारे शरीर में पहुँच रहा है।

यूनिवर्सिटी ऑफ कैलिफोर्निया सेन फ्रांसिस्को के वैज्ञानिकों ने प्रमाणित किया है अमेरिका में पुरुष 10.4 तथा महिलाएँ 7.30 ग्राम नमक रोज खा रहे हैं। फलतः स्ट्रोक, हार्ट अटैक तथा कई भयंकर बीमारियों से ग्रस्त हो रहे हैं। मात्र नमक की खपत को एक ग्राम कम कर देने से 11 से 23 हजार स्ट्रोक 18 से 35 हजार हार्ट अटैक तथा 15 से 32,000 अकाल मौत से बचाव हो सकता है। न्यू इंग्लैंड जर्नल ऑफ मेडिसिन में प्रकाशित शोध रिपोर्ट के अनुसार अमेरिकन 3 ग्राम नमक कम कर दें तो प्रतिसाल 66,000 स्ट्रोक, 99,000 हार्ट अटैक तथा 92,000 अकाल मृत्यु तथा 24 बिलियन डॉलर से बचाव हो सकता है। आयुर्वैज्ञानिकों के द्वारा अमेरिका में धूम्रपान की तरह नमक विरोधी आन्दोलन भी तेज हो गया है। अमेरिकन जर्नल ऑफ एपिडिमायालॉजी में प्रकाशित शोध अध्ययन के अनुसार आहार में ज्यादा नमक खाने से अमेरिकन लोगों में खतरनाक किस्म का मोतियाबिन्द (Subcapsular Cataracts) तेजी से फैल रहा है।

हमारे प्राचीन आयुर्विज्ञान के शास्त्रों में नमक को अत्यधिक हानिकारक बताया गया है। चरक संहिता के अनुसार नमक के अत्यधिक उपयोग से पित्त कुपित होता है। प्यास, रक्तगति तथा रक्तदाब बढ़ जाता है। मोह, मूर्च्छा, संताप पैदा होते हैं। यह फाड़ता है, माँस कुरेदता है, कुष्ठ बढ़ाता है, विष बढ़ाता है, शोथों को फोड़ता है, दाँत गिराता है, पुंसत्व को नष्ट करता है, इन्द्रियों की शक्ति का नाश करता है, झुर्रियाँ पैदा करता है, बालों को सफेद करना, गंजापन, रक्तपित्त, अम्लपित्त, वातरक्त, इन्द्रलुप्त तथा वृद्धावस्था आदि रोग पैदा करता है। नमक से वनस्पति आदि तथा प्राणियों का तेज एवं स्वास्थ्य बल समाप्त हो जाता है। प्राचीन आयुर्वेद की यह घोषणा आज आयुर्विज्ञान की शोध कसौटी पर खरी उतरी है।

भाव प्रकाश निघंटु में सेंधा नमक, साम्भर नमक, समुद्र नमक, बिरिया संचर नमक, काला नमक, शोरा नमक आदि अनेक नमकों का वर्णन किया गया है। सेंधा नमक के बारे में बताया गया है कि यह स्वादिष्ट, अग्निदीपक, पाचक, लघु, स्निग्ध, रुचिकर, शीतवीर्य, वृष्य, सूक्ष्म, नेत्रों के लिए हितकर तथा त्रिदोष हरने वाला होता है। आयुर्विज्ञानियों ने समुद्री नमक को सर्वश्रेष्ठ बताया है। डॉ. हाएकेस्टर एम.डी. तथा डॉ. जार्ज डब्ल्यू. क्रेन (अमेरिका) के अनुसार समुद्री जल तथा मानव शरीर द्रव की रासायनिक संरचना में काफी समानता होने के कारण समुद्री नमक हमारे शरीर के ज्यादा अनुकूल है। समुद्री नमक से सोडियम क्लोराइड, कोबाल्ट, कैल्शियम, मेग्नेशियम आदि तत्त्व भी मिलते है। 40 ग्राम समुद्री नमक से 680 मि.ग्रा. कैल्शियम मिल जाता है। नमक का आन्तरिक उपयोग घातक होते हुए भी कुछ विशेष परिस्थितियों में इसका किंचित औषधीय उपयोग प्राणदान देता है। बच्चों तथा सयानों में स्तब्धता, अत्यधिक निम्न रक्तचाप तथा डिहाइड्रेशन (निर्जलीकरण) की स्थति में नमक, नींबू रस, चीनी, गुड़ या शहद का घोल पिलाने से प्राण रक्षा होती है। डॉ. ब्रुक के अनुसार एक मुट्ठी नमक कढ़ाई में डालकर मंद आँच में बादामी रंग होने तक भूनें। प्रति 10 ग्राम नमक जल के साथ खाली पेट लें। प्यास लगने पर थोड़ा जल पिलाते रहें। भूख लगने पर भी 4 घंटे तक खाना न दें। बाद में हल्का भोजन दें। मलेरिया की यह अचूक औषधि है। डॉ. ब्रुक के अनुसार एक-दो बार के प्रयोग से ही

मलेरिया दूर हो जाता है। उच्च रक्तचाप एवं गुर्दे के रोगी इस प्रयोग को नहीं करें। पैरों में थकान, पिण्डलियों में दर्द व सूजन, तथा अनिद्रा की स्थिति में 10-15 मिनट बाल्टी में नमक मिश्रित गरम जल में पैर रखें। व्रण, नाड़ी व्रण तथा दूषित क्षत, दाद इत्यादि में नमक के हाइपोटॉनिक घोल से धोएँ तथा पट्टी रखें। इसमें लसिका स्राव तथा श्वेत कणों की वृद्धि होती है तथा व्रण का शोधन होता है, फलतः हीलिंग क्रिया शीघ्रता से होती है। टान्सिल, गले का दर्द,सूजन, दांत दर्द, टान्सिल जन्य खाँसी, कनफेड़ तथा दाँत के आमने पर गरम पानी में नमक डालकर गरारा करें। न्यूमोनिया,दमा, खाँसी, मोच, चोट, गठिया, सायटिका, संधिशोथ, आमवात, गंडमाला में नमक की पोटली या नमक के गरम पानी में तोलिया भिगोकर तथा निचोड़कर सेंक करने से अवरुद्धताजन्य वेदना दूर होती है। शीघ्र आराम मिलता है।

जुकाम, गठिया, इन्फ्लूयएन्जा तथा सिरदर्द की स्थिति में नमक का वाष्प लेने से आराम होता है। गरम पानी में नमक डालकर स्नान करें। थकान व दर्द दूर होता है। शरीर एवं चेहरे पर सफेद दाग होने पर नमक का घोल लगायें। विषैले जानवरों के काटे स्थान पर नमक का घोल लगायें तथा दो घूँट पीयें। आराम होता है। नमक मिश्रित गर्म पानी से कपड़े धोने से खूब साफ़ हो जाते हैं। नमक तथा बेरी के पत्ते को पीसकर शहद के साथ चाटने से खाँसी, बलगम, जुकाम आदि ठण्ड प्रभावक रोग ठीक हो जाते हैं। नमक मिश्रित गर्म पानी में लहसुन का रस मिलाकर पीने से तीव्र उदर शूल ठीक होता है। नमक का घोल नाक में टपकाने से बेहोशी दूर होती है। जल जाने पर तेल की परत लगाकर ऊपर से महीन नमक पाउडर की तह जमायें, फफोले नहीं उठते तथा जलन दूर होती है। विषाक्त कीड़े, अम्ल या अन्य रसायन मुंह के अन्दर जाने पर 50 ग्राम नमक पानी में घोलकर पिलाएँ। उल्टी के साथ विषाक्त तत्त्व बाहर निकल जाते हैं और आराम हो जाता है।

माँसपेशियों की कमजोरी, मोच, मरोड़ को दूर करने के लिए नमक युक्त ठण्डे जल की धारा या पूर्ण टब स्नान दें। त्वचा एवं पैरों की सुन्दरता बढ़ाने, बिवाई से मुक्ति पाने के लिए नमक के पानी में 5-10 मिनट धोएँ। 10 ग्राम नमक, 20 ग्राम शहद मिलाकर चाटने से माइग्रेन ठीक होता है। जेम्स लारेन का मानना है कि गर्भावस्था के 6 माह पूर्व तथा गर्भावस्था के दौरान नमक युक्त आहार लेने से लड़का होने की संभावना बढ़ जाती है। उन्होंने 296 महिलाओं पर प्रयोग किया जिसमें 265 को इच्छित संतान हुई। गर्भ में 6 माह पूर्व तथा गर्भ के दौरान पालक तथा टमाटर का रस भरपूर प्रयोग करें ताकि जैव नमक, सोडियम तथा पोटाशियम पर्याप्त मात्रा में मिले। इनका प्रभाव क्रोमोसोम्स पर स्वास्थ्यकारी होता है। एक चाय के चम्मच में 5 से 7000 मि.ग्रा. सोडियम होता है जबकि हमारी दैनिक आवश्यकता की मात्रा 500 मि.ग्राम की हाती है।

नमक की तरह इप्सम साल्ट या मैग्नेशियम सल्फेट का बाह्य उपयोग, पूर्ण टब स्नान, गरम-ठण्डा सेंक के रूप में करें। इससे दर्द, सूजन, लकवा, गठिया, संधिवात, न्यूमोनिया आदि रोग ठीक हो जाते हैं। बाह्य प्रयोग में इप्सम साल्ट नमक से भी ज्यादा कारगर होता है।

जहाँ तक संभव हो सके नमकीन पदार्थों का उपयोग कम से कम करें। कुछ स्थानों पर आटे में नमक डालकर गूँधा जाता है। कुछ लोगों की ऐसी आदतें होती हैं कि उन्हें भोजन में बिना ऊपर से नमक मिलाए चैन नहीं पड़ता है। इन स्वास्थ्यघाती आदतों से मुक्त रहें अन्यथा अनेक प्रकार की बीमारियों के चंगुल में फँस सकते हैं।

ईख तथा ईख से बने पदार्थ
(वानस्पतिक नाम—Saccharumaffuinarium)

ग्रेमिनी परिवार के प्रमुख खाद्य सदस्य ईख का वर्णन आयुर्वेद ग्रंथों में खूब आया है। भाव प्रकाश निघन्टु में इसके तेरह प्रकार बताये गये हैं। इसके काण्ड के स्वरस से गुड़, राब, शर्करा आदि बनते हैं। ईख की खेती भारतवर्ष में वैदिक काल से होती आ रही है। यह भारत का आदिवासी पौधा है। 327 ईसा वर्ष पूर्व सिकन्दर भारत आया। यहाँ के लोगों को ईख चूसते देखकर वह आश्चर्यचकित हो गया। वह सोचता कि यहाँ के लोग लकड़ी क्यों चूसते हैं? एक दिन उसके मंत्री ने ईख लाकर भेंट दी तो वह उसे चूस कर मंत्रमुग्ध हो गया। गद्-गद् एवं भावविह्वल होकर उसने कहा था, ''प्रकृति का यह अद्भुत करिश्मा अपने में बेमिसाल है। प्रकृति ने इस डण्ठल में कितना स्वादिष्ट शहद भर रखा है।'' पोषण, ऊर्जा एवं शक्ति की दृष्टि से ईख जितना उपयोगी है उतना इससे बने गुड़, चीनी आदि नहीं। गुड़, चीनी आदि बनाने के दौरान इसके बहुमूल्य एन्जाइम, विटामिन तथा खनिज लवण समाप्त हो जाते हैं। चीनी बनाने के दौरान तो सारे तत्त्व ही निकाल दिए जाते हैं। चीनी तथा गुड़ बनाते समय प्रोसेसिंग के दौरान कुछ जहरीले रसायन भी मिलाये जाते हैं इसलिए चीनी को जहर माना जाता है। चीनी का सबसे खतरनाक प्रभाव हृदय, रक्त घटक, अस्थि, रक्तचाप, गुर्दे, क्लोम ग्रंथि, दाँत एवं आँतों पर होता है। चीनी से बने पदार्थ खाने से दाँत एवं आँत सबसे ज्यादा क्षतिग्रस्त होते हैं। यह अनेक प्रकार के रोग उत्पन्न करने वाले कीटाणुओं को पैदा करता है। चीनी रक्त में कोलेस्ट्रॉल तथा निम्न कोटि का लाइपोप्रोटीन बढ़ाता है, जिससे रक्तचाप एवं हृदय रोग हो सकता है। रक्त में थक्का बनने की प्रक्रिया बढ़ जाती है, जिससे लकवा हो सकता है। बच्चों का मानसिक विकास अवरुद्ध हो जाता है, गठिया, संधिवात तथा अन्य वातज व्याधियाँ होती हैं। अत: चीनी को आहार के रूप में नहीं बल्कि यदा-कदा औषधि के रूप में प्रयोग करें।

हाल ही में किये गये शोधों से यह भी पता चलता है कि चीनी के प्रयोग से हाइपोग्लूकेमिया, मधुमेह, गैस्ट्राइटिस, उदरशूल, माहवारी सम्बन्धी रोग, चर्मरोग तथा कैंसर होते हैं। राब गुड़ से, गुड़ बूरे से उत्तम होता है तथा चीनी हानिकारक है। करीब चार-सौ साल पूर्व 1598 में एक जर्मन विद्वान इंग्लैंड की महारानी एलिजाबेथ से मिलने गया। वह देखकर दंग रह गया कि सौन्दर्य साम्राज्ञी महारानी के दाँत काले, कमर पतली, अस्वस्थ व बेढंगी थी। क्योंकि वे चीनी का प्रयोग खूब करती थीं।

चीनी से खून में शर्करा तेजी से बढ़ जाता है। रक्त में शर्करा के बढ़ने से यह रक्त वाहिनियों को तेजी से क्षतिग्रस्त करता है। अधिक चीनी खाने से शरीर में फ्री रेडिकल्स की

मात्रा बढ़ जाती है जो हार्ट अटैक, कैन्सर, बुढ़ापा तथा आर्थराइटिस आदि वार्धक्य जन्य रोग पैदा करते हैं। चीनी के अधिक प्रयोग से मधुमेह रोग होता है जिससे रक्त में चीनी की मात्रा इतनी बढ़ जाती है कि खून गाढ़ा हो जाता है कोशिकाओं को भरपूर पोषण तथा ऑक्सीजन की आपूर्ति ठप्प होने लगती है। दिल तथा दिमाग तक को ऑक्सीजन एवं पोषण नहीं मिलने से उनके कार्य अस्त-व्यस्त हो जाते हैं। दौड़े पर सकते हैं। स्ट्रोक एवं डिमेंशिया हो सकता है। रक्त में चीनी बढ़ जाने से ग्लाइकेशन प्रक्रिया के अन्तर्गत प्रोटीन फैट तथा अन्य पोषक तत्वों के साथ ग्लूकोस अर्न्तप्रतिक्रिया करके जहरीला एवं रक्तवाहिनियों को क्षतिग्रस्त करने वाला रसायन अणु एडवान्स्ड ग्लाइकेशन एण्ड प्रोडक्टस (AGEs) बनाता है। यह AGEs आँख तथा गुर्दे को भी क्षतिग्रस्त करता है। AGEs रक्त वाहिनियों के कॉलेजन को अस्त-व्यस्त करके उन्हें सख्त कठोर बनाता है। रक्तवाहिनियों की लचीलापन खत्म हो जाती है। खून में AGEs प्लेटलेट्स के साथ मिलकर खून का थक्का बना देता है जिससे स्ट्रोक होने की संभावना बढ़ जाती है। एलडीएल जिसे दिल दिमाग एवं धमनियों का दुश्मन कॉलेस्टरॉल कहा जाता है, इससे AGEs से गठबंधन करके तथा धमनियों में ऑक्सीडेटिव प्रभाव डालकर उन्हें क्षतिग्रस्त करता है। AGEs एल.डी.एल. को बढ़ा देता है। एल.डी.एल. को बाहर निकालने में बाधा डालता है। ए जी इ एस आन्तरिक इन्फ्लामेशन को बढ़ाता है। धमनियों को क्षतिग्रस्त करता है, एथ्रोस्क्लेरोसिस यानि धमनी काठिन्य पैदा करता है। धमनियां संकरी हो जाती हैं खून का प्रवाह कम होकर रुकने लगता है जिससे एन्जाइना हो सकता है। आहार को ज्यादा तलने भूनने अधिक तापमान पर ज्यादा देर तक सेंकने से भी आहार के अन्दर एजीइएस का निर्माण होता है।

आयुर्वेद मतानुसार ईख का रस मधुर, शीतल, मूत्रल, सारक, बल्य, कण्ठ्य, श्रमहर, शुक्र शोधक, तथा वात-कफ-वर्द्धक है। चरक के अनुसार यह श्रेष्ठ मूत्रजनन है, चरक के अनुसार दाँत से चूसा ईख का रस वृष्य, वीर्यवर्द्धक, शीतल, स्थिर, स्निग्ध, वृहंण, मधुर व कफकारक होता है। यंत्र से निकाला रस विदाही होता है। सुश्रूत के अनुसार चूसा रस अविदाही, कफकारक, वातपित्त नाशक, वृष्य तथा मोदकारी है। अष्टांग हृदय में इन गुणों के अतिरिक्त इसे रतिशक्ति वर्द्धक, मूत्र प्रवर्तक भी बताया गया है। भाव प्रकाश निघण्टु के अनुसार ईख का गरम किया हुए रस गाढ़ा हो जाता है, उसे फाणित राब कहते हैं, यह गुरु, अभिष्यन्दी, कफ, शुक्र जनक, वात-पित्त तथा थकान को दूर करने वाला, मूत्र तथा वस्तिशोधक है। ईख के रस को अधिक पकाने पर घनीभूत भाग खाण्ड राब कहलाता है। यह मलभेदक, बलकारक, लघु, वीर्यवर्द्धक एवं रक्त सम्बन्धी दोष नाशक है।

ईख के रस को और अधिक पकाने पर गाढ़ा तथा ढेले के समान बाँधने योग्य हो जाता है। इसे गुड़ कहते हैं। यह वीर्यवर्द्धक, गुरु, स्निग्ध, जठराग्नि प्रदीपक, वातनाशक, मूत्रशोधक, किंचित पित्त, मेद, कफ, कृमि तथा बल पैदा करने वाला होता है। एक वर्ष बाद का पुराना गुड़ लघु, पथ्य, अग्निजनक, पुष्टिवर्द्धक, पित्तनाशक, वीर्यवर्द्धक, वातनाशक एवं रक्तशोधक होता है। अदरक के साथ गुड़ लेने पर कफनाशक, हरड़ के साथ लेने पर पित्तनाशक तथा सोंठ

के साथ लेने पर समस्त रोगों को दूर करने वाला होता है। गुड़ में 0.4 प्रतिशत प्रोटीन, 0.1 प्रतिशत वसा, कार्बोज 93 प्रतिशत, खनिज 0.6 प्रतिशत, Ca- 0.08 प्रतिशत, P- 0.04 प्रतिशत, विटामिन 'ए' 280 अ.इ., राब में Ca- 3.3 प्रतिशत तथा Fe- 6.4 प्रतिशत होता है। रस तथा राब में उत्तम किस्म का लोहा मिलता है जो अति शीघ्रता से शरीर में अवचूषित होकर रक्तहीनता को दूर करता है। ईख के रस में प्रोटीन 0.1 प्रतिशत, वसा 0.2 प्रतिशत, खनिज 0.4 प्रतिशत, कार्बोज 9 प्रतिशत, Ca- 0.01 प्रतिशत, P- 00.1 प्रतिशत, Fe- 100 मि.ग्रा. प्रतिशत, विटामिन 'ए' 10 अ.ई., बी-2 40 मा.ग्रा. प्रतिशत होता है। चीनी का यदा-कदा औषधीय उपयोग करें। निर्जलीकरण, दस्त, उल्टी में नमक के साथ घोल चीनी का बनाकर पिलायें। रक्त में शर्करा की कमी तथा चक्कर आने की स्थिति में शहद के अभाव में चीनी का शर्बत बनाकर, कभी-कभी पी सकते हैं। रक्त में शर्करा की अत्यधिक कमी होने पर गुड़ या राब को घड़े के पानी में शर्बत बनाकर पीयें। इनमें नींबू रस भी डालें। यह काफी स्वादिष्ट एवं स्वास्थ्योपयोगी होता है। गन्ने से बना राब (Molases) अमृत तुल्य होता है।

राब चिकित्सा (Molases Therapy) अनेक रोगों में लाभदायी होता है। तीन चम्मच राब आधे ग्लास गरम पानी में घोलकर रात्रि को पीने से कब्ज दूर होता है। राब चिकित्सा का प्रयोग डाइबिटीज में नहीं करें। हृदय रोग, गठिया, संधिवात, कब्ज यानि समस्त बीमारियों में लाभ करता है। राब विटामिन 'बी' तथा मिनरल्स का खजाना है। राब तथा रस में विटामिन 'बी' ग्रुप के सभी सदस्य होने के कारण यह श्रेष्ठ किस्म का नर्वटॉनिक है। इसके प्रयोग से स्नायविक शक्ति की वृद्धि होती है। पाचन क्रिया सुधरती है। राब में प्रचुर मात्रा में इनॉसिटाल 150.0 mg. प्रतिशत होने से रोग-प्रतिरोधक क्षमता तेजी से बढ़ती है। 100 ग्रा. राब में बी-1 245, पायरिडॉक्सिन 270, पेन्टोथेनिक अम्ल 260, बायोटिन 16 माइक्रोग्राम तथा नायसिन 4 मि.ग्रा. होता है। रिकेट्स से ग्रस्त बच्चों के लिए राब श्रेष्ठ औषधि है क्योंकि 100 ग्राम राब में Ca- 258, P- 30, Fe- 7.97, Cu- 1.93, K- 1500 मिलीग्राम होता है। गुड़ में भी उपर्युक्त सारे तत्त्व कुछ-कुछ मात्रा में मिल जाते हैं लेकिन चीनी को परिशोधित करते समय सारे तत्त्व निकाल दिए जाते हैं इसलिए यह निष्प्राण, घातक बन जाती है। चीनी सुरक्षाकारक का काम करती है इसलिए फलों के रस ज्यादा दिन तक रखने के लिए चीनी का उपयोग किया जाता है। चीनी शरीर के मेटाबॉलिज्म से घातक ढंग से परिवर्तित कर देता है, फलतः मेटाबॉलिक सिण्ड्रोम का खतरा बढ़ जाता है।

दूध तथा दूध से बने पदार्थ

आयुर्वेद में विभिन्न दूधों के गुणों के सम्बन्ध में विस्तार से चर्चा की गई है। भावप्रकाश निघण्टु के अनुसार दूध मधुर रस युक्त, स्निग्ध, वात-पित्त हरने वाला, सारक, शीघ्र शुक्र पैदा करने वाला, शीतल, सम्पूर्ण प्राणियों द्वारा शीघ्रता से सात्म्य होने वाला, जीवनी शक्ति सम्वर्द्धक, रस-रक्तादि बल व मेधा-शक्तिवर्द्धक, अत्यन्त वाजीकारक, अवस्था को स्थिर करने वाला, आयुवर्द्धक, सन्धानकारक तथा रसायन है। वस्ति विरेचक तथा वमन के बाद दूध पीयें। प्रायः

माता, गाय, भैंस तथा बकरी का दूध पीया जाता है। रेगिस्तान में ऊँट तथा भेड़ का भी दूध पीते हैं। आयुर्वेद ग्रंथों में घोड़ी, कुतिया तथा हथिनी के दूधों का भी वर्णन किया गया है। गाय का दूध श्रेष्ठ होता है। विश्व के प्रत्येक कोने में गाय का दूध बड़े शौक से पीया जाता है। गाय का दूध स्वाद व विपाक में मधुर, शीतल, दोष-धातु, मल तथा नाड़ियों में किंचित आर्द्रता उत्पन्न करने वाला, गुरु, स्तन्यवर्द्धक, स्निग्ध, वात-पित्त तथा रक्तविकार नाशक, निरन्तर सेवन करने वालों की वृद्धावस्था तथा समस्त रोगों को शमन करने वाला होता है।

काली गाय सूर्य की समस्त किरणों को अवचूषित कर लेती है। इसलिए इसका दूध वातनाशक तथा अन्य की अपेक्षा अधिक गुणकारी, पीली गाय का दूध पित्त तथा वातनाशक, सफेद गाय का दूध गुरु व कफकारक, लाल तथा चित्तकबरी गाय का दूध वातनाशक, बाखरी या वकेन गाय का दूध त्रिदोषनाशक, तृप्तिदायक एवं बलकारक होता है। हरी घास, कपास, भूसा खाने वाली गाय का दूध रोगियों के लिए हितकर, चारे के साथ अनाज खाने वाली गाय का दूध गुरु, कफकारक बलदायक तथा वीर्यवर्द्धक होता है। दूध दूहने के समय जो उष्णता रहती है उसे धारोष्ण दूध कहते हैं। धारोष्ण दूध पीने से वीर्य विकार, यक्ष्मा, रिकेट्स, नेत्ररोग, खुजली, हाइपरएसीडिटी, अल्सर, मूत्रकृच्छ, कृशंगता आदि अनेक रोग दूर होते हैं। यह स्मरण व नेत्र शक्तिवर्द्धक है। बीमार तथा एण्टीबायोटिक्स औषधि लेने वाली गाय का दूध न पीयें। काफी देर के दूध को एक उफान गर्म करके काम में लें।

गाय के अल्पोष्ण दूध में डेढ़ चम्मच गौ-घृत, तीन चम्मच शहद डालकर पीने से नेत्र ज्योति तथा स्तम्भन शक्ति बढ़ती है। समागम के बाद दूध पीने से शक्ति एवं वीर्य की क्षतिपूर्ति होती है। जिसे दूध नहीं पचता है वह पीपल तथा इलायची डालकर गर्म कर पीयें। दूध तथा शहद मिलाकर पीने से थकान, कमजोरी, क्षय, पथरी, मूत्रकृच्छ, अम्ल पित्तजन्य शूल, तीव्र उदर शूल आदि ठीक होते हैं। गरम दूध के साथ ईसबगोल की भूसी खाने से कब्ज दूर होता है। प्राकृतिक चिकित्सा में दुग्ध कल्प का विशेष विधान है।

प्रत्येक रोग में दुग्ध कल्प अति उपयोगी होता है। दुग्ध कल्प के पूर्व 3 दिन तक वैज्ञानिक उपवास तथा प्राकृतिक चिकित्सा द्वारा शरीर शोधन करें। फिर प्रथम दिन 2 घंटे के अन्तराल पर सवा सौ मिलीलीटर दूध लें। फिर प्रतिदिन 50 ग्राम दूध बढ़ाते हुए 250 मि.ली. पर आ जायें। समय को प्रतिदिन 30-30 मिनट कम करते हुए 45 मिनट के अन्तराल पर 300 मि.ली. दूध लें। जिन रोगियों को दुग्ध कल्प अनुकूल नहीं आता है उन्हें मट्ठाकल्प उपयोगी होता है। दूध को जमाकर दही को मथकर लेना ही मट्ठाकल्प होता है। प्रयोग एक जैसा ही होता है। मट्ठा या दुग्ध कल्प प्रातः 7 बजे से प्रारम्भ करते हुए शाम सात बजे बन्द कर दें। विटामिन 'सी', 'बी' एवं एन्जाइम की पूर्ति हेतु संतरा एवं भीगा किशमिश भी लें। कोई उपद्रव होने पर प्राकृतिक चिकित्सा का सह.रा लें। इस कल्प पर एक से तीन माह तक रह सकते हैं। जिस प्रकार कल्प प्रारमभ किया है, उसी प्रकार धीरे धीरे कल्प तोड़ते हुए सामान्य आहार पर आ जायें। दुग्ध कल्प एक-एक कोश को पुनर्जीवन प्रदान कर कायाकल्प कर देता है। कल्प में गाय या बकरी का

कोरा दूध लें अथवा गो दुग्ध के दही का मट्ठा लें। मट्ठाकल्प से कई मरन्नासन रोगियों को नया जीवन मिला है।

भैंस का दूध गाय के दूध की अपेक्षा भारी, निद्राजनक, कफवर्द्धक, मधुर, स्निग्ध, शुक्रकारक, भूख मारक तथा शीतल होता है। यह चर्बी, आलस्य तथा मोटापा बढ़ाता है। अत्यधिक श्रम करने वालों के लिए भैंस, ऊँट, भेड़ आदि का दूध ठीक रहता है।

बकरी का दूध सर्वश्रेष्ठ होता है। पूज्य बापू बकरी का दूध ही पीते थे। भावप्रकाश निघण्टु के अनुसार शरीर छोटा तथा हल्का होने के कारण बकरी दिन भर भ्रमण करती है, कटु व तिक्त पत्ते खाती है, थोड़ा जल पीती है, इसलिए इसका दूध सर्वरोगनाशक है। इसका दूध कषाय, मधुर रस युक्त, ग्राही, लघु तथा रक्तपित्त, अतिसार, क्षय, कास, तथा ज्वरनाशक है। चक्रदत्त ने क्षय से मुक्ति के लिए इसका दूध पीने को बताया है। चिर यौवन एवं सौन्दर्य को अक्षुण्ण बनाये रखने के लिए बकरी का दूध पीयें। चेहरे एवं त्वचा पर इसका उबटन लगायें।

कोट्टयम स्थित महात्मा गांधी विश्वविद्यालय के वैज्ञानिकों ने प्रयोग करके प्रमाणित कर दिया है कि बकरी के दूध में मौजूद एन्जाइम 'लैक्टोपरऑक्सीडेज (Lactoperoxidase) प्रोटीन बैक्टीरियल इन्फेक्शन, हैजा, टायफायड, न्यूमोनिया, आंत्रशोथ, गैस्ट्रोएन्टरोटाइटिस, अतिसार तथा फूड पॉयजनिंग तथा टी.बी. से लोहा लेता है। अन्य दूध में लैक्टोपरऑक्सीडेज प्रोटीन इतना शक्तिशाली नहीं होता है। आयुर्वेद तथा यूनानी चिकित्सा पद्धति में बकरी को जड़ी बूटियां तथा भस्मों को खिलाकर उनसे प्रातः दूध से असाध्य रोगों का उपचार होता है।

रूस के वैज्ञानिकों ने ट्रान्सजेनिक बकरियां तैयार की हैं जिनका दूध माँ के दूध का विकल्प है। माँ के दूध में लैक्टोफेरिन (Lactoferrin) नामक मानवीय प्रोटीन होता है जो नवजात शिशु की अपनी रोग प्रतिरोधक क्षमता पूरी तरह से विकसित होने तक बच्चों को भांति-भांति के वायरस तथा बैक्टीरियाओं से भलीभांति रक्षा करता है। मास्को के गोल्स तोवो गांव के दो बकरियों में लेक वन तथा लेक टू में मानवीय जीनोम को प्रवेश कराकर इन बकरियों तथा इनके बच्चों के दूध में यही मानवीय लैक्टोफेरिन पैदा किया गया है। इनकी गुणवत्ता का अध्ययन बेला रूस के बेलारोस ट्रान्सजेन परियोजना के अन्तर्गत किया जा रहा है। वास्तव में बकरियों की देखभाल आसान है, इनको कम से कम बीमारियां होती है, साथ ही बकरी के दूध से शिशुओं में कोई एलर्जिक रिएक्शन नहीं होता है इस दृष्टि से प्रयोग सफल हो रहा है। बकरी का दूध शिशुओं के लिए सर्वोत्तम है।

मेक मास्टर यूनिवर्सिटी (McMaster University) के वैज्ञानिकों ने खोज किया है कि जो महिलाएँ व्यायाम या वेटलिफ्टिंग के बाद प्रतिदिन दो बड़ी ग्लास दूध पीती हैं उनमें फैटी कोशिकाएं तेजी से जलती हैं तथा उसके बदले माँसपेशियों का विकास होता है। जो महिलाएँ एनर्जीड्रिंक या अन्य पेय पीती हैं उनमें ऐसा नहीं होता है। पुरुष भी यदि वेटलिफ्टिंग के बाद दूध पीते हैं तो उनमें भी मसल्स मास बढ़ता है। अब तक यही समझा जाता रहा है कि दूध पीने से वजन मोटापा बढ़ता है जबकि हकीकत यह है दूध पीने से शरीर सुडौल होता है। मसल्स मास बढ़ता है जो आवश्यक है। बॉडी मास तथा वेट मास कम होता है।

कुछ लोग ऐसा सोचते हैं कि दूध के लेक्टोज को पचाने वाला एन्जाइम लेक्टेज उनकी आँतों में नहीं होता है, इसलिए दूध पीने से गैस होता है। लेकिन बार्सिलोना के हॉस्पिटल यूनिवर्सिटी वाल्ड हेबरॉन (Hospital Universitari Vall d' Hebron) के वैज्ञानिकों ने इसे गलत सिद्ध किया है। जिन लोगों को इस प्रकार का भ्रम था उन्हें लैक्टोज पिलाकर देखने पर पाया गया कि उनकी आंतें उन्हें अच्छी तरह हजम एवं जज्ब कर रही थी।

प्रात: 10 बजे तक दूध पीना वीर्य, रस, रक्तादिवर्द्धक, अग्निप्रदीपक, मध्याह्न काल में दूध पीना बलकारक, कफ, पित्तनाशक व अग्निदीपक तथा रात्रि में दूध पीना अनेक दोषों को दूर करने वाला तथा आँखों के लिए हितकर होता है। दूध एक सम्पूर्ण आहार है। गाँवों के लिए गाय का दूध एक उत्तम औषधि है। एण्टीबायोटिक्स, एण्टीबॉडीज, डी.डी.टी., रेडियो सक्रिय तत्त्व तथा अन्य जहरीली औषधियाँ कभी-कभी दूध में मिलती हैं। इन तत्त्वों से प्रदूषित दूध अनेक प्रकार की जीवनघाती बीमारियाँ पैदा करता है। शहर की गायें मल-मूत्र आदि अखाद्य वस्तुएँ खाती हैं। उनका दूध लेने से पूर्व पता लगा लें कि गाय स्वस्थ है या नहीं। भ्रमण कर घास खाने वाली गाय का दूध उच्चतम किस्म के पोषक तत्त्वों से भरपूर रहता है। डेनिश दंत विशेषज्ञ डॉ. ई.ए. ब्रून, फ्रेंच, डॉ. डुबोइस प्रेवीस्ट आदि का मानना है कि अधिक दूध पीने से दाँतों के अन्दर जीवाणु पैदा होते हैं, फलत: दाँत खराब हो जाते हैं, काले पड़ जाते हैं। दूध पीने के बाद ब्रश अवश्य करें।

अनुसंधान : विवादास्पद दूध : सेहतमन्द है या हानिकारक?

स्वास्थ्य सम्वर्द्धक दूध: वैज्ञानिक तथ्य—विगत तीन दशाब्दी के अन्दर दूध को कुछ वैज्ञानिकों ने खलनायक बना दिया है। इसके खिलाफ अनेक पुस्तकें मार्केट में आयी हैं। दूध के विरोध में षड्यंत्र करके विवादास्पद बनाया गया है। दूध भारतीय संस्कृति एवं परम्परा से जुड़ा अहं खाद्य है। आयुर्वेद दूध से बना दही एवं तक्र को पृथ्वी का अमृत कहा है। वैदिक कालिन अरण्यवासी ऋषि कृषि परम्परा से गोदान महादान तथा गोधन महाधन माना गया है। ऋतुम्भरा प्रज्ञा जागरण का महाग्रंथ कठोपनिषद गोदान से ही प्रारम्भ होता है। फिर भी कुछ वैज्ञानिकों एवं प्रबुद्ध स्वास्थ्य साधकों ने प्रश्न उठाये हैं उनका समाधान प्रस्तुत है।

जॉन हापकिन्स मेडिकल इन्स्टीट्यूट पेडियाट्रिक्सियन फ्रैंक ए. ऑस्की तथा कुछ अन्य वैज्ञानिकों का मानना है कि दूध में मौजूद प्रोटीन कैल्शियम को सोंखकर पेशाब द्वारा बाहर निकाल देता है जिससे ऑस्टियो पोरोसिस होता है। कुछ वैज्ञानिक मानते हैं कि दूध में प्रोटीन ज्यादा मात्रा में तथा विटामिन 'बी' कम मात्रा में होने से प्रोटीन का मेटाबॉलिस्म सही ढंग से नहीं होता है। फलतः हामोसिस्टिन की मात्रा बढ़ जाती है जिससे दिल की बीमारी होती है। जबकि वास्तव में कैल्शियम तथा विटामिन 'बी' यहाँ तक कि बी-12 की दृष्टि से शाकाहारियों के लिए दूध एवं दही ही सही एवं सर्वोत्तम आहार है। दही में एसीडिक माध्यम विकसित होने से कैल्शियम अच्छी तरह सोंख लिया जाता है। जहाँ तक प्रोटीन का सवाल है, प्रतिदिन एक लीटर भी दूध लिया जाये तो मात्र 31 से 38 ग्राम प्रोटीन प्राप्त होता है, परन्तु एक लीटर दूध

पीता ही कौन है। प्रायः एक या अधिकतम दो ग्लास लोग पीते हैं। जिनसे 15-19 ग्राम प्रोटीन प्राप्त होता है जबकि दैनिक आवश्यकता 60 ग्राम होती है। कैल्शियम तथा प्रोटीन का उम्दा स्रोत दूध दही ही है। कुछ लोगों का कहना कि नार्वे, स्वीडन, डेनमार्क, स्विटजरलैंड तथा फिनलैंड में दूध की खपत ज्यादा होती है और ऑस्टियोपोरोसिस की बीमारी आम है, अति सर्वत्र वर्जित सूत्र का ध्यान नहीं रखने तथा अधिक मात्रा में दूध का सेवन करने से ऐसा होता है। चीन, अफ्रीका, जापानादि देशों में प्रोटीन के लिए सोयाबीन का प्रयोग ज्यादा होता है, सोयाबीन में प्लान्ट प्रोटीन के साथ फाइटोएस्ट्रोजन जेनेस्टिन भी होता है जो प्राकृतिक एच आर टी का काम करता है। परिणामतः वहाँ की महिलाएँ ऑस्टियोपोरोसिस तथा हृदय रोग से बची रहती है तथा दीर्घायु भी होती है।

कुछ दूध विरोधी वैज्ञानिकों का मानना है कि दूध से शरीर में कैंसरकारी इन्सुलिन लाइक ग्रोथ फैक्टर-1 (IGF-1) बढ़ जाता है जिससे ब्रेस्ट तथा प्रोस्टेट कैन्सर होते हैं। प्रमाण दिया जाता है दक्षिण अमेरिका के ऊरुगाय जहाँ दूध की खपत दुनिया के तीसरे स्थान पर है तथा ब्रेस्ट कैन्सर के मामले में भी तीसरे स्थान पर है। पड़ोसी देश पैरागाय के लोगों में दूध की खपत कम होने से कैंसर के रोगी कम हैं। ग्लैक्टोज को भी महिलाओं के ओवरियन कैंसर का कारण माना जाता है। अति मात्रा में अमृत भी जहर का काम करता है। दूसरा अभी तक यह प्रमाणित नहीं हो सका है। दूध से आइ.जी.एफ-1 बढ़ता है क्योंकि अमेरिका की एफ.डी.ए. ने डेयरी उत्पादकों को जीन अभियान्त्रिकी उत्प्रेरित हार्मोन रिकॉम्बिनन्ट बोवाइन सोमेटो ट्रापिन को दुग्ध उत्पादन की वृद्धि के लिए उपयोग करने हेतु स्वीकृति प्रदान कर दी है। परिणामतः इस हार्मोन से उपचारित मवेशियों के दूध का उपयोग करने से आई.जी.एफ.1 की वृद्धि होती है। उपचारित दुधारू मवेशियों को संक्रमण से बचाने के लिए काफी मात्रा में एण्टीबायोटिक्स दवाइयां दी जाती है जिससे दूध में भी एण्टी बायोटिक की उपस्थिति पीने वालों में खतरनाक स्थिति पैदा करता है। इस प्रकार से उपचारित अमेरिकन दूध पीने से आइ.जी.एफ.1 की वृद्धि जन्य कैंसर हो सकता है।

दही तथा दूध में तो कंज्यूगेटेड लिनोलेइक एसिड पाया जाता है जो कैंसर एवं हृदय रोग जैसे घातक रोगों से हमारी रक्षा करता है।

दूध रोग प्रतिरोधक जीवनी शक्ति को बढ़ाता है। दूध रोगों से लड़ने की ताकत देता है। इतना ही नहीं दूध विरोधी लोग बिना सोचे जाने समझे सिद्ध करते हैं कि दूध दही का सेचुरेटेड फैटी एसिड कॉलेस्टरॉल को बढ़ाता है जो हृदय रोग पैदा करता है, वैज्ञानिकों की खोज है दूध तथा दही में पाये जाने वाला कंज्यूगेटेड लिनोलेइक एसिड (सी.एल.ए.) कॉलेस्टरॉल को कम करता है। शरीर में संचित वसा को बाहर निकालता है। यदि आप श्रम, व्यायाम, योगासन एवं प्राणायाम करते हैं तो दूध का फैट अच्छे किस्म का कॉलेस्टरॉल एच.डी.एल. में बदल जाता है। हृदय रोगी फैट निकला हुआ दूध का दही या छाछ बनाकर अवश्य लें। यह मोटापा तथा दिल के मरीजों के लिए परम औषधि है। दूध विरोधी लोगों का कथन है कि दूध में लोहा की

कमी होती है, कैल्शियम उस आयरन को भी कम कर देता है जिससे एनीमिया हो सकता है। दूध जेनिटिक टाइप वन डाइबिटीज होने की संभावना को बढ़ा देता है, किन्तु हमने डाइबिटीज के रोगियों को छाछ एवं दही देकर पाया कि इससे लाभ होता है। वयस्कों में दूध, दही से डाइबिटीज का सम्बन्ध कहीं भी प्रमाणित नहीं हुआ है। फिर भी दूध पीने से निम्न सावधानी रखें।

दूध के अपेक्षा दही, मट्ठा या छाछ को खायें। दही या मट्ठे में प्रो बायोटिक्स लैक्टो एसिडोफिल्लस बेसिलस जैसे दर्जनों प्रो बायोटिक्स बैक्टीरिया पैदा हो जाते हैं, जो पेट के इकोलॉजिकल इनवायरनमेन्ट को प्रदूषण मुक्त स्वस्थ एवं सशक्त बनाते हैं। हर रोग से लोहा लेने की क्षमता प्रदान करते हैं। दही या मट्ठा से कॉलेस्टरॉल तथा वजन नियंत्रित होता है जबकि दूध से बढ़ता है। दूध दही के साथ भरपूर मात्रा में साग सब्जियाँ तथा फल खायें। इससे आयरन तथा कैल्शियम तथा विटामिन का अभाव नहीं होगा। प्राकृतिक चिकित्सा में तो लोगों को 5 से 6 लीटर तक दूध तथा दूध का मट्ठा, प्रति दिन कल्प करवा कर पिलाते हैं। अनेक रोगों में मट्ठा कल्प कमाल का उपयोगी होता है। भयंकर खूनी दस्त में एक रोगी को 35 बार प्रतिदिन खूनी दस्त होता था। मरन्नासन स्थिति थी, मट्ठाकल्प से उसे नयी जिन्दगी मिली है। अकाल काल कवलित होकर यमराज का मेहमान एवं हमराज बनने को तैयार कई असाध्य एवं निराश रोगियों को दुग्ध एवं मट्ठाकल्प से जिन्दगी की स्वस्थ राह मिली है। अन्य अनेक रोगों में मट्ठा कल्प हमने अत्यन्त उपयोगी पाया है। जहाँ तक हो सके पाश्चराइज्ड (दूध की प्रोटीन संरचना में परिवर्तन हो जाता है।) तथा होमोजेनाइज्ड (फैट कणों का आकार घट जाता है जो सीधे रक्तप्रवाह में पहुँचकर रक्तवाहिनियों से चिपक जाते हैं) दूध के प्रयोग से बचें। अविश्वसनीय दूध या ग्वाले से दूध नहीं लें। गायों को गाजर, रेपसीड, सोयाबीनादि खिलाकर आयरलैंड के वैज्ञानिकों ने साफ्टमिल्क प्राप्त किया है। यह अत्यन्त आरोग्य एवं आयुवर्द्धक होता है।

ऑक्सफोर्ड यूनिवर्सिटी के वैज्ञानिकों ने सिद्ध किया है कि दूध विटामिन बी-12 का महान स्रोत है। यह न्यूरोलॉजिकल डैमेज को अद्भुत ढंग से बचाव करने के साथ ही इसे ठीक भी करता है। इसका प्रयोग डिमेन्शिया एलजीमर्स में सफलता के साथ किया गया है। विटामिन बी-12 की कमी से स्नायविक कोशिकाएं दुगुने रफ्तार से कम होने लगती हैं। दिमाग की कोशिकाएं सिकुडने लगती हैं। एलजीमर्स का मुख्य कारण बीटा, एमिलॉयड प्रोटीन का लेवल भी दिमाग में तेजी से बढने लगता है। मुख्य शोध विज्ञानी डॉ. डेविड स्मिथ का कहना है कि यदि दो ग्लास दूध प्रतिदिन लिया जाये आवश्यक विटामिन बी-12 की आपूर्ति हो जाती है। परिणामतः उम्र बढ़ने के साथ होने वाली काग्निटिव परफार्मेन्स बुद्धिमता प्रदर्शन की क्षति को रोका जा सकता है। स्मरण शक्ति की हानि से भी बचाव होता है।

डेविस स्थित यूनिवर्सिटी ऑफ कैलिफोर्निया के वैज्ञानिकों ने निष्कर्ष निकाला है कि दूध तथा दूध से बने खाद्य पदार्थ भूख को नियंत्रित करते हैं। दूध तथा दूध उत्पाद लेने से आँतों में गट हार्मोन कोलेसिस्टेकाइनिन का लेवल 20 फीसदी बढ़ जाता है जिससे भूख की इच्छा कम हो जाती है। सोयाबीन मूंगफली तथा तिल का दूध भी काफी कुछ हद तक यही काम करता

है। कॉलेसिस्टेकाइनिन ड्यूडिनम एवं जेजुनम वाले भाग से निकलता है जो भूख मिटाने एवं तृप्ति का एहसास कराता है।

एक अन्य खोज से ज्ञात हुआ है कि जो विशुद्ध शाकाहारी वेगन लोग दूध का भी सेवन नहीं करते हैं, उनमें विटामिन 'ए', कैल्शियम, जिंक आवश्यक ओमेगा 3 फैटी एसिड की कमी से होमोसिस्टिन का लेवल बढ़ जाता है होमोसिस्टिम के बढने से दिल एवं दिमाग सम्बन्धित बीमारियाँ होती है। शिशुओं में ग्रोथ रिटार्डेशन, ब्रेन एट्राफी रोग दिखता है। विटामिन बी-12 तथा डी एच ए. की कमी से नर्वस सिस्टम का अच्छी तरह विकास नहीं हो पाता है। अमेरिका स्थित टेनेसी परड्यू तथा कीटन यूनिवर्सिटीज के शोध विज्ञानियों ने पता लगाया है कि कैल्शियम का पर्याप्त मात्रा में उपयोग करने से वजन नियंत्रित होता है। प्रतिदिन एक हजार मिग्रा. कैल्शियम लेने से ज्यादा लाभ मिलता है, इस दृष्टि से दूध दही अत्यन्त उपयोगी हैं।

थोरैक्स नामक मेडिकल जर्नल में डच वैज्ञानिकों के शोध पत्र प्रकाशित हुआ है जिसके अनुसार नियमित रूप से मलाईदार होल दूध पीने वाले बच्चों में दमा तथा सांस सम्बन्धित शिकायतें कम पायी गयी हैं। ऐसे बच्चे दमा से कम ग्रस्त हुए। अनुसंधान अध्ययन लेखकों का मानना है कि दूध के फैट के फैटी एसिड में कनजुगेटेड अल्फा लिनोलिक एसिड, विटामिन 'ए', बी तथा खनिज लवण होते हैं। इनसे रोग प्रतिरोधक क्षमता बढ़ती है। डच वैज्ञानिकों ने दो साल के तीन हजार बच्चों को एक साल तक नियमित मक्खन खिलाकर जब तीन साल के हो गये तो उनकी सूक्ष्मता से अध्ययन कर इस निष्कर्ष पर पहुँचे हैं कि जो बच्चे प्रतिदिन मक्खन खाते थे उनमें से सिर्फ डेढ़ प्रतिशत को ही दमा हुआ परन्तु जो बच्चे कभी-कभी मक्खन खाते थे उनमें से सिर्फ 5 फीसदी को दमा हुआ परन्तु जो बिल्कुल ही नहीं खाते थे उनमें दमा होने की शिकायत सर्वाधिक थी। मक्खन का सी ए एल ए दिमाग तथा सेन्ट्रल नर्वस सिस्टम को ताकतवर बनाता है। दो साल के बच्चों को होल मिल्क पिलायें।

जर्मन वैज्ञानिकों ने भी दो वर्ष के तीन हजार बच्चों को रोजाना मलाइदार दूध तथा मक्खन खिलाकर देखा कि दमा से पीड़ित बच्चों के सेहत में चमत्कारिक सुधार हुआ। जॉन हॉपकिन्स के वैज्ञानिकों ने खोज की है जो बच्चे मिल्क एलर्जी से ग्रस्त हैं उन्हें दूध छोड़ने की जरूरत नहीं है। ऐसे बच्चों को ज्यादा मात्रा में दूध पिलाने से इचिंग तथा अन्य एलर्जी से मुक्ति मिल जाती है। ज्यादा मात्रा में दूध पीने से एलर्जिक प्रतिक्रिया में आराम पहुँचने लगता है। इस पर और अधिक शोध की आवश्यकता है। धीरे-धीरे दूध की मात्रा बढ़ाते हुए टॉलरेन्स सहनीय क्षमता विकसित करें। पर्याप्त मात्रा में दूध पिलायें। डेनिश शोध कर्ताओं के अध्ययन के अनुसार जो बच्चे दूध पीते हैं उनमें एक सप्ताह के अन्दर ही तत्पश्चात आइजी.एफ-1 नामक ग्रोथ फैक्टर की वृद्धि हो जाती है जबकि दूसरे प्रकार के प्रोटीन लेने वाले बच्चों में ग्रोथ फैक्टर में कोई परिवर्तन नहीं हुआ। दूध में सम्पूर्ण प्रोटीन तथा कुछ ऐसे हार्मोन होते हैं जो टिशु डेवलपमेन्ट को बढ़ावा देकर बच्चों की लम्बाई एवं अन्य संतुलित विकास में सहायता कर देते हैं।

दूध से छेना बनाने के बाद उसके पानी को फेंक देते हैं लेकिन वह पानी भी बहुमूल्य होता

है। इसे ह्वे प्रोटीन (Whey Protein) कहा जाता है। इसमें शक्तिशाली एण्टी ऑक्सीडेन्ट ग्लूटाथिओन (Glutahion) पाया जाता है जो प्रोस्टेट कैन्सर से लोहा लेता है। छेना या दही का पानी थोड़ी सी मात्रा में लेने से ही शरीर में 'ग्लूटाथिआन' का लेवल 60 फीसदी तक बढ़ जाता है। ह्वे प्रोटीन में खास प्रकार का प्रोटीन अल्फा लेक्टल ब्युमिन पाया जाता है साथ ही ट्रिप्टोफिन एमिनो एसिड पाया जाता है जो ब्रेन केमिकल सेरोटोनिन को 30 फीसदी तक बढ़ा देता है। सेरोटोनिन फीलगुड मेंटल परफॉरमेन्स मूड रेगुलेटिंग हार्मोन है। यह शंका संदेह, आत्महत्या प्रवृति एवं डिप्रेशन को दूर करता है। अतिनिद्रा, मेन्टल फंक्शन सतर्कता एवं स्लिप डिसऑर्डर में सुधार करता है।

निकोटिन एण्ड टोबैको रिसर्च जर्नल में प्रकाशित एक शोध अध्ययन के अनुसार दूध पीने से सिगरेट का स्वाद बिगड़ जाता है। फलतः सिगरेट का लत छूट सकता है। अल्कोहल, चाय, कॉफी, मांस सिगरेट की तलब को बढ़ाने वाले होते हैं। दही तथा अन्य दुग्ध उत्पाद, फल तथा सब्जियों के रस से सिगरेट का स्वाद बिगड़ जाता है। जिस आहार से सिगरेट का स्वाद बिगड़ता है उससे लत छुड़ाने में मदद मिलती है। ब्रिटेन के वैज्ञानिकों ने सिद्ध किया है कि लैक्टेशन (स्तनपान) काल में जानवरों के चारे में रेपसीड (सरसों) की खल्ली मिलाने से उनसे प्राप्त दूध में सेचुरेटेड फैट की मात्रा कम हो जाती है। इस दूध को पीने से चर्बी (मोटापा) तथा कॉलेस्टरॉल नहीं बढ़ता है। प्रतिदिन चारे के साथ 600 ग्राम रेपसीड की खल्ली देने से गाय के दूध में ओलेइक एसिड (मोनोसेचुरेटेड फैट) की मात्रा 35 प्रतिशत तक बढ़ गयी तथा सेचुरेटेड फैटी एसिड (मिरिस्टिक एसिड) की मात्रा 25 फीसदी तक कम हो जाता है।

अमेरिका में 37,183 औरतों पर दूध तथा दूध से बने खाद्य पदार्थों को खिलाकर इस नतीजे पर पहुँचा गया कि इन्हें खाने से टाइप 2 डाइबिटीज होने की संभावना 21 फीसदी कम हो जाती है। कम फैट वाली डेयरी प्रोडक्ट खाने से वजन, ब्लड प्रेशर तथा रक्त शर्करा कम होता है। इन्सुलिन रेजिस्टेन्स सिण्ड्रोम का खतरा भी कम हो जाता है। क्रेध यूनिवर्सिटी के वैज्ञानिकों ने खोज किया है दूध पीने से वजन नहीं बढ़ता है, बल्कि कैल्शियम के कारण फैट का मेटा बॉलिज्म सही होनें से वजन अधिक होने का खतरा 70 फीसदी कम हो जाता है।

इजरायल के ही नेगेव के बेन-गुरियन यूनिवर्सिटी के शोधकर्ता डेनिट सेहर का दूध पर अमेरिकी पत्रिका "क्लिनिकल न्यूटीशन" में प्रकाशित शोध पत्र के अनुसार छः महीने तक नियमित रूप से प्रतिदिन दो ग्लास दूध पीने वालों में दो साल बाद दूध नहीं पीने या दुग्ध उत्पाद नहीं खाने वालों की अपेक्षा वजन में कमी ज्यादा पायी गयी। उनका औसतन 6 किग्रा. वजन कम हुआ। अधिक वजन वाले 40 से 65 आयु वर्ग के 300 से ज्यादा लोगों पर उक्त प्रयोग किया गया। जिन लोगों ने छः महीने तक कैल्शियम वाला दूध दो ग्लास लिया दो साल के अन्दर उनके वजन में 6 कि.ग्रा. तथा जिन लोगों ने 150 मि.ग्रा. कैल्शियम वाला आधा ग्लास दूध ली उनका मात्र 3.5 कि.ग्रा. वजन कम हुआ। शोधकर्ताओं के अनुसार कैल्शियम तथा विटामिन डी वजन को नियंत्रित करते हैं। प्रयोग के दौरान इन्हें कम वसा वाला आहार दिया गया था।

ओहियो स्टेट यूनिवर्सिटी के वैज्ञानिकों ने प्रमाणित किया है कि लहसुन खाने के बाद दूध पीने से लहसुन की गंध दूर हो जाती है। लहसुन के रसायनों का पंचानांगों में देरी से विघटन होता है जिससे खाने के बाद काफी देर तक उसकी गंध आती रहती है। दूध उन रसायनों के जमाव एवं विघटन को नियंत्रित करके सांसों से इसके अप्रिय गंध को दूर कर देता है।

ब्रिस्टल तथा क्वीन्सलैंड के वैज्ञानिकों ने सन् 1930 से 4374 बच्चों पर पर्याप्त मात्रा में दूध तथा कैल्शियम लेने का प्रभाव का अध्ययन कर इस नतीजे पर पहुँचे हैं कि 1930 से 2005 यानि बचपन से 65 साल की उम्र तक पहुँचने पर दूध लेने वाले लोगों में स्ट्रोक तथा मौत लाने वाली अन्य बीमारियों ने नहीं दबोचा है। इस अध्ययन से यह भी पता चला है कि दूध से काफी मात्रा में कैल्शियम प्राप्त होता है जो मौत के खतरे को 25 फीसदी तक कम कर देता है। प्राकृतिक पावन पनीर तथा शुद्ध दूध लेने वाले बच्चे रोगमुक्त आरोग्यवान एवं दीर्घायु होते हैं। ओन्टरिया (कनाड़ा) स्थित न्यू एल्फ विश्वविद्यालय के वैज्ञानिकों ने गाय के दूध में एक खास प्रकार का ओमेगा 3 फैटी एसिड डीएचए (डोकोसाहेक्सोनॉइक एसिड) प्राप्त किया है। इस फैटी एसिड से दिमाग, बुद्धि, विवेक, मेधा, धृति, स्मरण शक्ति एवं आँखों के रेटिना के विकास में खास भूमिका है। नन्हे शिशुओं के बौद्धिक शारीरिक, मानसिक एवं दिमागी विकास के लिए यह आवश्यक तत्व है। गाय के दूध में डी.एच.ए. का प्रायः अभाव ही होता है। किन्तु वैज्ञानिकों ने डी.एच.ए. से भरपूर गो ग्रास खिलाकर इस प्रकार का दूध प्राप्त करने में सफल हुए हैं।

इसरायल के तेल अविव यूनिवर्सिटी के शिशु रोग वैज्ञानिक इटझककट्ज तथा उनके सहयोगियों ने प्रमाणित किया है कि जन्मते ही प्रारम्भ में पन्द्रह दिन तक गाय का दूध पिलाने से भविष्य में आगे चलकर बच्चों को खतरनाक एलर्जी रोग होने की संभावना खत्म हो जाती है। इन वैज्ञानिकों ने पुरानी मान्यता कि बच्चों को प्रारम्भ में गाय का दूध नहीं देना चाहिए को बदल दिया है। इन वैज्ञानिकों के अनुसार जन्म प्रारम्भिक पन्द्रह दिनों तक गाय का दूध पीने वाले बच्चों में 15 दिनों के बाद में पीने वाले बच्चों के अपेक्षा 19 गुना एलर्जी रोगों से बचाव होता है। उनकी रोग प्रतिरोधक क्षमता काफी बढ़ जाती है।

सामान्यत: प्रति लीटर दूध में उपलब्ध स्वास्थ्य संवर्द्धक बहुमूल्य तत्वों की मात्रा—जल 870 ग्राम, कुल वसा लिपिड्स में ट्राय-ग्लसिराइड् 30-50 ग्राम, फॉस्फोलिपिड्स 0.30 ग्राम, कोलेस्ट्रॉल 0.10 ग्राम, कैरोटेनाइड 0.10 - 0.60 मि.ग्रा.। कुल प्रोटीन में केसीन 25 ग्रा., लेक्टोग्लोब्यूलिन 3 ग्रा., लेक्टोएल्ब्युमिन 0.7 ग्रा., इयुग्लोब्यूलिन 0.3 ग्रा., अन्य एल्ब्यूलिन व ग्लोब्यूलिन 1.3 ग्रा, वसा ग्लोब्यूल प्रोटीन 0.2 ग्राम। कुल कार्बोज में दुग्ध शर्करा लैक्टोज 45-50 ग्राम, ग्लूकोज 50 मि.ग्रा., अन्य शर्करा अत्यल्प। कुल खनिज पदार्थ में Ca- 1.25, Mg- 0.10 प्रतिशत, Na- 0.50 प्रतिशत, K- 1.50, फॉस्फेट 2.10, साइट्रेट्स (साइट्रिक अम्ल के रूप में) 2.00, क्लोराइड 1.00, बाइकार्बोनेट्स 0.20 व सल्फेट 0.10 ग्राम होते हैं। वसा में घुलनशील विटामिन 'ए' 0.10- 0.50 मि.ग्रा., 'डी' 0.4 माइक्रोग्राम,

विटामिन 'ई' 1.3 मि.ग्राम विटामिन के अत्यल्प जल में घुलनशील विटामिन बी-1 0.4 मि.ग्रा., बी-2 1.5 मि.ग्रा., नायसिन 0.2-1.2, पायरिडॉक्सिन 0.70 मि.ग्रा., पेन्टोथेनिक अम्ल 3.00 मि.ग्रा., बायोटिन 60 माइक्रोग्राम, फॉलिक अम्ल 1.0 माइक्रोग्राम, कोलिन 150 मि.ग्रा., कोबालएमिन 7.0 माइक्रोग्राम, इनोसिटॉल 180 मि. ग्राम तथा विटामिन 'सी' या एस्कार्बिक अम्ल 20 मि.ग्रा.।

एन्जाइम में केटेलेस, पेरोऑक्सिडेस, एमाइलेस, फॉस्फेटेज, लिपसेस, एक्सेन्थाइन ऑक्सीडेसेस, प्रोटीसस, एल्डोलेसेस, कारबोनिक एनहाइडरेसेस, अन्य अप्राप्य खनिज तत्त्वों में लिथियम, बेरियम, स्ट्रोनशियम, रोबेडियम, मैंगनीज, एल्यूमिनियम, जिंक, बोरोन, ताँबा, लोहा, कोबोल्ट, आयोडीन अत्यल्प मात्रा में होता है। नाइट्रोजन युक्त प्रोटीन रहित पदार्थ में अमोनिया 2-12 मि.ग्राम, एमिनो अम्ल 3-5 मि.ग्राम, यूरिया 100 मि.ग्राम, क्रियेटिन तथा क्रियेटिनिन 15 मि.ग्रा., यूरिक अम्ल 7 मि.ग्रा., ओरोटिक अम्ल 50-100 मि.ग्रा., हिप्यूरिक अम्ल 30-60 मि.ग्रा., कार्बन 100 मि.ग्रा., ऑक्सीजन 7.5 मि.ग्रा. तथा नाइट्रोजन 15.0 मि.ग्रा. होते हैं।

ग्लूकोज तथा गेलेक्टोज मोनोसैक्राइड्स कार्बोज के दो अणुओं के मिलने से दुग्ध शर्करा लैक्टोज का निर्माण होता है।

$$\underset{\text{ग्लूकोज}}{C_6H_{12}O_6} + \underset{\text{ग्लेक्टोज}}{C_6H_{12}O_6} \rightarrow \underset{\text{लेक्टोज}}{C_{12}H_{22}O_{11}} + H_2O$$

सुक्रोज की अपेक्षा लैक्टोज कम मीठा होता है क्योंकि लैक्टोएसिड वैसिलस के कारण इसमें खट्टापन पैदा होता है।

दूध को गर्म करने से लेक्टोएल्ब्यूमिन्स के कारण मलाई पैदा होती है।

दूध में स्थित विविध एन्जाइम जैसे लाइपेस वसा, गेलेक्टसेस प्रोटीन, एमिलेसेस स्टार्च, कैटालेस हाइड्रोजन पेरॉक्साइड, लैक्टासेस दूध शर्करा, तथा फास्फेटेसस फॉस्फोरिक अणुओं के विघटन व पृथक्कीकरण कर उनके पाचन में सहायता करते हैं। पेराक्सीडेसेस स्वाद देने वाले एन्जाइम हैं। दूध का स्टेरॉल्स सेक्स हार्मोन के निर्माण में भाग लेता है।

सामान्यतः दूध में जल 87.25 प्रतिशत, वसा 3.80 प्रतिशत, प्रोटीन 3.50 प्रतिशत, दुग्धशर्करा 4.80 प्रतिशत, खनिज लवण 0.65 प्रतिशत, सम्पूर्णठोस 12.75 प्रतिशत होता है। **क्रीम में** वसा 19.00-58.77 प्रतिशत, प्रोटीन 1.83-2.94, दुग्धशर्करा 1.46-4.05, मिनरल्स भस्म 0.32-0.60, जल 37.62-73.41 प्रतिशत, **मक्खन में** जल 11.54-15.2, वसा 81.5-86.85, क्षार के अतिरिक्त वसा रहित ठोस 0.59-1.3, खनिज लवण 0.2-2.5, **घी में** वसा 99 प्रतिशत, नमी 0.2 प्रतिशत, अवसायुक्त पदार्थ 0.4 प्रतिशत, **विटामिन 'ए'** गौघृत 900, भैंस घृत 130 माइक्रोग्राम, कैरोटिन गौघृत 500, भैंस घृत 200 मा.ग्राम, एक्सेन्थेफिल गौघृत 30 मा. ग्रा., भैंस अत्यल्प, विटामिन डी 0.9 मा.ग्राम, लेसिथिन (दोनों में अत्यल्प मात्रा में) Ca- 0.5 प्रतिशत, P- 0.01 प्रतिशत, Fe- 0.0002 प्रतिशत होता है।

खुली हवा में तथा मक्खन से घी बनाने में विटामिन 'ए' 10-20 प्रतिशत नष्ट हो जाता

है। खुली धूप में 10 मिनट में 34 प्रतिशत, 30 मिनट में शत प्रतिशत, 100°C ताप पर 5 प्रतिशत, 225°C पर 29 प्रतिशत विटामिन 'ए' नष्ट हो जाता है। अल्ट्रावायलेट किरण से दस मिनट में विटामिन 'ए' की समस्त शक्ति नष्ट हो जाती है। एक ग्राम ताजे घी में 13 से 18 माइक्रोग्राम विटामिन 'ए' होता है। 6 माह में 50 प्रतिशत तथा एक वर्ष में शत प्रतिशत नष्ट हो जाता है। पीले रंग का कैरोटिन जो विटामिन 'ए' को धारण करता है, वायु द्वारा नष्ट हो जाता है। पशुओं को हरी घास अधिक देने पर घी में कैरोटिन की मात्रा बढ़ जाती है। छेना में जल (गाय 53.38 प्रतिशत, भैंस 15.62 प्रतिशत), वसा (गाय 24.80 प्रतिशत, भैंस 29.62 प्रतिशत), प्रोटीन (गाय 17.40 प्रतिशत, भैंस 14.42 प्रतिशत), दुग्धशर्करा 2.14 प्रतिशत, खनिज लवण (गाय 2.05 प्रतिशत, भैंस 1.98 प्रतिशत), पनीर में वसा 4-4.9 प्रतिशत, प्रोटीन (12.7-21.0 प्रतिशत, दुग्ध शर्करा 0.2-1.1 प्रतिशत, जल (71.09 प्रतिशत होता है।

केन्द्रीय खाद्य प्रोद्योगिक अनुसंधान संस्थान ने एक ऐसी विधि खोजी है जिससे दूध में स्थित दुष्पाच्य लैक्टोजन की मात्रा कम करके उसे सुपाच्य बनाया जाता है। इसके लिए यीस्ट कोशिकाओं का उपयोग किया जाता है। यीस्ट कोशिकाएँ लैक्टोजन को शीघ्र पचने योग्य ग्लूकोज तथा गैलाक्टोज में परिवर्तित कर देती हैं। संस्थान के उपनिदेशक डॉ. डी. राजगोपाल के अनुसार इस प्रविधि द्वारा बना सुपाच्य दूध वयस्क तथा बच्चे आसानी से पचा सकते हैं। दूध में लैक्टोजन कार्बोज 4.5 प्रतिशत तक होता है, जिसे विश्व की कुल आबादी की 70 प्रतिशत लोग इसे पचा नहीं पाते हैं। इसे पचाने के लिए लैक्टेज नामक पाचक एन्जाइम की आवश्यकता होती है। 70 प्रतिशत लोगों के आँतों में इस एन्जाइम की कमी होती है। डॉ. राजगोपाल के अनुसार सिर्फ भारत में 65 प्रतिशत दक्षिण भारतीय तथा 27 प्रतिशत उत्तर भारतीय दूध के लैक्टोजन को पचाने में असमर्थ हैं। लैक्टोजन के नहीं पचने के कारण ही दूध पीने के पश्चात् वायुफुल्लता, पेचिश तथा अन्य गड़बड़ी उत्पन्न होती है। नागालैंड में सर्वाधिक लोग ऐसे हैं जो लैक्टोजन को पचा नहीं पाते हैं। लैक्टोजन में एक अणु ग्लूकोस तथा एक ग्लैक्टोस का होता है। लैक्टोज एन्जाइम दुग्ध शर्करा लैक्टोज ग्लूकोस तथा ग्लैक्टोज में टूटकर शरीर के लिए उपयोगी बन जाता है।

माँ के दूध जैसा अमृत भी नहीं!
माँ तुझे सलाम!

आयुर्वैज्ञानिकों ने अपने विविध प्रयोगों से यह सिद्ध कर दिया है कि माँ का दूध बच्चों के लिए सर्वोत्तम पोषक आहार एवं श्रेष्ठ औषधि है। माँ के दूध में मस्तिष्क शोथ, पित्त-ज्वर, यक्ष्मा, खाँसी, पोलियो, डिप्थीरिया, डायरिया तथा अन्य विषाणु एवं कीटाणुजन्य रोगों से लड़ने की क्षमता है। माँ के दूध में उपस्थित रोग-निवारक तत्त्व इन रोगाणुओं को समाप्त कर देते हैं। माँ का दूध सभी प्रकार के रोगाणुओं से मुक्त रहता है। दुग्ध पान के समय माँ को किसी प्रकार के एण्टीबायोटिक्स तथा अन्य औषधि नहीं लेनी चाहिए। प्रयोगों से ज्ञात हुआ है कि जो माताए

दूध नहीं पिलाती हैं, उन्हें स्तन का कैंसर, माहवारी की गड़बड़ी, यकृत की खराबी, हार्मोनल गड़बड़ी, मोटापा, तथा सौन्दर्य नाश आदि अनेक बीमारियाँ हो जाती हैं। दूध पिलाने वाली माताओं का सौन्दर्य अक्षुण्ण बना रहता है। अन्त:स्रावी ग्रंथियाँ सुनियोजित कार्य करती हैं। गर्भधारण तथा माहवारी के झंझटों से बची रहती हैं, शीशी साफ करने, दूध बनाने, दूध का तापमान सामान्य करने की झुंझलाहट से बची रहती हैं, समय की बचत होती है, नींद खराब नहीं होती है, यात्रा में दूध बनाने वाले सरजामों को ले जाने से मुक्ति मिलती है तथा बच्चे एवं माँ का स्वास्थ्य ठीक रहता है। दोनों को पूर्ण संतुष्टि मिलती है।

बच्चा माँ के दूध के साथ माँ का प्यार, स्नेह के भावों को भी पीता है। जिन बच्चों को माँ का दूध नहीं मिलता है वे उद्दण्ड तथा अपराधी बनते हैं। एक मनोवैज्ञानिक अध्ययन के अनुसार जिन बच्चों को शीघ्रता से स्तन छुड़ा दिया जाता है, उनमें जीवनपर्यन्त स्तन के प्रति आकर्षण रहता है। स्तनपायी बच्चों को उदरशूल, दस्त, कुपोषण तथा अन्य कीटाणु जन्य बीमारियाँ नहीं होती है। माँ के दूध का यशोगान सुश्रुत, चरक संहिता, भावप्रकाश आदि ग्रंथों में भी किया गया है। माँ के दूध को अमृत बताया गया है। यह जीवनीय, वृहण, सात्म्य, स्निग्ध, लघु, शीतल, अग्निदीपक, वात, पित्त, नेत्रों का शूल तथा अभिघात को दूर करने वाला है। इसका नस्य भी लिया जाता है।

माँ के दूध का विशिष्ट गुरुत्व 10.028, पूर्ण ठोस अंश 11.2 प्रतिशत, पानी 08.8 प्रतिशत, वसा 3.10 प्रतिशत, प्रोटीन 1.6 प्रतिशत, दुग्ध शर्करा 6.3 प्रतिशत तथा खनिज लवण 0.2 प्रतिशत होते हैं। इसके विटामिन, एन्जाइम तथा अन्य सभी तत्त्व शरीर के ज्यादा अनुकूल होने के कारण बच्चे के शरीर में शीघ्र अवचूषित होकर नवीन जीवन प्रदान करता है। इसलिए माँ का दूध जीवनीय अमृत है। माँ के दूध में शर्करा का 50 प्रतिशत ग्लेक्टोज तथा प्रोटीन का 1.2 प्रतिशत अल्ब्यूमिन होता है जो शीघ्र पच जाता है।

माँ का दूध पीने वाले बच्चों में आगे चलकर दिल का दुश्मन कॉलेस्टरॉल का लेवल आजीवन कम रहता है, भविष्य में हृत रोग होने की संभावना कम हो जाती है। माँ के दूध पीने वाले बच्चों के आंतों में एक खास प्रकार का एण्टी कैन्सर बैक्टीरिया इन्टरोकोकस फेशियम पाया जाता है जो ताजीवन आंतों के कैंसर से रक्षा करता है। इंगलैंड स्थित यूनिवर्सिटी ऑफ ब्रिस्टल के वैज्ञानिकों ने 1937 ई. में 1414 ब्रिटिश बच्चों की निगरानी शोध अध्ययन पौढ़ावस्था तक की गयी। इस अनुसंधान अध्ययन के अनुसार जिन लोगों ने बचपन में अपनी माँ का दूध पिया था वे लोग अन्य दूध पीने वालों की तुलना में अपने व्यवसाय एवं काम धंधे में ज्यादा सफल रहे। माँ के दूध पर पलने वाले बच्चों की दृष्टि अच्छी रहती है। माँ का दूध सफलता की कम से कम 41 फीसदी गारन्टी देता है।

अमेरिका में दस हजार जन्मजात शिशुओं पर किये गये शोध अध्ययन से पता चला है कि नवजात शिशु को घंटे भर के भीतर स्तनपान कराने से शिशु को मौत का खतरा 22 फीसदी घट जाता है। विकासशील देशों में प्रतिवर्ष करीब 40 लाख बच्चे जीवन के पहले माह में ही

मृत्यु के शिकार होते हैं। भारत में पहले माह में शिशु मृत्यु दर 12 लाख प्रतिवर्ष है। यदि माताएं पैदा होते ही अपना स्तनपान करायें तो यह मृत्यु दर घटकर 2.5 लाख हो सकती है। अपने देश में 15.8 फीसदी ही माताएं नवजात शिशु को पैदा होते ही घंटेभर के भीतर स्तनपान कराती हैं। हर मिनट में दो नवजात शिशु मर जाते हैं। नौ हजार अमेरिकी शिशुओं पर 20 साल तक अनुसंधान अध्ययन कर वैज्ञानिक इस नतीजे पर पहुँचे हैं कि स्तनपान करने वाले शिशुओं का इम्यून सिस्टम इतना शक्तिशाली होता है कि उन्हें सामान्य बीमारियां तथा इन्फेक्शन नहीं सताते हैं। उन्हें सडन इंफेटडेथ सिण्ड्रोम होने का खतरा भी कम होता है। स्तनपान करने वाले बच्चे बड़े होने पर दिल की बीमारियों से बचे रहते हैं। हालांकि माँ का दूध पीने वाले बच्चों का विकास धीरे-धीरे किन्तु स्वस्थ होता है, जबकि बोतल का दूध तथा फार्मूला आहार ले रहे शिशुओं का विकास तेजी से होता है, परन्तु उनमें आगे चलकर दिल तथा धमनी सम्बन्धित एवं अन्य अनेक बीमारियां पनपने का भय रहता है।

लंदन स्थित मैकगिल यूनिवर्सिटी के वैज्ञानिकों ने खोज किया है कि नैसर्गिक रूप से माँ का दूध पीने वाले बच्चे बड़े होकर अधिक होशियार एवं बुद्धिमान होते हैं। 17,096 बच्चों पर परीक्षण करने पर पाया गया कि माँ का दूध पीने वाले बच्चों की बुद्धिमता का स्तर (आइ-क्यू.लेवल) कृत्रिम दूध पीने वाले बच्चों के वनिस्पत अधिक होता है, जिन बच्चों ने एक साल की उम्र तक माँ का दूध पिया था उनमें सोचने, समझने, जानने, और कुशलता प्रदर्शन, याद करने, धारण करने की क्षमता ज्यादा थी। माँ के दूध में डीएचए (डोकोसाहेक्सोनोइक एसिड), लैक्टोफेरिन तथा अल्फा लिनॉलिक एसिड बहुमूल्य वसा होते हैं जो दिमाग को ताजीवन ताजा तरीन नवजवान एवं शक्तिमान बनाकर रखते हैं। दिमाग का संतुलित विकास करते हैं।

ऐसे बच्चे सिर्फ पढ़ाई लिखाई में ही तेज नहीं होते हैं। बल्कि सामाजिक जिम्मेदारियों को भी बेहद कुशलता से निभाते हैं। ब्रेस्ट फीडिंग से शिशुओं को नाना प्रकार के ज्ञात अज्ञात पोषक तत्व एण्टीबॉडीज तथा सबसे अधिक आत्म संतोष एवं सुरक्षा मिलती है। जिससे शिशुओं का चतुर्दिक विकास होता है। अनेक रोगों से बचाता है। इससे वात्सल्य प्रेम के चलते मातृत्व बंधन भी मजबूत होता है। इसके अलावा बच्चों में डाइबिटीज, डायरिया, डिप्रेशन, अस्थमा, मोटापा तथा कैंसर जैसी बीमारियां होने की संभावना कम हो जाती है। बच्चों का डिफेन्स मेकानिज्म शक्तिशाली एवं इम्यून सिस्टम ताकतवर होता है।

एक अन्य रिसर्च के अनुसार ब्रेस्ट फीडिंग कराने वाली माताओं को भी डिप्रेशन, टेन्सन, स्ट्रेस आदि मानसिक उलझनें नहीं होती हैं। किंग्स कॉलेज लंदन के वैज्ञानिकों की खोज है कि माताएं इस गलतफहमी में नहीं रहें और उल्टा पुल्टा नहीं खायें कि दूध पिलाने से मोटापा नहीं होगा। माँ का दूध शिशु बेटा या बेटी दोनों के लिए उपयोगी होता है परन्तु वैज्ञानिक अध्ययन बताते हैं कि नवजात बालिका में ब्रेस्ट फीडिंग अपेक्षाकृत ज्यादा फायदा पहुँचाता है। उनका विकास तथा रोग प्रतिरोधक क्षमता अपेक्षाकृत अधिक होता है। सांस सम्बन्धित तीव्र इन्फेक्शन से बचाव भी ज्यादा होता है। दमा संक्रमण तथा एलर्जी की संभावना कम हो जाती है। उनमें

निःसंक्रमणता के गुण एवं ताकत विकसित हो जाता है। हावर्ड यूनिवर्सिटी के वैज्ञानिकों ने 16,000 स्वस्थ महिलाओं में 15 साल तक अध्ययन कर इस नतीजे पर पहुँचे हैं कि लम्बे समय तक स्तनपान कराने वाली महिलाओं को डाइबिटीज तथा रोज 500 अतिरिक्त कैलोरी भस्म होने से मोटापा टाइप 2 डाइबिटीज तथा स्तन कैंसर होने की संभावना कम हो जाती है।

अमेरिका में किये गये एक अनुसंधान अध्ययन के अनुसार अमेरिका में 900 बच्चे को प्रतिसाल माँ अपना दूध पिलाकर अकाल काल कवलित होने से बचा सकती है। अमेरिकी माताएं प्रसवोंपरान्त प्रथम 6 माह तक ब्रेस्ट फीडिंग कराकर अपने बच्चों को मृत्यु से बचा सकती है साथ ही बच्चों को दर्जनों रोगों से सुरक्षा प्रदान करके खरबों डालकर की बचत भी कर सकती है। दूध पिलाने वाली माताओं के बच्चों को आमाशय वायरस एवं कीटाणुओं का संक्रमण नहीं होता है। माँ का दूध स्टमक वायरस, कान का संक्रमण, दमा, जुवेनाइल डायबिटीज, सडेन इन्फेन्ट डेथसिण्ड्रोम, बच्चों की खूनी कैन्सर ल्यूकेमिया तथा बचपन के दस सामान्य बीमारियों की रोकथाम सफलता के साथ करता है। ब्रेस्ट मिल्क में इतने सारे एण्टीबॉडीज होते हैं जो बच्चों को हर प्रकार के संक्रमण से रक्षा करते हैं।

माँ का दूध पीने वाले बच्चों में रक्तशर्करा का लेवल तथा मोटापा का भी नियंत्रण होता है। माँ के दूध में मौजूद सैकड़ों प्रकार के ज्ञात अज्ञात पोषक तत्वों से शरीर का विकास होता है। स्वास्थ्य सम्वर्द्धन एवं संरक्षण भी होता है। साथ ही बच्चों की मानसिक एवं भावनात्मक सुरक्षा मिलती है। स्तन्य दुध पान से मिली यह भावनात्मक सुरक्षा बच्चों में ताजीवन आगे बढ़ने की प्रेरणा प्रदान करता है। समग्र विकास के आकाश को छूने का पथ प्रशस्त करता है। हाल ही में विस्कोसिन मेडिसिन विश्वविद्यालय के शोधकर्ताओं ने प्रमाणित किया है कि तनाव के क्षणों में माँ से किया गया प्रत्यक्ष अथवा अप्रत्यक्ष सम्वाद तथा बातचीत भले ही कुछ क्षणों के लिए ही क्यों ने हो तनाव से मुक्त कर देता है।

वैज्ञानिक विस्मय में थे कि किस प्रकार तनावग्रस्त लोगों का माँ से बात होते ही नस नाड़ियों में आया तनाव छूमंतर हो गया। फोन पर बात करना भी एक जादू की झप्पी की तरह प्रभाव डालता है। तनाव ग्रस्त नस नाड़ियों एवं रक्तवाहिनियों को आराम मिलता है। व्यक्ति किसी भी उम्र का हो इससे फर्क नहीं पड़ता है। मुश्किल के दौर एवं झंझावटों के तूफान में माँ की ममतापूर्ण सम्वाद एवं बातचीत शांति एवं सुकून प्रदान कर आत्मविश्वास एवं इच्छा शक्ति को एक नित्य नूतन विजन देता है। जिन बच्चों ने माँ का दूध अधिक दिनों तक पिया था उनमें तनाव झेलने की शक्ति भी जबरदस्त होती है। यह सारा कमाल ऑक्सीटोसिन हार्मोन का लेवल बढ़ जाने से होता है।

ऑक्सीटोसिन अलग-अलग परिस्थितियों में अलग-अलग प्रेरक का कार्य करता है जैसे माँ से बातचीत के समय तनाव अवसाद दुश्चिंता से मुक्त करता है वही पति पत्नी या प्रेमी से अलिंगनबद्ध होते ही यौन क्रिया यौनाकर्षण, विश्वास एवं भरोसा पैदा करता है। इसलिए इसे लव हार्मोन भी कहते हैं। यह सामाजिक एवं पारिवारिक रिश्तों को सुदृढ एवं सशक्त बनाकर

प्रसिद्धि प्रदान करता है। माँ जब स्तनपान कराती है तथा प्रसव के समय भी दिमाग से यह न्यूरो केमिकल निकलकर मातृत्व सुख प्रदान करता है। यह हार्मोन शर्म संकोच लाज हया को भी कम कर देता है जैसा कि आजकल के फिल्मों पार्कों एवं सार्वजनिक स्थानों में इस हार्मोन की अधिकता के कारण अश्लील हरकतें देखने को मिलती हैं।

प्रयोगों में देखा गया है जिन लोगों को इस हार्मोन को सुंघाया गया उनमें डर एवं खतरे से सम्बन्धित दिमाग के केन्दे एमिग्डला में सक्रियता कम देखी गयी। यही कारण है प्यार की गहराई में ऑक्सीटॉसिन की मात्रा बढ़ जाती है, यह गोंद की तरह काम करता है। चुम्बन, एक दूसरे की बांहों में भर लेने दीन-दुनिया से बेखबर एक दूजे में खो जाने की सुख, संतुष्टि, संतृप्ति का एहसास देता है।

इसरायल की बार लॉन यूनिवर्सिटी के वैज्ञानिकों ने 62 गर्भवती महिलाओं पर अध्ययन कर इस नतीजे पर पहुँचे हैं कि जिन महिलाओं में गर्भावस्था के प्रारम्भिक तीन महीनों में ऑक्सीटोसिन की मात्रा ज्यादा था उनमें बच्चों के प्रति ज्यादा लगाव देखा गया, जिनके पूरे नौ माह तक ऑकसीटोसिन की मात्रा ज्यादा था उनमें अपने बच्चे के प्रति गजब का खास लगाव देखा गया, बच्चों के लिए गाने गाये तथा अपने बच्चे के लिए खास ढंग से ट्रीट किया। जब माताएं अपने बच्चे की महसूस करने की कोशिश करती थी, प्यार से गले लगाती थी, छाती से चिपकाती थी उनमें ऑक्सीटोसिन का लेवल बढ़ जाता था। जो महिलाएँ अपने बच्चों को छूने से बचती थी उनमें ऑक्सीटोसिन का लेवल घटा होता था। गर्भावस्था एवं प्रसवोपरान्त इस हार्मोन का लेवल अच्छा होने पर रिश्ता और भी गहरा हो जाता है। जिन पशुओं में इसका लेवल ऊँचा होता है वे अपने एक ही साथी से गहरा रिश्ता रखते हैं। प्रेम भाइचारा रिश्तों में गरमाहट का हार्मोन है ऑक्सीटोसिन।

नवजात शिशु के लिए सर्वोत्तम आहार की दृष्टि से माँ के दूध का कोई विकल्प नहीं है। जब स्नेह सिंचित वात्स्ल्य से आपूरित होकर दूध मुंहे शिशु को दूध पिलाती है। तो उस स्थिति में ऑक्सीटोसिन का लेवल बढ़ा हुआ होता है जो वात्स्ल्य को और शक्तिशाली एवं सुदृढ बनाता है और शक्ति शाली प्रेम सिंचित पायस को पीकर बच्चा भी सशक्त एवं सबल हो जाता है। शिशु की रोग प्रतिरोधक क्षमता में गजब का विकास होता है। माँ का दूध बच्चे के जीन को इस कदर प्रभावित करता है। बच्चे की रोग प्रतिरक्षा प्रणाली शक्तिशाली हो जाता है। हर प्रकार के रोग एवं रोगाणुओं से बच्चे का बचाव होता है। भविष्य में भी ऐसे बच्चों में आत्मविश्वास इच्छाशक्ति इतनी प्रबल होती है कि वे हर क्षेत्र में फिट एवं हिट होते हैं। अपराध बोध से मुक्त होते हैं।

अमेरिका की यूनिवर्सिटी ऑफ इलिनॉइस (Illinois) के वैज्ञानिकों ने प्रमाणित किया है कि माँ का पहला दूध शिशु के जीन की अभिव्यक्ति (Gene Expression) को प्रभावित करता है। जीन अभिव्यक्ति एक ऐसी प्रक्रिया है जिसके द्वारा जीन को सूचना पहुँचती है कि रोग एवं रोगाणुओं से जूझने लड़ने एवं मारने के लिए खास प्रकार के फंक्शनल जीन को कब

संश्लेषित तथा उत्पादित करना है। माँ का दूध 146 जीनों पर अलग-अलग ढंग से प्रभावशाली होकर आंतों के विकास (Development of Intestines) में सहयोग करता है। तथा रोग प्रतिरक्षा प्रणाली इम्यून सिस्टम को शक्तिशाली बनाता है। माँ के दूध में सैकडों प्रकार के इम्यून प्रोटेक्टिव कम्पाउण्ड पाये जाते हैं जो शिशु के प्रतिरक्षा प्रणाली को सशक्त एवं सबल बनाते हैं।

स्वीडन की लुड विश्वविद्यालय के वैज्ञानिकों ने माँ के दूध में मौजूद अल्फा लैक्टलब्यूमिन जिसे अल्फा लैक भी कहते हैं, से कैन्सर के उपचार के तरीके का आविष्कार किया है। लैक दूध में शर्करा बनाता है। विशेष परिस्थिति में यह एक शक्तिशाली प्रोटीन ह्यूमैन अल्फा लैक्टाल ब्यूमिन मेड लेथल ट्यूमर सेल्स बन जाता है। इसे संक्षिप्त में हेमलेट कहते हैं। वैज्ञानिकों ने अध्ययन के दौरान पाया कि कैंसर कोशिकाएं तथा माँ के दूध को आपस में मिलाने से कैंसर कोशिकाएं टूटने लगी। इनके न्यूक्लियस टूटकर डी.एन.ए. के छोटे-छोटे टुकड़ों में विभाजित हो गये। कोशिकाओं के साइटोप्लास्म (कोशिका द्रव्य) टूटकर सिकुड गया, जो कैंसर कोशिकाएं तेजी से बढ़ रही थी वे सिकुड कर समाप्त हो गयी। यह अद्‌भुत चमत्कार था। स्वाभाविक रूप से शरीर में कोशिकाओं के निर्माण एवं नष्ट होने की प्रक्रिया चलती रहती है। परन्तु कैंसर कोशिकाएं बढ़ती ही चली जाती है साथ ही स्वस्थ कोशिकाओं को भी अपने जैसी कैंसर कोशिकाओं में बदल देती हैं।

मुख्य शोधकर्ता प्रोफेसर कैथरीना स्वान बोर्ग के अनुसार माँ के दूध में मौजूद प्रोटीन अल्फा लैक विशेष परिस्थिति में हेमलेट में बदलकर कैंसर कोशिकाओं के अन्दर घुसकर मुख्य रूप से दो तरीके से उनका नियंत्रण एवं संहार करती है। हेमलेट कोशिकाओं के न्यूक्लियस को तोड़कर डी.एन.ए. को टुकड़े-टुकड़े कर नष्ट कर देता है अथवा कोशिकाओं के सुसाइड गैंग में शामिल होकर उसे अधिक क्रियाशील एवं सक्रिय करके कैंसर कोशिकाओं को स्वतः आत्महत्या करने के लिए मजबूर कर देता है। वास्तव में लैक पेट में एसिड से प्रतिक्रिया करके हैमलेट में बदल जाता है तथा शिशु के शरीर में मौजूद किसी प्रकार के असामान्य कैंसर कोशिकाओं को चारों ओर से घेरकर नष्ट कर देता है।

प्रो. स्वान बोर्ग के अनुसार गला, गुर्दे, फेफड़े आदि विभिन्न प्रकार के कैन्सर से लोहा लेने एवं नष्ट करने में हेमलेट सक्षम है, जो बच्चे माँ का दूध न पीकर बाहरी दूध पीते हैं उनमें नौ गुना कैंसर होने की संभावना रहती है, माँ का दूध पीने वाले बच्चों में दूध के सम्पर्क में आते ही उपकला कोशिकाएं तथा आहार नली की कोशिकाओं में मौजूद न्यूमोनिया तथा अन्य रोगाणु हमला करने में असमर्थ हो जाते हैं। प्रयोगों से प्रमाणित हो चुका है कि माँ का दूध अतिसार, सांसों की बीमारी यू.टी.आई. के संक्रमण से रक्षा करता है। माँ जो खाती है उसी से दूध की गुणवता बनता है। खाने योग्य होने पर बच्चों को वही भाता है जिसे माँ ने गर्भावस्था एवं प्रसवोपरान्त खाया था।

अमेरिका की फिलोडेल्फिया स्टेट मोनेल केमिकल सेंसेस सेन्टर के वैज्ञानिकों ने अध्ययन

के अन्तर्गत गर्भवती महिलाओं के एक समूह को गाजर का रस दिया गया। साथ ही स्तनपान कराने वाली माताओं को भी शामिल किया गया। आगे चलकर देखा गया कि इन महिलाओं के बच्चों में गाजर तथा गाजर के रस के प्रति उनमें ज्यादा ललक एवं उत्साह था, वनिस्पत 39 बच्चों के जिनके माताओं ने गाजर नहीं खाये थे। बाद में इन वैज्ञानिकों ने अनेक प्रकार के फल तथा सब्जियाँ देकर इसी प्रयोग को दोहराया, सभी के परिणाम एक जैसे ही थे।

माँ के दूध पर रहने वाले बच्चे प्रारम्भ में हरी सब्जियों को नापसन्द करते थे, नाक भौं सिकोडते थे लेकिन जब उनकी माँ कुछ दिनों तक लगातार इन सब्जियों को खिलाया गया तो बच्चे भी कुछ दिनों के बाद उन्हें पसन्द करने लगे। शोध के अनुसार माँ बनने वाली तथा माँ बन चुकी माताओं को अपने शिशु के स्वास्थ्य के लिए अपने मनपसन्द स्वादिष्ट किन्तु स्वास्थ्यघातक व्यंजनों को न लें। स्वयं तथा शिशु के स्वास्थ्य के लिए प्राकृतिक आहार ब्रोकोली, गाजर टमाटर पालक, अंकुरित अनाज ताजे फल एवं ताजी हरी सब्जियों को खायें, उनका रस पीयें, इससे पूरी जिन्दगी शिशु का स्वास्थ्य सर्वोत्तम होगा।

भविष्य में बच्चों को डांटकर फिनिश मोर वेजीटेबुल कहने की नौबत नहीं आयेगी। गर्भावस्था में गर्भस्थ शिशु को अमनियोटिक फ्ल्युड तथा गर्भनाल द्वार तथा प्रसवोपरान्त स्तनपान-दूध द्वारा पौष्टिक हरी सब्जियों तथा फलों इत्यादि की आदत बच्चों में पहुँच जाती है। जब माँ नियमित पत्ते वाली या पौष्टिक आहार लेती है तो बच्चों में भी इन आहारों के प्रति स्वाद विकसित हो जाता है। प्रारम्भिक काल में कुछ जहरीले कसैले तीखे किस्म के पौधों में उपस्थित फाइटो केमिकल जिम्मेवार थे, परन्तु धीरे-धीरे विकास क्रम में पौधों का जहरीलापन कम होता गया और आदमी उन्हें फल, साग-सब्जियों के रूप में खाने लगा, वे उपयोगी एवं स्वास्थ्य रक्षक बन गये। परन्तु शिशुओं में मानव पुरखों के जातिगत स्वभाव के चलते जन्म से ही इन सब्जियों के तीखेपन एवं कसैलेपन के प्रति अनिच्छा होती है, जिसे माँ का दूध तथा गर्भनाल एवं गर्भजल ही दूर कर सकता है।

दुनिया में हर साल करीब दो लाख बच्चे एच.आई.वी. (एड्स) संक्रमित माँ का स्तनपान करने के कारण इस वायरस से ग्रस्त होते हैं। इससे बचने के लिए संक्रमित माँ को एंटीरेट्रो वायरल दवा देने या फिर उनके बच्चे को एच.आइ.वी. से लड़ने के लिए सिरप पिलाकर स्तनपान कराने से बच्चे को एड्स वायरस संक्रमण से बचाया जा सकता है। हालांकि माताओं का एंटी रिट्रो वायरल इलाज काफी खर्चीला है और इसके लिए अति आधुनिक सुविधाओं की आवश्यकता होती है जबकि बच्चों को दी जाने वाली सिरप पिलाना ज्यादा आसान एवं सस्ता है।

माँ के दूध के महत्ता का पत्ता इसी से चलता है कि आस्ट्रेलिया में माँ के दूध इन्टरनेट के जरिए ब्लैक में 50,000 रुपये प्रति लीटर बेचा जा रहा है। बेचने वालों के अनुसार माँ का दूध शिशुओं के लिए अमृत (Natural Elixir) है। इसमें मौजूद नाना प्रकार के एण्टी बॉडीज बच्चे को हर प्रकार से सुरक्षा प्रदान करते हैं, वहाँ की प्रसिद्ध गोल्ड कोस्ट बेस्ड मदर्स मिल्क

बैंक का शिशु आरोग्य आह्वान कि बच्चों को स्तनपान कराये इसीलिए इस बैंक की स्थापना की गयी है। सरकार से इसे बेबी फूड के रूप में मान्यता देने एवं सख्त नियम बनाने की मांग की गयी है।

भावप्रकाश में बताया गया है कि दूध पिलाते समय माता अपने सारे अंगों को प्रशस्त कर शुद्ध, स्वच्छ वस्त्र पहनकर पूर्वाभिमुख हो भली प्रकार आसन पर बैठे। सर्वप्रथम दायें स्तन को धोकर मंत्रों से अभिमंत्रित करके गोद में शिशु को लेकर धीरे-धीरे स्तनपान कराए। मूर्धन्य मन:चिकित्सकों के एक अध्ययन से यह बात सिद्ध हो गई है कि स्तनपान द्वारा बच्चे शरीर के साथ मन की भी भूख मिटाते हैं।

दूध छुड़ाते समय बच्चों को बड़ा कटु अनुभव होता है। उनके मन में कुण्ठा, भय, घृणा, आक्रोश तथा अपराध के भाव पैदा होते हैं। इन अचेतन भावनात्मक तरंगों के वशीभूत होकर कभी-कभी वह स्तन काट देता है। इसलिए बच्चे जितनी उम्र तक दूध पीते हैं, पिलायें। दूध छुड़ाने के चक्कर में बच्चों में उदासीनता, अविश्वास, उग्रता, क्रोध, घृणा, आक्रोश का भय घर कर जाता है, जो जीवनपर्यन्त रहता है। दूध छुड़ाने के समय बच्चों को और अधिक वात्सल्य, स्नेह एवं ममतामयी स्पर्श मिलना चाहिए। भूल कर भी कठोरता, कटुता एवं हठ के साथ दूध नहीं छुड़ायें। माताएँ कभी क्रोध, आतुरता, भय, व्यग्रता, घृणा तथा द्वेष की स्थिति में दूध नहीं पिलाएँ। अन्यथा इन सब कुण्ठाओं की अचेतन प्रतिक्रिया स्वरूप बच्चों में अँगूठा चूसना, अत्यल्प भोजन करना, उल्टी करना, धीरे-धीरे खाना, नाखून काटना, बटन, कपड़ा या अन्य चीजें चबाते रहना आदि असामान्य लक्षण दिखते हैं। माँ का दूध जल्द छूटने या तृप्ति नहीं मिलने से बड़े होने पर बच्चे तृप्ति की कोशिश में ज्यादा खाने लगते हैं, बकवास, वाचाल, होठ चबाना, पान, तम्बाकू तथा अन्य नशीली दवाइयों का व्यसन आदि अनेक विकृत आदतों से ग्रस्त हो जाते हैं। बच्चा 2-3 साल तक माँ का दूध ले सकता है, इससे अधिक दिन तक दूध पिलाने से बच्चों में असुरक्षा भाव, दूसरों का स्नेह व प्यार पाने के लिए उन्हें अपनी ओर आकृष्ट करना आदि असामान्य व्यवहार परिलक्षित होते हैं। बच्चों का दूध छुड़ाना वात्सल्यमय कला है। शिशु के जन्म लेते ही माँ का प्रथम दूध खिल 'क्लोस्टोरोमा' अवश्य पिलाना चाहिए। इसमें सभी प्रकार के रोगों से लड़ने की अपार क्षमता होती है।

डिब्बा बन्द दूध तथा आहार : जहर से कम है क्या?—बच्चों के स्वास्थ्य का सबसे बड़ा दुश्मन डिब्बा बन्द दूध तथा अन्य प्रचारित, विज्ञापित कथित पौष्टिक आहार हैं। डॉ. डेरिक बी. जेलिफ, डॉ. एम.सी. अब्राहम, डॉ. पी. सोयसा, डॉ. एम. टामसन, डॉ गइ, हैफवैडर आदि सैकड़ों विश्वविख्यात बाल रोग विशेषज्ञों ने सख्त चेतावनी दी है कि कृत्रिम डिब्बा बन्द दूध एवं कथित अन्य पौष्टिक आहार के प्रयोग से कुपोषण, एलर्जी, दस्त, गैस्ट्रोएंट्राइटिस, घातक संक्रमण एवं बाल मृत्यु आदि अनेक संघातक रोग हो जाते हैं। डिब्बा बन्द दूध में मिले रसायन काफी खतरनाक किस्म के होते हैं। विभिन्न प्रकार के डिब्बा बन्द आहारों में 3500 प्रकार के रसायन मिलाए जाते हैं। विभिन्न प्रकार की खुशबू एवं स्वाद पैदा करने के लिए ही करीब 3000

रसायन आहार में मिलाए जाते हैं। हाल ही में किये गये एक सर्वेक्षण के अनुसार सिर्फ इंग्लैंड में प्रति व्यक्ति प्रति साल 3 से 7 कि.ग्रा. रसायन डिब्बा बन्द आहारों के साथ खा जाता है। इन रसायनों में कुछ सुरक्षाकारक होते हैं जो आहार को काफी समय तक खराब होने से बचाते हैं जैसे सोडियम मेटा बाइसल्फाइट। इसे घर की औरतें भी जेम, जेली, मुरब्बा, चटनी आदि बनाने के काम में लेती हैं। आहार को मनमोहक रंग प्रदान करने वाले टाट्राजीन जैसे वर्णक कलरेन्ट तथा डिब्बा बन्द आहार को स्वादिष्ट बनाने वाले रसायन जलेबरिंग एजेन्ट, टैक्सचराइजिंग एजेन्ट होते हैं। इस समूह में हजारों रसायन हैं जो आहार में लोच एवं स्वाद पैदा करते हैं।

इन रसायनों की प्रतिक्रिया से खाद्य में अन्य हानिकारक रसायन पैदा हो जाते हैं, जो स्वास्थ्य के लिए अत्यधिक घातक सिद्ध होते हैं। उदाहरण स्वरूप टाट्राजीन वर्णक का प्रयोग हर प्रकार के खाद्यों में होता है। बाद में प्रयोगों से पता चला कि यह रसायन बच्चों के मानसिक अपविकास, आचरण सम्बन्धी दोष, अतिसक्रियता, त्वचा रोग तथा दमा आदि के लिए उत्तरदायी है। इस प्रयोग के बाद सन् 1981 ई. से फिनलैंड में इस पर पूर्ण प्रतिबन्ध लगा दिया गया। हाल ही में इंगलैंड के बर्मिंघम तथा ग्लूसेस्टरशायर क्षेत्र में पूर्ण प्रतिबन्ध लगा दिया गया है। इसी प्रकार फलों के रस में मिलाया जाने वाला सुरक्षाकारक डाई-एथिलपाइरो कार्बोनेट खाद्यों में स्थित अमोनिया से प्रतिक्रिया कर यूरीथेन नामक खतरनाक रसायन बनाता है। अमेरिका आदि देशों में इस पर प्रतिबन्ध लगाया गया है। उसी प्रकार प्रिजरवेटिव सल्फाइट ग्रुप भोजन में स्थित विटामिन 'बी' कॉम्पलेक्स को नष्ट कर एक्जिमा, त्वचा पर जलन व दाने पैदा करता है। लंदन के एक अस्पताल में उपर्युक्त रोगों से ग्रस्त बच्चों के भोजन से ऐसे आहार बन्द करते ही वे पूर्ण स्वस्थ हो गये।

सन् 1986 से अमेरिका में ताजे फल एवं सब्जियों के लिए सल्फाइट प्रिजरवेटिव पर रोक लगा दी गई है। माँस एवं अन्य आहारों का प्रिजरवेटिव नाइट्राइट एवं नाइट्रेट रसायन आहार में स्थित एमीन यौगिकों से प्रतिक्रिया कर कैंसर उत्पादक रसायन नाइट्रोसेमीन यौगिक में बदल देते हैं। रसना, कोकाकोला आदि कुछ कम्पनियाँ ट्रेड सीक्रेट के अन्तर्गत उनके द्वारा व्यवहृत रसायनों पर खुला परीक्षण नहीं होता है। बच्चे तथा आम आदमी स्वाद के वशीभूत होकर ऐसे आहारों द्वारा घातक रसायनों को उदरस्थ करने के लिए मजबूर है। लम्बे समय तक धातु तथा प्लास्टिक के डिब्बों में भोजन बन्द रहने के कारण उनके अंश भोजन में घुलकर इन्हें जहरीला बनाते हैं। प्रयोगों में डिब्बा बन्द आहारों में प्लास्टिसाईजरो आदि रसायनों का पता चला है।

पौष्टिक पदार्थों में मिलाये गये सोडियम ग्लोटाएट, सोडियम ग्लोटोमेट पोटाशियम ब्रोमेट आदि घातक रसायन हैं। इन रसायनों से मानसिक संतुलन गड़बड़ हो जाता है। मलेशिया के एक बाल रोग विशेषज्ञ ने स्पष्ट रूप से कहा है—"ये कम्पनियाँ विज्ञापन के बल पर बच्चों के स्वास्थ्य का खूब शोषण कर रही हैं, स्तनपान के स्थान पर डिब्बा बन्द दूध या पाउडर के प्रचलन से बच्चों की रोग-प्रतिरोधक क्षमता तेजी से कम हुई है अभाव एवं कुपोषण जन्य बीमारियां पनपी हैं, क्योंकि उसमें पूरा प्रोटीन, खनिज लवण, विटामिन आदि पोषक तत्त्व मिल नहीं पाते हैं।"

कुछ आइसक्रीम एवं सॉफ्ट ड्रिंक आदि आहारों में मादक पदार्थ भी मिलाये जाते हैं, जिससे बच्चे उस आहार के प्रति व्यसनी हो जाते हैं और व्यापारियों को लाभ होता है।

माँ के दूध में इम्यूनोग्लोक्सि, ल्यूकोसाइट्स तथा उच्च किस्म का लाइपिड्स इत्यादि तत्त्व होते हैं, जो शरीर की रोग-प्रतिरोधक क्षमता को बढ़ाते हैं। कृत्रिम दुग्ध एवं अन्य आहारों में इन तत्त्वों का पूर्णतया अभाव होने से बच्चे अनेक रोगों के शिकार बन जाते हैं। इसी प्रकार कृत्रिम आहारों में टॉनिक के रूप में तरल प्रोटीन लेना मौत को आमन्त्रण देना है। अमेरिकी खाद्य और औषध प्रशासन के पोषण विशेषज्ञ डॉ. थियोडोर वान, रोग नियन्त्रक केन्द्र के डॉ. हेराल्ड सोर्स ने सख्त चेतावनी दी है कि तरल प्रोटीन खतरनाक जहर है। इसके प्रयोग से एक माह में 31 व्यक्तियों की मृत्यु हो गई तथा 133 व्यक्ति विभिन्न रोगों से ग्रस्त होकर मौत से जूझ रहे हैं।

पृथ्वी का अमृत दही

आयुर्वेद के प्राय: सभी प्राचीन ग्रन्थों में दही के रोगहारी एवं स्वास्थ्यवर्द्धक गुणों का खूब बखान किया गया है। इन आयुर्वेद ग्रन्थों के अनुसार दही अग्निदीपक, स्निग्ध, किंचित कषाय रस युक्त, गुरु, विपाक में अम्ल रस, ग्राही, पित्त, रक्तविकार, शोथ, मेद और कफ को उत्पन्न करने वाला है। यह मूत्रकृच्छ, जुकाम, शीत, विषम ज्वर, अतिसार, अरुचि तथा कृशता को दूर करने वाला, बल तथा शुक्रवर्द्धक है। दहियों में गौ-दुग्ध के दही को श्रेष्ठ माना गया है।

भावप्रकाश निघण्टु में गाय के दही को मधुर, अम्ल, रस युक्त, रुचि उत्पन्न करने वाला, पवित्र, अग्नि दीपक, हृदय के लिए हितकर, पुष्टिकारक, वातनाशक तथा सर्वोत्तम बताया गया है। भैंस के दही को अत्यन्त स्निग्ध, कफजनक, वात तथा पित्तनाशक, मधुर रस युक्त, वीर्यवर्द्धक, गुरु तथा रक्त दूषित करने वाला कहा गया है। बकरी का दही उत्तम, लघु, ग्राही, त्रिदोषनाशक, अग्निदीपक तथा श्वास, खाँसी, अर्श, क्षय तथा कृशता को दूर करने वाला बताया गया है। दही बेजोड़ रसायन है। दूध से बने दही में गुणात्मक परिवर्तन होता है। दही में दूध के गुण नहीं रह जाते हैं, उसमें श्रेष्ठ किस्म के अनेक पोषक तत्त्व पैदा हो जाते हैं। देश-विदेश के अनेक आयुर्विज्ञानियों ने यह शोध किया है कि सात्मीकरण की दृष्टि से दही की गुणवत्ता माँ के दूध के बराबर हो जाती है। प्रयोगों से देखा गया है कि आधे घण्टे के अन्दर दही तथा माँ के दूध का अवचूषण एवं सात्मीकरण 65 प्रतिशत होता है। वहीं जानवरों का दूध मात्र 5 प्रतिशत ही अवचूषित हो पाता है। दही में यह विशेषता किण्वन तथा खमीरीकरण प्रक्रिया द्वारा जमने के कारण आ जाती है। दही में अत्यन्त उपयोगी जीवाणु होते हैं, जो स्वास्थ्य सम्वर्द्धन तथा रोग निवारण में अति महत्त्वपूर्ण भूमिका निभाते हैं।

हमारी आँतों में भी मित्र जीवाणु होते हैं, जिन्हें बैक्टीरियल फ्लोरा कहते हैं। सुप्रसिद्ध आयुर्विज्ञानी मेचिनिकॉफ्फ ने इसे 'लैक्टोबेसिलस एसिडोफिलस' नाम दिया। ये आंतों में शत्रु पैथोजेनिक कीटाणुओं से 24 घंटे लोहा लेकर हमारे स्वास्थ्य की रक्षा करते हैं। कब्ज की स्थिति में विरेचक औषधि लेने से मित्र जीवाणुओं की अत्यधिक हानि होती है। वे भी बाहर निकल जाते हैं। फलत: व्यक्ति जीर्ण कब्ज का शिकार हो जाता है। गलत खान-पान के कारण, पेट के ऑपरेशन की स्थिति में, शत्रु पेथोजेनिक आर्गेनिज्म करोड़ों की संख्या में सम्वर्द्धित होकर

वैक्टिरियल फ्लोरा लैक्टोवेसिलस एसिडोफिलस का संहार करते हैं। इस प्रकार मित्र बैक्टीरिया की संख्या कम होने से व्यक्ति नाना प्रकार के रोगों के चंगुल में फँसता है। इसकी पूर्ति के लिए डॉ. स्कॉल्लॉफ्फ ने प्रचुर मात्रा में 'एसिडोफिलस मिल्क' पीने की सिफारिश की है। दूध का शर्करा लैक्टोज आँतों में टूट जाता है और कुछ ऐसे तत्त्व बनाता है जो एसिडोफिलस मिल्क तैयार करते हैं। ये अम्लीय वातावरण तैयार करते हैं जिससे शत्रु रोगाणुओं का नाश होता है। लैक्टोज मृदु विरेचक भी है, कब्ज को दूर करता है। लैक्टोज कैल्शियम, फॉस्फोरस, मैग्नेशियम के अवशोषण तथा सात्म्यीकरण भी करता है। यह आँतों में विटामिन बी-6 तथा बी-2 का निर्माण भी करते हैं। लेक्टोज का मूल स्रोत मात्र दूध ही है।

दही बनाने के लिए दूध को उबालकर थोड़ा ठण्डा कर जामन डालते हैं। जामन में मुख्य रूप से बैक्टीरिया यीस्ट तथा गोल्ड होते हैं। अच्छी गुणवत्ता के जामन में स्ट्रप्टोकोकसलैटिस होता है। ये ही लैक्टिक अम्ल का निर्माण करते हैं। दही में इसके अतिरिक्त स्ट्रप्टोकोकस क्रीमोरिस, स्ट्रप्टोकोकस, स्ट्रोप्टोकोकस पैरा सिट्रोबोरस, स्ट्रेप्टोकोकस सिट्रोबोरस, स्ट्रेप्टोकोकस डाइएसिटील एरोमेटिक्स, ल्यूकोनास्टक सिट्रोबोरस तथा ल्यूनास्टक, टेक्स्ट्रानिकम आदि उपयोगी कीटाणु (Beneficial Bacteria Probiotics) पाये गये हैं। मुख्य रूप से बुल्गेरियन औरिजीन के 'लैक्टोबेसिलस बुल्गेरिस' जीवाणु लैक्टिक अम्ल पैदा कर दही की खटास को बढ़ाते हैं। उपर्युक्त जीवाणुओं के कारण ही दूध से दही बनता है तथा उसमें विशिष्ट सुगन्धि पैदा होती है। स्ट्रेप्टोकोकस लैक्टिस तथा स्ट्रोप्टोकोकस क्रीमोरस दूध के शर्करा लैक्टोज को किण्वन प्रक्रिया से लैक्टिक एसिड तथा लैक्टोज एन्जाइम बनाते हैं। ये मित्र जीवाणु 10 से 40°C तापमान तक सक्रिय रहते हैं। इनकी सर्वाधिक सक्रियता 21°C पर होती है। यही कारण है कि मधुर दही जमने के लिए मध्यम तापमान 20 से 25°C होना चाहिए। खूब गर्म या खूब ठण्डी में दही अच्छी तरह नहीं जमता है।

लैक्टेज एन्जाइम लैक्टोज को ग्लूकोज तथा गैल्क्टोज में विघटित कर देते हैं। लैक्टिक अम्ल जीवाणु ग्लूकोज तथा गैलक्टोज पर क्रिया करके लैक्टिक अम्ल में परिवर्तित कर देते हैं। उपर्युक्त सभी मित्र जीवाणु दूध के साइट्रिक अम्ल को किण्व प्रक्रिया द्वारा डायएसिटिल मेथिल कार्बिनाल में बदल देते हैं। फलतः इन विभिन्न यौगिकों के कारण दूध से निर्मित दही मनमोहक सुगन्धित वाला बन जाता है। उपर्युक्त सभी जीवाणुओं के क्रियाशील होने के लिए लैक्टिक अम्ल आवश्यक है। लैक्टिक एसिड 1 प्रतिशत से ज्यादा होने पर प्रमुख जीवाणु स्ट्रेप्टोकोकस लैक्टिस की क्रियाशीलता समाप्त होने लगती है। परन्तु लैक्टोबेसिलस बुल्गेरिस की सक्रियता बढ़ने से दही की अम्लता बढ़ती है। दही अधिक खट्टा होने से जीवाणु भी निष्क्रिय होने लगते हैं। खट्टे दही में मित्र जीवाणुओं की सक्रियता समाप्त होकर अन्य हानिकारक जीवाणुओं की सक्रियता बढ़ने लगती है।

आंतों में मित्र जीवाणु बैक्टीरियल फ्लोरा व लैक्टोबेसिलस एसिडोफिलस की सक्रियता एवं संख्या बढ़ाने के लिए बराबर ताजे दही का प्रयोग करें। डॉ. जे.जी. डेविश तथा डॉ. लाट्रो (इंग्लैंड) डॉ. ताशोतारोव (बुल्गारिया) ने गैस्ट्रोएन्टरटाइटिस, कोलाइटिस, कब्ज, पित्ताशय एवं

यकृत के रोग, वायुफुल्लता, माइग्रेन, स्नायविक तनाव तथा थकान के लिए दही को अति उपयुक्त बताया है। कुछ आयुर्विज्ञानियों के शोधों के अनुसार दही एक घंटे में 91 प्रतिशत जबकि दूध की मात्रा 32 प्रतिशत ही अवचूषित एवं सात्म्यीकृत होता है। डॉ. जान जी. डेविस, डी.एस.सी. (इंग्लैंड) ने अपने विभिन्न प्रयोगों से सिद्ध किया है कि दही पेट एवं आँतों में सड़न क्रिया को रोकता है। यह पाचन अवशोषण तथा चयापचय क्रिया को सुव्यवस्थित करता है। दही कब्ज, चर्म तथा मधुमेही अल्सर की अकसीर औषधि है। ऑयल लिवरपूल अस्पताल में 6 माह के गैस्ट्रोइन्टरटाइटिस तथा कृमि रोग से ग्रस्त बीस बच्चों पर तीन सप्ताह दही का अनुसंधानात्मक प्रयोग किया गया। वे रोग, रोगाणु एवं कृमि से मुक्त हुए तथा साथ ही साथ मित्र जीवाणु लैक्टोबेसिली का सम्वर्द्धन अति तीव्र वेग से हुआ। दही बच्चों के मंदाग्नि, दस्त तथा कब्ज की उत्तम औषधि है।

अमेरिकी प्रो. जार्ज बी., ने अफ्रीका के जंगलों में रहने वाले मसाई जाति के कबीले के एक समूह की परीक्षा की। वे इस निष्कर्ष पर पहुँचे हैं कि कोलेस्ट्रॉल युक्त विभिन्न आहार मांसादि खाने पर भी उनका रक्त कोलेस्ट्रॉल सामान्य रहता है। वे दिल, थ्रोम्बोसिस तथा उच्च रक्तचाप बीमारियों से बचे रहते हैं। इसका एकमात्र कारण यह है कि ये लोग दही खूब जाते हैं। दही में कुछ ऐसे तत्त्व होते हैं जो कोलेस्ट्रॉल को बनने नहीं देते हैं। रूसी आयुर्विज्ञानियों ने अपनी सर्वेक्षणात्मक खोजों से यह सिद्ध किया है कि उम्र बढ़ाने तथा बुढ़ापे को रोकने के लिए दही सर्वश्रेष्ठ आहार है। दही में प्रोटीन Ca, K, Zn, F तथा विटामिन बी-12 असाधारण रूप से बढ़ जाता है। जो दूध नहीं पचा पाते हैं, उन्हें दही लैक्टेज एन्जाइम के कारण आसानी से पच जाता है। मित्र जीवाणुओं के कारण दही दूध की अपेक्षा बिना खराब हुए ज्यादा देर तक टिकता है। दूध को बिना उबाले अथवा उबालकर रखने के बाद बिना जामन डाले स्वत: जमने वाले दही से दुर्गन्ध आती है। इसमें वायुमण्डल से हानिकारक अवांछित कीटाणु दूध में प्रवेश कर दही को जमा देते हैं। जमाये गये दही में मित्र जीवाणुओं की संख्या अत्यधिक होने के कारण हानिकारक कीटाणुओं की दाल नहीं गलती है।

चरक संहिता के अनुसार दही अतिसार, विषम ज्वर, शीत ज्वर, अरुचि, मूत्रकृच्छ, शरीर तथा मन की कमजोरी को दूर करता है। दही को बेसन में मिलाकर शरीर पर उबटन लगाने से शरीर कांतिवान बनता है। दही से सिर धोयें, रूसी खत्म होती है, बाल घने एवं काले होते हैं। दही में कुछ भी न मिलायें, दही खाने से भाँग का नशा उतरता है। फोड़े, सूजन तथा जल जाने पर पानी निकला दही बाँधते रहें। दही एन्टीबायोटिक्स के लिए एण्टीडोट्स का काम करता है। दही के साथ हल्दी खाने से पीलिया रोग दूर होता है। कुछ आयुर्विज्ञानियों के अनुसार दूध कोलेस्ट्रॉल को बढ़ाता है। हृदय रोग एवं थ्रोम्ब्रोसिस के लिए हानिकारक है किन्तु दही कोलेस्ट्रॉल को कम करता है। दूध मोटापा बढ़ाता है, वहीं दही मोटापा कम करता है। अमेरिका विसकोनसिन विश्वविद्यालय के डॉ. टामस रिचर्डसन ने 'दूध कोलेस्ट्रॉल को बढ़ाता है' इस तथ्य को निराधार साबित किया है। उन्होंने कुछ अफ्रीकी युवाओं पर दूध का अत्यधिक प्रयोग करके देखा कि उनका कोलेस्ट्रॉल प्रतिशत सामान्य रहा तथा कॉरनरी धमनी भी क्षतिग्रस्त नहीं हुई।

दही श्रेष्ठ सौन्दर्य प्रसाधन है। मौसमानुसार खीरा, ककड़ी, गाजर, लौकी, तोरई किसी अन्य सब्जी को कस कर उसमें दुगुना दही मिलाकर गर्दन तथा चेहरे पर आधा घण्टे के लिए लेप करें, फिर पानी से धोयें। यह रुक्ष त्वचा के लिए टॉनिक लेप है। दही तथा शहद को मिलाकर चेहरे पर लगा कर आधा घंटा के लिए छोड़ दें। यह नैसगिक मॉयस्चराइजर है। रुक्ष, निस्तेज एवं झुर्रीदार त्वचा इसके प्रयोग से निखरती है। तैलीय त्वचा के धब्बों को दूर करने के लिए दही, नींबू का रस तथा हल्दी को मिलाकर 20 मिनट के लिए लेप करें। चावल का आटा तथा दही मिला कर चेहरे पर गोलाई में मालिश करने से तैलीय त्वचा के कील, मुँहासे दूर होते हैं व चेहरा निखर उठता है। गाजर का रस तथा लस्सी मिलाकर धब्बे पर लगाएँ। दही तथा जौ, चावल या चने की भूसी, हल्दी तथा नींबू का रस अच्छी तरह पीसकर कमर, बाजुओं, पैरों, पीठ अर्थात् सारे शरीर पर लेप करने से शरीर की सुन्दरता बढ़ती है। खट्टे दही में नींबू का रस मिलाकर बालों का धोयें, निस्तेज व रूखे बाल स्वस्थ हो जाते हैं। नीम की चटनी में दही मिलाकर सारे शरीर पर लेप करें, चर्म रोग दूर होते हैं।

सलाद या पालक के पत्ते पर टमाटर, ककड़ी, खीरे के टुकड़े रखकर ऊपर से दही फैला दें। स्वादिष्ट दही तथा सलाद सैंडविच बन जाता है। अंकुरित मूँग, मोठ, मसूर, उबला आलू, टमाटर, उबली मटर, बारीक कटा सेब सौ-सौ ग्राम, 2 हरी मिर्च, एक प्याज बारीक कटा हुआ, गरम मसाला, एक नींबू रस तथा स्वाद के अनुसार नमक मिलाकर ऊपर से दो सौ ग्राम दही फैला दें। 50 ग्राम कच्चा धनिया काट कर सजा दें। स्वादिष्ट जोगुर्ट सलाद चाट बनायें। मनपसन्द फल, दही व पानी को मिक्सर में चलाकर फल की लस्सी बनायें। धीमी आँच पर ककड़ी, लौकी, गाजर अथवा किसी भी सब्जी को आधा उबाल कर दही में मिला दें। उसमें नमक, हरी मिर्च तथा जीरा भी डाल सकते हैं। दही के स्थान पर सोयाबीन का दही भी काम में लिया जा सकता है।

दूध से दही बनता है, एक ग्राम दही में सौ मिलियन प्रो बायोटिक्स बैक्टीरिया होते हैं, इनमें मुख्य रूप से लैक्टो बेसिलस एसिडोफिलस, एल. केसी, एल. बल्गेरिस होते हैं। ये आमाशय के तीव्र एसिडिक वातावरण में भी जीवित रहते हैं। ये बैक्टीरिया ऐसे एंटी बॉडीज पैदा करते हैं। जिससे किसी प्रकार का इन्फेक्शन नहीं होता है। यदि इन्फेक्शन हो गया है उसे दूर करते हैं तथा दुबारा नहीं हो इसका ध्यान रखते हैं। ये प्रो बायोटिक्स बैक्टीरिया इम्यून सिस्टम को शक्तिशाली बनाते हैं। कुछ खास प्रकार के कैंसर, हृदय रोग, नाक एवं गले का एलर्जी एवं इन्फेक्शन, सांसों की बदबू तथा पाचन सम्बन्धित गड़बड़ी को दूर करते हैं। एंटी बायोटिक दवाओं के दुष्प्रभाव से आँतों के प्रो-बायोटिक्स बैक्टीरियल फ्लोरा का संतुलन अस्त व्यस्त हो जाता है। उसे पुनः संतुलित करते हैं। सप्ताह में कम से कम तीन दिन भी दही छाछ लेने वाली महिलाओं को यूटीआइ (पेशाब का संक्रमण जलनादि) समस्या 80 फीसदी तक कम हो जाती है जापानी रिसर्च के अनुसार प्रतिदिन मात्र 100 ग्राम दही खाने से मुंह में बदबू पैदा करने वाले सोले बैक्टीरियम बैक्टीरिया हैलिटोसिस तथा अन्य बैक्टीरिया पनप नहीं पाते हैं। प्रो बायोटिक्स आँतों की कोशिकाओं में होने वाली कैंसरकारी बदलाव को रोक देते हैं। दही खाने से टोटल

कॉलेस्टरॉल कम होता है। अच्छे कॉलेस्टरॉल एच.डी.एल. की वृद्धि होती है। एथिरोस्क्लेरोसिस नहीं होता है। दही में स्थित एल. एसिडोफिलस महिलाओं के यीस्ट इन्फेक्शन से रक्षा करता है। दही में मौजूद प्रोबायोटिक्स एल केसी तथा बी फाइडम बीमारी से कमजोर इम्यून सिस्टम को शक्तिशाली बनाता है, जिनको दूध नहीं पचता है, लैक्टोज इनटॉलरेन्स है उनको एल. एसिडो फिलस एवं एल. थर्मोफिलस हजम एवं जज्ब होने की शक्ति को बढ़ाता है। बी लोंगम तथा एल एसिडोफिलस अत्यधिक कॉलेस्टरॉल लेवल को नियंत्रित करता है।

स्टेट यूनिवर्सिटी ऑफ न्यूयार्क के डेन्टल मेडिसिन के वैज्ञानिकों ने 36 स्वस्थ लोगों को जो दही खाते थे उनमें सिर्फ चार में सोले बैक्टीरियम बैक्टीरिया हैलिटोसिस पाया गया। जबकि दही नहीं खाने वाले सभी 21 मरीजों में ये बैक्टीरिया सांसों में दुर्गन्ध फैला रहे थे। ये बैक्टीरिया मुंह में फैलकर दुर्गन्ध फैलाने वाले सल्फर के यौगिक हाइड्रोजन सल्फाइड पैदा करते हैं जिनका प्रभाव दही खाने से उदासीन हो जाता है। दही नाक के कीटाणुओं को नष्ट कर देता है जो न्यूमोनिया तथा गले का इन्फेक्शन पैदा करता है। आयुर्वेद तथा चीनी चिकित्सा पद्धति में रात्रि को दही तथा फर्मेन्टेड फूड लेने की मनाही है।

आयुर्वेद विज्ञानियों के अनुसार सुबह 6 से 10 बजे तक कफ निष्क्रिय तथा कमजोर होता है, 10 से 2 बजे तक मध्य पित्त (पाचक रस) सक्रिय तथा मजबूत होता है तथा 2 से 6 बजे तक वात सक्रिय एवं प्रबल सबल होता है। कुछ आयुर्वेदज्ञों का मानना है कि दही या छाछ के साथ भोजन नहीं करें। रोटी चावलादि का पाचन प्रारम्भिक अवस्था में शुरू होने से पूर्व पचित दही या फर्मेन्टेड आहार हल्की होने से दोनों का मेल अच्छी तरह नहीं हो पाता है। क्यों इनका पाचन अगले चरण में होता है। दोनों मिलाकर खाने से पचा अधपचा आपस में मिलकर गैस एसीडिटी आदि समस्यायें पैदा होती हैं। पाचक जठराग्नि का सम्बन्ध सूर्य से भी जुड़ा हुआ है। दोपहर में पाचक रस भी ज्यादा सक्रिय होकर भोजन को पचा डालता है। सूर्यास्त के साथ जठराग्नि भी मंद होने लगती है। पाचक रस निष्क्रिय होने लगते हैं। अतः रात्रि या शाम के भोजन के साथ दही छाछ या फर्मेन्टेड आहार उपद्रव पैदा करते हैं। दही छाछ या फर्मेन्टेड आहार को दोपहर में अकेले खाने से शीघ्र पच जाता है। आयुर्वेद के अनुसार दही का सेवन वात पित्त व कफ उपशामक घी शक्कर चना तथा मधु के साथ खायें। इन्हें गर्म करके नहीं खायें।

दही—दही में रोग निवारक एवं स्वास्थ्यरक्षक जैव तत्त्वों की मात्रा—ह्वे जल (सम्पूर्ण दूध 85-88 प्रतिशत, मक्खन रहित 90-91 प्रतिशत), वसा (सम्पूर्ण दूध 5-8 प्रतिशत, मक्खन रहित दूध 3.3-3.5 प्रतिशत), दुग्धशर्करा (सम्पूर्ण दूध 4.6-5.2 प्रतिशत, मक्खनरहित दूध (4.7-5.3 प्रतिशत) लैक्टिक अम्ल 0.5-1.1, भस्म 0.7-0.75 प्रतिशत, कैल्शियम 0.12-0.14 प्रतिशत, फॉस्फोरस 0.09-0.11 प्रतिशत होता है।

मट्ठा (छाछ)

दही की मलाई निकालकर बिना पानी मिलाये मथने से जो छाछ घोल बनता है उसे पीने से कफ तथा पित्त का नाश होता है। चौथाई हिस्सा जल मिलाने से तक्र बनता है। यह लघु होने से मल संग्राहक, मधुर होने से पित्त-प्रकोपनाशक, अम्ल रस, उष्ण वीर्य, अग्निदीपक

वीर्यवर्द्धक तथा तृप्तिकारक होने से वातनाशक, कषाय रस, रुक्ष होने से कफनाशक होता है। आयुर्वेदविज्ञों ने इसे पृथ्वीवासियों के लिए देवताओं के अमृत के सदृश्य बताया गया है। छाछ शीतल, लघु, पित्त, श्रम, तृष्णा व वातनाशक, अग्निदीपक तथा कफकारक होती है।

छाछ पीने से कृमि, बवासीर, दस्त, मोटापा, अजीर्ण, अपच, कब्ज, खुजली, पेचिश, यकृत व प्लीहा वृद्धि, जलोदर, गठिया, दमा, अर्द्धांग लकवा, मलेरिया, पथरी, गर्भाशय के रोग, मधुमेह, हृदयरोग, रक्तचाप, भंग इत्यादि का नशा, रक्तातिसार, आक्षेप, उरक्षत, धूम्रदृष्टि, रतौंधी, ज्वर, सिरदर्द, मूत्रकृच्छ, गला बैठना, जलोदर, संग्रहणी, सूजन, पीलिया इत्यादि रोग ठीक हो जाते हैं।

स्नान के समय चने का बेसन तथा हल्दी में मट्ठा मिलाकर कुछ सप्ताह तक लगायें, सफेद दाग ठीक होते हैं। बासी मट्ठा को सिर को धोने से बाल झड़ना रुकता है। बासी मट्ठा से एक सप्ताह लगातार सुबह नहाने के 10 मिनट पूर्व चेहरे पर मलें झाइयां, झुर्रियां एवं दाग दूर होते हैं। हरी दूब तथा हल्दी मट्ठा में पीसकर लगायें अथवा नीम की पत्तियों को हल्दी, काली मिर्च को मट्ठे में पीसकर लगायें, दाद खुजली में लाभ करता है।

डॉ. जार्ज बी. मान ने एक अद्‌भुत तथ्य का पता लगाया है। उन्होंने प्रयोगों से देखा कि दही में कोलेस्ट्रॉल की मात्रा अधिक होती है फिर भी दही खाने से कोलेस्ट्रॉल का स्तर कम होता है। इस आश्चर्य का हल इस प्रकार किया है— डॉ. मान का मानना है कि दही में स्थित विशिष्ट बैक्टीरिया यकृत में कोलेस्ट्रॉल के निर्माण को रोकता है। वे अभी भी इस क्षेत्र में शोधरत हैं कि दही का वह कौन सा तत्त्व है जिसमें रोग-प्रतिरोध की आश्चर्यजनक क्षमता सन्निहित है।

दही जमने पर हल्के पीले रंग का पानी ऊपर छूट जाता है। दूध से दही जमने के दौरान लैक्टिक अम्ल की क्रिया से कैसिन पृथक होता है। कैसिन मिश्रित हल्के रंग का पानी ही 'ह्वे' कहलाता है। यह अत्यन्त सुपाच्य, स्नायविक टॉनिक, क्षतिग्रस्त ऊतकों का निर्माण करने वाला पोषक, बीमारों के लिए अमृत तथा रुग्ण एवं क्षतिग्रस्त आँतों को जीवन प्रदान करने वाला होता है। दूध से पनीर बनाते समय भी यह पानी निकलता है। यह पानी अत्यन्त पोषक तथा टूटी-फूटी कोशिकाओं को शीघ्र स्वस्थ कर नवजीवन का संचार करता है। दूध खट्टे आहार तत्त्व से क्रिया कर कैसिन युक्त हल्के पीले रंग का पानी पृथक करता है।

पनीर

पनीर घर पर ही बनाएँ। शुद्ध दूध को उबालते समय दही या नींबू डालकर फाड़ें। छानकर पनीर तथा उसका पानी (व्हे) अलग कर लें। यह दोनों ही सुपाच्य तथा श्रेष्ठ पथ्य हैं। आयुर्वेद के अनुसार पनीर लघु, रुचिकर, प्यास, दाह, रक्त, पित्त, ज्वर तथा मुखशोथ नाशक है। बाजारों में मिलने वाले पनीर में अनेक प्रकार के स्वास्थ्यघातक रसायन मिले होते हैं। इसमें इमल्सीफाइंग एजेन्ट के रूप में मोनो सोडियम फास्फेट, डाइसोडियम फॉस्फेट, ट्राइसोडियम फॉस्फेट, डाइ पोटाशियम फॉस्फेट, सोडियम मेटाफॉस्फेट, सोडियम एसिड पायरो फॉस्फेट, सोडियम टारट्रेट या सोडियम पोटाशियम टारट्रेट इत्यादि सूक्ष्म मात्रा में मिले रहते हैं जो धीमा जहर हैं। कृत्रिम कलरिंग एसिडफाइंग एजेन्ट के रूप में साइट्रिक, एसीटिक तथा फॉस्फोरिक अम्ल, मनभावन

रंग-सुगन्ध एवं स्वादिष्ट बनाने के लिए एलगिनिक अम्ल, पनीर को आकर्षक एवं मोटा बनाने के लिए संश्लिष्ट मिथाइल सेलुलोज, रंगीन पनीर, मारगेरिन आदि मिलाये जाते हैं।

वैज्ञानिकों ने यह सिद्ध किया है कि ये सभी रसायन गुर्दे, यकृत, हृदय, एवं फेफड़े आदि जीवनदायी अंगों को क्षतिग्रस्त करते हैं। कोशिकाओं को विक्षुब्ध कर कैंसर उत्पन्न करते हैं। पनीर में लपेटे जाने वाले कागज के प्लास्टिसाइनर्स पनीर में घुलकर जहरीला बनाते हैं। कुछ पनीर में पीला रजक द्रव्य भी मिलाया जाता है ताकि ग्राहकों को यह भ्रम रहे कि यह विटामिन 'ए' युक्त है। कीटाणुओं से बचाने के लिए इसमें पाइप्रोनिल ब्यूटोक्साइड पाइरेप्रिन्स से बने रसायन डाले जाते हैं। ये सभी रसायन घातक हैं। घर का बना हुआ पनीर ही काम में लें। इसमें प्रोटीन (केसिन), वसा तथा खनिज लवण पर्याप्त मात्रा में होते हैं। पुराना एवं प्रोसेस पनीर ठोस एवं रसायनयुक्त होने के कारण पचने में अत्यन्त भारी एवं रोगोत्पादक होता है। यह यकृत एवं गुर्दे को क्षतिग्रस्त करता है।

मलाई— मलाई में केसिन प्रोटीन, खनिज लवण, दूध, शर्करा तथा वसा होती है। यह पचने में हल्की होती है।

मक्खन— भावप्रकाश निघण्टु के अनुसार गाय का ताजा मक्खन परम हितकारी, वीयवर्द्धक, वर्ण को श्रेष्ठ बनाने वाला, बल तथा अग्निवर्द्धक, मल संग्राही, वात, पित्त, रक्तविकार, क्षय, अर्श, वात तथा कास को दूर करने वाला, बालक, वृद्ध के लिए अमृत तुल्य है। इसीलिए बालकृष्ण गोपाल का यह प्रिय आहार था। भैंस का मक्खन गुरु, वातश्लेष्माकारक, दाह, पित्त, श्रमनाशक तथा मेद व शुक्रवर्द्धक है। बाजार का मक्खन नहीं खायें। इसमें चर्बी तथा पनीर की तरह अनेक प्रकार के रसायन मिले होते हैं। पुराना मक्खन वमन, अर्श, कुष्ठ, कफ तथा मेद पैदा करने वाला तथा पचने में भारी होता है। मक्खन में प्रचुर मात्रा में ऊँची गुणवत्ता का विटामिन 'ए' होता है। जिन्हें घी नहीं पचता है वे मक्खन खा सकते हैं। मक्खन, त्वचा, नेत्र, नाड़ीमंडल एवं हृदय को स्वस्थ एवं सशक्त बनाता है। दूध से बने मावे में अनेक प्रकार के रसायन एवं अखाद्य पदार्थ मिलाये जा रहे हैं जिससे गुदे, यकृत व पेट के रोग तथा कैन्सर होते हैं।

घी

(वानस्पतिक नाम—Butrgrum Depurarum)

आयुर्वेद में घी को रसायन, स्वादिष्ट, नेत्रों के लिए उपयोगी, शीत वीर्य, अग्निदीपक, कान्ति, ओज, तेज, लावण्यवर्द्धक, स्वर को शुद्ध करने वाला, मेधा एवं स्मरणशक्ति-वर्द्धक, आयुवर्द्धक, बल्य, गुरु, स्निग्ध, कफज, विष, पित्त, वायु, उन्माद, शूल, व्रण, क्षय तथा रक्तविकार को दूर करने वाला होता है। भैंस का घी पचने में भारी होता है। हाथ-पैरों की जलन में घी को मलें। वजन तथा नेत्रज्योति वृद्धि के लिए दूध में घी मिलाकर पीयें। नकसीर तथा नाक की खुश्की में नाक में डालें, घृत नेति करें। जलने पर घी लगायें। खाँसी की स्थिति में अदरक घी मिलाकर गर्म कर खायें। नमक और घी मिलाकर छाती व पीठ की मालिश करें। माइग्रेन व सिरदर्द में पुराने घी से सिर तथा तलुए की मालिश करें। घी, काली मिर्च तथा गुड़ मिलाकर खाने से गला बैठना ठीक होता है। हृद्रोगी, थ्रोम्बोसिस, लकवा, उच्चरक्तचाप,

मोटापा, मधुमेह, यकृत एवं गुर्दे की सभी प्रकार की बीमारियाँ तथा आन्त्रशोथ में घी का प्रयोग नहीं करें। घी वसा ऊत्तकों का सम्वर्द्धन करता है तथा कोलेस्ट्रॉल को बढ़ाता है। पहले उप्पले पर दूध गरम करके जामन डालकर दही जमाया जाता था तथा उसे बिलोकर घी निकाला जाता था वही असली घी होता है। कच्चे दूध के मक्खन से बना घी 'बटर ऑयल' होता है। अब तो कृत्रिम दूध मक्खन, घी, मावा सभी कुछ नकली मिलने लगा है जो स्वास्थ्य के लिए सर्वाधिक घातक है।

शतावर

(वानस्पतिक नाम—Asparagus Racemosus Wild
अंग्रेजी नाम—Asparagus)

यह लिलिएसी (Liliaceae) परिवार की कन्द सब्जी है। इसे सतमूली, सतावरि तथा सरनोई भी कहते हैं। भावप्रकाश निघण्टु के अनुसार छोटी शतावर मधुर, तिक्त, रस युक्त, गुरु, शीतवीर्य, रसायन मेधा (धारण शक्ति) कारक, जठराग्निवर्द्धक, पुष्टिदायक, स्निग्ध, नेत्रों के लिए हितकर, मूत्रल, शुक्रवर्द्धक, स्तन्य दुग्धवर्द्धक, बलकारक, गुल्म, अतिसार, वात, पित्त, रक्त तथा शोथ दूर करने वाली होती है। बड़ी महाशतावरी (Asparagus Sarmentasus Linn) मेधा तथा हृदय के लिए हितकर, वृष्य, रसायन, शीतवीर्य, अर्श, संग्रहणी तथा नेत्र रोग को दूर करने वाली है। इन दोनों के अंकुर (कली) लघु एवं त्रिदोष, अर्श तथा क्षयनाशक होते हैं।

शतावर भारतवर्ष के समस्त उष्ण एवं समशीतोष्ण प्रान्तों में पायी जाती है। इसकी सूखी जड़ बाजार में मिलती है। यह उत्तरी भारत में अधिक पैदा होती है। इसमें पत्र की जगह पर चौथाई से आधी इन्च तक टेढ़े काँटे होते हैं। इसका क्षुप अनेक शाखाओं में लता की तरह फैला होता है। इसके फूल सफेद रंग के सुगन्धित तथा छोटे होते हैं। इसके फल नन्हे-नन्हे, गोल, पकने पर लाल होते हैं, जिनमें एक-दो बीज होते हैं।

इसके मूल स्तम्भ से श्वेत लम्बे गोल कन्द निकलते हैं। इसी का उपयोग आहार एव सब्जी के रूप में किया जाता है। दक्षिणी रूस, पोलैंड तथा साइबेरिया में शतावर की सब्जी अत्यधिक लोकप्रिय है। वहाँ मुख्य सब्जी के रूप में इसका उपयोग होता है। इसका तना पित्ताभ लाल होता है। इसके तने का स्वाद बहुत ही मधुर होता है। इसमें प्रचुर मात्रा में विटामिन तथा खनिज लवण होते हैं। अमेरिकन भी इसे बड़े स्वाद के साथ खाने लगे हैं। यह स्वास्थ्यवर्द्धक के साथ-साथ शक्तिवर्द्धक भी है। इसके सफेद कन्द (श्वेत मूल गुच्छे) भी स्वाद एवं स्वास्थ्य की दृष्टि से अति उपयोगी हैं। सफेद मूसली (Asparagus Adscendens Roxb) आदि 150 प्रकार की इसकी जातियाँ समस्त विश्व में पायी जाती हैं। इनमें Na, Ca, Fe प्रचुर मात्रा में होता है। इसमें एक विशेष प्रकार का नत्रजन तत्त्व 'एसपैरागिन' होता है जिसका प्रभाव बहुमूत्रल है। इसमें विटामिन तथा खनिज लवण प्रचुरता से हाता है। सेलुलोज भी प्रचुर मात्रा में मिलता है। फलतः इसके प्रयोग से पाचन संस्थान की सर्पिल गति एक लय-ताल में कार्य करती है। इसके तने जो सब्जी के रूप में प्रयुक्त होते हैं, यह सभी प्रकार के विटामिन व खनिज लवण के श्रेष्ठ स्रोत हैं। यह प्रबल क्षारीय आहार होने के कारण रक्त के अम्लत्व प्रतिक्रिया को संतुलित रखता

है। यह रक्त शोधन के साथ शरीर का भी शोधन करता है। इसका तना तथा मूलकन्द की सब्जी, रस व सूप के प्रयोग से यकृत व गुर्दे सम्बन्धी रोग, संधिवात, र्‍यूमेटिज्म तथा चर्म रोग ठीक होते हैं। इसका विशेष प्रभाव शरीर की उन ग्रंथियों पर होता है, जिससे रस निकलते हैं। यह गुर्दे, माँसपेशियों एवं अन्य अंगों में एकत्रित ऑक्जेलिक अम्ल के स्फटिक (Crystal) को तोड़, गलाकर निकाल बाहर करता है। यह पेशाब की मात्रा को बढ़ा देता है तथा पसीना निकालने की क्रिया को मन्द करता है। शतावरी में एक विशेष गंधक युक्त तेल होता है, फलत: इसके प्रयोग से पेशाब में एक विशेष प्रकार की गंध आती है। इसका रस गाजर के रस के साथ मिलाकर लेने से अति स्वादिष्ट लगता है। यह बहुमूत्रल का कार्य करता है। इसके कन्द एवं तने को कच्चा भी खाया जाता है लेकिन इसे उबालकर खाने से यह पचने में हल्का हो जाता है। इसके कन्द में 52½ प्रतिशत घुलनशील तत्त्व, 33½ प्रतिशत रफेज तथा 9 प्रतिशत जल होता है। जल में घुलनशील तत्त्वों में 7 प्रतिशत शर्करा तथा शुष्क कन्द में 4 प्रतिशत खनिज तत्त्व होते हैं। इसका रस या सूप पीने से नपुंसकता, शुक्रप्रमेह, नेत्ररोग, शुक्रतारल्य, अतिसार, ग्रहणी, मूत्रकृच्छ, पथरी, रक्तपित्त, अपस्मार रोग दूर होते हैं। इसके कन्द को दूध के साथ लेने से बल एवं मेधा वृद्धि होती है। इसके सिद्ध तेल का उपयोग सिर, चर्म तथा वातज व्याधि में होती है।

6 इंच के नौ ठण्डलदार शतावरी (करीब सौ ग्राम) में उपयोगी तत्त्वों की मात्रा विटामिन 'ए' 1000 अ.इ., बी-1 0.16, बी-2 20.19, बी-3 1.40, 'सी' 33, Ca-21, P-62, Fe-0.9, Na-2 तथा K-240 मि.ग्रा. होते हैं। आधुनिक खोजों से यह पता चला है कि शतावर कन्द में म्यूसिलेज पिच्छिल द्रव्य सैपोनिन तथा अन्य अनेक प्रकार के सूक्ष्म औषधीय रसायन पाये जाते हैं। ये पिट्यूटरी, एड्रीनल पर प्रभाव डालकर उनके हार्मोन स्राव को प्रभावित करते हैं। इसका सीधा प्रभाव हृदय संकोचन पर होता है। इससे रक्त शुद्धीकरण की क्रिया बढ़ जाती है। इसमें स्थित अल्फा तथा वीटा अमाइलेस एन्जाइम कार्बोज के पाचन में तथा लाइपेज एन्जाइम वसा के पाचन में सहयोग करते हैं। यह प्रबल टॉनिक है। वीर्य वृद्धि, शुक्र दौर्बल्य, गर्भस्राव, रक्तप्रदर, दृष्टि मंदता, स्तन्य क्षय, मूर्च्छा तथा हिस्टीरिया के लिए उत्तम औषधि है। इसका चूर्ण 5 से 10 ग्राम, क्वाथ 100 मि.ली. तथा ताजा स्वरस 15-20 मि.ली. तक लें। यह अन्त:स्रावी ग्रंथियों को सीधे प्रभावित करता है। महिलाओं के स्वास्थ्य के लिए यह उत्तम औषधि है। तने का प्रयोग छाल हटाकर करें। तने की छाल जहरीली होती है।

खुम्भी या छत्रक

(वानस्पतिक नाम—Agaricus Campestris अंग्रेजी नाम—Mushroom)

यह एगेरिकेसी परिवार की छत्रक सब्जी होती है। इसे भुई, मुंह फोड़, कुकुरमुत्ता साँप की छत्री, खुम्भी या धरती फूल आदि कहते हैं। यह सभी जगह होती है। बरसात में यह अपने आप धरती फोड़ कर निकलती है। यह कन्द है न मूल, पत्ता है न फल-फूल, फिर यह कौन सी सब्जी है? यह प्रकृति प्रदत्त अमूल्य सब्जी है। यह बिना बीज डाले लकड़ी, गोबर तथा वृक्षादिकों तथा कहीं भी उगनेवाली स्वास्थ्यदायी फफूंद (Fungi) हैं। इसका क्षुप 6-7 इंच ऊँचा, बिना डाल की एक डण्डी होती है जिस पर गोल छत्ते के आकार का छत्रक होता है। छत्र के नीचे अनेक

पतले पर्दे लटकते रहते हैं। इन्हें गिल (Gill) कहते हैं। इनमें अनेक बीजाणु होते हैं। आयुर्वेद की दृष्टि से संस्वेदज (छत्रक) शाक शीतल, दोषकारक, पिच्छिल, गुरु, वमन, अतिसार, ज्वर तथा कफज रोग उत्पन्न करने वाले होते हैं। श्वेत वर्ण वाले, पवित्र स्थान, काष्ठ, बाँस तथा गोबर पर उत्पन्न होने वाले कम दोषकारक होते हैं अन्यथा जंगली व अन्य जगह उत्पन्न होने वाले विषजन्य एवं पोषण की दृष्टि से हीन होते हैं। परन्तु आधुनिक आहार आयुर्विज्ञान की दृष्टि से ये छत्रक प्रकृति की अनमोल धरोहर हैं।

विटामिन 'बी' समूह की दृष्टि से छत्रक के मुकाबले का दुनिया में अन्य कोई आहार नहीं है। इसमें फॉलिक अम्ल सर्वाधिक पाया जाता है और विटामिन बी-12 जिसके सम्बन्ध में मान्यता है कि यह सिर्फ सामिष आहार से ही मिलता है, परन्तु इस दृष्टि से छत्रक का मुकाबला माँस भी नहीं कर सकता है। यही कारण है कि छत्रक पैरिनिसियस रक्तहीनता की उत्तम औषधि है। छत्रक को सूर्य की रोशनी में उगाये जाने पर उसमें विटामिन डी तथा सूर्य की किरणें पर्याप्त मात्रा में बनती हैं एवं अवचूषित होती हैं। यही एकमात्र ऐसा आहार है जो विटामिन डी की दृष्टि से समुद्री मछलियों का मुकाबला करता है। कृषि की गयी मशरूम की किस्में शिटेक, झूलिंग, रीशिइनोकी आदि में एण्टी कैंसर एवं एंटीवायरल गुण होते हैं। वास्तव में रीशि (Reishi) जंगली मशरूम गनोडर्मा लुसी डम (Ganoderma Lucidum) है। इसमें इजरायली वैज्ञानिकों ने कुछ ऐसे अणुओं की खोज की है जो कैंसर कोशिकाओं की वृद्धि को रोक देता है। यह रोग प्रतिरोधक क्षमता को बढ़ाता है। वैज्ञानिकों ने इनविट्रो ट्रायल्स के आधार पर सिद्ध किया है कि मशरूम का एण्टी कैन्सरस अणु कैंसर कोशिकाओं पर सीधे हमला कर नष्ट कर देता है। खासकर प्रोस्टेट के कैंसर का यह परम शत्रु है।

चौथाई कप छत्रक में स्थित थायमिन की श्रेष्ठता की तुलना चोकर केक से, रिबोफ्लेविन की तुलना संतरा से तथा नायसिन की तुलना हेलिबट (एक किस्म की समुद्री मछली) से की गई है। कुछ छत्रक जातियाँ जहरीली होती हैं। आयुर्वेद के अनुसार पतला व चमकीला छत्र, अनेक भंगुर, गिल समान लम्बाई के गड्ढे में उत्पन्न, तोड़ने पर नीले रंग के, स्वाद में कड़वे, दुर्गन्धित अम्ल, खराब डण्ठल के आधार पर कटोरी जैसी रचना, पकाने पर चमकीले पीले, छायादार स्थान पर उगने वाले तथा दुग्ध जैसे रस युक्त छत्रक अखाद्य एवं जहरीले होते हैं। दुर्गन्धहीन, श्वेत तथा गुलाबी, गिल गुलाबी बीजाणु गहरे बैंगनी, ठोस, घास या कचरे के ढेर पर होने वाले, छत्रक के नीचे कांड बलशाली छत्रक खाने योग्य तथा विष-हीन होते हैं। विषैले छत्रक की जातियों में विशिष्ट विषाक्त तत्त्व 'नारकोटिक' जहर होता है। ऐसी विषैली छत्रकों को खाने से स्तब्धता, लकवा, मिचली, सुस्ती, निद्रालु स्थिति तथा संधियों में शूल व दर्द के लक्षण दिखते हैं।

बाजार में खरीदने पर मिलने वाले तथा खेतों में उगाये जाने वाले छत्रक प्राय: विषैले नहीं होते हैं। अत: इन्हें नि:संकोच काम में लें। चौथाई कप छत्रक अर्थात् 100 ग्राम खुम्भी (छत्रक) में अनमोल पोषक एवं रोग-निरोधक तत्त्वों की मात्रा :- विटामिन बी-1 160 मा.ग्रा., बी-2 500 मा.ग्रा., बी-3 6 मि.ग्रा., 'सी' 1-8 मि.ग्रा., अँधेरे में उगाने पर विटामिन 'डी' 21

अ.ई. तथा प्रकाश में उगाने पर विटामिन 'डी' 63 अ.ई., पायरिडॉक्सिन 45 मा.ग्रा., बायोटिन 16 मा.ग्रा., पेन्टोथेनिक अम्ल 1700 मा.ग्रा., फॉलिक अम्ल न्यून मात्रा में, Ca-14 मि.ग्राम, P-98 मि.ग्रा., Fe-3.14 मि.ग्रा., Cu-1.79 मि.ग्रा., मैगनीज 0.08 मि.ग्रा. होते हैं। ये सभी तत्त्व श्रेष्ठ किस्म के होते हैं। छत्रक का प्रयोग गुर्दे की सूजन (Nephritis) में नहीं करें। इसमें प्रोटीन को पचाने वाला एन्जाइम भी पाया जाता है। यह मांस का पूरक माना जाता है। इसका सूप अतिस्वादिष्ट बनता है।

आस्ट्रेलिया की यूनिवर्सिटी ऑफ वेस्टर्न के वैज्ञानिकों ने खोज किया है चीन के उन प्रदेशों में जहाँ के लोग मशरूम का प्रयोग बराबर करते हैं वहाँ की महिलाएँ अपेक्षाकृत पाँच गुना ब्रेस्ट कैंसर से बची रहती हैं। मुख्य शोधकर्ता मिनझेंग (Minzhang) के अनुसार प्रतिदिन न्यूनतम औसतन 10 ग्राम यानि एक बटन मशरूम लेने पर कैंसर से जूझने एवं उसके रोकथाम की ताकत पैदा हो जाती है। एक अन्य अध्ययन के अनुसार मशरूम कैंसर के रोगियों का जीवन लम्बा कर देता है। यह रेडियो थैरिपि तथा कीमोथैरिपि के दुष्प्रभाव को भी कम कर देता है। मशरूम विशेष रूप से 'पोर्टबेलास नामक मशरूम में फाइटोकेमिकल 'चिटिन' होता है जो कॉलेस्टरॉल को नियंत्रित करता है।

कैंसर का डोक्सो रुबिलिन ड्रग द्वारा कीमोथैरिपि या रेडिएशन करने से शरीर में टी.जी.एफ. बीटा नामक कम्पाउण्डस का लेवल बढ़ जाता है जो ब्रेस्ट कैंसर की गांठों को फेफड़े तक फैला देता है। इसे नियंत्रित करने में मशरूम खास भूमिका निभाता है। मशरूम के महत्व को दर्शाने वाला ट्रू फल ऑफ द सेंचुरी नामक मशरूम है जिसकी नीलामी में 330,000 अमेरिकी डालर प्राप्त है। मकाऊ के कसीनो टाइकून स्टेनली हो ने ब्रिटेन तथा इटली में हुई नीलामी में सर्वाधिक बोली लगायी थी। यह खास मशरूम इटली के टस्कनी क्षेत्र में खोजा गया था। इसका वजन पूरे डेढ किलो है। बोली लगाने वालों में ब्रिटेन के डेमियन जैसे विख्यात आर्टिस्ट भी थे। स्टेनली हो की पत्नी एंजेला ल्योंग मशरूम को लेकर खूब फोटो खिचाई। जैसे उन्हें तो खुशी का खजाना ही मिल गया है। यह नीलामी मशरूम की महत्ता को दर्शाता है।

मशरूम में महान एण्टीऑक्सीडेन्ट 'ईरगोथियोनिन'' होता है। पेन्सिलवेनिया स्टेट यूनिंवर्सिटी के अन्वेषकों के अध्ययन के अनुसार परम शक्तिशाली ईरगोथियोनिन हर प्रकार के जीर्ण रोगों को ठीक करने की क्षमता रखता है। शिटेक तथा आएस्टर किस्म के मशरूम में ईरगोथियोनिन की मात्रा सबसे ज्यादा 85 ग्राम में 3 मिग्रा. होती है। प्रोटोबेलोज तथा केरेमिन प्रजाति के मशरूम में मात्र 5 मिग्रा प्रति 85 ग्राम पाया जाता है। गेहूँ तथा जौ के घास (ज्वारे) तथा मेथी में इरगोथियोनिन अल्प मात्रा में पाया जाता है। मशरूम को पकाने पर ईरगोथियोनिन की मात्रा कम नहीं होती है। कमाल का होता है ईरगोथिओन।

वर्तमान में भारतवर्ष में सर्वाधिक खुम्भी (मशरूम) की खेती हरियाणा में सोनीपत के आस-पास के गाँवों में वृहद स्तर पर की जा रही है। इस क्षेत्र के तेरह गाँवों के करीब सवा सौ खेतिहर परिवार मशरूम की खेती कर आत्मनिर्भर हो गये हैं। इस क्षेत्र में मशरूम का उत्पादन जून 88 में 840 टन हुआ है जिसका मूल्य एक करोड़ अड़सठ लाख रुपये हैं। कुल मशरूम

की 60 प्रतिशत बदना नामक गाँव में खेती की जाती है, जिनमें पचास किसान मशरूम से प्रतिवर्ष एक लाख रुपये से भी ज्यादा कमाते हैं। सिर्फ इस गाँव में प्रति दिन 40 क्विंटल मशरूम पैदा होता है।

ब्रेवर्स यीस्ट
(Brewers Yeast)

यीस्ट का प्रथम प्रयोग मिस्रवासियों ने किया। खायी जाने वाली सभी वनस्पतियों से यीस्ट बनती है। यीस्ट का आकार रक्त कोशिकाओं के बराबर होता है। वनस्पति शास्त्र की दृष्टि से यीस्ट या सैकरोमाइसीज एक मृतोपजीवी पौधा है जो कार्बनिक पदार्थ अंगूर, गन्ना, खजूर आदि शक्कर वाले घोलों में होता है। शक्कर इसका मुख्य आहार है इसलिए इसे शुगर फंगस या सैकरोमाइसेज कहते हैं। यीस्ट एककोशीय 10 म्यू का अण्डाकार एवं आयताकार होता है। इसके चारों तरफ सेलुलोज की दीवार होती है। इसके भीतर न्यूक्लीओप्रोटीन, बाल्युटिन के दाने, चर्बी, ग्लाइकोजेन, माइट्रोकाँड्रिया होते हैं। यीस्ट बनाने के लिए सर्वप्रथम श्रेष्ठ किस्म की वनस्पति का चुनाव करते हैं।

उत्तम किस्म के ब्रीड्स काम में लेते हैं जो यीस्ट पौधों से उच्चतम किस्म का यीस्ट बना सकें। यीस्ट पौधे में विटामिन, प्रोटीन, शर्करा तथा खनिज प्रचुर मात्रा में उत्तम किस्म का होना चाहिए। एक बड़े कुंड में यीस्ट कोशिकाओं को पैदा किया जाता है। यीस्ट की गुणवत्ता चुने गये पौधे पर निर्भर करती है। अब यीस्ट कोशिकाओं को पृथक कर सामान्य तापमान पर सुखाते हैं ताकि पोषक तत्त्व कम नहीं हों। फिर इसे चूर्ण या गोली के रूप में काम में लेते हैं। पौधे अपने उपयोग के लिए श्रेष्ठ किस्म के विटामिन प्रोटीन आदि अपने में इकट्ठा रखते हैं। इनके सूख जाने के बाद इनके खमीरीकरण द्वारा यीस्ट बनाकर मनुष्य अपने काम में लेकर स्वस्थ रहता है। ब्रेवर के यीस्ट में बी-1 5000 से 8000 भाग, बी-2 2500 से 4700 भाग प्रति सौ ग्राम में होता है। इसमें सभी प्रकार के आवश्यक 16 से 20 एमिनो अम्ल होते हैं।

यीस्ट का प्रसस दो प्रकार के एन्जाइम जाइमेज तथा इन्वर्टेज बनाता है। ऐसे शक्कर घोल में जहाँ ऑक्सीजन अधिक मिलता है वहाँ यीस्ट का निर्माण तेजी से होता है। ब्रेवर के यीस्ट में कैंसर से लड़ने वाले तत्त्व पाये गये हैं। थायमिन शरीर में सीधे अवचूषित नहीं होता है। सर्वप्रथम वह को-एन्जाइम कॉर्बोक्सीलेज में परिवर्तित होता है। यीस्ट में कॉर्बोक्सीलेज प्रचुर मात्रा में पाया जाता है जो विटामिन बी-1 तथा ए के अवचूषण एवं सात्मीकरण में सहयोगी है। यीस्ट में एक विशिष्ट तत्त्व रिबोन्यूक्लियक अम्ल होता है जो विकिरण से शरीर की रक्षा करता है।

यीस्ट में विकिरण लेथल किरण के प्रतिरोधी तत्त्व भी होते हैं। इसमें विटामिन बी-12 भी होता है। यीस्ट में विशिष्ट क्यूनोन्स यौगिक ग्रुप का प्रमुख तत्त्व को-एन्जाइम क्यू भी होता है। को एन्जाइम क्यू कोशिकाओं के ऊर्जा स्रोत माइट्रोकोण्ड्रिया के लिए अति आवश्यक रसायन है। शरीर में ऊर्जा कार्बोज के ऑक्सीकरण क्रिया के फलस्वरूप प्राप्त होता है। यह क्रिया कोशिकाओं के अन्तर्गत अनेक चक्रों में एन्जाइम तथा को-एन्ज़ाइम की सहायता से सम्पन्न होता

है। को एन्जाइम क्यू कोशिकाओं के अन्तर्गत ऊर्जा उत्पादक यान्त्रिकता को सुसंचालित करता है, उस पर नियन्त्रण रखता है। इसे अभी तक बनाया नहीं जा सका है। इसका मूल स्रोत यीस्ट तथा यकृत ही है।

आटे को गूँधकर 10-12 घंटे छोड़ देने से कुछ एन्जाइम के कारण आटे का स्टार्च शक्कर में बदल जाता है। यीस्ट में उपस्थित एन्जाइम जिन्हें जाइमेज कहते हैं, शक्कर का किण्वन करते हैं। फलतः कार्बनडाइऑक्साइड गैस बाहर निकल जाती है। ऐसे आटे की बनी रोटी सुपाच्य होती है। भोजन को पचाने तथा विटामिन 'बी' की पूर्ति हेतु यीस्ट की गोलियाँ खाते हैं। अंकुरित जौ से बियर, अंगूर के रस से शराब, ताड़ रस से ताड़ी, आलू तथा स्टार्च युक्त अनाजों से सान्द्र एथिल अल्कोहल बनाने में यीस्ट का प्रयोग किया जाता है। जौ को पानी में भिगोकर एक विशेष तापमान पर अंकुरित करते हैं। इसका स्टार्च डायस्टेज तथा माल्टेज एन्जाइम द्वारा शक्कर में रूपान्तरित हो जाता है। इसमें ब्रेवर्स यीस्ट मिलाकर बियर बनाया जाता है।

पान

(वानस्पतिक नाम—Piper Bettle Linn अंग्रेजी नाम—Betel Leaf)

यह पाइपरेसी परिवार का विख्यात बेल का पत्ता है। व्यापारिक स्तर पर इसकी खेती भारत, श्रीलंका एवं मालद्वीप में होती है। भारतीय इतिहास में पान का गौरवपूर्ण स्थान है। एक तरफ पान काम सम्वर्द्धक एवं उत्तेजना का प्रतीक है, वहीं यह धार्मिक तथा अन्य संस्कारों से जुड़ा हुआ है। प्राचीन भारतीय साहित्य पान के अनेक आख्यानों से जुड़े हुए हैं। आधुनिक आयुर्विज्ञान की दृष्टि से पान के पत्तों में उत्तेजक एवं मादक पदार्थों में तीक्ष्ण एवं दाहकारक तेल चविकोल, चविबेटॉल, यूजेनॉल का आइसोमेराइड, कँडनिन तथा सेंस्क्यूटर्पेन होते हैं। इसकी मात्रा 0.2 से 1 प्रतिशत तक होती है। चविकोल कोर्बोलिक अम्ल की अपेक्षा 5 गुणा तीव्र एण्टिसेप्टिक होता है। चविकॉल पान के पत्तों के रस में होता है। यही कारण है कि इसके पत्ते का रस डिप्थीरिया तथा अन्य कीटाणुओं का तेजी से संहार करता है। गाँठ, व्रण एवं शोथ में इसका स्वरस लगाकर पत्तों को गरम करके बाँधें। नेत्र रोग, मोतियाबिन्द व रतौंधी में इसके रस में सम मात्रा में शहद मिलाकर लगायें। पान में 0.8 से 1.8 प्रतिशत तक डायस्टेस, स्टार्च, शर्करा तथा टैनिन भी पाया जाता है। पुराने पत्तों में उपर्युक्त विभिन्न जैव सक्रिय रसायनों की मात्रा अत्यधिक होती है।

पान में स्थित डायस्टेस एन्जाइम स्टार्च तथा कार्बोज को पचाने में सहायता करता है। पान में स्थित पीपरीन बेहद मादक एवं उत्तेजक है। पान को चबाने से यह रसायन लार रस अधिक मात्रा में निकालता है जिसे हम थूक देते हैं। फलतः लार रस में स्थित सलाइवा एमाइलेस प्टाइलिन एन्जाइम की सक्रियता कम हो जाती है। आयुर्वेद मतानुसार पान उत्तम दीपन, विरादगुण युक्त, रुचिकर, उष्णवीर्य, कसैला, दस्तावर, वशकारक, तिक्त, कटु रस युक्त, क्षार गुण युक्त, रक्तपित्त उत्पादक, लघु, मुंह की दुर्गन्ध, मल, वात तथा श्रमनाशक होता है। भारतीय पान में सुपारी, चूना, कत्था, इलायची, मुलेठी, जावित्री आदि मिलाकर खाते हैं। इसका चूना मुंह तथा पेट के पतले म्यूकस मेम्ब्रेन में घुसकर जलन तथा प्रदाह पैदा कर क्षतिग्रस्त करता है। सुपारी

का विष आरकेडाइन तथा अल्कालायड आरकेलिन मुंह तथा गले के माँसपेशीय कोशिकाओं को बार-बार उत्तेजित एवं क्षतिग्रस्त कर सबम्यूकस फाइब्रोसिस जबडे में ताला लग जाना तथा कैंसर रोग पैदा करते हैं। प्रयोगों द्वारा देखा गया है कि लगातार पान खाने से व्यसन हो जाता है, फिर पान खाये बिना चैन नहीं पड़ता है। परिणामस्वरूप मुंह, गला तथा अन्न नली का कैंसर, क्षुधा की कमी, अजीर्ण, पेचिश तथा संग्रहणी हो जाता है। पान एवं तम्बाकू खाने के कारण ही विश्व में सर्वाधिक मुंह के कैंसर के रोगी भारत में हैं। हाल ही में राष्ट्रीय कैंसर बचाव कार्यक्रम द्वारा किये गये एक सर्वेक्षण के अनुसार अपने देश में कुल पन्द्रह लाख कैंसर के रोगी हैं, जिनमें पचास हजार सिर्फ उड़ीसा में हैं। उड़ीसा के प्रमुख 4 कैंसर संस्थान के एक सर्वेक्षण के अनुसार उड़ीसा में सर्वाधिक मुंह के कैंसर के रोगी है और इसका मात्र कारण लगातार पान चबाना है। उक्त निष्कर्ष 8633 कैंसर के रोगियों पर किये शोधात्मक सर्वे से प्राप्त हुआ है। मुंह के कैंसर के बाद दूसरा स्थान गर्भाशय कैंसर का है।

जर्दा एवं तम्बाकू वाला पान खाने से मुँह एवं गले का कैंसर रोगियों की संख्या सर्वाधिक भारत में है किन्तु रक्त कैंसर से बचने का शक्तिशाली उपाय पान के पत्ते में छिपा है। इंडियन इन्स्टीट्यूट ऑफ केमिकल बायोलॉजी के वैज्ञानिकों ने 'पाइपर' प्रजाति के पान में ऐसे जैव रासायनिक अणुओं की खोज की है जो रक्त कैन्सर के लिए यमदूत है। यह फाइटो केमिकल अणु क्लोरोजेनिक एसिड है जो सर्वाधिक खतरनाक किस्म का रक्त कैंसर 'क्रोनिक मायलॉयड (मायलोजीनस) ल्यूकेमिया के इलाज में सर्वाधिक एवं शानदार ढंग से असरकारी है। स्वस्थ कोशिकाओं पर इनका कोई दुष्प्रभाव नहीं होता है। भारतीय वैज्ञानिकों ने ही पान में 3-0-p कमारिल क्विनिक एसिड नामक परम शक्तिशाली फाइटो केमिकल की खोज की है। यह महान शक्तिमान फाइटो केमिकल सामान्य कोशिकाओं को बिना हानि पहुँचाये रक्त कैंसर के साथ-साथ अन्य कैंसर कोशिकाओं को भी जड़ मूल से नष्ट कर देता है। यह विश्व का पहला कैंसर विनाशक हर्बल ड्रग है।

शुरू-शुरू में पान खाने से मुंह में जलन व गले में जकड़न महसूस होती है। स्वाद लेने की क्षमता खत्म हो जाती है। जिह्वा स्थित स्वाद कलियों की संवेदनशीलता समाप्त हो जाती है। यहाँ तक कि मुंह में छाले पड़ जाते हैं। किसी-किसी में खूब बेचैनी, उत्तेजना, खूब पसीना आना तथा बेहोशी आदि के लक्षण दिखते हैं। पान में स्थित उड़नशील तेल में अनेक प्रकार के जैव सक्रिय रसायन होते हैं जो स्नायु संस्थान को तेजी से उत्तेजित कर सम्मोहक नशा पैदा करते हैं तथा कामातुर भी बना देते हैं। फिर भी ये तीव्र मादक नहीं होते हैं इसलिए इनका प्रभाव शीघ्र न होकर धीरे-धीरे होता है। यकृत एवं फेफड़े की सूजन, स्वर यंत्र के शोथ, न्यूमोनिया, दमा, तीव्र खाँसी में पान का रस 5 सी.सी. शहद मिलाकर दें तथा इसके पत्ते को तवे पर अरंडी के तेल या घी में किंचित गर्म कर सेंकें। ऊपर से लपेट कर बाँधें। शीघ्र आराम होता है। 3-4 पत्तों का रस गरम पानी में डालकर गरारा करने से डिप्थीरिया तथा सभी प्रकार के गले का संक्रमण दूर होता है। अधिक पान के प्रयोग से दांत का क्षय, उम्र कम होना, बालों का सफेद होना तथा अन्य रोग होते हैं।

पापड़

आकार में विशाल किन्तु निर्गुण एवं बेकार आहार है। आयुर्वेद के अनुसार सीधे आग पर भूना पापड़ रोचक, अग्निदपीक, रुक्ष व किंचित गुरु तथा तला हुआ पापड़ ज्यादा भारी तथा न्यून गुण का होता है। सभी पापड़ों में मूंग का पापड़ हल्का व हितकर तथा चना व उड़द का पापड़ अपेक्षाकृत भारी एवं पौष्टिक होता है।

सुपारी

(वानस्पतिक नाम—Areca Catechu Linn
अंग्रेजी नाम—Betelnut Palm or Arecanut)

बूढ़ों से लेकर बच्चों तक का मनपसन्द आहार है सुपारी, परन्तु निरन्तर सुपारी खाना अति खतरनाक आदत है। इसके पेड़ ताड़ तथा नारियल की तरह होते हैं। दक्षिणी लाल सुपारी तथा सामान्य धूसर सुपारी ये दो किस्में प्रसिद्ध हैं। सुपारी को उबालकर या भूनकर खाने योग्य बनाते हैं। इसमें 15.30 प्रतिशत टैनिन होता है। इसमें पाइलोकार्पिन की तरह अरेकोलिन अल्कालायड होता है। ये दोनो ही तत्त्व खतरनाक विष हैं। ये स्नायु संस्थान को उत्तेजित करते हैं। आयुर्वेद के अनुसार यह शीत, रुक्ष, सम्मोहक, गुरु, शीतल, अग्निदीपक, रोचक, कफ, पित्त तथा मुंह की विरसता को नाश करने वाली है। कच्ची सुपारी मादक, जठराग्नि तथा दृष्टिनाशक होती है। चिपटे कृमि को निकालने तथा रक्त आँव में 10-15 ग्राम सुपारी के चूर्ण को छाछ के साथ औषध्यार्थ उपयोग करें। आसाम का ताम्बूल सुपारी महाकैंसरकारी है।

साबूदाना (Sago)

पामी परिवार के सदस्य Me-Iroxylon Sagu Rottb तथा एम. रुमफिल मार्ट (M. Rumphil Mart) नामक ताड़ जाति के पेड़ों के स्टार्च से उत्तम किस्म का साबूदाना बनाया जाता है। झाड़ीदार यूफोरबियेसी परिवार के मैनिहोट एसक्यूलेंटा क्रम्ज (Manihot Esculenta Craninzo तथा केसवा टेपिओका (Cassava Tapioca) के कन्द के स्टार्च से भी साबूदाना बनता है। शकरकन्द, आलू तथा अन्य स्टार्च युक्त आहार से भी स्टार्च को अलग कर यंत्रों या कपड़े की थैलियों से दानेदार बनाकर गरम हवा में सुखाते हैं। साबूदाना पौष्टिक तथा सुपाच्य होता है। बूढ़े, बीमार तथा दुर्बल व्यक्तियों को दूध या पानी में बनाकर देते हैं।

प्राकृतिक जैव रसायनों से सृजित शरीर में किसी प्रकार की खराबी या संक्रमण होने पर उसे नैसर्गिक जैव एण्टीबायोटिक्स व औषध द्वारा ही ठीक किया जा सकता है। संश्लिष्ट एण्टीबायोटिक्स व औषधि के प्रति शरीर तीव्र प्रतिक्रिया करता है क्योंकि ये शरीर के स्वस्थ कोशाणुओं को भी मारने लगते हैं, तथा ये शरीर के लिए विजातीय होते हैं। हमारे विविध आहार नैसर्गिक एण्टीबायोटिक तथा दिव्य औषध हैं तथा शरीर के लिए सजातीय होने से स्वास्थ्य का सम्बर्द्धन एवं संरक्षण तथा रोग एवं रोगाणुओं को नष्ट कर सदा आरोग्यवान एवं दीर्घायु बनाते हैं।

अन्य विभिन्न प्रकार के खाद्यों में पोषक तत्वों का तुलनात्मक अध्ययन

खाद्य	खायोभा	जल	प्रोटीन	वसा	खल.	सेलु.	कार्बो.	ऊर्जा	Ca	P	Fe	A	B_1	B_2	B_3	C
छत्रक	88	88.5	3.1	0.8	1.4	0.4	4.3	43	6	110	1.5	-	0.14	0.6	2.4	12
ब्रेवर्स यीस्ट	-	13.6	39.5	0.6	7.0	0.2	39.1	320	440	1490	43.7	66	6.0	4.0	40.0	-
सूखा यीस्ट	-	7.8	35.7	1.8	8.4	-	46.3	344	160	2090	21.5	-	3.20	-	27.0	-
शहद	-	20.6	0.3	-	0.2	-	79.5	319	5	16	0.9	-	-	0.04	0.2	4
ईख का गुड़	-	3.9	0.4	0.1	0.6	-	95.0	383	80	40	11.4	168	0.02	0.04	8.5	-
खजूर का गुड़	-	9.6	1.5	0.3	2.6	-	86.1	353	363	62	-	-	-	-	-	-
ईख का रस	-	90.2	0.1	0.2	0.4	-	9.1	39	10	10	1.1	6	-	0.04	-	-
चीनी	100	0.4	0.1	-	0.1	-	99.4	398	12	1	-	-	-	-	-	-
ताड़ी फर्मेंटेड	-	97.6	0.1	0.3	0.2	-	1.8	38	-	-	-	-	0.01	0.01	0.2	-
मीठी ताड़ी	-	84.7	0.1	0.3	0.7	-	14.3	59	150	10	0.3	-	-	0.04	-	-
भैंस का दूध	100	81.0	4.3	8.8	0.8	-	5.0	117	210	130	0.2	160	0.04	0.10	0.1	1
गाय का दूध	100	87.5	3.2	4.1	0.8	-	4.4	67	120	90	0.2	174	0.04	0.19	0.1	2
बकरी का दूध	100	86.8	3.3	4.5	0.8	-	4.6	72	170	120	0.3	182	0.05	0.04	0.3	1
औरत का दूध	100	88.0	1.1	3.4	0.1	-	7.4	65	28	11	-	137	0.02	0.02	-	3
सोयाबीन का दूध	-	80.0	4.4	2.0	0.4	0.3	2.1	35	24	69	1.5	43	0.07	0.04	0.3	6
गदही का दूध	100	89.9	2.1	1.5	-	-	6.5	48	80	-	-	-	0.06	0.03	0.1	10
दही (गाय का)	100	89.1	3.1	4.0	0.8	-	3.0	60	149	93	0.2	102	0.05	0.16	0.1	1

अन्य विभिन्न प्रकार के खाद्यों में पोषक तत्वों का तुलनात्मक अध्ययन

खाद्य	खायोभा	जल	प्रोटीन	वसा	खल.	सेलु.	कार्बो.	ऊर्जा	Ca	P	Fe	A	B_1	B_2	B_3	C
छाछ	100	97.5	0.8	1.1	0.1	-	0.5	15	30	30	0.1	-	-	-	-	-
पनीर	100	40.3	24.1	25.1	4.2	-	6.3	348	790	520	2.1	273	-	-	-	-
खीर	100	69.0	6.9	12.2	2.3	-	9.6	176	388	237	-	242	0.12	0.35	0.3	3
खोआ भैंस का	100	30.6	14.6	31.2	3.1	-	20.5	421	650	420	5.8	-	-	-	-	-
खोआ गाय का	100	25.2	20.0	25.9	4.0	-	24.9	413	956	613	-	497	0.23	0.41	0.4	6
मक्खन	100	19.0	-	81.0	2.5	-	-	729	-	-	-	3200	-	-	-	-
घी (गाय/भैंस)	100	-	-	100.0	-	-	-	900	-	-	-	-	-	-	-	-
तेल	100	-	-	100.0	-	-	-	900	-	-	-	-	-	-	-	-
सुपारी	-	31.3	4.9	4.4	1.0	11.2	47.2	249	50	130	1.5	30	-	-	-	-
अरारोट	-	16.5	0.2	0.1	0.1	-	83.1	335	10	20	1.0	-	-	-	-	-
कुलुनाशपाती की गिरी	-	63.7	2.5	7.7	1.1	-	32.0	144	20	80	1.2	-	-	-	-	-
पान का पत्ता	-	85.4	3.1	0.8	2.3	2.3	6.1	44	230	40	7.0	5760	0.07	0.03	0.7	5
कच्चा नारियल	-	90.8	0.9	1.4	0.6	-	6.3	41	10	30	0.9	-	-	-	-	2
नारियल दूध	100	42.8	3.4	41.0	0.9	-	11.9	430	150	140	1.6	-	0.08	0.04	0.6	3
नारियल पानी	100	93.8	1.4	0.1	0.3	-	4.4	24	24	10	0.1	-	0.01	-	0.1	2

अन्य विभिन्न प्रकार के खाद्यों में पोषक तत्वों का तुलनात्मक अध्ययन

खाद्य	खायोभा	जल	प्रोटीन	वसा	खल.	सेलु.	कार्बो.	ऊर्जा	Ca	P	Fe	A	B_1	B_2	B_3	C
कटहल का बीज	-	64.5	6.6	0.4	1.2	1.5	25.8	133	50	97	1.5	10	0.25	0.11	0.3	11
शुष्ककुमुद का बीज	-	10.0	17.2	2.4	3.8	2.5	64.0	346	36	294	2.3	-	-	-	-	-
हराकुमुद का बीज	-	84.6	3.9	0.7	1.1	0.9	8.8	57	49	15	-	-	-	-	-	-
मखाना	-	12.8	9.7	0.1	0.5	-	76.9	347	20	90	1.4	-	-	-	-	-
ताड़ की जड़ गिरी	-	11.2	5.2	0.5	2.9	-	80.2	346	20	160	4.2	-	-	-	-	-
अमचूर	-	6.8	2.8	7.8	4.9	13.7	64.0	337	180	160	45.2	-	-	-	0.7	41
गुठली का आटा	54	55.0	2.6	4.2	1.4	0.9	35.9	192	40	110	0.7	20	0.21	0.19	-	9
नीरा	-	-	0.4	-	0.5	-	10.9	45	-	140	0.1	-	0.02	-	-	13
पापड़	100	20.3	18.8	0.3	8.2	-	52.4	288	80	300	17.2	-	-	-	-	-
पोस्त दाना	-	4.3	21.7	19.3	9.9	8.0	36.8	408	1584	432	-	-	-	-	-	-
कोहड़ा की बीज	70															
		8.2														
			24.3	47.2	4.7	0.2	15.8	584	50	830	5.5	38	0.33	0.10	3.1	1
साबूदाना	-	12.2	0.2	0.2	0.3	-	87.1	351	10	10	1.3	-	0.01	-	0.2	-
इमली का बीज	-	9.9	16.1	7.3	1.6	1.0	64.1	387	121	237	-	-	-	-	-	-
तरबूज का बीज	-	4.3	34.1	52.6	3.7	0.8	4.5	628	100	937	7.4	-	0.13	0.20	1.3	-
छाना भैंस का	100	54.1	13.4	23.0	106	-	7.9	292	480	277	-	-	-	-	-	-
छाना गाय का	100	57.1	18.3	20.8	2.6	-	1.2	265	208	138	-	366	0.07	0.02	-	3

प्रति सौ ग्राम भैंस के दूध में Na-19.0, गाय के दूध में Na-16.0, Oa-2, K-140, Cl-15, बकरी के दूध में Na-11.0, के 110, गाय के दही में Na-32.0, K-130, अखरोट में Na-3.3, K-20, कटहल के बीज में Mg-54, Na-63.2, K-246, Cu- 0.19, S-356, Cl-14, कोलिन 52, ऑ. ए 4, फा. P- 40 मिली ग्राम होता है। प्रति सौ ग्राम भैंस के दूध में मुक्त फॉलिक एसिड 3.3, कुल फॉलिक एसिड 5.6, गाय के दूध में मुक्त फॉ. ए. 5.6, कुल फॉ ए, 8.5, बकरी के दूध में मु.फॉ ए 0.7, कुल फॉ. ए. 1.3 औरत के दूध में मुक्त फॉ. ए 1.3, दही (गाय) में मु.फॉ ए 3.3, कुल फॉ ए 12.5, विटामिन बी-12 भैंस के दूध में 0.14, गाय के दूध में 0.14, बकरी के दूध में 0.05, औरत के दूध में 0.02, भैंस के दही में 0.10, गाय के दही में 0.13, दूध के पावडर में 0.83, माइक्रो ग्राम होता है।

विविध खाद्य पदार्थों में उपस्थित आवश्यक एमिनो एसिड (प्रोटीन) का तुलनात्मक अध्ययन

खाद्य	कुल N ग्राम %	आर्ग	हिस	लाइस	ट्रिप्टो	फिए	टायरो	सिस	थ्रेओ	ल्यू	आल्यू	वैलि	मेथो
					ग्राम प्रति ग्राम N								
भैंस का दूध	0.69	0.20	0.13	0.49	0.09	0.27	-	0.19	0.30	0.64	0.33	0.38	0.17
गाय का दूध	0.51	0.22	0.17	0.50	0.09	0.32	0.30	0.05	0.28	0.60	0.34	0.40	0.16
बकरी का दूध	0.53	0.21	0.18	0.47	0.08	0.24	0.20	-	0.35	0.56	0.25	0.34	0.11
औरत का दूध	0.18	0.25	0.17	0.42	0.11	0.23	0.23	0.11	0.29	0.52	0.33	0.31	0.10
दही गाय का	0.50	0.20	0.10	0.48	0.09	0.33	0.37	0.06	0.31	0.68	0.32	0.47	0.17
पनीर	3.86	0.24	0.20	0.52	0.08	0.35	0.34	0.04	0.26	0.64	0.36	0.48	0.18
कटहल का बीज	1.06	-	-	0.36	0.07	0.26	-	0.06	0.27	0.33	0.30	0.41	0.05
तरबूज का बीज	5.46	0.90	0.13	0.17	0.09	0.27	-	-	0.14	0.40	0.31	0.26	0.16
ब्रेवर्स यीस्ट	6.32	0.31	0.16	0.57	-	0.30	0.26	0.06	0.35	0.50	0.37	0.46	0.10

दिव्य अमृततुल्य प्राणरक्षक औषधि आहार

(DIVINE & VIBRANT LIFE SAVING MEDICINAL PLANTS)

इसके अन्तर्गत निरापद प्रकृति की अद्भुत चमत्कारिक गुणों से परिपूर्ण प्राणरक्षक औषधि आहारों का वर्णन करेंगे। ये दिव्य निरापद एण्टीबायोटिक्स, जीवाणुहन्ता, रोग-निवारक, स्वास्थ्य-संरक्षक एवं स्वास्थ्य-सम्वर्द्धक गुणों से परिपूर्ण औषध आहार हैं। लेखक का यह अनुभव है कि ये प्राकृतिक चिकित्सा से जुड़कर चमत्कारिक प्रभाव डालती हैं तथा इनका गुण-धर्म प्राकृतिक चिकित्सा के अनुरूप है। ये शरीर से विषाक्त पदार्थों को बाहर निकालती हैं, रोग-प्रतिरोधक क्षमता को तेजी से बढ़ाती हैं, रक्त तथा लिम्फ संचार के अन्तर्गत हुये विषम परिवर्तन को सुधारती हैं। प्राकृतिक चिकित्सा के साथ जुड़कर प्राकृतिक चिकित्सा को समृद्ध एवं प्रबल शक्तिशाली बनाती हैं। लेखक ने प्राकृतिक चिकित्सा एवं इन चमत्कारिक दिव्य औषध आहारों के उपयोग से यक्ष्मा, बार-बार आने वाला मलेरिया तथा अन्य संघातक रोगों से मुक्ति दिलाने में सफलता पायी है। भयंकर घातक औषधि स्टरॉयड व अन्य संघातक एवं नशीली औषधियों के दुष्प्रभाव तथा उनसे मुक्ति पाने में इनका प्रयोग लेखक ने सफलता के साथ किया है। इन दिव्य औषध आहारों की मात्रा पर विशेष ध्यान रखें। चूँकि ये आहार औषध के रूप में प्रयुक्त होते हैं इसलिए इनकी मात्रा एक समय में 3 से 10 ग्राम तक ही लेनी चाहिए जिसका निर्देश विभिन्न आहार औषधों के साथ किया गया है। इन्हें प्रकृति एवं पर्यावरण मित्र जड़ी-बूटी (Nature Friendly and Eco Friendly Harmless Herbs) भी कहते हैं। प्रमुख औषध अहार निम्न हैं—

तुलसी

(वानस्पतिक नाम—Ocimum Sanctum Linn अंग्रेजी नाम—Holy Basil)

यह लेबिएटी परिवार की प्रमुख सदस्या है। यह वनौषधि साम्राज्ञी है। इसकी अनेक किस्में हैं। इनमें बर्बरी (ओसिमुम बासिलिकुम या स्वीट बेसिल), वन तुलसी (ओ. केनुम, अमेरिकेनुम, प. लामिणसी, रामतुलसी (ओ. ग्राटीस्सुम, ओ. सीट्रोनेटुम ओ. रोबूस्टुम), कर्पूर तुलसी (ओ. किलमेण्डशैरिकम गर्क, केम्फर बेसिल), इत्यादि होते हैं। प्राचीन काल से तुलसी की मुख्यत: दो किस्में प्रसिद्ध हैं—श्यामा तथा गौरी। नाम के अनुरूप श्यामा तुलसी काले रंग की तथा गौरी

सफेद रंग की होती है। श्यामा अपेक्षाकृत अत्यधिक गुणकारी है। इसके वानस्पतिक नाम ओसियम का अर्थ शाही व बेसिल का अर्थ पवित्र होता है। यह पवित्रतम शाही पौधा है। हिन्दू, यूनानी अर्थात् विश्व के अनेक ग्रंथों में तुलसी के आयुर्वैज्ञानिक एवं आध्यात्मिक माहात्म्य का विशद वर्णन किया गया है। ऐतिहासिक ग्रंथों के अनुसार ईसा की कब्र पर स्वत: उग आने के कारण तुलसी ईसाइयों का पवित्रतम पौधा बन गया। उनके यहाँ तुलसी उत्सव के रूप में 'सेन्ट बेसिल्स डे' मनाया जाता है।

प्राचीन आयुर्वेद ग्रंथ चरक संहिता, भाव प्रकाश, धन्वन्तरि, कैयदेव तथा राजवल्लभ आदि निघंटुओं में तुलसी के औषधीय गुणों पर विशद आयुर्वैज्ञानिक प्रकाश डाला गया है। इन ग्रन्थों के अनुसार तुलसी कटु, तिक्त, हल्की, उष्ण, हृदय के लिए हितकारी, त्वचा रोगों में लाभदायक, दुर्गन्धनाशक, पाचक, अग्निदीपक, दाह एवं पित्तकारक, भूख बढ़ाने वाली, ज्वर कीटाणुओं की नाशक, मूत्रकृच्छ, कुष्ठ, रक्तविकार, पसली की पीड़ा, दूषित कफ, वायु, हिचकी, खाँसी, विषविकार, कृमिदोष, उल्टी, हिस्टीरिया तथा आँखों की बीमारी को नाश करने वाली है। इसका बीज बल व वीर्यवर्द्धक, स्तम्भक तथा पौष्टिक होता है। तुलसी के गुणों का वर्णन पुराणों एवं उपनिषदों तथा अन्य पौराणिक, ऐतिहासिक ग्रंथों एवं मिथकों में सविस्तार किया गया है।

तुलसी प्राय: सभी जगह वन-उपवन में अपने आप उगने वाली होती है। धार्मिक दृष्टि से इसे घरों में लगाते हैं। यह एक से तीन फुट तक ऊँची, शाखाएँ फैली हुई, पत्ते 2.50 से 6 से.मी. लम्बे अण्डाकार होते हैं। शाखाओं के अन्त में मंजरी आती है। सालभर फूल खिलते हैं। इसके पत्ते तथा पंचांग अर्थात् प्रत्येक अंग से रुचिकर प्रिय तीव्र गन्ध आती है। फूल-फल आने के समय इस मनोहारी गंध में किंचित कमी आ जाती है। छाया में उगने वाले पौधों में गंध तीव्रतम होती है तथा पत्ते भी तेजी से बढ़ते हैं। इसकी गंध का मूल कारण इसके पत्ते में स्थिर पीले हरे रंग का 0.7 प्रतिशत उड़नशील तेल है। कुछ समय इस तेल को सुरक्षित रखने से यह तेल स्फटिकाकार हो जाता है। इसे तुलसी कपूर (Basil Camphor) कहते हैं।

इसमें तारपीन भी होता है। इसमें मुख्य जैव सक्रिय औषध रसायनों में टैनिन, सैपोनिन, ग्लाइकोसाइड्स तथा एल्कोलाइड्स होते हैं। इसमें अन्य अज्ञात बहुमूल्य जैव औषध रसायन भी होते हैं। इसके उड़नशील तेल में प्रबल रोगाणुनाशक रसायन यूजीनॉल मिथाइल ईथर 20 प्रतिशत काब्रोकोल होता है। इसमें विटामिन 'सी' 83 मि.ग्रा. तथा कैरोटिन 2.5 मि.ग्रा. होता है। तुलसी में स्थित प्रबल कीटाणु प्रतिकारक, जीवाणुनाशक ईथर निष्कर्ष टी.बी. के कीटाणु माइक्रोबैक्टिरियम ट्यूबरक्युलोसिस के अधिक बढ़ने पर शीघ्र प्रभावी होकर नियंत्रित करता है। इसमें टी.बी. जैसे संघातक कीटाणुओं को नाश करने की प्रबल क्षमता है। विभिन्न प्रयोगों से देखा गया है कि इसके स्वरस, निष्कर्ष तथा उत्पत् तेल में स्टेफिलोकोकस, आरियंस एस्केरेशिया कोलाई, प्रोटींस बल्गेरिस, साल्मोनेला टाइफोसा व क्लेवसिया न्यूमोनो जैसे घातक रोगाणुओं को समाप्त करने की बेजोड़ क्षमता है। तुलसी के बीज में पीले हरे रंग का तेल 17.8 प्रतिशत

होता है जिसमें सीटेस्टरॉल, पायिटिक स्टीयरिक, ऑलिक लिनोलिक तथा लिनोलेनिक वसाम्ल होते हैं।

तुलसी में मौजूद फ्लेवोनॉइडस यूजेनॉल तथा मायोकास्टिंग जैसे एण्टी कैंसरस फाइटो केमिकल होते हैं जो डीएनए के लिए सुरक्षा कवच होते हैं तथा कैंसर से 70 फीसदी बचाव करते हैं। तुलसी में एण्टी स्पास्मोडिक गुण के कारण यह पेट दर्द को ठीक करता है। हाल ही में टी.बी. की दवा स्ट्रेप्टोमाइसिन आइसोनिएजाइड के टक्कर का एण्टी बैक्टीरियल कम्पाउण्ड तुलसी में खोजा गया है। इसका तेल तो मलेरिया की अचूक औषधि है। यह शरीर में एण्टीबॉडी उत्पादन को बढ़ा देता है जिससे रोग प्रतिरोधक क्षमता में तेजी से वृद्धि होती है। तुलसी का रस डिप्रेशन तथा तनाव को दूर करता है। तुलसी बन्ध्यत्व पैदा करता है। परिवार नियोजन के लिए उत्तम औषधि है। प्रयोगों के दौरान देखा गया है कि महिलाओं में तुलसी एस्ट्रोजन हार्मोन के लेवल को कम कर देता है तथा पुरुषों में टेस्टोस्टरोन हार्मोन के लेवल तथा शुक्राणुओं की संख्या, गतिशीलता एवं जीवटता को कम कर देता है।

बीजों में पेन्टोस, हेक्जायूरीनिक अम्ल तथा भस्म आदि म्यूसिलेज भी होते हैं। बीज में एण्टी कोएगुलेट्स संघटक होते हैं जो रक्त में स्टेफिलोकाएगुलेस के प्रभाव को निष्प्रभावी बनाते हैं। तुलसी की माला तथा तुलसी का रस प्रोटोजोआ परेसाइट तथा मच्छरों तथा अन्य रोगाणुओं के विषाक्त प्रभाव को समाप्त करता है। तुलसी शरीर के जैव विद्युत चुम्बकीय शक्ति का तीव्रता से सम्वर्द्धन कर रोगाणुओं से रक्षा करता है तथा स्वास्थ्य को अक्षुण्ण बनाए रखता है। ढाई-तीन सौ साल से तुलसी के चिकित्सकीय गुणों ने आयुर्विज्ञान के क्षेत्र में तहलका मचा रखा है। तुलसी स्थित उड़नशील तेल तथा अन्य रसायन प्रबल कीटाणु अवरोधक, कफ नि:सारक, प्रतिदूषक, शीतहर, स्वेदजनक, दुर्गन्धनाशक तथा वातहर होता है।

सन् 1907 ई. में इम्पीरियल मलेरिया कान्फ्रेंस में पढ़े गये विभिन्न शोध पत्रों से यह बात स्पष्ट हो गई कि तुलसी के सेवन से मलेरिया का संक्रमण रुक जाता है। 29 अप्रैल, 1904 के टाइम्स पत्र में सरजार्ज वुडवर्ड ने लिखा था कि बम्बई गार्डन तथा अलवर्ट अजायबघर के निर्माण के समय मजदूर तथा अन्य कारीगर मलेरिया से भयंकर रूप से ग्रस्त हुए। एक हिन्दू मैनेजर की राय से वहाँ तुलसी की सघन खेती की गई। फिर मच्छर तथा मलेरिया दोनों से मुक्ति मिली। इम्पीरियल इन्स्टीट्यूट के डॉ. मोल्डिग तथा डॉ. पेली अपने शोधों से इस निष्कर्ष पर पहुँचे हैं कि तुलसी में स्थित उड़नशील सुगन्धित तेल निरंतर हवा में मिलकर मलेरिया व अन्य ज्वर फैलाने वाले विषाणुओं व कीटाणुओं को दूर भगा देता है तथा बचने पर उन्हें समाप्त कर देता है। इस प्रकार से तुलसी हमारी सर्वांग रक्षा करती है। इस तथ्य को सैकड़ों वर्ष का ग्रंथ अगस्त संहिता में दर्शाया गया है। तुलसी वन ढाई-तीन मील तक के वातावरण को शुद्ध, स्वच्छ एवं कीटाणु-विषाणु-रहित बना देते हैं।

औषधि के रूप में तुलसी के पत्ते का रस, पिसी हुई तुलसी के पत्ते की चटनी तथा गोली, तुलसी की चाय या क्वाथ काम में ली जाती है। तुलसी के पंचांग का काढ़ा भी औषधि के

रूप में प्रयुक्त होता है। तुलसी की जड़ का स्वरस या चूर्ण सुबह-शाम लेने से ओज तथा बल की वृद्धि होती है। निम्न रक्तचाप में इसका स्वरस शरीर पर मलने से स्नायु व रक्त परिभ्रमण की क्रिया सक्रिय एवं सतेज होती है।

प्रतिदिन सुबह 5-10 ग्राम तुलसी के पत्ते की गोली या चटनी व तुलसी के पत्ते का रस 10 मि.ली. एवं शहद 20 ग्रा. खाली पेट लेने से आमाशय व आँतों के सभी रोग, दस्त, मंदाग्नि, अरुचि, वमन, पेट के कीड़े, मुंह की दुर्गन्ध, जुकाम, सायनोसाइटिस, रिनाइटिस, सिरदर्द, माइग्रेन, घ्राणशक्ति की क्षीणता, नाक एवं दाँत के कीड़े, श्वास कष्ट, दमा, यक्ष्मा, फेफड़े का कैंसर, स्वरयंत्र की खराबी, साइटिका, गले की सूजन व अन्य रोग, वातनाड़ियों का शोथ, बच्चों के विभिन्न रोग जैसे पेट फूलना, उल्टी, दस्त, दाँत निकलना, खाँसी, जुकाम, सिरदर्द, निष्क्रियता इत्यादि, ज्वर एवं सभी प्रकार के वायरल बुखार न्यूमोनिया, पेचिश, संग्रहणी, हिचकी, यकृत के विभिन्न रोग, लू लगना, अत्यधिक माहवारी, रक्त प्रदर, पेशाब में जलन, तृषाधिक्य, हृदय रोग, उच्च रक्तचाप, चेचक, मूत्र व प्रजनन संस्थान के रोग, स्त्रियों के रोग, औषधियों, विषजन्य प्रभाव, एलर्जी रोग, खसरा, पथरी स्नायुशूल, गुर्दे की सूजन व अन्य रोग, कोलेस्ट्रॉल वृद्धि, अम्लता, कोलाइटिस, मंदबुद्धि, यकृत व प्लीहा वृद्धि, विषैले जन्तुओं के विषाक्त प्रभाव आदि अनेक रोग शीघ्रता से ठीक होते हैं।

तुलसी के पत्ते का समशीतोष्ण रस तथा इसके पंचांग क्वाथ की मालिश करने से लकवा, मिरगी, खाँसी, न्यूमोनिया, त्वचा रोग, वातज व्याधि, स्नायविक शूल तथा सायटिका में लाभ होता है। इसके पत्ते अथवा पंचांग क्वाथ का भाप लेने से दमा, जुकाम, खाँसी, लकवा, सिरदर्द, संधिवात, स्नायविक शोथ तथा शूल ठीक होते हैं। इसका रस नाक में डालने से नाक सम्बन्धी सभी रोग, आँख में डालने से नेत्र सम्बन्धी सभी रोग ठीक होते हैं। आँख, कान एवं नाक के रोग में ताजे पत्ते या शुष्क पत्ते का काढ़ा भी डाल सकते हैं। शहद एवं तुलसी पत्र रस मिलाकर आँखों में डालने से नेत्र सम्बन्धी रोग ठीक होते हैं।

तुलसी के बीज का चूर्ण में शहद मिलाकर लेने से वीर्य की निर्बलता, उपदंश, सूजाक, शीघ्रपतन, मासिक धर्म अवरोध आदि ठीक होते हैं। रजोदर्शन दिवस से 30 दिन तक लगातार तुलसी के पत्ते या पंचांग का काढ़ा पीने से निरोध होता है। यह प्रयोग गर्भाशय को शुद्ध कर शक्तिशाली बनाता है। इसके प्रयोग से बाँझपन ठीक होता है। बाँझ स्त्रियाँ मासिक धर्म के समय इसके बीजों को चबायें या इसका काढ़ा बना कर पीयें। तुलसी के पत्ते या पंचांग के काढ़े से घाव, फोड़ा, फुन्सियाँ, सफेद दाग, खाज, दाद, बवासीर झाइयाँ, मुंहासे आदि को धोकर तुलसी की चटनी या रस अथवा इसका तेल लगायें।

तेल बनाने के लिए एक तुलसी के पौधे का पंचांग पीसकर आधा किलो पानी तथा आधा किलो तिल के तेल में उबालें। पानी जल जाने पर छान कर बोतल में भर लें। इसके प्रयोग से सफेद दाग तथा सभी प्रकार के चर्म रोग ठीक होते हैं। महिलाओं में प्रसव के बाद पेट पर पड़ी दरारों (स्ट्रायाग्रेविडेरम) पर तुलसी के पत्ते का रस या तेल लगायें। संक्रमण दूर होता है। बालों

के झड़ने या गंजापन की स्थिति में तुलसी पत्र तथा आँवले का रस या चूर्ण मलें। तुलसी पत्र नींबू तथा नीम पत्र स्वरस को लगाने से दाद, खाज आदि चर्म रोग ठीक होते हैं। तुलसी पंचांग के चूर्ण को शहद के साथ लेने से वात व्याधि ठीक होती है।

नारु रोग में तुलसी की जड़ को घिसकर निरन्तर लगाते रहने से प्रथम दिन 3 इंच तथा कुछ दिनों में पूरा बाला बाहर निकल जाता है। बवासीर तथा कोढ़ में तुलसी के पत्ते की गोली खायें अथवा चटनी का लेप करें। इसके पत्ते का रस शरीर पर लगाने से मच्छर नहीं खाते हैं तथा लू से बचाव होता है, त्वचा की सक्रियता बढ़ती है। इसका स्वरस लेने से वायरल बुखार, चेचक आदि संक्रामक रोगों से बचाव होता है। बिच्छू, सर्प, बर्र आदि विषैले जानवरों के काटने पर 50 सी.सी. रस पिलाएँ तथा इसके पत्ते की चटनी में मक्खन मिला कर लेप करें। इससे छाती, रीढ़ एवं सिर की मालिश करें। सर्प विष में तुलसी-पत्र तथा केले के तने का रस भी पिलायें।

तुलसी के पौधे के पास साँप, छछूंदर, खटमल, मच्छर आदि विषैले जीव नहीं आते हैं। बिस्तर के नीचे इसके पौधों को रख कर सोने से विषैले जीव-जन्तु पास नहीं फटकते हैं। तुलसी के नित्य सेवन से घाव शीघ्र भरता है। टूटी हड्डियाँ शीघ्र जुड़ती हैं, जुकाम, खाँसी तथा संक्रमण जन्य रोग नहीं सताते हैं, रोग-प्रतिरोधक क्षमता बढ़ती है, चेहरा कान्तिमान तथा लालिमा युक्त होता है। चरक ने तुलसी के साथ दूध तथा भास्कर ने तुलसी के साथ पान खाने का प्रतिरोध किया है। यह उष्ण होता है, इसलिए गर्मियों में उपयोग कम करें।

वयस्क एक समय 20 से 35 पत्ते तथा बच्चे 5 से 25 पत्ते के रस या गोली का प्रयोग करें। तुलसी को चबा कर नहीं खायें, क्योंकि इसका अम्ल दाँतों को खराब करता है। पत्ते चबाकर खाने के बाद पानी से कुल्ला कर पीयें। वैज्ञानिक शोधों से इस निष्कर्ष पर पहुँचा गया है कि तुलसी में पर्यावरण को शुद्ध, स्वच्छ बनाने तथा रोगाणुओं का संहार करने की अद्भुत क्षमता है। तुलसीयुक्त वातावरण में रहने से इसका उड़नशील तेल श्वास से फेफड़ों एवं रक्त में पहुँच कर रोगाणुओं को समाप्त करता है। तुलसी के पौधे के नीचे की मिट्टी में कीटाणुनाशक गुण प्रबलता से होते हैं। हाल ही के शोधों से ज्ञात हुआ है कि इस मिट्टी में गोबर मिलाकर घर की लिपाई, पुताई करने से कमरा रोगाणु एवं रेडियोएक्टिव रेडियेशन अवरोधी हो जाता है। प्रत्येक प्राकृतिक चिकित्सा संस्थान के चारों तरफ तुलसी कानन, तुलसी सेनोटोरियम बनाना चाहिए तथा रोगियों के वार्ड भी मिट्टी के बने होने चाहिए ताकि इनकी लिपाई-पुताई की जा सके।

नीम

(वानस्पतिक नाम—Azadirachta indica अंग्रेजी नाम—Margosa, Indian Lilac)

यह मेलिएसी परिवार का अति उपयोगी तथा भारतवर्ष का राष्ट्रीय पेड़ है। नीम का पेड़ जंगली तथा लगाया हुआ सभी जगह मिल जाता है। इसे सभी लोग जानते हैं। यह 40-50 फुट ऊँचा, सीधा, शाखा-प्रशाखाओं में विभक्त, सघन एवं छायादार होता है। पत्ते मालाकार, दन्तुर, नुकीले होते हैं। इसका फल निम्बोली खिरनी की तरह आधा इंच लम्बा, गोल होता है।

छाल 10 मि.मी. मोटी, भूरे, धूसर रंग की होती है। नीम की छाल, मूलत्वक, कोमल पत्ते, गोंद, फल, बीज, तेल, पुष्प, ताड़ी रस अर्थात् सर्वांग चिकित्सार्थ काम में आता है। इसके सभी अंग अपने में अद्वितीय गुण को समाहित किये हुए हैं।

नीम तथा पीपल का पेड़ भगवान शंकर की तरह वातावरण के गरल (वायु प्रदूषण) को पीकर निरन्तर वायुमण्डल को जीवन ऑक्सीजन देते रहते हैं। चरक, सुश्रुत, हरीत, चक्रदत्त, बंगसेन, शोढल, भावप्रकाश, राजमार्तण्ड आदि प्रसिद्ध आयुर्वैज्ञानिक निघण्टुओं में नीम के गुणों पर विशेष प्रकाश डाला गया है। इन ग्रन्थों के अनुसार नीम तिक्त रस, लघु, शीतवीर्य, पाक में कटुरस युक्त, जठराग्नि को मंद करने वाला तथा कफ पित्त प्रशामक है। यह वात, श्रम, तृषा, खाँसी, ज्वर, अरुचि, कण्डु रोग, कोढ़, कृमि, व्रण, वमन कुष्ठ, पित्त, कफ, हिचकी, प्रमेह, विषैले दुष्ट फोड़े, जीर्ण त्वचा रोग तथा विषम ज्वरनाशक है।

डॉ. कार्लिस ने 1956 ई. में नीम में मौजूद कड़ुवा तत्त्व 'मार्गोसीन' का पता लगाया है। बाद में अन्य आयुर्विज्ञानियों ने निम्बिडिन 0.5 प्रतिशत निम्बिन ($C_{28}H_{40}O_8$) 0.03 प्रतिशत, निम्बिनिन ($C_{27}H_{30}O_9$), निम्बोस्टीरॉल, डेसएसिटाइल निम्बिन, नीम की बाह्य छाल में टेनिन 6 प्रतिशत अन्तस्त्वक में कड़ुवे तत्त्व होते हैं। छाल में इसन्शियल ऑयल रेजेन्स, ग्लाइकोसाइड्स, वसाम्ल, मुक्त एमिनो अम्ल, गोंद, स्टार्च तथा शर्करा पाया जाता है। नीम के पत्ते में उपर्युक्त कड़वे तत्त्व छाल की अपेक्षा कम हैं। परन्तु पत्ते के कड़वे तत्त्व जल में शीघ्रता से घुलने वाले होते हैं। ताजी कोंपलों में जीवाणुनाशक 'क्वसेर्टिन' तथा 'क्लोरोफिल' अपेक्षाकृत अधिक होता है। पत्तों में वीटा साइटोस्टीरॉल भी होता है।

इसके बीजों में 31 प्रतिशत कड़वा, तीता, गहरा पीला गन्धयुक्त तेल होता है। इसमें घुलनशील तेल निम्बिडोल 0.6 प्रतिशत तथा उपर्युक्त सभी जीवाणुनाशक कड़वे रसायन निम्बिन, निम्बनिन तथा निम्बिडिल आदि होते हैं। इस तेल में लिनोलिक, पामिटिक, स्टियरिक, अरचिडिक तथा लिग्नोसेरिक अम्ल होते हैं। इस तेल में 0.427 प्रतिशत गन्धक होता है। इस तेल में जल में घुलनशील अति कड़वा कीटाणुनाशक रसायन सोडियम मार्गोसेट पाया जाता है। यह खुजली, एक्जिमा, स्फोट में अति उपयोगी है। प्रयोगों द्वारा देखा गया है कि नीम का तेल क्षय रोग के जनक माइक्रोबैक्टीरियम ट्यूबरकुलोसिस की तीनों जातियों, टायफायड, पैराटायफायड, कालरा, ई कोलाई, साल्मोनेला, स्टेफिलोकोकस एल्बम, ओरियस तथा न्यूमोनिया के रोगाणुओं के समूह को खत्म कर देता है। इसका प्रमुख घटक निम्बिडिन प्रबल फंजाई अवरोधी, विषाणु अवरोधी तथा कीटाणुनाशक है। निम्बिडिन के कारण ही नीम का गुण अमृततुल्य है। नीम की पत्तियाँ एड्रीनलिन जन्य हाइपरग्लूकोमिया अर्थात् रक्त शर्करा की वृद्धि को रोकता है। इसका प्रभाव हाइपोग्लूकेमिक होता है।

डिफेन्स इन्स्टीट्यूट ऑफ फिजियोलॉजी एण्ड एप्लायड साइन्सेज (डी.आई.पी.ए.एस.) तथा इण्डियन एग्रीकल्चरल रिसर्च इन्स्टीट्यूट नई दिल्ली के वैज्ञानिकों ने आपसी सहयोग से नीम से हानि रहित स्वास्थ्यप्रद गर्भनिरोधक 'कॉमसेट' विकसित किया है। इन वैज्ञानिकों के अनुसार

नीम के तेल में 28 यौगिक पाये जाते हैं, ये सभी शुक्राणुनाशक होते हैं। यह गर्भनिरोधक दवा मूत्र मार्ग के संक्रमण से भी लोहा लेता है।

इंडियन काउंसिल फॉर मेडिकल रिसर्च (आइ.सी.एम.आर.) के वैज्ञानिकों ने नीम आधारित जेल प्रानीम' के द्वितीय चरण के परीक्षण सफलता से कर लिया है। यह सूक्ष्म रोगाणुनाशी जेल एचआइवी/एडस के फैलाव को रोकता है। इसे योनि में इस्तेमाल करना होता है ताकि एचआइवी/एडस के नये इन्फेक्शन नहीं हो, पुणे स्थित नेशनल एड्स रिसर्च इन्स्टीट्यूट में द्वितीय चरण के परीक्षणों में यह जेल कीर्तीमान स्थापित किया है। 50 एचआइवी की निगेटिव किन्तु हाइ रिस्क वाली महिलाओं ने इस जेल को नियमित रूप से 6 माह तक इस्तेमाल किया। नीम में स्थित सूक्ष्मनाशी माइक्रोबिसाइड्स ऐसा कम्पाउण्ड है जिनमें सेक्स से फैलाने वाली बीमारियों के रोकथाम में महारत हासिल है।

नीम में नैसर्गिक जैव एण्टीहिस्टामिनिक तत्त्व होते हैं। यह एक प्रबल जैव एण्टीबायोटिक तथा रक्तशोधक है। यह रोगाणुओं को खत्म करता है तथा मित्र जीवाणुओं की रक्षा करता है। यह रोग को पैदा करने वाले संक्रामक फफूँद तथा जीवाणुओं का नाश करता है। साथ ही साथ सैकेण्ड्री पैथोजेनिक संक्रमण को भी समाप्त करता है। यही कारण है कि एलोपैथी तथा अन्य औषधियों की अपेक्षा यह संक्रामक त्वचा रोगों को समाप्त करने में पूर्ण सक्षम है जबकि औषधियाँ सैकण्ड्री पैथोजेनिक संक्रमण को मारने में विफल रहती है।

संक्रमणकाल चैत्र तथा आश्विन के महीने में नीम की कोंपलों एवं पुष्पों को खाने से व्यक्ति संक्रामक रोगों से मुक्त रहता है। नीम पत्र का स्वरस 30 से 100 मि.ली. प्रति दिन प्रात:काल खाली पेट लेने से मधुमेह, कुष्ठ, जीर्ण चर्म रोग, आंत्र कृमि, पीलिया, नेत्र रोग, हाथी पाँव, कब्ज, बवासीर, रक्तहीनता, ज्वर, सफेदकुष्ठ, भूख नहीं लगना, चेचक, हैजा, पथरी, कष्टार्तव, पित्ती, प्रदाह, विषजनय प्रभाव, दृष्टि दोष, ठीक होते हैं। जीर्ण चर्म रोग में दस बूँद नीम का तेल पीयें तथा नीम के पंचांग का उबटन लगायें या पुल्टिस बाँधे।

नीम के पत्ते या छाल के क्वाथ से लगातार 5 दिन तक एनिमा देने से पेट के कीड़े मरते हैं तथा डूस देने से प्रदर, योनि प्रदाह तथा संक्रमण दूर होता है। इसके क्वाथ का गीली चादर लपेट, आर्टिकेरिया, गठिया, चर्मरोग, सोरायसिस तथा बुखार को ठीक करता है। फोड़े फुंसी तथा गंजापन पर नीम के पत्तों को शहद में पीसकर लगायें। नीम के पत्ते की वाष्प से गठिया, जुकाम, दर्द तथा चर्म रोग ठीक होता है। निम्बोली तथा पत्ते को पीसकर स्तन पर लगाने से दूध सूखता है तथा बच्चे पीते भी नहीं है।

नीम के पत्ते को उबालकर सिर धोने से गंजापन, नहाने से चर्म रोग ठीक होते हैं। इसके क्वाथ का कुल्ला करने से दाँत का दर्द, गले की सूजन, आवाज बैठना तथा इसे पीने से अनियमित माहवारी ठीक होती है। इसका दातुन करने से मुंह का कैंसर तथा अन्य दाँत रोग नहीं होते हैं। नीम के पंचांग को छाया में सुखा जलाकर छानें, सेंधा नमक, लौंग, पीपरमेंट का चूर्ण मिलाकर मंजन बनायें। यह मंजन दाँत के रोगों को ठीक करता है। नीम की छाल का चूर्ण

मलेरिया, शोथयुक्त ज्वर, विषम ज्वर तथा उसके बाद की दुर्बलता को दूर करता है। इसकी छाल के क्वाथ का डूस देने तथा पीने से श्वेत प्रदर ठीक होता है।

प्रतिदिन 5-10 बूँद नीम का तेल पीने से फिरंग, श्लीपद, व्रण, गन्डमाला, आमवात, विषम ज्वर, टी.बी., जीर्ण चर्म रोग तथा फिरंग ठीक होते हैं। तेल के अधिक प्रयोग से बेचैनी, अतिसार तथा हिचकी की शिकायत होती है। आमवात में इसकी मालिश, शिरःशूल में मलने तथा सभी चर्म रोग में लगाने, खालित्य, पालित्य, जुकाम, माइग्रेन आदि में नस्य देने से अवश्य लाभ होता है। इसका फल चूसने से अर्श, मूत्र विकार, कृमि, कब्ज तथा चर्म रोग ठीक हाते हैं। छाया में सूखे नीम-पत्र चूर्ण को शहद के साथ खाने से ज्वर नहीं होता है तथा घाव पकता नहीं है। नीम के पत्तों में कैंसर अवरोधी क्लोरोफिल तथा अन्य तत्त्व भी होते हैं। ग्रंथि, व्रण, अधपकी गाँठ तथा मवाद वाले घाव में पत्तियों को पीसकर लगायें। नीम की छाल या जड़ को पीसकर मुँहासों पर लगायें।

नीम की पत्तियों की गर्म पुल्टिस की सिकाई तथा इसकी राख को मलने से वात नाड़ियों में संचार बढ़ता है फलतः यह प्रयोग कोढ़ तथा लकवा के लिए फायदेमन्द है। वयस्क पत्तों में कैरोटिन 1998 अ.ई., Ca- 510, P- 80, Fe- 17.1, बी-1 0.04, बी-3 1.4, 'सी' 218, मि.ग्रा. तथा कोमल पत्तों में Ca- 130, P- 190, Fe- 25.3, बी-1 0.06, बी-3 1.5, 'सी' 104, Mg- 1.17, Na- 17.2, K- 254, Cu- 0.60, S-96, Cl- 26, मि.ग्रा. तथा कैरोटिन प्रचुर मात्रा में 2760 अं.इ. होता है। उपर्युक्त मात्रा प्रति सौ ग्राम में होती है।

कफजन्य तृषा, दाह तथा ज्वर में नीम पत्र रस पीकर उल्टी करने से लाभ होता है। प्रतिदिन सौ नीम के पत्ते का चूर्ण जल से लेने पर कुष्ठ रोग ठीक होता है। इस रोग में नीम के पंचांग चूर्ण या क्वाथ से स्नान, स्पंज स्नान तथा नीम के नीचे सोने से लाभ होता है। नीम का फूल कमर में बाँधने से प्रसव ठीक होता है। महानिम्ब या बकायन तथा मीठा नीम, नीम को दो जातियां हैं। एक किलो पानी में सौ ग्राम ताजी पत्तियाँ उबालकर पीने से जीर्ण विषम ज्वर, यकृत दोष तथा पीलिया रोग ठीक होता है। विषम ज्वर में प्रतिदिन 10 बूँद नीम का तेल भी दें। नीम ताड़ी पीने से त्वचा रोग, कृष्ठ रोग ठीक होता है। यह पोषक तथा बलप्रद रसायन है। नीम की अन्तस्त्वचा शीतल, कटु, पौष्टिक, शोथघ्न, कृमिघ्न, विषम ज्वर प्रतिशोधक तथा त्वचा रोगनाशक रसायन है।

गिलोय

(वानस्पतिक नाम—Tinospora Cordifotta Miers अंग्रेजी नाम—Tinospora)

यह मेनिस्पर्मेसी (Menispermaceae) परिवार का माननीय सदस्य है। गिलोय अमृत तुल्य औषधि है, इसलिए इसका नाम अमृता व सोमा भी है। इसकी उत्पत्ति अमृत से हुई है। भावप्रकाश निघंटु के अनुसार राम-रावण युद्ध में जब रावण मारा गया तो सुरेश इन्द्र ने अपार हर्षोल्लास के साथ अमृत की बरसा कर युद्ध में मारी गई राम की वानर सेना को जिन्दा किया। जिन स्थानों पर वानरों के शरीर से चू-चू कर अमृत की बून्दें पृथ्वी पर गिरीं, वहाँ गिलोय की

उत्पत्ति हुई। गिलोय सभी जगह अपने आप तथा नीम, आम इत्यादि पेड़ के पास बोने से होता है। इसकी लता माँसल तथा पेड़ों पर तेजी से फैलने वाली स्वतन्त्र तथा परजीवी पौधा है। शाखाओं से डोरे के समान नीचे अवरोह लटकती रहती हैं। पत्ते पान के सदृश होते हैं।

बसन्त में पुराने पत्ते गिर जाते हैं। ज्येष्ठ में नये पत्ते तथा हरे पीले पुष्प के गुच्छे आते हैं। फल मटर के समान, पकने पर लाल तथा बीज चिकने एवं टेढ़े होते हैं। औषधि के रूप में इसके मूल, काण्ड (तना) तथा पत्ते काम में लिए जाते हैं। काण्ड के छोटे-छोटे टुकड़े बोने से नये पौधे उग आते हैं। काण्ड को काटने पर अन्तर्भाग चक्राकार होता है। नीम पर चढ़ी गिलोय श्रेष्ठ मानी जाती है। गिलोय के अमृततुल्य दिव्य गुणों का वर्णन चरक संहिता, सुश्रुत संहिता, राजनिघंटु, धन्वन्तरि निघंटु तथा भाव प्रकाश निघंटु में किया गया है। इन महान ग्रन्थों के अनुसार जिसके सेवन से मृत्यु नहीं होती है वह अमृत गिलोय कटु, तिक्त, कषाय, रस युक्त, विपाक में मधुर रस युक्त, रसायन, संग्राही, उष्ण वीर्य, लघु, बलकारक, अग्निदीपक एवं आम, तृषा, दाह, मेह, पाण्डु, कुष्ठ, वातरक्त, कृमि, प्रमेह, श्वास, कास, कामला, अर्श, मूत्रकृच्छ, हृद्रोग, वात, विबंध, श्रम, वातरक्त, यक्ष्मा तथा त्रिदोष को नाश करने वाला है।

इसके पत्ते आग्नेय, सभी प्रकार के ज्वरनाशक, लघु, कषाय, कटु तिक्त रस युक्त, विपाक में मधुर रस युक्त रसायन, बलकारक उष्ण ग्राही एवं तृषा, प्रमेह, वात, रक्तविकार, वातरक्त, कामला, कुष्ठ, पाण्डु तथा त्रिदोषनाशक हैं। इसके ताजे काण्ड त्वक् में अनेक जैव सक्रिय रसायन गिलोइन, गिलोइन ग्लूकोसाइड्स ($C_{23}H_{10}5H_{20}$), गिलोइनिन नामक कड़वा पदार्थ ($C_{17}H_{18}O_5$) ग्लोस्टरॉल ($C_{28}H_{48}O$) तथा तीन प्रकार के अल्केलॉयड होते हैं जिनमें बर्बेरिन प्रमुख है। इसके अतिरिक्त इसमें गिलोइनिन, कैसमेन्यिन पामरिन, टीनोस्पोरिन, टीनोस्परिक अम्ल नामक जैव सक्रिय तत्त्व होते हैं। पत्तियों में प्रचुरता से Ca, Fe, P, Na, K, Ci, Mg, विटामिन 'ए', 'बी', 'सी' आदि तथा कार्बोज, प्रोटीन तथा न्यून मात्रा में वसा होती है।

काण्ड में मोम की तरह का एक रसायन तथा स्टार्च पाया जाता है। उपर्युक्त जैव औषध रसायनों के कारण गिलोय का प्रभाव एण्टीपीरियॉडिक अर्थात बार-बार चक्रों में आने वाला बुखार, काला ज्वर तथा मलेरिया का नाश करने वाला होता है। यह कुनैन से ज्यादा प्रभावी होता है परन्तु इससे कुनैन जैसा दुष्प्रभाव नहीं होता है। ज्वर,कोढ़, सूजाक, राजयक्ष्मा, फिरंग, सिफलिस तथा बढ़ी हुई तिल्ली की अन्तिम स्थिति में गिलोय चमत्कारिक प्रभाव दिखाता है। विभिन्न वैज्ञानिक शोधों से इस निष्कर्ष पर पहुँचा गया है कि गिलोय में स्थित उपर्युक्त कीटाणुनाशक जैव सक्रिय तत्त्व तीव्र मारक भयंकरतम सूक्ष्म विषाणु एवं कीटाणु समूह के कालानियों को शीघ्रता से नष्ट करता है।

स्थूल कृमियों का संहार करने की भी अद्भुत क्षमता इसमें है। शरीर की रोग-प्रतिरोधक क्षमता कब कम हो ताकि अनुकूल परिस्थिति में धावा बोलकर अपना साम्राज्य स्थापित कर सकें, प्रतिक्षारत क्षयोत्पादक निष्क्रिय सूक्ष्म कीटाणु 'माइक्रोबैक्टिरियम ट्यूबरकुलोसिस' की चाल को गिलोय के सक्रिय जैव औषध रसायन रक्त में पहुँच कर समाप्त कर, नाकाम कर देते हैं। गिलोय कीटाणुओं के सिस्ट बनने की प्रक्रिया को ही समाप्त कर देता है। गिलोय में स्थित

जैव सक्रिय तत्त्व रक्त संचार में पहुँचकर मूत्रवाही एवं आंत्र संस्थान के प्रमुख रोगोत्पादक रोगाणु 'एस्केनिशिया कोलाई' को समाप्त करता है। गिलोय क्लोम ग्रन्थि में इन्सुलिन उत्पादन तथा रक्त में ग्लूकोस को भस्म करने की क्षमता को बढ़ाता है। यह एड्रीनलिन जन्य हाइपर ग्लूकेमिया को नियन्त्रित करता है। रोगाणुओं का मुख्य उत्पादन है शर्करा। शरीर में शर्करा के बढ़ते ही अनेक प्रकार के रोगाणु शरीर पर धावा बोल देते हैं परन्तु गिलोय तथा नीम अपने हाइपोग्लूकेमिक प्रभाव से शर्करा तथा पैथोजेनिक आर्गेनिज्म को नियंत्रित रखते हैं। गिलोय के सत्व, काढ़ा तथा रस में विशिष्ट अनमोल जैव रसायन 'फैगोसिटिक इन्डेक्स' होता है। यह जैव घटक रक्त के रोगाणुभक्षी कोशिकाओं के समान होता है जो अति तीव्रता से आयोनिक गति के साथ विषाणुओं एवं कीटाणुओं का भक्षण करने लग जाता है। शोधों से ज्ञात हुआ है कि प्रमुख दर्दनिवारक रसायन 'सोडियम सेलिसिलेट'की अपेक्षा गिलोय में बीस गुणा दर्द निवारक गुण है।

नीम चढ़ी ताजी मोटी गिलोय काण्ड को लेकर बाह्य त्वचा को निकाल कर अन्दर के हरे भाग के डेढ़-डेढ़ इंच के टुकड़े करें। इन्हें अच्छी तरह सुखाकर कूट-पीस व कपड़े से छानकर, चूर्ण बनाकर रखें। सत्व बनाने के लिए टुकड़ों को पत्थर से कुचलकर चौगुना पानी डालें। 14 घण्टे बाद खूब मसलकर कपड़े से छानें। 3-4 घण्टे बाद ऊपर का जल निथारकर नीचे पेंदे में बैठे सत्व को सुखाकर बोतल में रखें। पुनः चार घंटे बाद निथारें। नीचे बचे सत्व को सुखाकर रखें। उष्ण जल में घुलनशील पदार्थ भी इस सत्व में आ जाते हैं। निथारे जल को भी काम ले सकते हैं।

गिलोय क्वाथ 50 से 100 सी.सी. चूर्ण 3 से 6 ग्राम, सत्व 1 से 2 ग्राम, ताजा काण्ड या पत्र-स्वरस 10 से 30 मि.ली. एक समय एक ही प्रकार लें। गिलोय के उपर्युक्त प्रकार को सीधे अथवा शहद के साथ या लेने के बाद शहद लिया जाता है। इसके प्रयोग से मधुमेह, सभी प्रकार का ज्वर, यक्ष्मा, विषम ज्वर, वातरक्त, गठिया, जलोदर, वातज्वर, सर्वप्रमेह, जीर्ण ज्वर, कामला, कुष्ठ, हृदय की दुर्बलता, विभिन्न प्रकार के रक्तविकार, शुक्रहीनता आदि रोग ठीक हो जाते हैं। प्रयोगों से देखा गया है कि इसके प्रयोग से शुक्राणुओं की संख्या एवं सक्रियता बढ़ती है। गिलोय मेधा एवं शक्तिवर्द्धक तथा शोधक दोनों प्रकार से कार्य करता है। सर्पदंश में इसकी जड़ का रस आधे घण्टे के अन्तराल पर 50 सी.सी. पिलाते रहें जब तक कि विष न उतर जाये। सर्पदंश के स्थान पर रस या काढ़े या इसकी पुल्टिस भी बदल-बदल कर लगाते रहें। स्तन्य शुद्धि के लिए क्वाथ तथा अर्श में इसका चूर्ण छाछ के साथ लें।

निरापद प्रबल जैव कीटाणु नाशक चिरायता

चिरायता जेन्शियानैसी (Gentianaceae) परिवार का प्रमुख सदस्य है। यह 4 से 10 हजार फीट की ऊँचाई पर नेपाल, भूटान, कश्मीर तथा अरुणाचल की पहाड़ियों पर होता है। इसका पौधा 2 से 5 फीट ऊँचा होता है। इसका काण्ड जामुनी रंग का, जड़ की तरफ गोल, मोटा, ऊपर बहुशाखायुक्त, पत्ते चौड़े भालाकार, फूल हरे-पीले एवं बीच में बैंगनी रंग के फल लम्बे, गोल, छोटे अण्डाकार के होते हैं। वर्षा ऋतु में पुष्पित होने पर सम्पूर्ण पौधों को उखाड़ कर संग्रह किया जाता है। यह गन्धहीन किन्तु अत्यन्त कड़वा होता है। चिरायता 180 प्रकार

के होते हैं जिसमें 37 प्रकार का चिरायता अपने देश में मिलता है। इनमें मुख्य चिरायता स्वर्शिया चिरायता (Swertia Chirata) ही है।

चिरायता के गुणों का वर्णन सभी आयुर्वेदिक ग्रन्थों में किया गया है। इन ग्रन्थों के अनुसार चिरायता प्रति संक्रामक ज्वर के मूल कारण को दूर करने वाली, दस्तावर, रुक्ष, शीतल, तिक्त रसयुक्त, लघु होती है। यह सन्निपात ज्वर, श्वास, कफ, पित्त, रक्तदोष,दाह, कास, शोथ, प्यास, कुष्ठ, ज्वर, व्रण और कृमि इन सभी को दूर करने वाली है। इसमें जैव सक्रीय रसायन हल्के पीले रंग का चिरातिन ($C_{52}H_{96}O_{30}$) हल्के पीले बादामी रंग का आफेलिक एसिड ($C_{26}H_{40}O_{20}$) नामक दो कड़वे रसायन 1.42 से 1.52% होते हैं।

दो कड़वे ग्लाईकोसाइड्स चिरायनिन तथा एमेरोजेण्टिन, दो क्रिस्टलीय फिनाल, जेन्टीयोपीक्रिन नामक पीले रंग का न्यूट्रल क्रिस्टल यौगिक तथा एक नवीन जैन्थोन 'सुअचरिन' पाया जाता है। इसमें स्थित 'एमेरोजेण्टिन' विश्व का सर्वाधिक प्रसिद्ध कड़वा पदार्थ है। इसी घटक के कारण चिरायता की रोग संहारक औषधीय क्षमता अति प्रबल है। यह 'सिनकोना' की तरह मलेरिया ज्वर पर प्रभाव डालकर उसके रोगाणुओं को यकृत, प्लीहा एवं रक्त जहाँ कहीं भी होते हैं, मारकर निकाल बाहर करती है। एण्टीमलेरिया कुनैन की तरह इसका किसी प्रकार का दुष्प्रभाव शरीर पर नहीं होता है। यह हमारे शरीर की सुरक्षा पंक्ति में नवजीवन का संचार कर रोगाणुओं से लोहा लेने में सक्षम बनाती है।

प्रतिदिन खाली पेट चिरायता का काढ़ा या रात्रि का भीगा चिरायता का पानी लेने से उदर कृमि, कुष्ठ, मलेरिया या अन्य रोगाणु समाप्त होकर शरीर स्वस्थ हो जाता है। यह रक्त का शोध कर सभी प्रकार के चर्म रोगों से मुक्ति दिलाता है। टायफायड, विषम या मलेरिया ज्वर जो एक अन्तराल पर आता है उसे समाप्त कर देता है। तीव्र एवं हठीले बुखार के सैकड़ों रोगियों पर चिरायता एवं कुटकी के काढ़े का सफल प्रयोग लेखक ने किया है। सुप्रसिद्ध उद्योगपति श्री एल.एन. झुन्झुनवाला विषम मलेरिया ज्वर में हरदम पीड़ित हो जाते थे। दिल्ली के प्रमुख अस्पतालों में भर्ती रहे, फिर मुझे बुलाया गया। मैंने इसके काढ़े का सात दिन तक उन पर लगातार प्रयोग किया और वे पूर्ण स्वस्थ हो गये। मैं उस समय जयपुर में कार्यरत था, उन्हें वहाँ बुलाकर प्राकृतिक चिकित्सा भी कुछ दिनों तक दी। दो साल बाद अजमेर आने पर मिले, फिर उन्हें मलेरिया नहीं हुआ।

गृहिणी कुन्दा सामन्त, प्राचार्या सुशीला गुप्ता, प्राध्यापिका डॉ. उर्मिला गुप्ता, अभियन्ता श्री एस.के. कक्कड़, बेबी प्रज्ञा व दिव्या नीरज इत्यादि सैकड़ों उदाहरण हैं जिन्हें विषम दुष्ट वायरस एवं मलेरिया बुखार (104-107°F) से इस काढ़े ने मुक्ति दिलाई है जबकि अन्य औषधियाँ एवं चिकित्सक असफल रहे। चिरायता निरापद वनौषधि है। अपने प्रयोग से कह सकता हूँ कि इसका कोई दुष्प्रभाव नहीं होता है। इसके प्रयोग से भूख बढ़ती है। पाखाना साफ होता है। सोरायसिस, एक्जिमा, वातरक्त, हिचकी, गर्भिणी वमन, अग्निमांद्, रक्त विकार, कामला, पेट के कृमि, ज्वर के बाद की दुर्बलता में रात्रि का भीगा चिरायता 3-3 घण्टे के अन्तराल पर 25-25 सी.सी. लें। कड़वाहट को मिटाने के लिए शहद चाटें अथवा इसके 3

ग्राम चूर्ण को शहद के साथ लें। इसके क्वाथ को एक कप (50 से 100 सी.सी.) 3-3 घण्टे के अन्तराल पर लेने से सभी प्रकार का तीव्र, जीर्ण एवं विषम ज्वर ठीक हो जाता है। क्वाथ लेने के बाद शहद चाटें। क्वाथ एवं भीगे पानी में सममात्रा में कुटकी भी मिलायें।

कुटकी

(वानस्पतिक नाम—Picrorhiza Kurroa अंग्रेजी नाम—Picrorhiza)

यह स्क्रोफ्युलॉरियासी (Scrophulariaceae) परिवार का सदस्य है। हिमायल पहाड़ की 9 से 15 हजार की ऊँचाई पर मिलता है। इसका पौधा 6 से 12 इंच ऊँचा, पत्ते 2 से 4 इंच लम्बे होते हैं। कुटकी पौधे का मूल है जो 1-2 इंच लम्बा, खुरदरा, मुड़ा टुकड़ा होता है। यह अत्यन्त कड़वी तथा हल्की गंधयुक्त होती है। आयुर्वेद मतानुसार यह तिक्त रस युक्त, रुक्ष, शीतल, लघु, अग्निप्रदीपक, मलभेदक, हृदय के लिए हितकर, कफ, पित्त ज्वर, प्रमेह, श्वास, कास, रक्तदोष, दाह, कुष्ठ तथा कृमिनाशक होता है। इसमें प्रबल कीटाणुनाशक जैव सक्रिय औषध 'पिक्रोहाइजिन' ग्लाइकोसाइड्स होता है। यह हाइड्रोलाइसिस द्वारा पिक्रोहीजेटिन तथा डेक्सट्रोज में टूट जाता है। इसमें मधु शर्करा, मोम तथा कैथार्टिक अम्ल पाये जाते हैं। यह अल्प मात्रा में स्नेह तथा प्रचुर मात्रा में विरेचन का कार्य करता है। यह आँत, यकृत, पित्ताशय तथा प्लीहा पर उद्दीपक प्रभाव डालता है। इसका प्रभाव हृदय पर 'डिजिटेलिस' की तरह होता है। हृदय रोगी इसका प्रयोग शहद के साथ करें। कुटकी तथा चिरायता निरापद औषधि है। इसका चूर्ण एक समय 2 से 4 ग्राम लें।

ईसबगोल

(वानस्पतिक नाम—Plantago Orata Forsk)

यह प्लान्टाजिनेसी (Plantaginaceae) परिवार का प्रमुख सदस्य है। गुजरात, पंजाब, सिन्ध, फारस में व्यापारिक पैमाने पर इसकी खेती की जाती है। इसके अनेक भेद हैं। इसके बीज तथा बीज की भूसी काम में ली जाती है। इसके बीज नौकाकार, कठोर, पारभासक, छोटे, किंचित गुलाबी तथा जल में भीगने पर लुआबदार हो जाते हैं। यह मल की मात्रा को बढ़ा कर कोष्ठबद्धता को दूर करता है। इसका मुख्य घटक म्युसिलेज पेक्टिन है। इसका पेक्टिन अपने से बीस गुने पानी में घुलकर आँतों पर अधिचूषक एवं रक्षक (Adsorbent & Protective) का कार्य करता है। यह लसलसा लुआबदार पदार्थ आँतों के पैथोज़ैनिक आर्गेनिज्म को भी अवचूषित कर निकाल बाहर करता है। प्रक्षोभक आहार, दस्त एवं कीटाणुओं के कारण आँतों एवं पेट की सूजन व घाव की स्थिति में रोगाणुओं के प्रभाव को निरस्त कर उनके ऊपर एक आवरण पैदा कर घाव को भरने तथा उन्हें स्वस्थ बनाने का कार्य करता है। इससे आँतों में मल संचित नहीं होता है फलत: पैथोजेनिक बैक्टीरिया की वृद्धि स्वत: बाधित हो जाती है। आँतें स्वस्थ एवं सशक्त बनती हैं। यह रोगाणुओं की वृद्धि को रोकता है तथा उससे उत्पन्न विषों को अवचूषित कर लेता है। इसके बीजों की भूसी में उपस्थित 30 प्रतिशत म्युसिलेज में जाइलोज, अरेबिनोज तथा ग्लेक्ट्रोनिक अम्ल होता है। इसमें रैमनोज तथा गैलक्टोज भी होते हैं। बीजों में स्थिर तेल आकुबिन टैनिन तथा एसिटाइल कोलिन की तरह एक अन्य तत्त्व भी होता है।

बीज मज्जा में 177 प्रतिशत लिनोलिक अम्ल होता है जो कोलेस्ट्रॉल को कम करता है। इसमें सर्वाधिक म्युसिलेज होता है। यह लुआब, म्युसिलेज, ज्वर तथा प्यास के दाह को कम करता है। अमीबिक डिसेन्ट्री में इसे बेल, अनार या अन्य मीठे फल या लौकी, ककड़ी आदि सब्जियों के रस के साथ देने से लाभ करता है। बेसिलरी डिसेन्ट्री में ताजे छाछ या दही के साथ दें। अमीबिक डिसेन्ट्री में आँत की प्रतिक्रिया अम्लीय होती है इसलिए छाछ या दही के साथ इसे नहीं दें। ईसबगोल के बीज को भिगोकर ही काम मे लें अन्यथा सख्त होने के कारण आँतों को प्रक्षोभित कर अवरुद्ध कर देते हैं। भूसी से इस प्रकार के लक्षण नहीं दिखते हैं। भूसी में पिच्छिलता होने से यह आन्त्रगत क्षतों पर पिच्छिल आवरण बनाकर क्षोभक पदार्थों के प्रभाव से सुरक्षा प्रदान करता है तथा अत्यन्त मृदु, उत्तेजक प्रभाव डालकर आँतों की लहरीदार गति को स्वाभाविक बनाकर दूषित मल को बाहर निकालता है। इसका लुआब पेचिश तथा मरोड़ को ठीक करता है। तीव्र उग्र पेचिश में दो चम्मच इसबगोल की भूसी को छाछ में 15-20 मिनट भीगने के बाद चम्मच से धीरे-धीरे खाएँ। यह प्रयोग रक्तातिसार, प्रमेह, मूत्रकृच्छ, आम-अतिसार, तृषाधिक्य, रक्तार्श, पेशाब की जलन, श्वेत प्रदर, विषजन्य प्रभाव तथा दमा को ठीक करता है। इसे गर्म दूध के साथ लेने से कब्ज, गर्म पानी के साथ लेने से सूखी खाँसी, ज्वर तथा दमा में आराम मिलता है। इसके बीज का शर्बत पीने से वीर्य की कमजोरी दूर होती है।

पिप्पली

(वानस्पतिक नाम—Piper Longum Linn परि. Piperaceae)

यह उष्ण प्रान्तों की प्रमुख लता औषध पौध है। यह विस्तार में नहीं फैलकर थोड़ी दूर तक ही वर्षों तक बनी रहती है। इसकी जड़ मोटी, खड़ी, पत्ते पान के आकार की तथा फल एक डेढ़ इंच लम्बे छोटे शहतूत की तरह होते हैं। ये सूखने पर काले हो जाते हैं। इसमें 1 प्रतिशत उड़नशील तेल में 5 से 6.4 प्रतिशत औषध रसायन पाइपरोन, पाइपरीडिन एवं कटूराल चविसिन, स्टार्च तथा वसा आदि होते हैं। आयुर्वेद के मतानुसार यह पौष्टिक, पाचक, रोचक, उष्ण, कफघ्न, अग्निदीपक एवं वातहर होता है। डेढ़ ग्राम चूर्ण को शहद के साथ लेने से गर्भाशय शुद्धि, पुरानी खाँसी, स्वर भंग, हिचकी, दमा, यक्ष्मा, प्लीहा वृद्धि, उदर रोग, अर्श, जीर्ण ज्वर, प्रसुति ज्वर, सायटिका, कटिशूल, वातरक्त, अंगघात, जुकाम, माइग्रेन, अजीर्ण, हिस्टीरिया, वायुगोला, संग्रहणी आदि रोग ठीक होते हैं। पिप्पली को नीम पंचांग रस में उबालकर नस्य देने से मिरगी में लाभ होता है। उपर्युक्त रोगों में इसके काढ़े के साथ शहद भी दे सकते हैं।

घृतकुमारी या ग्वारपाठा

(वानस्पतिक नाम—Aloe Barbadensis अंग्रेजी नाम—Aloevera)

लिलिएसी (Liliaceae) परिवार का यह सदस्य सभी जगह होता है। इसका क्षुप 1 से 2 फीट ऊंचा, पत्तियाँ माँसल, मोटी, लम्बी, नोकदार, काँटेदार, भालाकार होती हैं। पुराने क्षुप में पत्तों के मध्य से लम्बे पुष्प दण्ड निकलते हैं जिस पर रक्ताभ पीत्त पुष्प आते हैं। इसके पत्तों को काटने से पीले रंग का पिच्छिल रस निकलता है। इसलिए इसे घृतकुमारी कहते हैं। ठण्डा होने पर यह जम जाता है। इसे एलुआ कहते हैं। इसका स्वाद कड़वा तथा हल्लासकारक होता

है। इससे विशेष प्रकार की गन्ध आती है। घृतकुमारी अनेक प्रकार के होते हैं। इनके गुण धर्म आपस में मिलते हैं। आयुर्वेद मतानुसार यह शीतल, मलभेदक, तिक्त तथा मधुर रसयुक्त, नेत्रों के लिए हितकारी, रसायन, बलकारक, वृष्य, वात, विष, गुल्म, प्लीहा, यकृत वृद्धि कफ, ज्वर, ग्रन्थि, अग्निदग्ध, पित्त, रक्तविकार, चर्मरोग आदि को दूर करने वाला है। अधिक मात्रा में लेने से पेट में मरोड़े चलने लगते हैं। इसका विशेष प्रभाव कटि प्रदेश के समस्त अंगों की तरफ रक्ताधिक एवं अवरोधक होता है। इसका प्रभाव आँतों पर भी होता है।

घृतकुमारी में सक्रिय जैव औषध रसायन एलोइन बार्बालोइन, आइसो बारबेलिन, एलोइमोडिन, क्राइसोफेनिक अम्ल, बीटा बार्बालोइन आदि होते हैं। इन रसायनों के अतिरिक्त व्रणरोपक कुछ ऑक्सीडेज व केटेलैस एन्जाइम होते हैं जिसके कारण घृतकुमारी के प्रयोग से घाव शीघ्रता से भर जाते हैं। घृतकुमारी का उपयोग घी व आटे के साथ मिलाकर लड्डू बनाने में होता है। इसकी सब्जी भी बनती है। आहार के रूप में इसका प्रयोग अत्यल्प मात्रा में करें। प्रसवोपरान्त मात्र एक-दो दिन के लिए पेट तथा गर्भाशय शुद्धि के लिए इसका उपयोग किया ज। सकता है। गर्भावस्था तथा स्तनपान के समय इसका उपयोग नहीं करें। भयंकर से भयंकर गाँठें, घाव, पेट के अन्दर की गांठे, सिस्ट, सूजन, दाह, अधपके व्रण, विकिरणजन्य दाह तथा घाव को ठीक करने तथा शीघ्रता से भरने के लिए घृतकुमारी की पुल्टिस बाँधें।

ग्वारपाठा या घृत कुमारी में मौजूद प्रोटीन सीरीन तथा एसपरजीन नामक एमिनो एसिड होते हैं, ये विकिरण के दुष्प्रभाव से बचाव करके कैन्सरमुक्त करते हैं। इसमें स्थिति क्राइसोफेनिक अम्ल तीव्र रोगाणुनाशी होता है। इसमें स्थित एन्जाइम शरीर की प्रतिरोधक क्षमता को बढ़ाकर घाव को अतिशीघ्रता से भरने के लिए प्रेरित करता है। जल जाने, कट जाने, अर्बुद, बवासीर इत्यादि में इसकी लुगदी बाँधें। उपर्युक्त रोगों में इसके रस का लेप करें। 15-20 मि.ली. रस को शहद के साथ लें। पेट के कृमि निकालने के लिए इसका एनिमा दें। यह अनार्तव, पाण्डूरोग तथा कब्ज को दूर करता है। वायरल कन्जक्टिवाइटिस में इसका गूदा आँखों पर लगायें। इसका रस शहद के साथ लेने से उदर सम्बन्धी रोग ठीक होते हैं। विषैले जानवरों के काटने पर घृतकुमारी को छीलकर काटे स्थान पर 20-20 मिनट के लिए चिपकाते रहें।

टी.बी. के कीटाणु पूरे जोश खरोश के साथ लौट रहे हैं। विकसित एवं विकासशील देशों में फैल रहे इन नये किस्म के टी.बी. के बैक्टीरियाओं ने सभी प्रकार के एण्टी बायोटिक दवाओं के प्रति रेजिस्टेन्ट यानि उनसे मुकाबला करने की शक्ति पैदा कर ली है। शक्तिमान टी.बी. के कीटाणुओं यानि XXDRT यानि (Extremely Drug Resistant T.B.) से लड़ने के लिए भारतीय मसालों एवं जड़ी बूटियों ने कमाल का प्रभाव दिखाया है। इनके प्रयोग से XXDRTB को नियंत्रित एवं दूर किया जा सकता है। आई सी एम आर (Indian Council of Medical Research) के वैज्ञानिकों ने लहसुन, प्याज, घृत कुमारी, वासा तथा मुक्ताझरी के पौधों के रस और जेल में XXDRTB रोधी फाइटो केमिकल कम्पाउण्ड की खोज की है। घृत कुमार के पौधे का जेल तथा बाकी चारों के पत्तियों के रस बहुदवा प्रतिरोधक (Multi Drug Resistant-MDR or XXDRTB) टी.बी. से निबटने में परम शक्तिशाली सिद्ध हो रहे हैं। टी.बी. की नयी

उपचार तकनीक मल्टी ड्रग थैरिपि से चिकित्सा लेने वाले 30 फीसदी रोगियों पर दवा प्रभावशाली नहीं है, ठीक होने के बाद भी वे पुनः लौट आती है, इन दवाओं से लोहा लेने की क्षमता टी.बी. के कीटाणुओं ने हासिल कर ली है।

विश्व में सर्वाधिक टी.बी. के रोगियों का देश भारत है, इस चुनौती से लड़ने के लिए आगरा में जालमा रिसर्च इन्स्टीट्यूट तथा अम्बेडकर वि.वि. के स्कूल ऑफ लाइफ साइसेंज के वैज्ञानिकों ने यह खोज किया है जो आइ सी एम आर जर्नल के ताजे अंक में प्रकाशित हुआ है। इन वैज्ञानिकों का दावा है कि इन पौधों से बनने वाली दवाएं एलोपैथी का विकल्प हो सकती है। सीएसआइआर के वैज्ञानिकों ने काली मिर्च, पिपली तथा सौंठ यानि आयुर्वेद के त्रिकूट फार्मूले से टी.बी. की दवा तैयार कर चुके हें। भारत में टी.बी. की भयावह स्थिति है। हर साल 15-54 साल के उम्र के 28 लाख लोग टी.बी. से संक्रमित होते हैं। दो तिहाई पुरुष होते हैं। संक्रमित महिलाओं में 50 फीसदी 34 साल से कम उम्र की होती है। टी.बी. संक्रमित एक लाख औरतों को उनके परिजन छोड़ देते हैं। टी.बी. के चलते कुल आय का 20 से 30 फीसदी चिकित्सा में खर्च होता है। भारत में टी.बी. के खाते 200 अरब से ज्यादा खर्च होता है। टी.बी. से ग्रस्त मां-बाप के (3 लाख) बच्चे स्कूल जाने से वंचित रह जाते हैं। इस अंधेरे से बचने के लिए भारतीय मसाले एवं जड़ी बूटियां कारगर सिद्ध हो रही हैं।

दूर्वा

(वानस्पतिक नाम—Cynodondactylon अंग्रेजी नाम—Creeping Cynodon)

ग्रेमिनी परिवार की तृण जाति की यह वनस्पति सभी जगह होती है। यह गर्मी में सूख जाती है तथा पानी पीकर पुनः हरी हो जाती है। भूमि पर फैली हरी दूर्वा (घास या दूब) अति लुभावनी लगती है। आयुर्वेद मतानुसार यह शीतवीर्य, व्रणरोपण, मूत्रजनन, कफ पित्त हर, तिक्त, मधुर, कषाय रस युक्त, तृषा, दाह, विष तथा चर्म रोग नाशक है। गुर्दे की सूजन, संक्रमण व पेशाब की जलन, त्वचा रोग, दाद, खुजली आदि में दूर्बा की जड़ का क्वाथ तथा पत्ते का रस पीयें तथा लगायें। नकसीर होने पर नाक में इसका रस डालें। इसकी पत्तियों की चटनी का लेप करने से दाह, व्रण, त्वचा के रोग, चोट या कट जाने पर रक्तस्राव ठीक होता है। इसका रस पीने तथा लगाने से दाद, खुजली, चर्म रोग, नेत्र रोग, सोरायसिस, एक्जिमा, पोलियो, रक्तहीनता ठीक होती है।

यह शरीर की अम्लता को कम करती है, इसमें स्थित क्लोरोफिल रक्त के हीमोग्लोबिन तथा लाल रक्त कणों को बढ़ाती है। यह यकृत, प्लीहा तथा गुर्दे की कार्यक्षमता को बढ़ाती है। शरीर की विषाक्तता को दूर करती है। सभी अंगों को नवजीवन प्रदान करती है। दूर्वा का रस लेने तथा इसके पत्ते को चबाने से मधुमेह, कब्ज, दाँत एवं मसूढ़े के रोग ठीक होते हैं। इससे स्तन्य की वृद्धि होती है। 300 सी.सी. तिल का तेल, 100 सी.सी. दूब का रस मिलाकर गर्म करें। पानी जल जाने पर इस तेल को छानकर शीशी में भर लें। इसे लगाने से जीर्ण चर्मरोग ठीक होता है। सिर में लगाने से सिरदर्द तथा बालों के रोग ठीक होते हैं। दूब पर नंगे पैर चलने से सभी प्रकार के दृष्टि दोष, उच्च रक्तचाप, हृदय रोग, शरीर का दाह, मानसिक रोग, स्नायविक

दुर्बलता ठीक होती है। दूर्वा पर रात्रि भर पड़ी ओस की बून्दों को सुबह एकत्रित कर चर्म रोग पर लगाने से लाभ होता है। इसका रस आँखों में लगाने तथा लेप करने से मोतियाबिन्द आदि दृष्टिदोष ठीक होते हैं। अर्श में लेप करने से शीघ्र शान्ति मिलती है। अतिसार, रक्तार्श, पितजन्य वमन, जलोदर, गर्भपात, उन्माद, अपस्मार, रक्त प्रमेह, अत्यार्तव तथा उदर रोग में दूर्वा-रस पिलाएँ। दूर्वा रस पीने से आँतों की स्वाभाविक गति लौटती है, उदर के विषाक्त आर्गेनिज्म की अतिवृद्धि पर प्रतिबन्ध लग जाता है।

पुनर्नवा

(वानस्पतिक नाम—Boerchavia Diffusa Linn
अंग्रेजी नाम—Hogweed or Horse Purselene)

निक्टेजिनेसी परिवार का यह पौधा फैलने वाली लता है। यह सर्वत्र उगी हुई मिलती है। इसके फूल छोटे, गुलाबी या श्वेत, जड़ बड़ी तथा मूलाकार अनेक शाखाओं में बँटी हुई लाल रंग की होती है। इसकी एक जाति श्वेत पुनर्नवा (Trianthemaportula Castrum Fam : Ficoidaceae) होती है। इसके पंचांग जड़, पत्ते इत्यादि का प्रयोग ताजा ही करना चाहिए। वैसे इसे सुखाकर एक साल तक रखा जा सकता है। पुनर्नवा प्रबल बहुमूत्रल है। इसमें पोटाशियम की मात्रा प्रचुर होती है। पोटाशियम एक ऐसा आवेशित खनिज है जो आयनों के रूप में माँसपेशी कोशिका के अन्दर से बाहर तथा पुनः वापस जाकर माँसपेशीय आकुंचन क्षमता को सुचारु करता है।

प्रायः बहुमूत्रल औषधियाँ शरीर में पोटाशियम का अभाव कर देती हैं फलतः कमजोरी महसूस होती है। पुनर्नवा तथा अन्य शोथघ्न बहुमूत्रल आहार की एक विशेष खासियत है कि उनमें प्रचुर मात्रा में पोटाशियम होता है जिससे इसका अभाव नहीं होता है। पुनर्नवा में जैव सक्रिय रसायन 'पुनर्नवीन' क्षाराभ 0.04 प्रतिशत तथा अन्य क्षाराभ 6.5 प्रति. होते हैं। जल में अघुलनशील स्टेरॉल होते हैं, जिसमें मुख्यतः बीटा-साइटोस्टेरॉल तथा अल्फा साइटोस्टेरॉल है। इसमें पोटाशियम नाइट्रेट, सल्फेट, क्लोराइड 6.5 प्रतिशत तथा स्थिर तेल स्टायरिक तथा पामिटिक अम्ल होते हैं। इसमें ऑक्सीजन युक्त पदार्थ एलेण्टाइन भी होता है। इन सारे सक्रिय जैव रसायनों का प्रभाव गुर्दे एवं हृदय पर लाभकारी होता है। एपीडेमिक ड्रॉप्सी के लिए पुनर्नवा उत्तम औषधि है। इसमें विटामिन 'बी' समूह के सभी सदस्य तथा 'ए', 'सी', प्रचुर मात्रा में होते हैं। इसलिए यह बेरी-बेरी जन्य हृदय रोग के लिए अतिश्रेष्ठ औषधि है। इसकी जड़ निरापद बहुमूत्रल है। शहद के साथ इसका रस 15 मि.ली. या क्वाथ 60 मि.ली. या पंचांग चूर्ण 7 ग्राम लेने से उदर आवरण शोथ, गुर्दे के रोग, रक्तहीनता, गुर्दा एवं हृदयघात, कार्डियक दमा, श्वास, सुजाक, जलोदर, पैरों की सूजन, कामला, पथरी, प्रदर, पेशाब की जलन व संक्रमण जन्य ज्वर, गले के सभी रोग में उपयोगी है।

हृदय रोगियों के लिए यह डिजिटेलिस का काम करता है क्योंकि इसमें नाइट्रेट पर्याप्त मात्रा में है। विषैले जन्तुओं के काटने पर इसका बाह्य एवं आन्तरिक प्रयोग एण्टीडोट का काम करता है। नेत्र रोग में इसका रस लगायें। यह महिलाओं के लिए विशेष बलवर्द्धक रसायन है। आयुर्वेद

के अनुसार पुनर्नवा मधुर, तिक्त, रुक्ष, उष्ण, विरेचन, दीपन, कफघ्न, वामक, शोथहर, मूत्रविरेचन, कास तथा उरक्षत नाशक होता है। यह धमनी कोशिकाओं में रक्तसंचार तथा हृदय संकोच को बढ़ाता है। पेशाब की मात्रा अत्यधिक बढ़ाता है। इसमें एलेण्टाइन होने के कारण रक्त में ऑक्सीजन धारण करने की क्षमता बढ़ जाती है फलतः इससे रक्त तथा सभी संस्थान को शक्ति एवं पुनर्जीवन मिलता है।

शंख पुष्पी

(वानस्पतिक नाम—Convolvulus Pluricaulis परि. Convolvlaceae)

इसके फूलों के आधार पर इसकी तीन जातियाँ होती हैं। सफेद पुष्प वाले ही सही शंखपुष्पी हैं। लाल तथा नीले पुष्प वाले इसके सहोदर हैं। शंखपुष्पी की लताएं फैलने वाली छोटी घास के समान होती हैं। इसके पंचांग या पत्तियों के ताजा रस 20 से 40 मि.ली. अथवा चूर्ण 2 से 5 ग्राम तथा क्वाथ 10 से 20 मि.ली. दे सकते हैं। रोग की स्थिति के अनुसार 2-3 बार एक निश्चित अन्तराल पर दें। इसे मात्र 6 माह तक सुरक्षित रखा जा सकता है। 6 माह के बाद इसके गुण खत्म होने लगते हैं। अ।युर्वेद के अनुसार इसका क्वाथ रसयुक्त, उष्ण, वीर्य, मेधावर्द्धक, मानसिक रोगों में उपयोगी, स्मरणशक्ति, कान्ति, बल, जठराग्निवर्द्धक, मिरगी, हिस्टीरिया, अनिद्रा, श्रम, कुष्ठ कृमि तथा विषनाशक है। जैव सक्रिय औषधि स्फटिक एल्कोलायड शंखपुष्पीन तथा इसेन्शियल ऑयल इसके सभी भागों में होता है। इसमें स्थित नैसर्गिक औषधियों का प्रभाव शीतल तथा शामक होता है। माँसपेशीय सक्रियता तथा आक्षेप कम हो जाते हैं। हाइपर थॉयरिडिज्म जन्य घबराहट, कम्पन, अनिद्रा आदि उत्तेजक स्थिति इसके पंचांग रस के प्रयोग से शान्त हो जाती है। इससे हृदय, मस्तिष्क तथा न्यूरॉन्स प्रभावित होते हैं। इसके प्रयोग से मस्तिष्क में प्रशामक रसायन 'एसिटाइल कोलिन' न्यूरो-रसायन बढ़ जाता है। तनावजन्य उच्च रक्तचाप भी कम होता है। गर्भाशय दौर्बल्य, मूत्रकृच्छ, प्रलाप, अनिद्रा, शुक्र दौर्बल्य, स्मरणशक्ति ह्रास, औषधियों का विषाक्त प्रभाव, पूयमेह, ज्वर दाह, आहार जन्य विषाक्त प्रभाव, रक्तवमन, स्नायु दौर्बल्य में ताजे रस का प्रयोग करें।

ब्राह्मी

(वानस्पतिक नाम—Herpestes Monniera अंग्रेजी नाम—Bacopa)

स्क्रोपुलेरियेसी (Schropulariaceae) परिवार का यह मुख्य सदस्य वनस्पति पानी के समीप काली जमीन पर होता है। इसका क्षुप फैलने वाला, किंचित माँसल, पत्ते आयताकार, पुष्प जामुनी, श्वेत या गुलाबी, सूक्ष्म बीज वाली फली 5 मि.मी. लम्बी होती है। स्वाद कड़वा होने से इसे जल नीम भी कहते हैं। साल भर तक इसे सुरक्षित रखा जा सकता है। उसके बाद इसके गुण समाप्त होने लगते हैं। आयुर्वेद मनीषियों के अनुसार यह मानसिक रोग, अपस्मार, नाड़ी दौर्बल्य, उन्माद एवं स्मृति नाश के लिए उपयोगी है।

इसमें जैव सक्रिय तत्त्व क्षाराभ ब्राह्मीन ह्रपेस्टिन तथा सेपोनिन होता है। ब्राह्मीन क्षाराभ औषधीय प्रभाव की दृष्टि से कुचला का प्रमुख रसायन 'स्ट्रिकनीन' की तरह होता है, परन्तु

'स्ट्रिकनीन' की तरह विषैला नहीं होता है। सेपोनिन में बेकोसाइड 'ए' तथा 'बी' है। 'ए' में एरबिनोसिल, ग्लूकोस, अरेविनोस, बेकोजेनिन इत्यादि होते हैं। हसैपिन नामक ग्लाइकोसाइड ब्राह्मी में पाया जाता है। इसमें बिटलि अम्ल, स्टिग्मा स्टेनॉल, बीटा-साइटोस्टरॉल, स्टीग्मा स्टीयरॉल आदि पाये जाते हैं। इन सब औषधीय रसायनों के कारण इसका प्रभाव प्रशामक एवं तनावनाशक होता है। इसके प्रयोग से तनाव दूर होकर प्रसन्नता, बुद्धि एवं स्मरणशक्ति का विकास होता है।

ब्राह्मी का हर्सेपोनिन का विशेष प्रभाव पिनियल पर होता है जिससे सिरोटोनिन न्यूरोहार्मोन का स्राव बढ़ जाता है, फलतः मानसिक, स्नायविक एवं शारीरिक सक्रियता बढ़ती है। ब्राह्मी के प्रमुख रसायन मस्तिष्क के विद्युत सक्रिय उत्तेजक केन्द्रों को शान्त कर मिरगी तथा अन्य आक्षेप के दौरे को कम करते हैं। यह सेमीकार्बाइज्ड के आक्षेपजन्य विषाक्त प्रभाव को न्यूट्रल बना देती है। यह साइकोसोमेटिक रोगों के लिए उत्तम औषधि है। विक्षिप्त मस्तिष्क स्नायुओं तथा कोशिकाओं के लिए प्रशामक टॉनिक है। उदासी, निराशा, चक्कर आना, नाड़ी में खिंचाव, अनिद्रा, मिरगी तथा पागलपन में 10-15 मि.ली. ब्राह्मी का ताजा रस या क्वाथ शहद के साथ दें। इसका ताजा रस नहीं मिलने पर चूर्ण 3 से 5 ग्राम लें। इसमें स्थित ब्राह्मी का प्रभाव स्ट्रिकनीन की तरह होने से हृदय को शक्ति मिलती है। आमवात, बच्चों की सर्दी, खाँसी, अवसाद, साइकोन्यूरोसिस, साइकोसिस, अपस्मार तथा हिस्टीरिया में 1½ चम्मच रस में शहद मिलाकर दिन में दो बार दें। एक लीटर तिल या नारियल के तेल में 200 ग्राम ब्राह्मी रस पानी जलने तक गर्म करें। यह ब्राह्मी तेल स्नायु तथा मानसजन्य रोगों के लिए अति उपयोगी है। इससे मालिश करने से न्यूराइटिस, स्मरणशक्ति ह्रास तथा स्नायु दौर्बल्य ठीक होता है। इसके मूल का चूर्ण एक ग्राम तक लें। श्रेष्ठ किस्म की ब्राह्मी गंगा के किनारे की होती है।

ब्राह्मी के गुणों के कारण ही ब्राह्मी को सद्विचार का आहार (Food for Thought) या बुद्धि का खजाना (Treasure of Wisdom), स्मरणशक्ति वर्द्धक (Memory Enhancer) विचारशील एवं बुद्धिमानों की जड़ी बूटी (The Thinking Person's Herb) आदि अनेक नामों से जाना जाता है। ब्राह्मी का उपयोग पूरे विश्व के विद्यार्थी यादाश्त एवं बुद्धि बढ़ाने तथा विद्यार्जन के लिए करते रहे हैं। भारत में तीन हजार से भी अधिक वर्षों से ब्राह्मी का उपयोग होता आ रहा है।

ब्रिटिश वैज्ञानिकों का संगठन रॉयल सोसायटी ने 1996 ई. में नाइट्रिक ऑक्साइड की खोज को शताब्दी की सर्वोत्तम एवं आश्चर्यजनक खोज के रूप में गरिमा प्रदान की है। इसी शोध लेख में ब्राह्मी को नाइट्रिक ऑक्साइड का खजाना बताया गया है। ब्राह्मी में मौजूद बेकोसाइड ए नाइट्रिक ऑक्साइड को रिलीज करने में खास भूमिका अदा करता है। ब्राह्मी से प्राप्त नाइट्रिक ऑक्साइड दिमाग में पहुँचकर सीखने, बुद्धिमता एवं यादाश्त के केन्द्र को अद्वितीय तरीके से सक्रिय करता है। नाइट्रिक ऑक्साइड धमनियों के एण्डोथेलियल को चिकना एवं मुलायम बनाता है जिससे रक्तप्रवाह में कोई रुकावट नहीं होती है, यही कारण है यह दिल के मरीजों के लिए फायदेमन्द होता है। फेफड़े तथा गुर्दे की तरफ रक्त प्रवाह को तेज करता है,

उन्हें नया जीवन देता है। स्ट्रोक तथा एलजीमर्स रोग में भी ब्राह्मी में मौजूद नाइट्रिक ऑक्साइड बेहतरीन काम करता है। ब्राह्मी में शक्तिशाली एण्टीऑक्सीडेन्ट पाये गये हैं। यह रोगों से लड़ने की ताकत इम्यून सिस्टम को शक्तिशाली बनाते हैं। जीवनी शक्ति वायटलिटी को बढ़ाते हैं। शारीरिक मानसिक लैंगिक एवं दिमागी स्किल व परफॉरमेन्स को सम्वर्द्धित करते हैं। ब्राह्मी एण्टीबायोटिक्स का भी काम करता है। फ्री रेडिकल्स मॉलेक्युल्स की सफाई करते हैं। स्वस्थ कोशिकाओं का किलर फ्री रेडिकल्स को ही ब्राह्मी किल कर देता है। पेट्रोल डीजल के प्रदूषण धूम्रपान, घना जहरीला कुहासा (Smog), कल कारखानों के धुएं, तेज धूप रासायनिक धूल, विषैला कचरा, पेस्टीसाइड्स, दवाइयों के कचड़े दवाइयां, कृत्रिम रसायन मिले आहार, एडिटिव्स, संक्रमण, दैनिक चयापचयी प्रक्रियायें, शारीरिक श्रम, पैराबेंगनी किरणों का विकिरण, भागम-भाग का तनावपूर्ण जिन्दगी आदि अनेक कारणों से शरीर में अनेक प्रकार के जहरीले फ्री रेडिकल्स तथा टॉक्सीटेन्टों का निर्माण एवं उनकी संख्या बढ़ जाती है। ये कोशिकाओं के मूल आधार डी.एन.ए. प्रोटीन, एन्जाइम को क्षतिग्रस्त कर देते हैं। जिससे बुढ़ापा, कैंसर, मधुमेह, आर्टियोस्क्लेरोसिस तथा आर्थराइटिस आदि रोग होते हैं।

सन् 1963 में ब्राह्मी में दो प्रकार सपोनिन बकोसाइड ए तथा बेकोसाइड बी खोजी गयी। बेकोसाइड ए नाइट्रिक ऑक्साइड के रिलीज करने में सहायता करता है जो क्षतिग्रस्त धमनियों के अन्दरूनी सतह की भलिभांति मरम्मत करके रक्त संचार को ठीक करता है। बेकोसाइड बी (Bacoside B) दिमाग की स्नायु कोशिकाओं को ताकत एवं शक्ति प्रदान करता है। वास्तव में सपोनिन कैंसर कोशिकाओं के विकास को ही रोक देता है। फलतः कैंसर ट्यूमर विकसित न होकर सिकुड़ने लगता है।

सेन्ट्रल ड्रग रिसर्च ऑफ इण्डिया (CDRI) ने ब्राह्मी पर राष्ट्रीय एवं अन्तर्राष्ट्रीय स्तर पर की गयी शोधों का जिक्र किया है। ब्राह्मी शक्ति शाली ब्रेन बूस्टर है। 1993 में कई स्वयं सेवकों पर ब्राह्मी का प्रयोग करके इस नतोजे पर पहुँचा गया कि इसका कोई दुष्प्रभाव नहीं होता है। ब्रह्म (वर्मा) देश में बहुतायत मात्रा में होने के कारण वहाँ के निवासी इसकी सब्जी बनाकर खाते हैं। ब्राह्मी रोग एवं रोगाणु किलर कोशिकाओं को सम्वर्द्धित करता है।

ब्राह्मी में मौजूद नाइट्रिक ऑक्साइड पावरफुल पोटेंशियल मैसेंजर माल्यूकूल है जो अग-अंग में जोश एवं ताकत भर देता है। विख्यात परामटा रग्बी प्लेयर एलरिस्टर एलन खतरनाक दुर्घटना में हेड इन्ज्युरी के चलते आठ सप्ताह इन्टेसिव केयर में रहे। 14 ऑपरेशन हुए सात सप्ताह तक भौतिक पुनर्वास चिकित्सा लेने के बावजूद न वे चल पाते थे और न उनकी यादाश्त ठीक हो पायी। डॉक्टरों ने हाथ खड़े कर दिए। ऐसी स्थिति में एलन को ब्राह्मी का कन्सेट्रेटेड एक्स्ट्रेक्ट दिया गया। कुछ दिनों के पश्चात् उनकी यादाश्त लौट आयी, वर्तमान में स्वस्थ एवं सामान्य जीवन का आनन्द ले रहे हैं। बुढ़ापा सताये उसके पूर्व ही ब्राह्मी का सेवन शुरू कर देने से दिमाग सदा तरोताजा रहता है। बुद्धिमता, बौद्धिक क्षमता तथा यादाश्तादि को बढ़ाने के लिए ब्राह्मी का कोई मुकाबला नहीं है।

ब्राह्मी की चाय स्वरस, काढ़ा, चूर्ण (पावडर) आदि विभिन्न रूपों में प्रयोग होता है। स्वाद

में यह कड़वा होता है। दिमाग दिल पाचन, संस्थान के सभी रोग तथा अन्तःस्रावी ग्रंथियों के रोग, कामशिथिलता, नपुंसकता आदि विभिन्न रोगों में लाभदायी है। ब्राह्मी में मौजूद जैव सक्रिय औषध रसायन महिलाओं में एस्ट्रोजेन तथा पुरुषों में टेस्टोस्टेरॉन को सक्रिय करके यौन ऊर्जा को सक्रिय करता है। पुरुषों में एरेक्टाइल डिसफंक्शन तथा महिलाओं में फ्रीज्ड लिबिडों को दूर करता है। ब्राह्मी शरीर, मन मस्तिष्क एवं तंत्रिकाओं की सोयी ऊर्जा को जगाकर ब्रह्मज्ञान एवं ब्राह्मी अवस्था को प्राप्त करने में सहायता करता है। सोचने, समझने, मेधा घृति, धारणा एवं स्मरण शक्ति एवं ऊर्जा को बढ़ाकर ऋतम्भरा प्रज्ञा की जागृति में सहायता करता है। टी. लिम्फोसाइट्स कोशिकाओं को और शक्तिशाली बनाता है। रोग प्रतिरोधक शक्ति को प्रबल एवं प्रचण्ड शक्तिशाली बनाता है।

खांसी अनिद्रा, पाइल्स, रक्तार्श, वाह्य तथा अन्त अवयवों की सूजन, ऊतकों में पानी की रुकावट, कब्ज, बालों का झरना, ज्वर, पाचन की गड़बड़ी, मृगी का दौरा, एडीएचडी, अवसाद, मानसिक भ्रम, दुश्चिन्ता, ओ.एस.डी. (मनोग्रसित बाध्यता), प्रमेह, शीघ्रवीर्यपात, अनियमित माहवारी, औरतों में काम शैथिल्य (Frigidity), चमरी के जीर्ण रोग, गठिया, संधिवात, गले की खराबी, गले का संक्रमण, पोस्टनेटल डिप्रेशन, नर्वस ब्रेक डाउन, कमर दर्द, मानसिक एवं शारीरिक थकान को दूर करता है। रक्तप्रवाह को बढ़ाता है। सूक्ष्म रक्त वाहिनियों की सफाई करता है। उन्हें लचीला बनाता है। दिल-दिमाग एवं तंत्रिकाओं को ताकतवर बनाकर उन्हें ऊर्जा से झकृत एवं आरोग्य से अलंकृत करता है। विचारों की सुस्पष्टता प्रदान करता है। आत्मविश्वास, इच्छाशक्ति, बुद्धिमता एवं स्मरण कौशल क्षमता को विकसित एवं जाग्रत करता है। ब्राह्मी में मौजूद स्ट्रायडल सपोनिन (Saponins) बेकोसाइड ए तथा बेकोसाइड बी कमाल का बुआयामी शक्तिशाली फाइटो केमिकल है। अध्ययन एवं दिमागी एवं बौद्धिक कौशल बढ़ाने, एकाग्रता एवं जागरुकता बढ़ाने तथा पर्यावरणीय तनाव एवं दबाव की कौशल बढ़ाने, एकाग्रता एवं जागरुकता बढ़ाने तथा पर्यावरणीय तनाव एवं दबाव की क्षमता विकसित करने की अपूर्व ताकत ब्राह्मी में है। विवेक के साथ भरपूर प्रयोग करें।

हरड़ या हरीतकी

(वानस्पतिक नाम—Tetminalia Chebula अंग्रेजी नाम—Myrobalan)

मदनपाल निघंटु के अनुसार कॉम्ब्रिटेसी (Combretaceae) परिवार की यह वनौषधि हर (महादेव) के भवन में उत्पन्न होने से यह अमृत से भी उत्तम मानी गई है। भावप्रकाश निघंटु के अनुसार अश्विनी कुमारों ने एक बार दक्ष प्रजापति को बताया कि एक समय अमृत पान करते समय भगवान इन्द्र के मुंह से एक बूँद अमृत पृथ्वी पर गिरी। उसी से दिव्य अमृत औषधि हरीतकी की उत्पति हुई। इसका उद्यम स्थल गंगा तट है। यह अमृततुल्य औषधि उत्तर भारत में हर जगह मिलती है। इसका वृक्ष 50 से 90 फुट तक ऊँचा, छाल गहरी भूरी, लकड़ी मजबूत, पत्ते महुवे के समान, फल अण्डाकार होते हैं। फल अपक्व स्थिति में गिर जाते हैं। बड़ी तथा छोटी दो प्रकार की हरड़ होती है। छोटी हरड़ निरापद औषधि है। भावप्रकाश निघंटु, सुश्रुत संहिता, वाग्भट्ट, धन्वन्तरि नि., चरक संहिता आदि ग्रंथों के अनुसार यह उदर रोग, संग्रहणी,

कब्ज, गुल्म, अतिसार, बवासीर, कास, प्रमेह, कण्ठ, विषम ज्वर, उदराध्मान, तृषा, वमन, हिचकी, खुजली, हृद्रोग, कामला, प्लीहा, यकृत, अश्मरी, मूत्रकच्छ तथा मूत्राघात आदि रोग ठीक करती है। इसमें पाँच रस मधुर, अम्ल, कटु, कसाय तथा तिक्त होते हैं।

राजवल्लभ निघण्टु के अनुसार हरीतकी माँ से भी अधिक हितकारी है, क्योंकि माँ कभी कुपित भी हो जाती है, किन्तु हरीतकी कभी भी अपकारी नहीं होती। इसमें गैलिक, टैनिक, चेबूलीनिक अम्ल तथा म्यूसिलेज होता है। रेचक पदार्थ एन्थ्राक्विनिन तथा सिनोसाइड 'ए' ग्लाईकोसाइड होते हैं। इसके अतिरिक्त ग्लूकोज, सार्बिटाल, फ्रूक्टोज, सुक्रोज, माल्टोज, अरेबिनोज आदि कार्बोज 18 प्रकार के मुक्तावस्था में एमिनो अम्ल होते हैं। आयुर्विज्ञानियों के अनुसार इसमें स्थित टैनिक अम्ल, म्यूसिलेज आँतों की श्लेष्मा, झिल्लियों पर श्लेष्मा तथा अल्ब्यूमिन की परत जमाकर कोमल भाग की रक्षा करता है। इस प्रकार से यह अल्सरेटिव कोलाइटिस तथा अल्सर के लिए उपयोगी है। यह पैथोजेनिक रोगाणुओं को प्रेसिपटेट कर उनका नाश करता है। बड़ी आँत में जमे मल को उसकी संकोचन क्रिया बढ़ा कर निकाल बाहर करता है। अजीर्ण, कब्ज, जीर्ण ज्वर, श्वास रोग, बवासीर, खूनी पेचिश, कामला, नेत्ररोग यकृत व प्लीहा वृद्धि तथा कृमि रोग में 5 ग्राम चूर्ण को शहद या छाछ के साथ लें। घाव पर घिसकर लेप करें। मुँह के छाले में क्वाथ का गरारा या लेप करें। दाँतों के रोग में इसे पीसकर मंजन करें।

गोखरू

(वानस्पतिक नाम—Tribulus Terrestris अंग्रेजी नाम—Small Caltrops)

जाइगोफालइसी (Zygophyllaceae) परिवार का यह प्रमुख सदस्य भूमि पर फैला हुआ होता है। इसका मूल पतला, चीपड़, पत्ते चने के समान, किंचित बड़े पुष्प पीले रंग के, फल छोटे-छोटे, गोल, किंचित चिपटे, पाँच जोड़े बड़े काँटे युक्त होते हैं। इसके मूल का क्वाथ तथा चूर्ण के लिए फल काम में लेते हैं। प्रचीन आयुर्वेद महर्षि चरक, सुश्रुत, भावमिश्र आदि के अनुसार गोखरू मूत्रकृच्छ, पथरी, प्रमेह, श्वास, खाँसी, बवासीर, वात तथा हृद्रोग को दूर करने वाला, शीत वीर्य, मधुर रस युक्त, अग्निप्रदीपक, पुष्टिकारक तथा वस्तिशोधक होता है। यह गाय के खुर में फँसकर उसे क्षतिग्रस्त कर देता है इसलिए मनीषियों ने इसका नाम गोखरू रखा है। यह अति निरापद औषधि है।

अन्न के अभाव में गरीब लोग इसे पीसकर रोटी बनाकर या मसाले के रूप में प्रयोग करते हैं। इसमें प्रोटीन, वसा, कार्बोज 7.22 प्रतिशत, Ca- 1.55 प्रतिशत, P- 0.08 प्रतिशत, Fe- 9.2 मि.ग्रा. प्रतिशत होता है। पौधों में 'हरमन' तथा बीज में 'हरमिन' नामक एल्केलायड, केम्पफेराल, रूटीनोसाइड तथा ट्रिबुलोसाइड आदि ग्लाइकोसाइड्स पाये जाते हैं। फल में अवाष्पशील रेजिन नाइट्रेट, पेरॉक्सीडेज, शुगर तथा टैनिन होता है। इसमें एक उपयोगी एन्जाइम डायस्टेज तथा विटामिन 'सी' भी होता है। यह एक निरापद प्रबल बहुमूत्रल औषधि है। नेफ्राइटिस, पथरी, ब्राइट्स रोग तथा अन्य मूत्र संस्थान सम्बन्धी रोग में गोखरू अति उपयोगी है। यह गर्भाशय को शुद्ध कर बन्ध्यत्व को दूर करता है। इसमें स्थित प्रचुर मात्रा में नाइट्रेट तथा उड़नशील तेल मूत्र संस्थान की श्लेष्मा झिल्ली पर उद्दीपक प्रभाव डालता है तथा हृदय रोगियों

के लिए भी यह उपयोगी है। इसके प्रयोग से प्रोस्टेट ग्रंथि की वृद्धि तथा पथरी टूट-टूट कर पेशाब के रास्ते निकल जाती है। वेदना कम हो जाती है। गुर्दे सम्बन्धी रोगों के लिए यह अति उत्तम निरापद औषधि है। एक समय में 5 ग्राम चूर्ण शहद के साथ लें अथवा एक पाव दूध, एक पाव पानी तथा दस ग्राम चूर्ण मिलाकर उबालें। पानी जल जाने पर धीरे-धीरे पी जायें। इसे घी या मिश्री के साथ भी देते हैं। इसका अच्छा अनुपान बकरी का दूध तथा शहद है।

अशोक

(वानस्पतिक नाम—Saraca Asoca or Indica Fam Leguminosae)

यह पेड़ सदा हरित, शोकनाशक है इसी कारण इसका नाम अशोक है। इसके वृक्ष 25 से 30 फुट ऊँचे, अनेक शाखाओं से युक्त घने छायादार, लालिमायुक्त, भूरे रंग की लकड़ी, नये पत्ते ताम्र रंग के, फलियाँ 8-10 इंच लम्बी, चपटी, बीज वाली होती हैं। इसकी छाल मुख्य रूप से औषधि के रूप में प्रयुक्त होती है। पुष्प तथा बीज भी प्रयुक्त होते हैं। शोभा बढ़ाने वाला घर अथवा बाग में लगा अशोक वृक्ष उतना उपयोगी नहीं होता है। शुद्ध अशोक की छाल अन्दर से रक्तवर्ण, बाहर शुभ्र, धूसर, खुरदरी तथा स्वाद में कड़वी होती है। यह गर्भाशय के लिए श्रेष्ठ टॉनिक (Uterine Tonic) है। इसकी छाल में एस्ट्रिन्जेन्ट (कशायकारक) तथा एण्ड्रोजन हार्मोन की तरह गर्भाशय उत्तेजनानाशक 'कीटोस्ट्रॉल' कैल्शियम युक्त यौगिक ओरेस्टीरॉयड होते हैं। ये सीधे गर्भाशय की माँसपेशियों की आन्तरिक सतह एण्डोमेट्रियस तथा ओवरी के ऊतकों पर लाभकारी एवं संशामक प्रभाव डालते हैं। अशोक की छाल का क्वाथ का डूस तथा इसे पीने से गर्भाशय का फायब्राइड ट्यूमर, अतिरज स्राव ठीक होते हैं। यह गुर्दे, मूत्राशय, गुर्दा एवं योनि मार्ग, फैलोपियन ट्यूब के रोग को दूर कर उन्हें सशक्त एवं स्वस्थ बनाता है, इसकी छाल में टैनिन्स कैटेचॉल, उत्तप्त तेल, एक ग्लाइकोसाइड्स, सैपोनिन्स, कैल्शियम तथा लौह खनिज युक्त कार्बनिक योगिक, हिमेटॉक्सिलिन आदि जैव सक्रिय औषधि रसायन होते हैं। यह औषधीय रसायन माहवारी तथा अन्य महिला सम्बन्धी समस्त रोगों में अति उपयोगी है। कष्टार्तव, श्वेत तथा रक्त प्रदर, रक्तार्श, रक्तातिसार, तथा गर्भाशय के सभी रोग में इसकी छाल का चूर्ण 10-15 ग्राम या क्वाथ 30 मि.ली. तथा आवश्यकतानुसार क्वाथ का डूस दें। गर्भावस्था में डूस नहीं दें। पथरी तथा पेशाब की जलन में बीज का चूर्ण 4 ग्राम ठण्डे पानी के साथ तथा फूलों का चूर्ण भी काम में लें। धन्वन्तरि निघंटु, सुश्रुत, राज निघंटु, शोढ़ल निघंटु, रत्नाकर, भाव प्रकाश निघंटु आदि आयुर्वैज्ञानिक शास्त्रों में इसके गुणों की महिमा का खूब वर्णन किया गया है।

अर्जुन— टमेनेलिया अर्जुन से रक्तवाही नलिकाओं में रक्तसंचार की क्रिया बढ़ती है। यह हृदय की माँसपेशियों के लिए टॉनिक है। इससे स्ट्रोक वाल्यूम कार्डियक आउटपुट की वृद्धि होती है। यह रक्त वाहिनियों में थक्का नहीं बनने देता है। यह शरीरव्यापी समस्त कोशों में जमा पानी पेशाब द्वारा निकाल बाहर करता है जिससे गुर्दे व हृदय पर कम भार पड़ता है। इसमें कैल्शियम, सोडियम, मैग्नेशियम, एल्यूमिनियम तथा अर्जुनेटिन होने से यह हृदय पेशियों पर स्वस्थ उत्तेजना प्रदान करता है। हृदय की शिथिलता तथा अन्य हृदय रोग, वक्षदाह, खाँसी,

पेशाब की जलन, क्षय खाँसी में छाल का क्वाथ 50 मि.ली.या पत्र स्वरस 10 से 15 मि.ली. या छाल का चूर्ण 3-5 ग्राम शहद के साथ दें। अर्जुन विशेष रूप से हृदय रोग में अति उपयोगी है। इसमें वीटा साइटोस्ट्रॉल, अर्जुनिक अम्ल, फ्रीडेलीन, टैनिन, पाइरोगैलाल, केटेकॉल, कैल्शियम कार्बोनेट आदि जैव सक्रिय औषधि रसायन होते हैं। अर्जुन के गुणों का वर्णन राज निघंटु, राजवल्लभ, भाव पकाश निघंटु, चरक, सुश्रुत, वाग्भट्ट, वृन्द, चक्रदत्त, शोढ़ल, बंगसेन हारीत आदि के ग्रंथों में खूब किया गया है। यह हृदय रोगों के लिए उपयोगी है लेकिन किंचित रक्तचाप को बढ़ाता है, अतः प्रयोग करते समय इसका ध्यान रखें।

अश्वगंधा

(वानस्पतिक नाम—Withania Somnifera अंग्रेजी नाम—Winter Cherry)

सोलेनेसी परिवार का विशिष्ट सदस्य अश्वगंधा भारतवर्ष के समस्त भागों में मिलता है। इसके कच्चे मूल से घोड़े जैसी गंध आने से इसे अश्वगंधा कहा जाता है। इसका क्षुप झाड़ीदार 3-4 फुट ऊँचा, पत्ते जाड़े में अखण्ड लट्वाकार, पुष्प गुच्छों में हरिताभ चिलमाकर होते हैं। फूल मटर के समान पकने पर लाल हो जाते हैं। इसकी खेती भी की जाती है। पहले नर्सरी में लगाते हैं। आधा-आधा मीटर की दूरी पर पुनः बोते हैं। इसे अधिक पानी की आवश्यकता नहीं होती है। दिसम्बर में फूल-फल आते हैं। मार्च से जड़ समेत फसल निकालते हैं। इसकी जड़ों को औषधि के रूप में प्रयोग करते हैं। बीज जहरीले होते हैं। जड़ एक उत्तम टॉनिक है। इसके प्रयोग से अश्व जैसा बल प्राप्त होता है।

इसके मूल के चूर्ण को 1 से 3 ग्राम तक शहद के साथ लेने से अनिद्रा, क्षय, सफेद कुष्ठ, शोथ दूर होते हैं। इससे सिद्ध तेल की मालिश करने से सामान्य दौर्बल्य तथा सभी प्रकार के वातज व्याधि दूर होते हैं। इसके पत्ते की पुल्टिस ग्रंथियों, शोथ, फोड़ों पर बाँधें, शीघ्र लाभ होता है। इसका अवसादक प्रभाव सिर्फ वातनाड़ियों पर होता है। यह शुक्राणुओं की वृद्धि कर कामोत्तेजक प्रभाव डालता है। अनेक आयुर्वैज्ञानिक अपने शोधों से इस निष्कर्ष पर पहुँचे हैं कि इसके प्रयोग से आयु तथा लाल रक्त कण (हीमोग्लोबिन) तेजी से बढ़ते हैं। संधियों में लचीलापन आता है। कमर झुकना दूर होता है। रक्त कण बैठने की गति ई.एस.आर. तथा सीरम कोलेस्ट्रॉल कम होते हैं। इसका प्रभाव हिमेटिनिक रक्त लौहवर्द्धक होता है। प्रति सौ ग्राम इसकी जड़ में 789.4 मि.ग्रा. लोहा होता है। इसके अतिरिक्त वैलिन, टायरोसिन, प्रेलिन एलेनिन, ग्लाइसिन आदि एमिनो अम्ल होने से यह बच्चों के लिए उत्तम टॉनिक है। इसमें अन्य जैव औषधि कुस्को हाइग्रिन, एनाहाइग्रिन, ट्रोपीन, स्यूडोट्रोपिन, एनाफैरिन, आइसोपेलीटीरीन तथा तीन प्रकार के ट्रोपिल्टिग्लोएट होते हैं। कुछ विदेशी आयुर्विज्ञानियों के अनुसार इसमें विदासीमिन तथा विसमिन क्षाराभ के अलावा स्टार्च, शर्करा, हैन्ट्रियाकॉन्टेन, उलसिटॉल तथा विदनॉल ($C_{25}H_{35}O_5$) ग्लाइकोसाइड्स तथा फाइटोस्ट्रॉल होते हैं। इसमें सॉम्निफेरिन ($C_{12}H_{12}N$) तथा विदनोल क्षाराभ रवे के रूप में होते हैं।

शोध विज्ञानियों के अनुसार अश्वगंधा की जड़ में विधोफेरिन नामक क्षाराभ पाया जाता है जो कैन्सर वृद्धि को करिश्माई ठंड से रोक देता है। इसके जड़ को जलीय तथा अल्कोहलिक

फार्मूलों को अलग-अलग प्रकार के कैंसर के रोगियों पर आजमाया गया, पता चला कि अल्कोहलिक फार्मूला प्रबल शक्तिशाली कैंसर ट्यूमर विरोधी है। अश्वगंधा के पत्ते जबरदस्त मोटापा को नष्ट करने वाला होता है। प्रतिदिन 4 पत्ते पान की तरह चबा-चबाकर खायें मोटापा नियंत्रित होने लगता है।

मुलेठी

(वानस्पतिक नाम—Glycyrrhiza Glabra अंग्रेजी नाम—Liquorice Root)

मिश्र की मुलेठी उत्तम, अरब की मध्यम तथा तुर्किस्तान, साइबेरिया, फारस, हिन्दुस्तान आदि की निकृष्ट मानी जाती है। भारत में जम्मू-कश्मीर, सहारनपुर, देहरादून आदि जगहों पर इसे लगाने के प्रयोग शुरू हुए हैं। इसके क्षुप 3-4 फुट लम्बे, इसकी जड़ लम्बी झुर्रीदार फैली होती है। इसकी जड़ तथा भूमिगत तने को काटकर छिलकारहित अथवा सहित सुखाकर मुलेठी के नाम से बेची जाती है। लेग्यूमिनीसी परिवार के इस पौधे की फली छोटी 2-3 बीज वाली, पत्ते छोटे आयताकार, मालाकार होते हैं। मुलेठी के गुण दो वर्ष तक ही रहते हैं। बाजार में तिक्त मन्चूरियन मुलेठी एब्रस प्रिकेटोरियम की मिलावट वाली मिलती है।

असली मुलेठी अन्दर से हल्की गंधवाली, रेशेदार पीली होती है। मुलेठी का मुख्य घटक ग्लिसराइजिन 5-10 प्रतिशत होता है, जिसमें ग्लिसराइजिनक अम्ल से निर्मित कैल्शियम तथा पोटाशियम के लवण होते हैं। शुभ्र रवेदार यह अम्ल चीनी से पचास गुना मीठा होता है। गरम पानी में बना इसका घोल ठण्डा होने पर गाढ़ा हो जाता है।

इसमें स्टेरॉयड इस्ट्रोजन (गर्भाशय उत्तेजक) हार्मोन, ग्लूकोज 5-10 प्रतिशत, स्टार्च 30 प्रतिशत, उड़नशील तेल 0.3 प्रतिशत, वसा, राल तथा एसपेराजिन आदि औषधीय रसायन होते हैं। इसका पीला रंग ग्लाइकोसाइड्स आइसोलिक्विरिटिन के कारण होता है जो मुँह की लार ग्रंथियों को उत्तेजित कर प्टाइलिन एन्जाइम पैदा करता है। मुलेठी गैस्ट्रिक, पेप्टिक तथा ड्यूडिनल अल्सर के लिए उत्तम औषधि है। मुलेठी में स्थित ग्लिसराइजिन, ट्राइटर्पिन क्षत आमाशय के ऊपर श्लेष्मा की मात्रा बढ़ा देता है जिससे अल्सर शीघ्रता से ठीक होता है। यह आँतों के स्पास्म, मरोड़ तथा अवरोध को दूर करता है। मुलेठी के प्रयोग से आमाशय की रस ग्रंथियों से ग्लाइकोप्रोटीन्स नामक रस का स्राव बढ़ने से छोटे-मोटे घाव या टूट-फूट स्वत: ठीक हो जाते हैं। दिन में 2-3 बार मुलेठी का चूर्ण या क्वाथ 5-10 मि.ली. शहद के साथ लें। इसके टुकड़े को चूस भी सकते हैं।

इसके प्रयोग से सभी प्रकार के आमाशयिक या आन्त्रिक अल्सर, हिचकी, रक्तवमन, रक्तहीनता, यक्ष्मा, टी.बी., दमा, अम्लपित्त, रक्तपित्त, गले की तकलीफ, लैरिंजाइटिस, फैरिंजाइटिस, टॉन्सिलाइटिस, वर्ण विकार, हृद्रोग, अपस्मार, पेशाब की जलन, शुक्रप्रमेह आदि ठीक हो जाते हैं। डॉ. जियो एन. कीव के अनुसार उत्तेजक पदार्थों के कारण उत्पन्न उदर शूल मुलेठी के प्रयोग से ठीक हो जाता है। इसका प्रभाव एण्टीएमिटिक होता है।

अनुसंधान

भूख और भोजन, रोग और आरोग्य

भूख है तो भोजन की आवश्यकता है। भूख शरीर की एक स्वाभाविक प्रतिवर्त प्रक्रिया है। यह हार्मोनल प्रक्रिया दिमाग द्वारा नियंत्रित नियोजित एवं नियमित होता है। इस प्रक्रिया में अनेक न्यूरो केमिकल हार्मोन, एन्जाइम भाग लेते हैं। अति आधुनिक खोजों के अनुसार एथेन्स यूनिवर्सिटी के अलेकझेण्डर कॉकिनॉस (Alexander Kokkinos) के अनुसार आदमी जब भूख की स्थिति में मौन होकर धीरे-धीरे शान्ति से खाता है तो खाने के बाद खून में तृप्ति के दो गट हार्मोन पेप्टाइड yy (pyy) तथा ग्लूकेगॉन लाइक पेप्टाइड 1(GLP1) आँतों से निकलता है। ये दो आन्त्रिक हार्मोन दिमाग को सूचना भेज देते हैं कि भोजन की कोई आवश्यकता नहीं है, पेट पूरा भरा हुआ है, अतिरिक्त कैलोरी की जरूरत नहीं है। इस प्रकार से ये दोनों हार्मोन भूख तथा कैलोरी (Curbing Appetite and Calorie Intake) दोनों को ही नियंत्रित करते हैं। खाली पेट रहने से पेट की अग्नि सुलगती है, उस समय विवेक का आदर करते हुए संतुलित आहार लें।

जिस प्रकार आग में घी डालने से अग्नि और अधिक सुलगती है। ठीक ऐसा ही भूख की अवस्था में फैट वाला आहार खाने से जठराग्नि और अधिक भभक पड़ती है। यूनिवर्सिटी ऑफ सिनसिनेटी (Cincinnati) के वैज्ञानिकों ने खोज की है, फैट वाला आहार खाने से भूख का हार्मोन घ्रेलिन का लेवल बढ़ जाता है, भूख का अहसास भी घ्रेलिन के बढ़ने से ही होता है। वास्तव में घ्रेलिन के एसीलेशन (Accylation) के लिए फैटी एसिड की आवश्यकता है। शरीर में मौजूद फैट भूख नहीं बढ़ाता है बल्कि आहार में मौजूद फैट घ्रेलिन तथा भूख को बढ़ा देता है। वास्तव में घ्रेलिन फैटी एसिड के साथ जुड़कर घ्रेलिन ओ-एसिलेशन ट्रान्सफेरेस (GOAT) एन्जाइम द्वारा एसाइलेशन होने से घ्रेलिन सक्रिय हो जाता है। यह भस्मासुर बनकर भूख को बढ़ाता है जठराग्नि को भड़काता है।

खाने के विषय में सोचने मात्र से घ्रेलिन का लेवल एवं उत्पादन बढ़ता है। यह हार्मोन तनाव दबाव अवसाद से लड़ने में मदद भी करता है। तनाव एवं अवसाद के समय घ्रेलिन की मात्रा बढ़ जाती है। इससे डिप्रेशन कम होता है। लेकिन इसका लेवल बढ़ने से व्यक्ति ज्यादा खाने लगता है और मोटा हो जाता है। वैज्ञानिकों का कहना है कि चिन्ता तनाव अवसाद विषाद के क्षणों में खाने का चिन्तन करें, इससे खाने का मन करेगा, बेहतर महसूस करेंगे, ऐसी स्थिति में कम कैलोरी वाला आहार तरबूजा, खरबूजा, टमाटर, सेब, अमरूद आदि खायें। तले भूने आहार नहीं लें। इससे तनाव भी दूर होगा तथा मोटापा भी नहीं बढ़ेगा। घ्रेलिन शरीर में कॉलेस्टरॉल के लेवल को नियन्त्रित एवं नियमित करता है। अब तक यह समझा जाता था कि कोलेस्टरॉल नियन्त्रण एवं नियमन लीवर द्वारा होता है किन्तु यूनिवर्सिटी ऑफ सिनसिनेटी के वैज्ञानिकों ने प्रमाणित किया है कि कोलेस्टरॉल का रिमोट कन्ट्रोल नर्वस सिस्टम के न्यूरोसर्कुलेटरी एवं भूख के हार्मोन घ्रेलिन के हाथ में है।

सन् 1998 ई. में फ्रांसिसी वैज्ञानिकों ने इंटिंग डिसऑर्डर पर काफी खोज की है। किसी को ज्यादा भूख लगती है किसी को कम। इसका कारण जेनेटिक्स भी होता है। यह पीढ़ी दर पीढ़ी चलने वाली जीनोम की आदत भी हो सकती है। यह पैतृक सम्पदा के साथ सौगात के रूप में भी मिल सकता है। यूनिवर्सिटी ऑफ पिट्सबर्ग स्कूल ऑफ मेडिसिन में हुए ताजातरीन अध्ययन से ज्ञात हुआ है कि भूख कम या ज्यादा लगना भी 12 फीसदी तक पैतृक हो सकता है। स्लिम-ट्रिम फीट एवं हर क्षेत्र में हीट होने के लिए आज की औरतें एवं लड़कियाँ साइकोसामेटिक रोगों से ग्रस्त होकर कइयों ने जीवन को ही नष्ट कर लिया है।

भूख सम्बन्धित रोग जैसे (1) ब्लूमिया नर्वोसा (2) एनोरेक्सिया नर्वोसा (3) नाइटइटिंग सिण्ड्रोम (4) बिन्जेस इटिंग सिंड्रोम (5) एक्सरसाइज रेजिस्टेन्स डिसऑर्डर (6) रिसिट्रिक्टेड इटिंग डिसआर्डर (7) आथ्रोरेक्सिया (Athrorexia) (8) नियोनेटल प्रोगेरॉयड सिण्ड्रोम (Neonatal Progeroid Syndrome) तथा (9) ड्रंकोरेक्सिया (Drunkorexia) आदि रोग आनुवांशिक पारिवारिक जिनेटिक्स, सामाजिक तथा बाहरी परिवेश (माहौल-इन्वायरमेन्ट) दोनों कारणों से होते हैं। इटिंग डिस आर्डर से बचने के लिए बचपन से ही बच्चों में आहार सम्बन्धित सुन्दर एवं सृजनात्मक आदतें विकसित करें। मोटे बच्चों के बॉडी वेट की आलोचना बार-बार नहीं करें। उनका आत्मसम्मान एवं इच्छा शक्ति बढ़ायें। उनमें रचनात्मक गुणों एवं सृजनात्मक कौशल को खोजें और उन्हें विकसित करें। बढ़ायें। प्रशंसा करें। तन की भूख के बदले मन की भूख बढ़ायें उसे प्रोत्साहन एवं प्रशंसा से तृप्त करें। तन से ही नहीं मन से भी सुन्दर होने की इच्छा शक्ति जाग्रत करें। मन से प्रगन्न एवं तृप्त व्यक्ति कम खाता है, इटिंग डिसऑर्डर एवं मोटापा से बचा रहता है।

वर्जीनिया कामनवेल्थ यूनिवर्सिटी इन रिचमंड के वैज्ञानिकों ने 17 से 55 साल के 1900 महिलाओं पर पांच साल के अन्तराल पर दो साक्षात्कारात्मक अध्ययन से इस नतीजे पर पहुँचे हैं कि एक ही परिवेश में पली-बढ़ी, पढी-लिखी, लालन-पालन वाली तथा जेनेटिक समानता वाली जुड़वा महिलाओं तथा पुरुषों दोनों में बुलिमिया नर्वोसा या पेटूपन (भक्षण रोग) की शिकायत थी। जो लोग जुड़वा नहीं थे किन्तु पचास प्रतिशत तक जेनेटिक समानता वाले भाई-बहनों में किसी को बुलिमिया रोग था तो किसी को नहीं था।

1999 ई. में ब्रिटेन के वैज्ञानिकों ने प्रमाणित कर दिया कि मुड रेगुलेटिंग फीलगुड हैप्पी हार्मोन (न्यूरोट्रान्समीटर्स) सेरोटोनिन का लेवल कम हो जाने से लोग पेटूपन की आदत से ग्रस्त हो जाते हैं। खा-खा कर तृप्त अधाये लोग भी सेरोटोनिन के अभाव के कारण ज्यादा खाने की प्रवृति से ग्रस्त होते हैं यही कारण है कि कुछ लोगों में तनाव के क्षणों में सेरोटोनिन का अभाव हो जाता है, वे ज्यादा खाने की आदत से अभिशप्त हो जाते हैं।

वास्तव में डाइटिंग, उपवास, अनशन, भुखमरी से शरीर में ट्रिप्टोफिन नामक प्रोटीन की मात्रा कम हो जाती है। ट्रिप्टोफिन एमिनो एसिड्स से सेरोटोनिन का निर्माण होता है। प्रयोगों से यह भी पता लगा है कि जिन्हें ज्यादा भूख लगती है उनमें ज्यादा समय तक सेक्स इच्छा तीव्र

होती है। वे अपनी इमेज खूबसूरती तथा बॉडी फिगर के प्रति ज्यादा चिन्तित रहते हैं। हालांकि वे खाना देखकर अपने को रोक नहीं पाते हैं तथा वजन देखकर घबराते हैं, फिर उनमें वजन कम करने का जुनून पैदा होता है। इस द्वन्द्वात्मक परिस्थिति में वे साइकिक समस्या से ग्रस्त हो जाते हैं। कुछ डॉक्टर ऐसे रोगियों को प्रोजेक तथा फ्लूडाक जैसी दवाइयों से इलाज करने का प्रयास करते हैं। सेरोटोनिन के असंतुलन को दूर करने का दावा करते हैं। परन्तु सफलता नहीं मिलती है।

वास्तव में सेरोटोनिन 5 एच.टी. (5 Hydroxytryptamine) रसायन है। यह गैस्ट्रिक रिसाव को कम करता है। रक्तवाहिनियों का शक्तिशाली संकोचक है। प्लेटलेट्स पाचनांगों की लाइनिंग की श्लेष्मा, पीनियल बॉडी, मास्ट कोशिकाएं, सेन्ट्रल नर्वस सिस्टम तथा उतकों में पाया जाता है। सेरोटोनिन की कमी से शंका संदेह, डिप्रेशन एवं आत्महत्या की प्रवृति पायी जाती है। डिप्रेशन से मुक्त होने के लिए कृत्रिम संश्लिष्ट सेरोटोनिन युक्त सप्लीमेन्ट एवं दवायें काम में ली जाती है, इसके दुष्प्रभाव से सेरोटोनिन सिण्ड्रोम (Corcinoid Syndrome) तेजी से बढ़ रहा है। जिसके चलते मतिभ्रम, जकड़न, ज्वर आदि लक्षण दिखते हैं। एपेंडिक्स भी सेरोटोनिन का स्राव बढ़ाकर कैंसर वाली ट्यूमर पैदा कर सकता है। कुछ सामान्य ट्यूमर भी सेरोटोनिन का रिसाव करते हैं जिससे दमा, तमतमाहत, दस्त आदि लक्षण पैदा हो सकते हैं।

टी.वी. देखते हुए, बात करते हुए तथा कथा कहानी सुनते हुए ज्यादा खाने की, पेटूपन की आदत पड़ जाती है। आज का माहौल, वातावरण परिवेश, फैशन के चक्कर में विदेशों से इम्पोर्टेड 'स्लिम ट्रीम' होने की चाहत, महिलाओं में भूख की गड़बड़ी एवं अनियमितत पैदा कर रही है। गाँवों में आम भारतीय परम्परा के अनुसार घर की महिलाएं बचाखुचा खाना खाती है। कभी सब्जी कम होती है तो कभी दाल या रोटी जो है उसी में काम चलाना पड़ता है अब धीरे-धीरे गाँव की फिजा बदलने लगी है। बदलाव हो रहा है। गाँवों में खान-पान का स्वस्थ एवं उचित माहौल मिलने से भूख सम्बन्धित विटामिनादि अभावजन्य रोगों से मुक्ति मिल रही है। परन्तु शहरों में बढ़ रही है। भूख की गड़बड़ी वाला रोग आनुवांशिक होने के बावजूद भी परिवेश एवं पर्यावरण में सुधार कर इनसे मुक्त हुआ जा सकता है।

दक्षिण कोरिया की क्योंगपुक (Kyung Pook) यूनिवर्सिटी के डॉ. दुक ही ली (Duk-Hee-Lee) के नेतृत्व में अमेरिका तथा नार्वे के वैज्ञानिकों ने दस साल तक 1099 लोगों के डाइटिंग से वजन कम होने के दौरान उनके कई बार रक्त परीक्षण करके देखा कि उनके खून में सात सर्वाधिक खतरनाक प्रदूषक रसायनों की मौजूदगी पायी गयी। इन पर निगरानी रखने के लिए उनके बार-बार रक्त परीक्षण करके इस निष्कर्ष पर पहुँचा गया है कि लोग वजन कम करने के चक्कर में अपने सेहत के साथ खिलवाड़ करते हैं। बिना जाने बूझे वजन कम करने के लिए असंतुलित डाइटिंग करने से खून में कुछ ऐसे जहरीले कार्बनिक प्रदूषक (Organic Pollutants) अधिक मात्रा में बढ़ जाते हैं जिनसे स्तन कैंसर, मधुमेह, आर्थराइटिस, उच्च रक्तचाप, दिल की बीमारी, पार्किन्सन, एल्जीमर्स आदि रोग पनपते हैं।

सामान्यावस्था में ये कार्बनिक प्रदूषक रसायन एवं जीव विष (Organic Pollutants Toxins) शरीर की वसा कोशिकाओं में संग्रहित रहते हैं। डाइटिंग करने या वजन कम होने के दौरान वसा उत्तकों के ब्रेक डाउन यानि खंडित होने से इन प्रदूषक रसायनों का स्राव रक्त प्रवाह में बढ़ जाता है। रक्त प्रवाह द्वारा विभिन्न अंगों में पहुँचकर उन्हें क्षतिग्रस्त एवं रोगग्रस्त करते हैं।

कोलम्बिया के यूनिवर्सिटी ऑफ मिसौरी (Missouri) के शोधकर्ता हीथर लीड्स के नेतृत्व में हुए शोध अध्ययन 'आबेसिटी जर्नल' में प्रकाशित हुआ है। इस शोध के अनुसार सप्ताह के सातों दिन जिन लोगों ने अपने आहार (Assigned Diet) को 5 घंटे के अन्तराल पर तीन हिस्सों में बांट कर खाया वे ज्यादा तृप्त पाये गये, उनके ज्यादा खाने पर स्वतः प्रतिबंध लग गया, कैलोरी कम जाने से वजन भी कम हुआ वनिस्पत जिन लोगों ने प्रत्येक 2 घंटे के अंतराल पर 6 बार भोजन किया। जो पुरुष अपने कुल कैलोरी का 14 फीसदी प्रोटीन ले रहे थे के अपेक्षा 25 फीसदी हायर प्रोटीन लेने वाले दिन भर पेट भरा हुआ महसूस करते रहे। देर रात तक उनकी खाने की मांग नहीं रही। अब तक यह धारणा थी कि डाइटिंग करने वालों को दिन में कई बार थोड़ा-थोड़ा खाने से ज्यादा संतुष्टि और अधिक खाने पर प्रतिबन्ध लगता है, लेकिन इस शोध से साबित हो गया कि कम कैलोरी तथा उच्च प्रोटीन डायट मात्र तीन बार खाने से ज्यादा संतुष्ट होकर वजन कम किया जा सकता है। इस दृष्टि से अंकुरित मूंग, मोंठ, मसूर, मटर, चना, मूंगफली के विविध व्यंजन छाछ एवं सलादादि सर्वाधिक उपयुक्त है।

सिडनी यूनिवर्सिटी के अगुवाइ में वैज्ञानिकों की एक अन्तर्राष्ट्रीय टीम ने खोज किया है कि नियमित व्यायाम करने से मेटाबॉलिज्म बढ़ाने वाली तथा वसा को जलाने वाली कोशिकाएं सक्रिय हो जाती है। इसका सुप्रभाव यह होता है कि आराम के समय भी कैलोरी को भस्म करने की क्षमता बढ़ जाती है। मात्र 30 मिनट तेजी से टहलने से फैट जलाने एवं वजन नियंत्रण करने वाली कोशिकाएं सक्रिय हो जाती है।

वैज्ञानिकों के अनुसार इन्सानों समेत समस्त स्तनधारियों का शरीर नियमित रूप से व्यायाम करने के हिसाब से डिजाइन किया गया है। स्तनधारी मॉडलों के जरिए यह शोध दर्शाता है कि आरामदायक बैठे ढाले जीवन शैली से दोहरा नुकसान होता है। मांसपेशीय गतिविधियों में ऊर्जा का इस्तेमाल नहीं होने से वजन बढ़ता है जिससे मेटाबॉलिज्म सिग्नल बाधित होता है। बी एम आर कम हो जाता है। आर्गेनाइजेशन फॉर इकोनॉमिक को-ऑपरेशन एण्ड डवलपमेन्ट (OECD) के रिपोर्ट के अनुसार मोटापे में प्रथम देश अमेरिका के दो तिहाई तथा द्वितीय देश ब्रिटेन का एक चौथाई जनसंख्या मोटापा तथा मोटापाजन्य समस्याओं से ग्रस्त है।

बिना सोचे समझे खाना बन्द कर देने से ओ.एस.डी. तथा एनोरेक्सिया नर्वोसा जैसे साइको न्यूरोसिस बीमारियां भी पैदा होने लगती है। भूख की गड़बड़ी सम्बन्धित रोगों से बचने के लिए हमेशा वजन (बॉडी वेट) की आलोचना नहीं करें। जिन घरों में छरहरे स्लिम ट्रिम फिट हीट बने रहने का जुनून होता है, वहाँ के बच्चे खूबसूरत जांघों, हाथों आदि की चर्चा सुनते-सुनते

खान-पान सम्बन्धित गड़बड़ी से ग्रस्त हो जाते हैं। मोटे बच्चे हो या सयाने उनके आत्मसम्मान का ध्यान रखें, जो चाहें वैसा नहीं बोले। बॉडीवेट की आलोचना नहीं करें। सिर्फ शरीर नहीं बल्कि उसके अन्दर अन्य रचनात्मक गुणों को खोजे तथा विकसित करें। प्रशंसा करें। देश-विदेशी छैल छबीले दुबले पतले छरहरे स्लिमट्रिम लोगों की सुन्दरता से तुलना नहीं करें। मन की सुन्दरता तो जैसा चाहे वैसा बना सकते हैं। पेट की भूख की अपेक्षा प्रशंसा की भूख ज्यादा तीव्र होती है। गाहे विगाहे बच्चों को जब चाहें तभी सराहें, इससे उनका बहुआयामी विकास होता है। जिन बच्चों की प्रशंसा नहीं होती हैं वे प्रायः इटिंग डिसआर्डर से ग्रस्त पाये जाते हैं।

भोजन स्वास्थ्य सम्बर्द्धन एवं स्वाद तृप्ति के लिए होता है। भोजन के समय इन दोनों बातों का ध्यान रखें। ज्यादा चटपटे, तले-भुने आहार स्वाद की संवेदनाओं को नष्ट कर देते हैं, स्वाद लेने वाली कलियां संवेदनहीन होने लगती हैं साथ ही स्वास्थ्य भी नष्ट होने लगता है। ऐसे भोजन से बच्चों में दिल के रोग, मोटापा, मधुमेह, यकृत एवं गुर्दे के रोग तेजी से बढ़ रहे हैं।

कृत्रिम आहारों के अपेक्षा परम्परागत स्वास्थ्य एवं स्वादप्रद आहार का प्रचलन बढ़ाना चाहिए। फास्ट फूड, जंक फूड, सिंथेटिक एवं कन्फेक्शनरी फूड के बदले लुप्त हो चुके एवं हो रहे हमारी प्रकृति संस्कृति विरासत एवं परम्परा से जुड़े व्यंजनों को पुनर्जीवित करने की आवश्यकता है। उनके लिए बाजार खोजने की भी आवश्यकता है।

हर व्यक्ति आरोग्य के नये दृष्टिकोण से सोचे कि हमें अपनी परम्परा, खान-पान, विरासत को संरक्षण एंव सम्वर्द्धन करने का अधिकार है। खाने की थाली, धरती, प्रकृति तथा हम स्वयं के मध्य गहरा रिश्ता है। आहार अच्छा साफ सुथरा एवं प्राकृतिक होना चाहिए। हम जो खा रहे हैं वह प्रकृति, अन्य प्राणी एवं परिस्थितियों को बिना नुकसान पहुँचाये प्राप्त हो। पोषक स्वादिष्ट एवं स्वास्थ्यप्रद हो। औद्योगिकरण से प्राप्त होने वाले आज का भोजन, भूमि, वातावरण, पर्यावरण, जल स्रोतों प्राणियों, जैव संसाधनों को प्रदूषित एवं नष्ट कर रहा है। हमारी जिह्वा की लोलुपता ने डोडो जैसे कई प्राणियों तथा कल्वेरिया मेजर जैसे कई वृक्षों को पृथ्वी से ही नष्ट कर दिया। पर्यावरण की एक कड़ी टूटती है तो समाज, राष्ट्र एवं व्यक्तिगत स्वास्थ्य भी बिगड़ने लगता है। इसके प्रति हम जागें। इन्हें शुद्ध एवं पावन रखते हुए खान-पान की विरासत को बचाकर ही हम स्वस्थ रह सकते हैं।

जो माता-पिता खाते हैं बच्चे वही खाना पसन्द करते हैं। गर्भावस्था तथा दूध पिलाने के काल में माँ का अपने भोजन के प्रति अति सावधान रहना चाहिए। इस अवधि में माताएं जो खाती हैं, आगे चलकर बच्चा वही पसन्द करता है। भावी सन्तति को स्वस्थ रखने के लिए स्वास्थ्यप्रद ताजे फल ताजी हरी सब्जियाँ अंकुरित अनाजादि को इन दोनों अवस्थाओं तथा बाद में खाने का प्रचलन बढ़ाना चाहिए। बच्चे का स्वास्थ्य पारिवारिक माहौल एवं भोजन पर निर्भर करता है। इससे पारिवारिक सामाजिक एवं राष्ट्रीय स्वास्थ्य का सम्वर्द्धन होता है।

♠♠♠

अनुसंधान

अंग आकारवत-आरोग्यवर्द्धनी आहार उन्नतीसा

आरोग्य रक्षा के लिए माँ प्रकृति के अनमोल बोल : अंगों के अनुसार बनाकर फल, सब्जियाँ, माँ प्रकृति करती आरोग्य किलोल। धन्य है माँ प्रकृति! जिसने बनायी यह धरती। माँ वशुंधरा के कोख से पैदा होने वाले फल तथा सब्जियों के आकार प्रकार शरीर के विभिन्न अंगों के अनुसार माँ प्रकृति ने बनाकर स्वास्थ्य संरक्षण, रोग निवारण एवं स्वास्थ्य सम्वर्द्धन के लिए मानव को अनमोल वरदान दिया है। काफी शोध अध्ययन के बाद इसे वर्गीकृत करने का हमने वैज्ञानिक प्रयास किया है।

(1) अखरोट की रचना मस्तिष्क की तरह है-जिस प्रकार से दिमाग में उमारें (Gyrus) तथा दरारें (Sulk) होती है, उसी प्रकार अखरोट में भी होते हैं। जिस प्रकार दिमाग का सेरीब्रम गहरी लम्बवत दरार (Longitudinal Cerebral Fissure) द्वारा दाहिने एवं बायें अर्द्ध गोला में बंटा हुआ है, उसी प्रकार अखरोट दो भागों में विभाजित है। वैज्ञानिकों ने भी खोज किया है कि अखरोट में पाया जाने वाला ऐसेशियल अल्फालिनोलिक ओमेगा 3 फैटी एसिड, फ्लेवोनोइड्स तथा विटामिन ई पर्याप्त मात्रा में होता है जो दिमाग को ताकतवर बनाता है। डिमेंशिया एवं डिप्रेशन को दूर करता है। दिमागी तथा मानसिक बीमारियों से भी रक्षा करता है। यह दिमाग को भी सही सलामत स्वस्थ रखता है। दिमागी काम करने वालों के लिए सर्वोत्तम आहार है। अमेरिका की पेनस्टेट यूनिवर्सिटी के वैज्ञानिकों ने खोज किया है कि हाई ब्लडप्रेशर कॉलेस्टरॉल तथा तनाव वाले रोगी तीन सप्ताह तक अखरोट खायें तो इन तीनों बीमारियों से मुक्ति मिल जाती है तनाव के दौरान तीव्र जैविक प्रतिक्रिया दर्शाने की स्थिति को अखरोट दूर करता है।

(2) आँख के आकार का है पिस्ता आँवला तथा बादाम—पिस्ता के अन्दर का हरा रंग आँखों के लिए फायदमंद होता है। महर्षि च्यवन ने तो आँवले का प्रयोग करके खोयी जवानी तथा आँखों की रोशनी प्राप्त की थी। नेत्र आकारवत बादाम भी आँखों के लिए फायदमंद है। आँखों के लिए गाजर, पपीता, आम, शलगम एवं मूली के पत्ते का रस बहुत उपयोगी है। इनमें मौजूद बीटा कैरोटिन आँखों की रोशनी बन जाती है।

(3) किशमिश की संरचना पित्ताशय की तरह है—पित्ताशय पित्त का भंडार गृह है। लीवर में पित्त का निर्माण होता है। हिपोटिक डक्ट द्वारा पित्ताशय में एकत्रित होता है तथा भोजन में मौजूद वसा को पचाने के लिए कोलसिस्टेकाइनिन के इशारे पर बाइल डक्ट के सहारे छोटी आंत के ड्यूडिनम में पहुँचता है। पित्ताशय का आकार पूर्णतया किशमिश की तरह है अतः पित्ताशय के समस्त बीमारियों में किशमिश उपयोगी होता है। परन्तु वसा एवं तले-भुने आहार चीनी आदि ज्यादा खाने से पित्ताशय की पथरी बन जाती है।

(4) अनार की रचना दाँतों की तरह है-अनार दाँतों के लिए अत्यन्त उपयोगी है, दाँत में होने वाली कोई भी बीमारी दिल की बीमारी पैदा करती है, अतः दाँत एवं दिल की बीमारी

से मुक्ति के लिए अनार खाइये। खट्टे फलों या रस पीने के बाद पानी से अवश्य कुल्ला करें। एसीडिक आहार दांतों के एनामेल को खराब करता है।

(5) आम, शलगम तथा सेब की रचना दिल की तरह—इसलिए दिल के लिए आम तथा सेब माफिक होता है। आम तथा सेबों में मौजूद माइक्रोन्यूट्रिएन्ट कोरोनरी आरटरी तथा दिल की माँसपेशियों को शक्तिशाली बनाकर रोगों से रक्षा करते हैं। मधुमेह के रोगी आम नहीं शलगम तथा सेब लें।

(6) काजू, राजमा तथा किडनी बीन किडनी की तरह—इनके प्रयोग से किडनी रोग से बचाव होना है, किन्तु किडनी फ्लयोर या नेफ्रोटिक सिण्ड्रोम में इनका उपयोग नहीं करें।

(7) नारंगी की फाँकें किडनी तथा आमाशय के आकार का होने के कारण इन रोगों में लाभदायी है।

(8) लौकी तथा लम्बी तोरइ आमाशय (स्टमक) की तरह होते हैं—एसीडिटी, मंदाग्नि, गैस्ट्रिक ट्रबल आदि आमाशय से सम्बन्धित रोगों में लौकी तथा तोरई की सब्जी तथा रस उपयोगी होता है।

(9) लिंग आकारवत केला, गाजर, मूली, लम्बा बैंगन, शकरकन्द, विदारीकन्द में मौजूद हायएल्यूरॉनिक एसिड, विटामिन बी कॉम्पलेक्स बीटा कैरोटिन, एन्थोसाइनिन, एमाइल एसिटेट बीटा कैरोटिन, अल्फाटोकोफेरॉल, तथा अन्य अनेक प्रकार के हजारों माइक्रोन्यूट्रिएन्ट प्रजनन संस्थान को शक्तिशाली बनाते हैं। सेक्स एनर्जी को बढ़ाते हैं, जिससे नपुंसकता दूर होती है। स्पर्म की गतिशीलता एवं संख्या में वृद्धि होती है। समागम क्षमता में वृद्धि होती है। लिंग के तरफ रक्त संचार में सुधार होने से एरेक्टाइल डिसफंक्शन दूर होता है। केले में संक्रमण विरोधी यहाँ तक कि एड्स वायरस को खत्म करने वाला तत्व बेनलेक लेक्टिन होता है। यह सेक्सुअली ट्रान्समिटेड डिजिजेज (STDs) से बचाव करता है।

(10) लम्बी ककड़ी आंत की तरह होती है-आंतों की सूजन एवं अन्य आंतों के रोगों में ककड़ी की सब्जी तथा रस फायदेमंद है।

(11) योनि आकारवत गेहूँ—गेहूँ का अंकुरण महिलाओं के लिए वरदान है। गायनकोलॉजिकल सम्बन्धित समस्त बीमारियों में गेहूँ का अंकुरण दिव्य औषध एवं अमृत आहार है। गेहूँ के अंकुरण में मौजूद अल्फा टोकोफेरॉल सकसिनेट, सुपर ऑक्साइड डिसम्यूटेज (SOD) एन्जाइम विटामिन बी कॉम्पलेक्स तथा अन्य सैकडों प्रकार के माइक्रोन्यूटिएन्ट जोश, जवानी, सौन्दर्य एवं स्वास्थ्य को रग-रग में भरकर लम्बी उम्र तक बरकरार रखते हैं। दीर्घायु एवं चिरआरोग्यवान बनाते हैं। गेहूँ के अंकुरण का सफल प्रयोग दर्जनों उन महिलाओं पर किया गया है जिनमें क्रोमोसोमल मिसमैच के कारण गर्भधारण के 3 से 5 माह के बाद गर्भस्राव (Miscarriage) हो जाता था। ऐसी महिलाओं पर प्राकृतिक चिकित्सा एवं गेहूँ के अंकुरण कमाल का काम करता है। लिबिडो यानि काम शैथिल्य महिलाओं के लिए भी गेहूँ का अंकुरण में मौजूद अल्फा टोकोफेरॉल सकसिनेट एवं एस ओ डी प्रभावकारी है। गेहूँ का अंकुरण एंटीस्टरलिटी, बांझपन निरोधी, नपुंसकता नाशक एवं सौन्दर्यवर्द्धक होता है।

(12) गर्भाशय आकारवत नाशपाती—गर्भाशय के सभी रोग में नाशपाती एवं नाशपाती का रस फायदेमंद होता है।

(13) प्रोस्टेट आकारवत कद्दू का बीज—कद्दू के बीज में उपस्थित एण्ड्रोजन फाइटोसेक्स हार्मोन तथा जस्ता की मात्रा अधिक होती है। यह प्रोस्टेट ग्लैंड को भरपूर ताकत देता है। प्रतिदिन 10 ग्राम कद्दू का बीज खाने से प्रोस्टेट की गड़बड़ी नहीं होती है तथा सेक्स सम्बन्धित रोग दूर होते हैं। जस्ता के कारण कद्दू का बीज नपुंसकता एवं एरेक्टाइल डिसफंक्शन को दूर कर देता है।

(14) शरीर आकारवत जिनसेंग—चीन की विख्यात जड़ी बूटी जिनसेंग की लाल, सफेद, कोरियन, साइबेरियनादि कई जातियां होती है। लाल जिनसेंग की पोनेक्स जाति पूरे शरीर के आकार का होने के कारण सारे अंगों की इम्यून सिस्टम को शक्तिशाली बनाता है। इसके प्रयोग से तनाव एवं थकान मिट जाती है। जिनसेंग एथलेटिक पावर तथा सेक्सुअल शक्ति का खजाना माना जाता है। हालांकि शोध अध्ययन से इसकी पुष्टि नहीं हो सकी है। ज्यादा एवं गलत प्रयोग से टेकीकार्डिया (तीव्र हृदय धड़कन) अनिद्रा, हाइब्लडप्रेशर तथा एडिक्शन पैदा होता है।

(15) प्याज की आकार की नासिका—प्याज एवं लहसुन में मौजूद सल्फर कम्पाउण्ड एस. एलाइल सिस्टिन, डाइएलाइलट्राइसल्फाइड, एलिसिन, एलिक्सिनादि जुकाम के राइनोवायरस को खत्म करने की क्षमता रखते हैं। फेफड़े के रोगाणुओं को नष्ट कर फेफड़े एवं नासिका के रोग को ठीक करते हैं।

(16) अण्डकोष एवं अण्डाशय आकार की बोरियाँ जेसे रास्पबेरी, क्रेनबेरी, स्ट्राबेरी, ब्लूबेरी, ब्लैकबेरीज गूसबेरी आदि तथा इनके बीजों में संतति सृजन एवं समागम, सेक्स ऊर्जा बढ़ाने वाला तत्व जिंक सर्वाधिक होता है। जिंक पुरुषों में टेस्टोस्टेरॉन हार्मोन तथा शुक्राणु निर्माण करता है। बेरियां महिलाओं में भी सेक्स का उफान तथा पुरुषों में तूफान लाता है। जिससे सशक्त अण्डा एवं शुक्राणु के मिलन से स्वस्थ शिशु का नव सृजन होता है। रास्पबेरीज तथा स्ट्राबेरी जननांगों की तरफ रक्त संचार को तेज कर काम शैथिल्य जोड़ों में भी कामाग्नि भड़का देता है। अध्ययन के अनुसार यदि व्यक्ति चौबीस घंटे में तीन बार समागम करता है तो शरीर के सारे जिंक खत्म हो जाते हैं जिसकी आपूर्ति मुट्ठी भर स्ट्राबेरी या रास्पबेरी खाकर की जा सकती है। सेक्स शक्ति एवं नपुंसकता के लिए विज्ञापित बाजारू सेक्स विशेषज्ञों से बचें। इनसे आपका स्वास्थ्य एवं धन दोनों ही खत्म हो जायेगा।

(17) थायरॉयड आकारवत सिंघाड़ा—सिंघाड़ा में मौजूद आयोडिन एवं अन्य फाइटो केमिकल थायरायड रोग के लिए उत्तम आहार है।

(18) गला ग्रासनली आकार का अनन्नास—गले में स्थित समस्त अंगों थायरॉयड, पैराथायरॉयड, लैरिंक्स, फैरिंक्स टॉन्सिलादि में अनन्नास उपयोगी होता है। इन रोगों में स्टील के ग्लास में अनन्नास रस को गरम पानी में रखकर गरम करके पीयें। अनन्नास में मौजूद मेनिटाल

नामक एण्टीबैक्टीरियल फाइटो केमिकल गले के समस्त अंगों डिप्थीरिया तथा फेंफड़े के संक्रमण को दूर करता है। गायक, अभिनेता, नेता तथा व्याख्यातादि ज्यादा बोलने वालों को गला ठीक रखने के लिए पक्का हुआ अनन्नास खाना चाहिए, कच्चा अनन्नास नहीं खायें। जिन लोगों में 154 डी.एन.ए. समान होते हैं। उनकी आयु लम्बी 100 सौप्लस होती है, इस शोध से सूचना में युवाओं के खतरनाक बीमारियों के इलाज में मदद मिलेगी।

(19) स्तन आकार का विल्वफल होता है, विल्व फल में मौजूद मार्मेलोसिन पेट के समस्त रोगकारकों पैथोजेन्स को चुम्बक की तरह खींचकर बाहर निकाल देता है जिससे ब्रेस्ट कैंसर या सिस्ट होने की संभावना खत्म हो जाती है, बेल में बीटा कैरोटिन जैसे अनेक प्रकार के माइक्रोन्यूट्रिएन्ट पाये जाते हैं, जो ब्रेस्ट सम्बन्धित सभी प्रकार के रोगों को नियंत्रित करते हैं तथा उनके स्वास्थ्य एवं सौन्दर्य को निखारते हैं। प्रयोगों से प्रमाणित हो गया है कि कब्ज के कारण पेट में पैथोजेन्स रोगाणु पनपते हैं जिनके टॉक्सिक प्रभाव से ब्रेस्ट कैंसर होने की संभावना बढ़ जाती है। कब्ज को दूर करने का सशक्त माध्यम बिल्व फल है। विल्व पत्र का रस तथा क्वाथ गर्भाशय एवं स्तन सूज़न को दूर करता है। मूत्र शर्करा को कम करता है।

(20) हस्तपंच अंगुली आकारवत होने के कारण मडूवा को फाइव फिंगर्स मिलेट्स भी कहते हैं। यह अंगुलियों तथा अन्य जोड़ों के दर्द एवं ऑस्टियोपोरोसिस एवं आयरन कैल्शियम अभावजन्य बीमारियों के लिए रामबाण आहार है। इसका सामान्य प्रचलित अंग्रेजी नाम रागी है। मराठी में इसे नाचनी कहते हैं। क्योंकि यह इतना शक्तिदायक टॉनिक आहार है कि इसे खाने वाली औरतें दिन भर नाचती रहती हैं, यानि काम करती रहती हैं, फिर भी थकती नहीं है।

(21) अनेक संधि, जोड़ एवं पोर आकार वाला—वयस्क गन्ना, मक्का, बाजरा, ज्वार के डण्ठल का रस जोड़ों के दर्द के लिए फायदेमन्द होता है। इनमें अनेक बायोएक्टिव माइक्रो न्यूट्रास्युटिकल केमिकल होते हैं। संधिवात एवं जोड़ों के दर्द में लाभ करता है। गन्ने का रस 200 मिली. एवं अन्य का वयस्क तने डण्ठलों का रस 25 से 50 सी.सी. लें। इनके विषय में विस्तार से जानने के लिए मेरा आहार मेरा स्वास्थ्य पुस्तक में सम्बन्धित अध्याय पढ़ें। ज्वारे के डण्ठल का रस 50 मिली. पीने से संधियों की सूजन के साथ उल्टी दस्त, पित्त ज्वर, मलेरिया, आर्टिकोरिया, प्रमेह तथा जहर का दीर्घगामी प्रभाव को दूर होता है।

(22) बाल आकारवत मक्के का कोमल बाल या रेशा या फुहा—मक्के के बाल, बालों के लिए अत्यन्त उपयोगी होता है। इसका सूप या रस लिया जाता है, इसमें सिल्कन, आयरन तथा कैल्शियम तथा अन्य फाइटो माइक्रोन्यूट्रिएट पाये जाते हैं जो बालों को शक्तिशाली बनाते हैं। इसका सूप या काढ़ा पीने से गर्भाशय, कटि, योनि तथा मूत्र संबंधित रोग दूर होते हैं। कच्चे मक्के का मखोलिया का सूप गुर्दे की पथरी को दूर करता है।

(23) खोपड़ी आकारवत नारियल खोपड़ा—इसीलिए नारियल को खोपड़ा भी कहते हैं। खोपड़ा सिर का प्रतीक है। भगवान के चरणों में खोपड़ा यानि सिर अर्थात् अहंकार को

चढ़ाते हैं। अहंकार के विसर्जन से ऊर्जा मुक्त हो जाती है और ऊर्जा का उर्ध्वगमन होता है जो सहस्त्रार से मिलकर मानव की दिव्यता प्रकट करता है। मानव सर्वज्ञ बन जाता है। अपने इष्ट के चरणों में खोपड़ा यानि सिर यानि घमंड को समर्पित कर देना ही सही अर्थों में उपासना एवं साधना है। अहंकार के खत्म होते ही मानव का दूसरा जन्म होता है। प्रथम जन्म माँ के गर्भ से होता है। दूसरा अहंकार के विसर्जन तथा घमंड के गलने एवं घुलने से होता है।

समुद्र में तैरता हुआ हिमशिला खंड अहंकार का प्रतीक है। मार्तण्ड की प्रचण्ड किरणों से जब वह गल एवं घुल जाता है, तो वह समुद्र से मिलकर असीम अनन्त एवं अखंड बन जाता है, उसी प्रकार नारियल खोपड़ी अहंकार को प्रभु के चरणों में फोड़कर चढ़ाते हैं। अहंकार के चूर होते ही व्यक्ति अपनी सीमा से मुक्त असीम बन जाता है। यही है द्विज होना यानि स्वयं में स्वयं को दोबारा जन्माना। द्विज यानि ब्राह्मण। घमंड के छूटते ही सीमाओं के बांध टूट जाते हैं, तुच्छ अहम् विराट एवं असीम ब्रह्म बन जाता है, उद्घोषणा हो या नहीं फिर भी 'अहंब्रह्मास्मि' का नाद का सतत् बोध होता रहता है। अब मानव ब्रह्म को जानने वाला ब्राह्मण होता है। यह है खोपड़ी नारियल का आध्यात्मिक पक्ष है।

भौतिक पक्ष भी नारियल का काफी सशक्त है। नारियल खोपड़ी में स्थित सभी अंगों आँख नाकादि सभी अंगों को पोषण देने वाला होता है। इसीलिए तो इसे खोपड़ा कहते हैं। नारियल में भी मुँह, आँख नाक सभी कुछ बना होता है। इसमें जटाएँ बाल भी होते हैं। नारियल चेहरे एवं सिर के समस्त अंगों के स्वास्थ्य संरक्षण एवं रोग निवारण में लाभदायी हैं। नारियल में मौजूद एन्युरिन यानि थायमिन विटामिन बी1 सर्वाधिक 4.05 मिग्रा. प्रति सौ ग्राम होने से दिमाग एवं स्नायु कोशिकाओं को ऊर्जावान, सशक्त समर्थ एवं स्वस्थ बनाता है।

दिमागी एवं मानसिक कार्य करने वालों के लिए स्नायु दौर्बल्य, नर्वस ब्रेक डाउन मनोभौतिक तथा मनः स्नायविक तथा मानसिक रोगियों के लिए अत्यन्त उपयोगी होता है। इसमें मौजूद 62 फीसदी मिडियम चेन फैटी एसिड, सेचुरेटेड हाइड्रोकार्बन तथा 97 फीसदी प्लान्ट सेचुरेटेड फैटी एसिड दिमागी कुव्वत को बढ़ाता है, इसमें मौजूद माँ के दूध में मौजूद लैक्टोफेरिन की तरह निर्दोष लॉरिक एसिड होता है जो रोग प्रतिरोधक क्षमता को बढ़ाता है, रोग एवं रोगाणुओं से बचाता है।

इसमें मौजूद एण्टी बैक्टीरियल फैक्टर बाहर तथा अन्दर से हर प्रकार के बैक्टीरियाओं से रक्षा करता है। इसका तेल बालों को मजबूत बनाता है। त्वचा के रोगों में फायदेमन्द है। नारिलय का पानी, इसका मक्खन तथा गिरी को पीसकर लगाने से चेहरे का सौन्दर्य खिल जाता है, निखर जाता है। नारियल के मक्खन में मौजूद फाइटोस्टीरायड तो क्रोहन जैसे जिद्दी एवं घातक रोगों के लिए जीवन रक्षक दवा है। इसमें मौजूद मिडियम चैन फैटी एसिड संचित कैलोरी (फैट) को त्वरित ऊर्जा में बदलकर शरीर को छरहरा एवं स्लिम बनाता है। दिमाग में मौजूद भूख के केन्द्र को भी नियंत्रित कर भोजन भट्टों को कम खाने के लिए बाध्य कर देता है, मोटापा कम करता है। इसमें सारे पोषक तत्व मौजूद हैं।

(24) संधियों तथा श्वास प्रणाली एवं श्वासनली आकारवत—गांठ वाली हल्दी एवं अदरक संधियों एवं सांस सम्बन्धित समस्त बीमारियों में कमाल का काम करता है। फेफड़े के कैन्सर से ग्रस्त एक महिला तथा कनाड़ा से आये एक प्रवासी रोगी को खांसी लाख दवाइयां एवं जतन करने के बावजूद भी रुक नहीं रही थी, गांठ वाली हल्दी के टुकड़े मुँह में रखकर चूसते रहने से खासी रुक गयी। ऐसे प्रयोग सैकड़ों रोगियों पर किया है, सफलता मिली है। संधियां, जोड़ों के सूजन एवं दर्द में भी हल्दी कमाल का काम करता है और यह कमाल हल्दी में मौजूद करक्युमिन तथा अदरक में उपस्थित जिंजेरॉल का होता है।

यह विश्व के सर्वाधिक नैसर्गिक एण्अीइन्फ्लामेटरी फाइटो केमिकल फैक्टर है। जो शरीर के अन्दर पौदागुलियों से लेकर सिर के जोड़ों तथा अन्य अन्दरूनी अंगों में दर्द सूजन पैदा करने वाले ग्लाइकोस एमिनो ग्लाइकेन्स (GAGS) के दुष्टप्रभाव को खत्म करता है। वास्तव में संधिवात में इम्यूनसिस्टम प्राणियों में मौजूद GAGS पर हमला करके सूजन एवं दर्द पैदा करता है जिसे हल्दी एवं अदरक दूर करते हैं। ये शरीर में मौजूद जहरीले पदार्थों यहाँ तक कि एलजीमर के मुख्य कारक दिमाग में मौजूद बीटा एमिलॉयड प्रोटीन के दुष्प्रभाव को भी उदासीन कर देते हैं या निकाल बाहर करते हैं। विस्तार से जानकारी के लिए सम्बन्धित अध्याय मेरा आहार मेरा स्वास्थ्य पुस्तक में पढ़ें।

(25) जीह्वा आकार का पालक—जीह्वा शारीरिक स्वास्थ्य का मुख्य आधार है, बिगरैल जीह्वा सभी प्रकार के रोगों को आमन्त्रण देती है। जीह्वा को वश में करने का काम पालक बखूबी करता है। जीह्वा अपने आकार की पालक का उपयोग करके सारे अंगों का भरपूर पालन पोषण कर सकती है। स्वस्थ रख सकती है। क्योंकि पालक में आयरन, कैल्शियम आदि मिनरल्स तथा विटामिन बी, सी, ए. का खजाना है, किन्तु इसमें मौजूद फॉलेट तथा फाइटी एकडीस्टेरॉल तथा ग्लूटाथिओन चमत्कारिक माइक्रो न्यूट्रिएन्ट है जो शरीर की रोग प्रतिरोधक क्षमता को बढ़ाते हैं। पालक टमाटर का रस खून की कमी तथा हड्डियों सम्बन्धित रोग में लाभकारी होता है। मांसपेशियों को ताकतवर बनाता है। इसमें सभी प्रकार के प्रोटीन भी होते हैं। जीभ के छाले तथा जीभ सम्बन्धित सभी रोगों में पालक लाभदायी है।

(26) बन्द मुट्ठी की तरह प्लीहा आकारवत बन्दगोभी—प्लीहा हमारी प्रतिरक्षा प्रणाली की मुख्य संरक्षक है। लिम्फोसाइट तथा मोनोसाइट का निर्माण यही होता है। इसमें प्रचुरता में उपलब्ध मैक्रोफेजल क्षयग्रस्त मृत प्रायः लाल कोशिकाओं, प्लेटलेट, सूक्ष्म रोगाणुओं तथा अन्य कोशकीय कचरे को नष्ट कर देता है। हिमोग्लोबिन से आयरन हटाकर अस्थि मज्जा में लाल रक्त के निर्माण हेतु रक्त संचार के माध्यम से भेज देता है। हिमोग्लोबिन के टूटने से विलुरूबिन पिगमेन्ट मिलता है, जो लीवर में चला जाता है। यह एण्टीबॉडीज का निर्माण करता है। प्लीहा आपातकालीन खून भंडारण (Reservoir) का काम करता है। मलेरिया ज्वर कैंसर तथा अन्य बीमारियों में प्लीहा को रोगाणुओं से लड़ना पड़ता है। जिससे उसका आकार ज्यादा बढ़ जाता है, ऐसे स्थिति में बन्दगोभी ब्रोकोली तथा अन्य सभी गोभियों का सूप या उबालकर देने में

चमत्कारिक लाभ होता है। क्रुसिफेरस सब्जियों में कैंसर को खत्म करने वाला अनेक प्रकार का फाइटोकेमिकल जैसे 6 मिथाइल सल्फीनाइल हेक्साइल आइसोथायोसाइनेट 3, 3 डाइण्डोलाइलमिथेन, इन्डोल्स, आर्गेनो सल्फर फाइटो एस्ट्रोजेन, इण्डोल 3, कार्बीनोल्स, ब्रासनिन फौलेट, बीटा कैरोटिन आदि पाये जाते हैं। जो प्लीहा को रोग मुक्त होने में सहायता करते हैं।

(27) होंठ आकारवत गुलाब की पंखुरिया—होठों की तुलना गुलाब की पंखुरियों से की गयी हैं। होठों की स्वाभाविक लालिमा एवं स्वास्थ्य के लिए गुलाब की पंखुरियों से बना गुलकन्द एवं अन्य आहार का प्रयोग करें। होठों की लालिमा के लिए लिपस्टिक लगाने से होठों के तरफ ऑक्सीजन का प्रवाह कम पड़ जाता है। जिससे होठ सूखे काले एवं बदरंग हो जाते हैं। सूखे होठों को गीला करने के लिए फैशन परस्त औरतें जीभ फेरती रहती हैं। जिससे लिपिस्टिक में मौजूद कैंसरकारी तथा एलर्जेन रसायन पेट में जाकर कैंसर एवं एलर्जी पैदा करते हैं। होठों की लालिमा के लिए गुलाब की पंखुरियों को गुलाब जल शहद तथा मलाई में मसलकर मिलाकर होठों पर लगायें। 15 मिनट रहने दें। होठ आकर्षक रसीले गुलाबी लाल हो जाते हैं।

(28) स्वस्थ आकर्षक गाल होते हैं टमाटर जैसे लाल—स्वस्थ गाल की उपमा लाल टमाटर एवं सेब से की गयी है। टमाटर एवं सेब में पाये जाने वाला लोहा, कैल्शियम, कॉपर, मैग्नीज आदि मिलकर स्वस्थ खून का निर्माण करते हैं। जिससे चेहरे की तरफ ऑक्सीजेनेड खून का प्रवाह सतत् बना रहता है। जिससे चेहरा सुन्दर लाल दिखता है। टमाटर में मौजूद नैसर्गिक लाल फाइटो पिंगमेन्ट लाइकोपिन ल्यूटेन, क्लोरोजेनिक एसिड कॉमरिक एसिड, कौमरिन तथा जियाक्सथिन गाल को सुन्दर आकार एवं लालिमा प्रदान करके सारे शरीर को स्वस्थ एवं स्वच्छ बनाते हैं।

यहाँ तक अनुसंधान से साबित हो चुका है कि टमाटर हमारे शरीर के एक-एक कोशिकाओं एवं उत्तकों में एकत्रित मरकरी, लेड, क्रोमियम, कैडमियम आदि मेटालिक टॉक्सिसिटी की भलीभांति सफाई करके शरीर एवं चेहरे को चमका देता है। गाल एवं चेहरा ग्रेसफूल तथा ग्लोरियस आभामंडित हो जाता है।

(29) अंगूर आकारवत श्वास वाहिकाएँ नेत्रतारा एवं कोशिकाएँ—सांस की छोटी-छोटी नलियाँ (Alveoli) अंगूर के गुच्छों की तरह होती है। आँख की पुतली तथा शरीर में 600 से एक हजार खरब कोशिकाएँ भी अंगूर की तरह होती है। अंगूर की रासायनिक संरचना मानव कोशिकाओं के प्रोटोप्लजम की रासायनिक संरचना से हुबहू मिलती-जुलती है। इसीलिए यह कोशिकाओं के टूट-फूट की मरम्मत यथा शीघ्र करता है। अंगूर में मौजूद चमत्कारी पोलीफेनॉल्स रेसवेराट्रल फेफड़ा, आँख तथा कोशिका सम्बन्धित समस्त बीमारियों यहाँ तक कि दिल दिमाग फेफड़े के रोग तथा कैंसर को भी सर्वांगीन ठीक करने की क्षमता रखता है।

टाइम्स ऑफ इण्डिया, टेलिग्राफ, स्टेटसमैन, भारती भवन (न्यूयार्क), स्वास्थ्य और जीवन (पूना), धन्वन्तरी, स्वस्थ जीवन, निरोगी दुनिया, परिषद प्रभा, दैनिक भास्कर, सन्मार्ग, विश्वामित्र, पूर्वांचल प्रहरी, गुजरात समाचार, आइवरी, नवज्योति, जनसत्ता, सबरंग, राजस्थान पत्रिका, जागरण, नवभारत टाइम्स आदि कई पत्रिकाओं में प्रकाशित लेख के आधार पर लेखक परिचय

डॉ. नागेन्द्र कुमार नीरज

व्यक्तित्व एवं कृतित्व

जब व्यक्ति का व्यक्तित्व उसके कद से ऊँचा हो जाए तो फिर उसका परिचय देना अत्यन्त कठिन हो जाता है। यदि किसी को मेरा परिचय देना पड़े तो उसके लिए मात्र तीन लाइनें पर्याप्त हैं। चौथी लाइन लिखने की आवश्यकता नहीं पड़ेगी। लेकिन डॉ. नागेन्द्र कुमार नीरज के साथ ऐसी बात नहीं है। उनके बहुआयामी व्यक्तित्व को एक नजर से देख पाना, उसका मूल्यांकन करना अत्यन्त चुनौती भरा कार्य है। डॉ. नीरज के बारे में यह बताते हुए अत्यन्त गर्व होता है कि उन्होंने अपने जीवन के उद्देश्य को प्राथमिकताओं में न तो बँटने दिया है, न भटकने दिया है। जब उन्होंने अपने जीवन के उद्देश्य को चुना तो वह क्षेत्र था प्राकृतिक चिकित्सा। उन्होंने इसी क्षेत्र के लिए, अपने एकमात्र उद्देश्य के लिए अपना जीवन समर्पित कर दिया। यही कारण है कि आज उनकी गणना देश-विदेश के सुविख्यात प्राकृतिक चिकित्सक के रूप में की जा रही है। कोई भी प्राकृतिक चिकित्सा केन्द्र उनके हाथ के नीचे आते ही नया जीवन पाने लगता है। प्राकृतिक चिकित्सा में आस्था और विश्वास रखने वाले उनकी चिकित्सा और संरक्षण पाकर स्वयं को रोगमुक्त मान लेते हैं। यह उनका डॉ. नागेन्द्र कुमार नीरज के प्रति अटूट आस्था और विश्वास का सजीव प्रमाण है।

चिकित्सा एवं स्वास्थ्य सेवा क्षेत्र–प्रा.चि. केन्द्रों के स्थापना एवं विकास में सहयोग

यह अपने आप में आश्चर्य मिश्रित प्रसन्नता का विषय है कि नवादा, चैनवा छपरा (बिहार) में जन्म लेने वाले डॉ. नागेन्द्र कुमार नीरज की प्राकृतिक चिकित्सा के क्षेत्र में सबसे अधिक सेवाएँ राजस्थान प्रदेश के विभिन्न स्थानों पर भारत के विभिन्न प्रान्तों के व्यक्तियों को मिलीं। सन् 1974 में जयप्रकाश नारायण के नेतृत्व में चले भ्रष्टाचार उन्मूलन आन्दोलन का नेतृत्व कर 3 दिन छपरा एवं 17 दिन भागलपुर सेन्ट्रल जेल में रहे। बी एस सी कमेस्ट्री आनर्स एवं प्राकृतिक चिकित्सा प्रशिक्षण (भारत सरकार) विशिष्ठता से उत्तीर्ण कर वे 1976 से 1980 तक प्राकृतिक चिकित्सालय बापू नगर, जयपुर में राजस्थान सरकार द्वारा चलाये गये आयुर्वेदिक चिकित्सकों के प्रशिक्षण काल में आहार तथा प्राकृतिक चिकित्सा का अध्यापन कार्य करने के साथ-साथ चिकित्सा प्रभारी भी रहे। जयपुर के प्राकृतिक चिकित्सालय के इतिहास में रोगियों की सेवा व चिकित्सा की दृष्टि से अब तक का यह स्वर्णिम काल रहा। सन् 1980 में अजमेर में सोभाग प्राकृतिक योग चिकित्सा एवं अनुसंधान केन्द्र की स्थापना एवं सफलता के साथ संचालन। कुछ समय पश्चात् उसी केन्द्र के साथ एस.एम. लोढा नेचुरोपैथी रिसर्च इन्स्टीट्यूट की स्थापना में सहयोग और संचालन का कार्य किया। अजमेर में साढ़े आठ साल के कार्यकाल में इस केन्द्र को प्राकृतिक चिकित्सा क्षेत्र में राष्ट्रीय ख्याति प्राप्त हुई। 1988 में श्री महावीर जी में श्री महावीर योग प्राकृतिक चिकित्सा एवं शोध संस्थान में प्रमुख चिकित्सा प्रभारी के रूप में नियुक्ति हुई। डॉ. नीरज की नियुक्ति से पूर्व यह अति विशाल और समस्त सुविधाओं से सम्पन्न केन्द्र अनेक विख्यात प्राकृतिक चिकित्सकों की सेवाओं के पश्चात् भी सफल नहीं हो पा रहा था। उन्होंने समस्त व्यवस्थाओं और अवस्थाओं का आकलन किया। समर्पण भाव से किये जा रहे श्रम तथा उनके नाम ने चमत्कार दिखाया। मात्र दो वर्ष के भीतर इस संस्थान में रोगियों की संख्या में आश्चर्यजनक वृद्धि हुई। रोगियों की सुविधाओं के लिए

डॉ. नीरज की देखरेख में नया निर्माण कार्य आरम्भ हुआ। प्राकृतिक चिकित्सा के इस केन्द्र को तथा डॉ. नीरज को राष्ट्रीय और अन्तर्राष्ट्रीय स्तर पर विस्मित कर देने वाली ख्याति प्राप्त हुई। 1994 में जयपुर से 23 कि.मी. की दूरी (आगरा रोड) पर स्थित विशाल और समस्त सुविधाओं से सम्पन्न नवनीत प्राकृतिक योग चिकित्सा अनुसंधान आश्रम, बस्सी में प्रमुख चिकित्सा प्रभारी के रूप में नियुक्त हुये। नियुक्ति के मात्र एक साल के भीतर यहाँ मानो काया पलट हो गई हो। रोगियों की गिनती में तीव्र गति से वृद्धि हुई। यहाँ भी इनके सेवाकाल ढाई वर्ष में निर्माण कार्य सतत् रूप से चलता रहा।

धाननी लक्ष्मणगढ़ सीकर में पंच सितारा व्यवस्थाओं से सुसज्जित करोड़ों की लागत से निर्मित एस.पी.जी. कायाकल्प केन्द्र के संचालक डॉ. नीरज से बस्सी में मिले तथा उस केन्द्र को संभालने हेतु प्रार्थना की, डॉ. नीरज ने उसे सहजता से अस्वीकार किया, बस्सी चिकित्सा केन्द्र आत्मनिर्भर होने के एक साल के बाद कायाकल्प केन्द्र संभाला। कायाकल्प वास्तव में 'स्पा' केन्द्र था, उसे डॉ. नीरज ने नव निर्माण करवाकर प्राकृतिक चिकित्सा में बदला। डॉ. नीरज के निर्देशन में कायाकल्प केन्द्र शून्य से शिखर तक की यात्रा की। रोगियों की दैनिक संख्या 125 तक पहुँच गयी है। कायाकल्प की अन्तर्राष्ट्रीय पहचान बनी। 2004 में डॉ. नीरज नारायण सेवा संस्थान में योग निदेशक पद पर कार्यरत रहें। वहाँ योग कैम्प आस्था, जी.टी.वी., संस्कार, सोनी सब आदि टी.वी. चैनलों द्वारा योग एवं प्राकृतिक चिकित्सा को सार्वभौम बनाने में सहभागी बने। 2004 में ही गुजरात मेहसाना के आधुनिकतम शंकुज वाटर पार्क नेचुरल हेल्थ सेन्टर में सी.एम.ओ., कलकत्ता नेचरक्योर योग रिसर्च सेन्टर, प्रा. चिकित्सालय जयपुर तीनों केन्द्रों को वरिष्ठ परामर्शदाता के रूप में एक साथ फ्लाइट के सहयोग से शानदार तरीके से संभाला। कलकत्ता जैसे विशाल ऐतिहासिक प्राकृतिक चिकित्सा केन्द्र जर्जर एवं बन्द होने के कगार पर था, वहाँ के ट्रस्टी, खेतान जी एवं अन्य सदस्यों के सहयोग से नव प्राण का संचार हुआ है। इस संस्थान को एक नई स्थायी ऊंचाई एवं सम्मान मिला। 2007 में डॉ. नीरज दिल्ली के 100 विस्तर वाला बालाजी निरोग धाम में मुख्य चिकित्सा प्रभारी एवं निदेशक पद पर कार्यरत रहे। नारायण सेवा संस्थान में भी प्रा. चिकित्सा का प्रारम्भ कर दिया। दोनों केन्द्र एक साथ संभालते थे। इसी दौरान योग के चिकित्सकीय प्रभाव से पूरे विश्व को चमत्कृत करने वाले योग वैज्ञानिक बाबा रामदेव एवं आयुर्वेद मर्मज्ञ आचार्य श्री बालकृष्ण जी का संदेश आया योग ग्राम में विश्व विशालतम प्राकृतिक चिकित्सा प्रारम्भ करने के संदर्भ में। प्रभु के मंगलमय विधान के अनुसार 525 बिस्तर वाला दो सौ एकड़ में फैला इस विश्व का विशालतम निसर्गोपचार केन्द्र में पुज्यास्पद स्वामी जी के आशीष तथा आचार्य श्री के स्नेहिल निदेशन में चीफ मेडिकल इन्चार्ज के रूप में डॉ. नीरज कार्यरत है। इस प्राकृतिक चिकित्सा एवं स्वास्थ्य सेवा यात्रा में कायाकल्प केन्द्र तक धर्म पत्नी डॉ. मंजू नीरज ने भरपूर साथ दिया, उसके बाद बच्चियों के उच्चतर शिक्षा के दृष्टि से जयपुर में रहकर प्रेरणा बनी हुई है। इस यात्रा में चारों सुपत्रियों डॉ. प्रज्ञा नीरज (पीएचडी) डॉ. दिव्या नीरज, डॉ. सौम्या नीरज एवं सुश्री मेधा नीरज का योगदान रहा है। डॉ. नीरज का अब तक प्राकृतिक चिकित्सा एवं स्वास्थ्य सेवा के क्षेत्र में योग ग्राम में ही विराम है, लेकिन नियति एवं हरि इच्छा के अनुरूप जो कार्य सौंपा जायेगा, वह होगा ही–सौंप दिया है जीवन प्रभु के हाथों में यही डॉ. नीरज की सहज सेवा भाव की स्वाभाविक प्रतिक्रिया है।

लेखन व सम्पादन क्षेत्र

डॉ. नागेन्द्र कुमार नीरज के व्यक्तित्व का यह एक पहलू है। प्राकृतिक चिकित्सक के अलावा इसी क्षेत्र की अनेक विधाओं में भी उन्होंने सराहनीय कार्य किया है। उन्होंने प्राकृतिक चिकित्सा पर अनेक शोधात्मक पुस्तकें लिखी हैं। टी.वी. तथा रेडियो द्वारा आयोजित स्वास्थ्य चर्चाओं में उन्होंने अनेक बार भाग लिया। विभिन्न समाचार पत्रों में अनेक स्वास्थ्य लेख समय–समय पर प्रकाशित होते रहे हैं। अभी

भी हो रहे हैं। देश की जानी–मानी स्वास्थ्य पत्रिकाओं से भी डॉ. नीरज के लेख काफी समय से प्रकाशित हो रहे हैं। विभिन्न स्वास्थ्य पत्रिकाओं में कई विषयों पर धारावाहिक लेखों का प्रकाशन हुआ है। स्वास्थ्य सम्बन्धी अनेक पुस्तकों की बेबाक एवं स्पष्ट समालोचना एवं समीक्षा की है। अब तक चार सोवेनियर पत्रिकाओं का पूर्ण कुशलता के साथ सम्पादन किया है। कायारक्षा मासिक पत्रिका का सम्पादन सात साल तक किया है। प्राकृतिक चिकित्सा को जन–जन तक पहुँचाने में विभिन्न अखबारों दैनिक हिन्दुस्तान, जागरण, राजस्थान पत्रिका, सब रंग, जनसत्ता (मुम्बई) टाइम्स ऑफ इण्डिया दैनिक भास्कर स्टेटसमैन, विश्वमित्र, संयोग, साप्ताहिक वर्तमान (बंगाली) दी टेलीग्राफ इकोनॉमिक टाइम्स में डॉ. नीरज के साक्षात्कार एवं लेख प्रकाशित होते रहे हैं। पुस्तकों में जल चिकित्सा, अनमोल मिट्टी के बोल, प्राकृतिक चिकित्सा एवं योग वैज्ञानिक प्रयोग, असाध्य रोगों की सरल चिकित्सा, रोगों की सही चिकित्सा जटिल रोगों की सरल चिकित्सा, मेरा आहार मेरा स्वास्थ्य मधुमेह लाइलाज नहीं है पेट के रोगों की प्राकृतिक चिकित्सा तथा Miracles of Naturopathy & Yogic Sciences द्वारा प्राकृतिक चिकित्सा की वैज्ञानिकता को डॉ. नीरज ने सार्वभौम बनाया है। एक नई दिशा दी है। नया विजन एवं नया पहचान दिया है। नित्य नयी खोजों से परिपूर्ण डॉ. नीरज की पुस्तकें वर्तमान एवं भविष्य की धरोहर हैं। जीवन ग्रंथ है।

निष्काम कर्म कर सम्मान की आशा मत रख–सम्मान एवं पुरस्कार मिलेगा

डॉ. नागेन्द्र कुमार नीरज को प्राकृतिक चिकित्सा के क्षेत्र में की जा रही सेवाओं के बदले कई बार सम्मानित किया जा चुका है। 1988 में अखिल भारतीय प्राकृतिक चिकित्सा परिषद् नागपुर सम्मेलन में तत्कालीन केन्द्रीय स्वास्थ्य मन्त्री श्री मोती लाल वोरा द्वारा उन्हें सम्मानित किया गया तथा प्रस्तुत मेरा आहार मेरा स्वास्थ्य तीनों भागों का उन्हीं के कर कमलों से विमोचन हुआ। 1991 में भीलवाड़ा में शाकाहार सम्मेलन में डॉ. नेमीचन्द जैन के साथ नागरिक अभिनन्दन किया गया। 1994 में गाँधी जयन्ती के अवसर पर अखिल भारतीय प्राकृतिक चिकित्सा अनुसंधान परिषद् द्वारा सम्मानित किया गया। दिसम्बर, 1996 में कलकत्ता में आयोजित चतुर्थ अन्तर्राष्ट्रीय कांग्रेस कान्वेक्शन एण्ड एवार्ड प्रेजेन्टेशन समारोह में मुख्य न्यायाधीश कलकत्ता जेम ऑफ अल्टरनेटिव मेडिसिन एवार्ड से सम्मानित किया गया। यहीं पर पुस्तक 'अनमोल मिट्टी के बोल' पर पीएचडी की उपाधि रो डॉ. नागेन्द्र कुमार नीरज को सम्मानित किया गया। मार्च, 1997 में भोपाल में मध्यप्रदेश के तत्कालीन मुख्यमंत्री दिग्विजय सिंह द्वारा प्राकृतिक चिकित्सा क्षेत्र में किये गये सेवा कार्यों के लिए अभिनन्दन तथा सम्मानित किया गया। अभी हाल ही में ABI अमेरिकन संस्था ने डॉ. नागेन्द्र कुमार नीरज को विश्व के सर्वाधिक पाँच हजार प्रतिभावान व्यक्तियों में चुना है तथा उक्त पुस्तक के 1998 संस्करण में डॉ. नीरज के जीवनवृत्त को प्रकाशित किया है।

1993–डिकशनरी ऑफ नेचुरोपैथी (पूना) 1995 नन वायलेंस नेचुरोपैथी एवार्ड (सूरत) पर्सनाल्टी ऑफ द इअर (ABI-USA) प्रोमिनेन्ट पर्सनॉल्टी एवार्ड लायन्स क्लब दिल्ली मनहर ठहाका साहित्यिक पुरस्कार (मुम्बई), गोल्ड मेडल कलकत्ता, इनके अतिरिक्त राजस्थान के तत्कालिन उपमुख्यमंत्री श्री बी. एल. बैरवा महाराष्ट्र के वित्त मंत्री श्री कृपाशंकर सिंह, त. केन्द्रिय एवं स्वांस्थ्य मंत्री श्री मोतीलाल बोरा (नागपुर), एवार्ड ऑफ एक्सलेंसी चीफ जस्टीस कोलकता) आई एन ओ एवार्ड 2003 (जे.पी.जी. एवं श्री श्री रविशंकर जी) लाइफटाइम एचीवमेन्ट एवार्ड (एन.जी. भट्टाचार्य मंत्री, पश्चिम बंगाल सरकार) और भारतीय चिकित्सा एवं स्वास्थ्य सचिव एवं आयुर्वेद मंत्री द्वारा संयुक्त रूप से सम्मान (2000), पूज्यास्पद राष्ट्र संत श्री विद्यासागर महाराज द्वारा सूरत तथा सिवानी तथा रेवाड़ी हरियाणा, लाइफ टाइम एचीवमेन्ट एवार्ड (नारायण सेवा संस्थान, 2008), योग संस्थान भीलवाड़ा, नवरात्रि व्याख्यान माला बुरहानपुर, गुलाबपुरा, शाकाहार सम्मेलन भीलवाड़ा तथा हाल ही में सन् 2010 का विट्ठलदास मोदी एवार्ड महावीर

प्राकृतिक योग विज्ञान महाविद्यालय द्वारा छत्तीसगढ़ के मुख्यमंत्री डॉ. रमण सिंह के हाथों सुविज्ञ उद्यमी अदानी, पर्यटन मंत्री, स्वास्थ्यमंत्री, स्थानीय विधायक व एम.पी., श्री रावल मल जैन आदि गणमान्य लोगों की उपस्थिति में 35,000 का ड्राफ्ट रजत प्रशस्ति पत्र शाल एवं श्रीफल प्रदान कर सम्मानित किया गया। यह विशेष एवार्ड राष्ट्रीय एवं अन्तर्राष्ट्रीय स्तर पर डॉ. नीरज द्वारा किये गये प्राकृतिक चिकित्सा अनुसंधान, प्राकृतिक चिकित्सा एवं आहार पर लेखन के क्षेत्र में उत्कृष्ट एवं उल्लेखनीय कार्य के लिए प्रदान किया गया है। 2010 में ही डॉ. नीरज की डाइबिटीज की पुस्तक, 'मधुमेह लाइलाज नहीं है' (पृष्ठ 260), को भारत सरकार के स्वास्थ्य मंत्रालय दिल्ली द्वारा पुरस्कृत किया गया है। इसके पूर्व डॉ. नीरज की पुस्तक प्राकृतिक चिकित्सा एवं योग एन.आई.एन (स्वास्थ्य मंत्रालय, भारत सरकार), पुणे द्वारा प्रथम पुरस्कार से पुरस्कृत किया जा चुका है। सन् 1986 में इसी पुस्तक को राजस्थान माध्यमिक शिक्षा बोर्ड 10+2 पाठ्यक्रम स्वास्थ्य शिक्षा की दृष्टि से मान्यता प्रदान की है।

प्राकृतिक चिकित्सा को जन–जन तक पहुँचाने एवं सार्वभौम बनाने में योगदान

डॉ. नीरज ने अब तक कई राष्ट्रीय सम्मेलन के संयोजक जोधपुर 1986 तथा टेकनिकल इन्चार्ज दिल्ली, जोधपुर, नागपुर एवं त्रिवेन्द्रम सम्मेलन में रह चुके हैं। 60 गोष्ठियों का संयोजन कर चुके हैं। विशालतम प्रदर्शनी जे.एल.एन. मेडिकल कॉलेज के सहयोग से लगाया जिसे 5 लाख लोगों ने देखा। इसके अतिरिक्त मिस्टिक इण्डिया दिल्ली 1997–98 तथा श्री महावीर जी में कई बार प्रदर्शनी का संयोजन एवं आयोजन करके लाखों लोगों तक प्राकृतिक चिकित्सा का संदेश पहुँचा कर इसे सार्वभौम बनाने में सहायता प्रदान की है। माँ सीता स्मृति प्राकृतिक चिकित्सा एवं स्वास्थ्य चेतना व्याख्यान माला आन्दोलन के अन्तर्गत सैकड़ों गोष्ठियों का आयोजन भारत में किया गया है। हाल ही में डॉ. नीरज द्वारा अमेरिका प्रवास के दौरान वहाँ के प्रसिद्ध 12 संस्थानों में डॉ. नीरज के व्याख्यान, एसिया टी.वी. सहारा वन तथा आई.टी.वी. तथा रेडियो कॉनफ्रेसिंग द्वारा अमेरिका के दुरस्थ राज्यों में प्राकृतिक चिकित्सा एवं स्वास्थ्य चेतना आन्दोलन को अंतर्राष्ट्रीय स्तर पर सार्वभौम बनाने में भरपूर सफलता मिली। डॉ. नीरज अनेक राष्ट्रीय एवं अन्तर्राष्ट्रीय प्राकृतिक योग एवं शाकाहार संस्थाओं के कार्यकारिणी सदस्य हैं। 21 साल तक अ.भा. प्राकृतिक चि. परिषद के मंत्री रहे। इन्टरनेशनल नेचुरोपैथी आर्गेनाइजेशन के संस्थापक वाइस प्रेसिडेन्ट है।

डॉ. नीरज, 1973 से एक लाख से अधिक इनडोर तथा लाखों आउटडोर रोगियों का अनुसंधानात्मक उपचार ग्यारह विशाल प्राकृतिक चिकित्सा एवं अनुसंधान केन्द्रों में मुख्य चिकित्सा प्रभारी के रूप में कर चुके हैं, उनका गहन एवं अनुभव समृद्ध ज्ञान पुस्तकों तथा चिकित्सकीय कार्यों एवं व्याख्यानों में परिलक्षित होता है। जब बे बोलते हैं तो लगता है माँ सरस्वती का वरद पुत्र अपने शोधपूर्ण आख्यानों से लोगों के दिलों में उतरकर उन्हें मंत्र मुग्ध कर रहे हैं। अपने व्याख्यान को डॉ. नीरज ने ग्रुप काउंसलिंग थैरिपि नाम दिया है। इनके व्याख्यान में समस्त विज्ञान, आयुर्वेद, एलोपैथी, दर्शन, इतिहास, भूगोल, धर्म अध्यात्म, पुराण वेद उपनिषद सभी का संयोजन होता है। शरीर रचना एवं क्रिया विज्ञान के आधुनिकतम जानकार तो है ही लेकिन प्रस्तुत करने की उनकी शैली अद्वितीय मनोरंजक, मर्मस्पर्शी दिल को छूने वाला दिलचस्प, आकर्षक एवं अकाट्य है। आम रोगी का प्राकृतिक चिकित्सा एवं स्वास्थ्य के प्रति धारणा पूर्णतया वैज्ञानिक तौर पर स्पष्ट हो जाती है। और अपने को वह समग्र रूप से स्वस्थ महसूस करता है। पूज्य गांधी के विचारों से प्रभावित डॉ. नीरज ने प्राकृतिक चिकित्सा को अपने जीवन का लक्ष्य उद्देश्य एवं ध्येय बनाया है और बिना किसी लोभ लालच जयाजय लाभालाभ के लेखन केन्द्रीय दैनिक व्याख्यान श्रृंखला एवं वैश्विक स्तर पर सार्वभौम बनाने का संकल्प लिया है विजयी भवः ॐआनन्दं ॐ आरोग्यम्।